百年南开
日本研究文库

近代中日思想文化交涉史研究

刘岳兵 著

江苏人民出版社

图书在版编目(CIP)数据

近代中日思想文化交涉史研究 / 刘岳兵著. —南京：江苏人民出版社，2019.7(2020.4 重印)
（百年南开日本研究文库）
ISBN 978-7-214-23284-7

Ⅰ. ①近… Ⅱ. ①刘… Ⅲ. ①中日关系—文化交流—文化史—研究—近代 Ⅳ. ①K250.3②K313.4

中国版本图书馆 CIP 数据核字(2019)第 043117 号

书　　名	近代中日思想文化交涉史研究
著　　者	刘岳兵
特约编辑	康海源
责任编辑	史雪莲
装帧设计	刘葶葶
责任监制	陈晓明
出版发行	江苏人民出版社
出版社地址	南京市湖南路1号A楼,邮编:210009
出版社网址	http://www.jspph.com
照　　排	江苏凤凰制版有限公司
印　　刷	江苏凤凰数码印务有限公司
开　　本	652毫米×960毫米 1/16
印　　张	35.25 插页 4
字　　数	464千字
版　　次	2019年8月第1版 2020年4月第2次印刷
标准书号	ISBN 978-7-214-23284-7
定　　价	124.00元

“百年南开日本研究文库”出版说明

2019年南开大学建校百年校庆，作为中国教育史上的大事，当然是值得纪念的。

如何使纪念百年南开的活动具有历史意义？我们很早就开始谋划和筹备。早在2015年春节期间，南开大学日本研究院原院长、教育部人文社会科学重点研究基地南开大学世界近现代史研究中心主任杨栋梁教授，向江苏人民出版社王保顶副总编提起，想以集体展示日本研究院研究成果的形式来纪念南开百年校庆。这一提议得到了保顶同志的大力支持，也得到了研究院各位同事的积极响应。后来经过商讨，编委会一致同意以“百年南开日本研究文库”作为南开日本研究者纪念百年校庆丛书的名称，本文库由江苏人民出版社和南开大学出版社分别出版。与百年校庆相适应，“百年南开日本研究文库”也应该是百年来南开日本研究业绩的展现。为此，编委会确定本文库由以下几个方面的成果构成。

第一，从南开大学创立到抗日战争胜利时期南开的日本研究成果。刘岳兵教授搜集相关文稿四十余万字，编成了《南开日本研究（1919—1945）》。这是一本专题性的南开大学校史资料集，对于研究和总结包括南开大学在内的这一时段中国日本研究的状况和特点，具有重要的史料价值。

第二，新中国建立以来，南开大学成立的实体日本研究机构研究者的成果。实体研究机构包括1964年成立的日本史研究室、2000年实体化的日本研究中心和2003年成立的日本研究院。

第三，1988年组建的南开大学日本研究中心，是以日本史研究室成员为核心，联合校内其他系所相关日本研究者成立的综合研究日本历史、经济、社会、文化、哲学、语言、文学的学术机构。在百年南开日本研究的历史发展中，日本研究中心具有重要的意义。本文库也包括该中心成员的成果。

今后，如果条件成熟，还可以将日本研究院的客座教授和毕业生的优秀成果也纳入这个文库中，希望将本文库建设成为一个开放的、能够充分且全面反映南开日本研究水平的成果展示平台。

在中国百年来的日本研究中，南开占有重要的一席之地。历史的发展和南开的先贤告示我们：日本研究对于中国的发展至关重要。中日关系值得我们认真思考，其经验教训值得认真总结。百年来，南开大学的日本研究者孜孜以求，探寻日本及中日关系的真相，取得了一定的成绩。吴廷璆先生主编的《日本史》(南开大学出版社1994年)，是南开大学与辽宁大学两校日本研究者倾注近20年心血合力打造出来的。杨栋梁教授主编的十卷本“日本现代化历程研究丛书”(世界知识出版社2010年)及六卷本《近代以来日本的中国观》(江苏人民出版社2012年)，也几乎是倾日本研究院全院之力而得到了学界认可的标志性研究成果。另外，在日本国际交流基金的资助下，南开大学日本研究中心从1995年开始由天津人民出版社出版的“南开日本研究丛书”，展现了中心成员在日本研究各具体专题上的业绩，产生了积极的社会影响。这些成果都是南开日本研究者集体智慧的结晶。

“百年南开日本研究文库”是南开大学日本研究院和南开大学世界近现代史研究中心相关学术成果的集体展示。我们相信，本文库将成为南开大学日本研究和南开大学世界史学科“双一流”建设的又一项标志性成果，她将承载南开精神、贯穿南开日本研究学脉，承前启后，为客观地了解日本、促进中日关系健康发展做出新的贡献；我们也想以此为实现“发展同各国的外交关系和经济、文化交流，推动构建人类命运共同体”的理想，培养全民族的国际视野和情怀，提高广大人民群众的世界历史知识和认识水平，尽我们的一份绵薄之力。

“百年南开日本研究文库”编辑委员会

2019 年 3 月 19 日

目　录

代绪论　中日文化交流史研究的回顾与展望

——一种粗线条的学术史漫谈

中日文化交流史这一研究领域，是中日关系史的一个分支，既属于日本史学科范围，也属于中国史学科范围。可能正是因为它横跨两个学科，而且文化交流的内容广泛而庞杂，在进行学科综述或学术史整理时，往往没有作为一个独立的课题来总结。虽然专门的中国史研究者，未必都涉足中日关系史研究领域，但是许多日本史研究者，在不同的时期，或者研究到一定的程度，往往会关心或直接研究中日关系史中的相关问题。中日关系中，文化交流关系可以说是最持久、最频繁的关系，其对日本史的形成与发展，无论是古代还是近现代，影响也最深，因此，日本史研究者关注中日文化交流史是一种顺理成章的事。这方面的研究情况也往往被直接放到相应的断代史和日本哲学、思想、文化、神道、佛教等专题研究的综述中去总结了。①

二十世纪八十年代开始，随着中国社会改革开放的大势所趋，中国的日本研究也进入了一个新时期。在 1982 年，北京的三联书店和人民出版社分别出版了中国日本史研究会编的《日本史论文集》(共收入 24 篇论文，

① 参见李薇主编的《当代中国的日本研究(1981—2011)》，中国社会科学出版社，2012 年。

其中有5篇是论述中日关系的)和北京市中日文化交流史研究会[①]编的《中日文化交流史论文集》,可以说是这方面的研究者在新时期的首次集体亮相。十年之后,全国的日本研究者举集体之力,推出了两本工具书,即《日本史辞典》(吴杰主编,复旦大学出版社)和《中日文化交流事典》(刘德有、马兴国主编,辽宁教育出版社),可以说研究工作在这两个紧密相关又相对独立的研究领域是齐头并进的。虽然在中日文化交流史研究领域,通史性的著作不如日本史方面业绩突出,但在中日文化交流涉及的相关方面所取得的研究成果不容忽视,影响也非常巨大,值得认真总结。这里,鄙人不揣谫陋,愿就手头现有资料,做一种粗线条的学术史整理。

(一) 中日文化交流史研究的概念与方法

中日文化交流史又称中日文化关系史,周一良先生有一本《中日文化关系史论》(江西人民出版社 1990 年),书名虽然叫作"中日文化关系史",但其中所收篇目也有以中日"文化交流"或"文化交流史"为题的。其"前言"开宗明义,指出"《中日文化关系史论》这本书主要是关于中、日两国之间的历史、文化、政治关系的考察和研究"。交流与关系两个概念虽然有不同之处,但是正如刘德有所言:"中日关系史,从某种意义上说,就是一部中日文化交流史。"[②]无论如何,"文化""交流""关系"是该研究领域三个最基本的概念。

先来看看"文化"这个概念。二十世纪八十年代的"文化热"已经作为一种历史现象成为当代思想文化史研究的课题,中日文化交流史研究的

---

① 北京市中日文化交流史研究会成立于1980年,首任会长为周一良,详细情况参见王晓秋的《北京市中日文化交流史研究会的三十年》,收入徐勇、王晓秋主编:《中日文化交流两千年:回顾与展望》(北京市中日文化交流史研究会成立 30 周年国际学术研讨会文集),社会科学文献出版社,2013 年。虽然没有全国性的中日文化交流史研究会或学会,但是有成立于 1984 年的"中国中日关系史研究会",首任会长为赵朴初。此外有中华日本学会、中国日本史学会、中华日本哲学会等全国性学会,其会员多有从事中日文化交流史研究。

② 刘德有:《序》,滕军等编著:《中日文化交流史:考察与研究》,北京大学出版社,2011 年,第 1 页。

活跃当然也受到该热潮的影响。中日文化交流史研究者对"文化"这个概念也有一些思考。如周一良将文化分为狭义的文化、广义的文化和深义的文化三个层次，认为"文化应当包括一个民族通过长期体力和脑力劳动所取得的物质的、精神的全部成就"的同时，指出与这种广义的文化相对，"一般说起文化，就想到哲学、文学、美术、音乐以至宗教等主要与精神文明有关的东西，这可以说是与政治、经济相对而言的狭义的文化。"所谓"深义的文化"，他认为就是"在狭义文化的某几个不同领域，或者在狭义和广义文化的某些互不相干的领域中，进一步综合、概括、集中、提炼、抽象、升华，得出一种较普遍地存在于这许多领域中的共同东西。这种东西可以称为深义的文化，亦即一个民族文化中最为本质或最具有特征的东西。"他用"民族性"这个概念来说明深义的文化的特征。他说："对于一个民族，只了解其政治经济制度当然不够，还要通晓其历史语言，但更重要的，还要了解其文化——不仅狭义、广义的文化，而且要了解深义的文化，亦即一个民族的灵魂深处。研究一个历史时代也是如此。政治事件、经济制度以外，如果对文化了无所知，或者只是具备狭义以至广义的文化方面的知识，而不能从深义上有所了解，亦即不了解这一历史时期的文化特征和精神风貌，这种历史知识也是不完整的。"不同国家或地区之间的文化交流，虽然范围可以很广泛，但是不同层次之间的交流也有不同的特征。周一良概括为："狭义和广义的文化可以相互学习、引进，在对方国家生根发芽、开花结果。而深义的文化，由于是长时期在特定的自然的、历史的和社会的条件下所形成，成为民族精神的结晶，几乎近乎民族性的东西，尽管也可以相互交流学习，加深理解，作为参考，（中略）但又不像狭义和广义的文化那样容易移植引进，拿过来化为我有。"①

二十世纪九十年代，赵建民在《概论中日文化关系及其思考》中，对

① 周一良：《我对中外文化交流史的几点看法》（1986 年），收入《中日文化关系史论》，江西人民出版社，1990 年，第 17、18、20 页。

“文化”这个概念给出了他自己的定义，即：“文化是由人创造的，它是人们生活的种种表现和记录。所谓‘表现’，即是人们的思维方式、行为方式、价值判断、心理素质等方面；所谓‘记录’，即指自古以来各种学派、教派等创造的各种成分的文化共同体，如日本的神道、中国的阴阳五行学说、中日共有的儒学、佛教等。并将‘表现’称作文化传统，‘记录’称作传统文化。”进而论述说：“传统文化，指具体的存在物，纯属历史范畴，是历史的‘物化’；文化传统，指以往融入人们心血的客观存在，是历史的‘人化’。说得再具体些，所谓‘传统文化’是指外在于人心的一些客观的东西，如器物、典章、制度等，它们是作为一种客体与人相应；所谓‘文化传统’是指一种内在于人心的东西，如人的精神、心态等。”①关于中日文化关系，他认为是既有亲密性，日本文化又有其独创性，从文化传统而言，是同源而异质的关系，强调“对其异质性要予以充分的重视”。只有充分认识到这种不同民族性格形成的历史过程，在相互交往中，彼此扬长避短、取长补短，才能加深相互的理解，增进彼此的友谊。②

再来看“交流”这个概念。首先，如周一良所言，各民族之间的文化交流是历史的必然。而且文化的交流总是相互的，有来有往。他特别注意到这种相互性，“并不是说甲国与乙国，或甲时期与乙时期，都不问时间地点，双方对等地相互交流，而是综观历史长河，在总的收支中，总的时空范围中，中外文化交流是有来有往的。”③除了交流的双向性外，还有一个选择性的问题。《唐代中日文化交流中的选择问题》开篇，周一良就这样论述：“凡是两个国家或两个民族进行文化交流，在接受的一方必然既有交流的需要，又有适宜的条件和环境，然后交流的成果才能在一段时间里生根、发芽、开花、结果。如果接受的一方条件改变，失去土壤，交

① 见赵建民：《晴雨耕耘录——日本和东亚研究交流文集》，上海人民出版社，2014 年，第 3—4 页。

② 同上，参见第 15—16 页。

③ 周一良：《谈中外文化交流史》(1987 年)，收入《中日文化关系史论》，江西人民出版社，1990 年，第 2 页。

流的需要不复存在，则原有交流成果也必然不能长久存在下去。中国与日本之间的文化交流，也不例外。”①而这种选择的趋向，“是在社会发展阶段上处于先进的一方，常常吸引后进的一方去向它学习。”或者说“经济文化先进的国家吸引并影响后进的国家”。② 交流的途径或形式，有政府派遣的官方使节、学生的往来、宗教交流、商业与商人的交流、手工业的往来、战争以及随之而来的俘虏和战利品等，这些不仅限于中日两国之间，世界各地区各民族之间的文化交流也同样是这些途径与形式。交流过程中产生的“文化冲突”或“认同”、交流的“输出”与“逆输出”形式，以及“文化孳乳”与“文化反哺”“反噬”的现象也都是文化交流史的研究课题。

“关系”是一个外延很宽泛的概念。如果一定要仔细比较并区分“中日文化交流史”和“中日文化关系史”这两个研究领域，还是能够看出一些各自的特点。“交流”，给人的动态感更强一些，如交际、流动、流布、移植、影响等。而“关系”，可以是动态的——交流本身也是一种关系，也可以是静态的；可以包括如“交流”那样以共时性为出发点的相互或互动关系，也可以包括通过历时性的比较而得出的有意义的相应关系。而这种相应关系虽然不一定都是本然的史实性的“历史关系”，但其作为研究者所挖掘出来而带有主体创造性的“逻辑关系”，也可以视为广义的“交流史”的研究对象。“关系研究”与“比较研究”常常是紧密联系的，“比较研究”只要可比性论证得充分，其创造性的逻辑关系具有真理性，它就很可能成为一种新的史实，作为历史研究者参与历史创造的见证。交流史的视野与深度如果因此得到拓展，这样的比较研究成果是完全配享“文化

① 同上，《中日文化关系史论》，第 33 页。
② 同上，《中日文化关系史论》，第 5 页。

交流”的名义的。①

严绍璗从比较文学、比较文化研究的视角来探讨中日关系与交流史，其力图从理论与方法上有所创新的努力，是值得关注的。从提出“如果从发生学的立场来考察，那么，可以说，日本古代文学是一种‘复合形态的变异体文学’”②这一论断，到将“发生学”提升成为一种比较文学研究的基本观念，指出“‘影响研究’和‘关系研究’的本质，正在于从‘文本’的立场上探索文学的成因。因此，当我们把‘文学的发生学’作为比较文学的一个新的研究范畴提出来时，事实上，我们是把传统的‘影响研究’的学术做到了能接近于它的终极目标的层面上了”，③这是一次理论的升华。“发生学”与“变异体”概念是严绍璗研究中日比较文学、比较文化的理论结晶，他强调其发生学作为“一个解释文学内在生成机制的逻辑系统”，是以“‘原典实证’构成学术观念和方法论”，并且“一切以‘可以确证的原典文本’为依据，阐述‘文本’之所以成为‘这样的文本’的一系列以‘文化语境’为‘生成场’中多元文化连接的逻辑过程。”④这种观念与方法，对于中日文化交流史无疑具有重要的启示意义。

到 21 世纪之后，中日文化交流史研究领域在方法论上还有一个常常见到的新概念，那就是所谓“他者认识”。“他者认识”是中国人在日本组织的最大的学术团体“中国社会科学研究会”2003 年举行的第 15 届年度研讨大会的主题，其成果《中国与日本的他者认识——中日学者的共同探讨》由社会科学文献出版社在 2004 年出版。李晓东在《卷首语》中提出，中日之间“为什么双方的往来愈是加深，双方的关系却如同两个日

---

① 北京大学比较文学博士、北京语言大学教授周阅 2013 年在复旦大学出版社出版了其新著《比较文学视野中的中日文化交流》(张辉、宋炳辉主编“比较文学与世界文学学术文库”的一种)，该书书名、版权页与封面皆为上述“比较文学视野中的中日文化交流”，而书脊和扉页上标的书名则是“比较文学视野中的中日文学与文化”，没有将“交流”与“比较”并举。这种“疏忽”，或许正体现了著者或主编对是否应该将这两个概念并举的犹豫。

② 严绍璗:《古代中日文学关系史稿・前言》，湖南文艺出版社，1987 年。

③ 严绍璗:《关于文学“变异体”与发生学的思考》(《中国比较文学》2000 年秋季号)，见严绍璗著:《比较文学与文化“变异体”研究》，复旦大学出版社，2011 年，第 68—69 页。

④ 严绍璗:《比较文学与文化“变异体”研究》，第 69 页注释①。

益增大的相斥的磁场那样日益疏远呢?”为此,他谈到选题的缘由,说:“正是出于对两国间的异质性的关注,我们选定了‘他者’这样一种视角”,同时对“他者”进行了如下解释,即“他者(Others),这个最早作为文化人类学上的术语现在已在各研究领域得到广泛的运用。在讨论中日关系时,这一视角同样有助于促使人们更多地意识到两国间存在着的许多本质上的差异。(中略)这里的他者并不仅意味着对于中国来说的日本,或对于日本来说的中国,而是包含了中日两国以外的第三者和更多的他者,通过这种多元的视角,他者就像一面面镜子照出更为立体、多面的自我与对方,必然有助于中日双方的相互了解与理解。”①这种“他者认识”的视角在中国研究领域,以葛兆光主持的“从周边看中国”的项目最具代表性。“从周边看中国”就是要“借助前后左右多面镜子映照,才能够看清中国的立体形象和细部特征。”②对收集在《从周边看中国》论文集中他的论文《揽镜自照》这个题目的意思,他解释说,“用现在时髦的话来说就是‘通过他者认识自我’,这是文化反思的一般途径,如果没有一个有差异的‘他者’,也就无法借助差异来认识‘自我’。”在文章的结尾提到:“在很长的时间里,东方诸国尤其是朝鲜人、日本人和中国人曾经共享过一个来自汉、唐的历史、传统与文化,但是,丰臣秀吉侵朝以及明清易代之后的彼此分道扬镳已经使得几个民族、文化和国家之间渐行渐远。正是这些渐渐发生并滋长的文化差异,促成了彼此互相观看之际的感情变化、价值差异和视角分离,而这种感情变化、价值差异和视角分离,则使得各自通过对方看到了彼此细微却深刻的不同,透过原本一体的‘同’和看似细微的‘异’,也许更能使彼此看清各自文化,也体味到这些细微的文化差异,是如何经由历史和时间的放大,渐渐演变成当下这

① 李晓东:《卷首语》,中国社会科学研究会编:《中国与日本的他者认识——中日学者的共同探讨》,社会科学文献出版社,2004年,第1、2、3页。

② 葛兆光:《序》,复旦大学文史研究院编:《从周边看中国》,中华书局,2009年,第1页。

种深刻和难以弥合的文化鸿沟。”①这一思路，对于我们研究日本、研究中日关系和中日文化交流，无疑大可借鉴。

“他者认识”或“他者意识”在日本研究领域，也引起了很大的反响，卞崇道在晚年的倡导，本人曾详细论及，②此处不再重复。而吴光辉最近出版的《他者之眼与文化交涉——现代日本知识分子眼中的中国形象》一书，如作者所言，其研究的目的“并不仅仅在于指出中国形象是什么，中国形象究竟如何，更为重要的是要探讨这样的中国形象之背后，究竟隐藏了什么样的日本式的思维模式，或者处在了什么样的话语权力之下的问题。也就是说，这一研究的真正对象与其说是中国，倒不如说是日本。”③是从“文化交涉学”的立场对中日关系的有益探索。

中国人研究日本文化，要重视同中求异，重视寻求日本“固有精神之所在”，周作人早在六十多年前就有过这样深刻的反省。他说：“如只于异中求同，而不去同中求异，只是主观的而不去客观的考察，要想了解一民族的文化，这恐怕至少是徒劳的事。我们如看日本文化，因为政治情状、家族制度、社会习俗、文字技术之传统，儒释思想之交流等，取其大同者为其东亚性，这里便有一大谬误，盖上所云云实只是东洋之公产，已为好些民族所共有，在西洋看来自是最可注目的事项，若东亚人特别是日华朝鲜安南缅甸各国相互研究，则最初便应罗列此诸事项束之高阁，再于大同之中求其小异，或至得其大异者，这才算能了解得一分，而其了解也始能比西洋人更进一层，乃为可贵耳。我们前者观察日本文化，往往取其与自己近似者加以鉴赏，不知特此为日本文化中东洋共有之成分，本非其固有精神之所在，今因其与自己近似，易于理解而遂取之，以为已

① 葛兆光：《揽镜自照——关于朝鲜、日本文献中的近世中国史料及其他》，复旦大学文史研究院编：《从周边看中国》，第 483 页。

② 参见《中国日本思想史研究的方法论问题——一种学术史的回顾与展望》（莽景石主编：《南开日本研究 2012》，世界知识出版社 2013 年）、《未名庐学记：卞崇道及其日本哲学思想研究管窥》（《日本问题研究》2013 年第 3 期）。

③ 吴光辉：《他者之眼与文化交涉——现代日本知识分子眼中的中国形象》，厦门大学出版社，2013 年，第 147 页。

了解得日本文化之要点，此正是极大幻觉，最易自误而误人者也。”甚至强调：“应当于日本文化中忽略其东洋民族共有之同，而寻求其日本民族所独有之异，特别以中国民族所无或少有者为准。”[①]这里的“得其大异者”，与“如果就中日间实际存在着的异同来说，双方之间不仅存在着‘大同’，同时也存在着‘大异’。如果我们小看、轻视了两国间的‘大异’，就不可能实现一种真正意义上的‘大同’。”[②]有异曲同工之妙，虽然不知后者“真正意义上的‘大同’”所指何谓；而葛兆光谈到的“当我们谈论‘中国’和‘西方’文化的时候，常常会不自觉地突显彼此的‘异’，可是，当我们在谈论‘中国’和‘东方’的时候，却总是在强调我们的‘同’”这种“很奇怪”的现象，[③]周作人也早就看到了，并且指出“东洋之公产”，“在西洋看来自是最可注目的事项，若东亚人特别是日华朝鲜安南缅甸各国相互研究，则最初便应罗列此诸事项束之高阁”，只有“在同中求异，或至得其大异者”，东亚人的相互了解才能“比西洋人更进一层”。

然而如坂本太郎所言，“无论史论多么绚丽，时代一变就会褪色。而作为根本史料的史书能保持不朽的生命。”[④]概念和方法，作为史论，虽然重要，但是如没有坚实的史料基础作支撑，也容易流于空论。

（二）中日文化交流史研究的现状与课题

在八十年代末就有人概括中华人民共和国成立以来的中日文化交流史研究九个方面的主要内容，[⑤]新世纪以来，研究的领域越来越宽，课

---

① 周作人：《日本之再认识》(1940 年 12 月 17 日)，钟叔河编：《周作人文类编⑦ 日本管窥》，湖南文艺出版社，1998 年，第 92—93 页。

② 李晓东：《卷首语》，中国社会科学研究会编：《中国与日本的他者认识——中日学者的共同探讨》，第 2 页。

③ 复旦大学文史研究院编：《从周边看中国》，第 483 页。

④ 坂本太郎：《史書を読む》，中央公论社，1987 年“中公文库版”，第 228 页；见《修史と史学》(坂本太郎著作集第五卷)，吉川弘文馆，1989 年，第 448 页。

⑤ 叶昌纲：《建国以来我国中日文化交流史研究述评》，《山西大学学报》1989 年第 3 期。这九个方面是：综合性研究、科技交流史、文学艺术交流史、语言文字交流史、佛教交流史、儒学交流史、革命运动与维新思想的研究、留学生问题研究、有关书籍的研究。

题有增无减。比如经济、法律文化、民俗岁时、教育、文学艺术中的音乐、戏剧各门类等，不胜枚举。李玉的《中国的中日关系史研究——以中日关系史研究论著数量统计为中心》①为我们认识这一课题的学术史研究状况提供了有益的参考。

历史上的日本记述、研究著作都可以归入中日关系史领域，现在的日本研究著作将来也亦可作如是观。特别是随着中日之间各种交流渠道越来越广泛，往来愈加频繁，日本研究著作本身几乎可以说就是各自交流的产物。这里对研究现状与课题的归纳不可能是全面的概述，只能是囿于一己之见的粗线条整理，挂一漏万在所难免。

1. 民国时期的中日文化交流史研究及其在新中国的影响

民国时期的中日文化交流史研究状况，可以以 1931 年和 1945 年为界划为三个阶段，其中中日十五年战争期间的研究成果最多，与战争相关的内容也最密切。从研究者的立场来看，也非常复杂，有知日派、亲日派甚至投日派、抗日派之别。九一八事变之前，1930 年 1 月创刊的《日本研究》，其《卷头语》中说：

> 中日两国间在历史上，在地理上，在外交上有如此深长而密切的关系，而日本对于我国内容知道得又如此周详细致，那我们岂可对于他们因为厌恶的心理而不加以注意？还有，日本以一个贫薄的岛国，经六七十年的苦斗，居然能在国际上和列强分庭抗礼，这一点也就很不可小觑。
>
> 实在我们早就应该对他们为很周详细致的研究，正如他们研究我们一样；现在已经是迟了，但是愈迟，愈得赶快去做；所以同人不自量力的下一个决心，从现在起一期一期像照相般把日本古今实在的状况贡献于国人眼前！我们采取最严正不偏的态度，纯粹客观的方法；没有别种作用，也不是宣传；总之使我们知道日本的内容，知

① 李玉、夏应元、汤重南主编：《中国的中日关系史研究》（世界知识出版社 2000 年），第一编总论第二章。

道真确的内容。①

与这种“决心”相照应，我们可以看到在该刊第一卷第一到三号(1930 年 3 月)连续三期的卷首，有一则署“编辑部启”的告示，曰：

本部现着手编印下列三种丛书：

一、日本古籍丛书

所有日本与朝鲜古籍，完全用中国文字写成，除古事记等是日本式的中国文外，其余都是纯中国文，将来都要陆续编印，这是研究日本古代文化的最重要资料

二、日本研究古籍丛书

这是我国关于日本及朝鲜的一切古籍

三、满蒙丛书

这是我国关于满蒙的史籍及最近日俄人士调查研究报告

书名陆续发表

如果该刊能够按照这种思路一直办下去，而且这种“决心”能够落实到这三套丛书上，包括中日文化交流史在内的中国的日本研究，大概就不会如同此后十几年间以应时性的各种“小丛书”唱主角了。事实上，该刊主编陈乐素(1902—1990)发表了《〈魏志·倭人传〉研究》(创刊号)及《后汉刘宋间之倭史》(第 2 号)、《日本民族与中国文化》(同)、《日本古代之中国流寓人及其苗裔》(第 3—5 号连载)、《中国文字之流传日本及日本文字之形成》(第 5 号)、《日本之遣隋唐使与留学生》(第 6—8 号)，而其《光绪八年朝鲜李(大院君)案与日朝定约史稿》(第 9—10 号)一文尚未刊完，因为九一八事变，国难家仇，促使他的研究方向发生了转变。他力图在研究中探讨国家兴亡的历史和规律，作为救亡兴国的借镜。历史上强邻压境的情况以宋代最为突出，宋史成了他此后的主要研究对象和

---

①《日本研究》，第一卷第一号。耿素丽选编：《日本研究五种》(共九册)，国家图书馆出版社，2009 年，第一册，第 9 页。

工作重点。①

上述所列三种丛书中的第二种中，我国关于日本的古籍整理与研究，到半个世纪之后出版的《中日关系史资料汇编》(汪向荣、夏应元编，中华书局 1984 年)和《中日关系史文献论考》(汪向荣著，岳麓书社 1985 年)才得以实现。而第一种，即日本古籍丛书，在二十世纪八十年代虽然也曾有人建议"中日两国合作复制翻印珍贵之罕见文物典籍"，认为"费用和技术""日本应义不容辞地承担责任"。② 而真正开始实现，是在新世纪之后，随着 2009 年《域外汉籍珍本文库》及 2012 年《日本汉文史籍丛刊》开始陆续出版，这一编成用汉文写成的日本古籍丛书的夙愿在经历了八十年之后总算有得以实现的希望了。

民国时期的中日关系、中日文化交流史研究在当时的中国和日本、在现在仍然被视为经典著作的，首先当然要算是王芸生的《六十年来中国与日本》，就我所知该书至少有以下几种版本：

第一，大公报出版部 1932—1934 年版(七卷本)。

第二，第一种的复刻版：《民国丛书》第三编第 24、25、26 册(七卷本)，上海书店，1991 年。

第三，北京三联书店 1979—1982 年修订版(八卷本，2005 年重印)。

第四，长野勋、波多野乾一编译《日支外交六十年史》(1—4 卷)，东京：建设社 1933—36 年版。

第五，第三种的复刻版：《日中外交六十年史》(1—4 卷)，东京：龙溪书舍 1987 年。

其原版七卷本和修订的八卷本之间，除了史料的增删之外，观点上也有很大的变化。其中最突出的表现在对李鸿章的评价上。简而言之，原版

① 陈乐素的生平业绩，参见陈志超：《励耘学谱第二代传人陈乐素》(《纪念陈乐素教授诞辰 110 周年学术研讨会论文集 上册》，暨南大学古籍所、杭州师范大学国学院、中国社会科学院历史所主办，2012 年 12 月 9—11 日于广州)、常绍温：《陈乐素同志的生平和学术》(《陈乐素史学文存》，陈志超编，广东人民出版社，2012 年)。

② 梁容若：《一个建议》，杨正光主编：《中日文化与交流 1》，中国展望出版社，1984 年，第 5 页。

对李鸿章多有同情的理解，甚至有“其慷慨忠愤之气，令人起敬”①之褒奖之言，而修订版中此类言论全无，代之而起的是一顶“货真价实的卖国贼”②的高帽子。这一评价的变化意义如何，读者当然可以见仁见智，但是从原版和修订版，细心的读者可以从中感受到两种不同的时代风味。本人曾经指导硕士研究生对这两个版本进行过比较研究，这还是一项值得继续探讨的课题。如果将该书的日文版一并加以比较，恐怕更是有趣。

民国时期的相关研究在今天仍然有影响的，我曾经在别的场合提到过傅芸子的《正仓院考古记》及其《白川集》，③这里就不重复了。这里想要提一提民国期间的梁盛志和后来的梁容若，两者其实是同一个人。梁盛志的著作《汉学东渐丛考》由中国留日同学会于 1944 年出版，该书的主要内容经过汪向荣整理收入到梁容若所著的《中日文化交流史论》，该书 1985 年由商务印书馆出版。④

从《汉学东渐丛考》之“弁言”可窥本书之大概及作者的研究态度，兹摘录如下：

---

① 王芸生：《六十年来中国与日本》第二卷，第十四章“马关议和”第八节“李鸿章之遇刺”，《民国丛书》第三编第 24 册，上海书店影印，1991 年，第 277 页。

② 王芸生：《六十年来中国与日本》第一卷《修订导言》，北京：生活·读书·新知三联书店，2005 年，第 7—8 页。

③ 傅芸子(1902—1948)分别在 1941、1943 年在日本东京的求文堂出版了中日关系史、文化交流史的著作《正仓院考古记》《白川集》。因中国现代文学史研究者陈子善教授的慧眼，2000 年辽宁教育出版社的“新世纪万有文库”丛书收录了以上两本著作，将其合集成一本为《正仓院考古记 白川集》重新出版。

④ 该书封面勒口有作者梁容若简介，封底勒口有该书内容提要。简而言之，梁容若(1904—1997)，1928 年毕业于北京高等师范学校，1936 年毕业于东京帝国大学大学院，回国后曾任教于河北大学、北京高等师范学校，1948 年在台湾创办《国语日报》，并任台湾大学、东海大学教授，1974 年退休后客居美国，1981 年回国定居，任全国政协委员、北京师范大学客座教授。“梁容若先生是我国中日关系史研究方面的奠基人之一，从三十年代后期以来，不断对这方面的研究有所阐述，有所发明，受到国内外学术界的重视。尤其对明末清初流寓日本人士的研究，如辨明戴笠为两人等，贡献颇著。”《中日文化交流史论》的内容与意义，提要曰：“现综集先生数十年来所撰有关两国文化交流史方面论文，并由其同志汪向荣先生担任编选增补，以明三十年代后期以来，我国在中日关系史研究方面的大概。”汪向荣(1920—2006)，也是我国中日关系史、中日文化交流史领域的著名学者，其著作除了上文提及的之外，还有《日本教习》《古代中日关系史话》《中世纪的中日关系》(与汪皓合著)等。

一、本书所谓汉学，乃泛指中国学术文化。（后略）

二、本书所收论文可分为四类，一为撮录改编东土学者专著或论文，务求严谨，一以适于国人阅读，一以参入鄙见，如《唐秘书监晁衡事辑》《山井鼎与七经孟子考文》等篇是。一为根据搜求之资料，自撰论文，重在详人所略，阐蒙昧之史迹，如《李竹隐海外讲学考》《五代日僧巡礼五台之遗物》等篇是。一为钩稽勘合东西史料文献，正往哲时贤撰著之失，如《明季两戴笠事迹考》《梁任公著朱舜水年谱补正》等篇是。一为全译日本学者论文，如附录诸篇是。

三、史之真善美本为一事，鉴往知来，可资观感者惟真实之史实为然。本书整理铨次中日文化交通史实，惟在求真，故于谬悠之神话，浮诞之传说，有意之夸饰，无稽之想像，均所不取，文情枯涩，或所不免，然于镕裁群言，昭为信史之境地，虽不能至，心向往之。

四、本书所收论文虽译著参半，而精力所萃，实在新资料之搜求，新问题之提出。家本寒素，时方多故，凡所营谋，百不一遂。然即其所见，有北京图书馆、东京图书寮、内阁文库、东方文库之孤本，有静嘉堂文库、蓬左文库、苦雨斋之逸书。痴庵藏金，曾供论定，鲁学拓石，亦资勘研。澳门得竹隐之详传，宇治见黄檗之遗文。一篇之成，淹历岁年，一事之异，访之万里，广赖机缘，才成丘壑，劳倍功半，限于才力，世有达者，悯而教之。

五、自著及改编诸篇，引用文献，必注出处，或在篇末，或附文中，撰著既非一时，体例未能画一。翻译各篇，则尊重原文，不敢擅为增删，即鄙见不同，亦未附入赘论。惟于原文纪年附注日本皇纪之处，则全易为中国纪年，既资对照，亦便国人。

六、（略）

七、对于鼓舞协助我从事此方面研究之过善之助博士，周知堂、李革痴、瞿兑之诸先生，敬谨致感。本书结集刊行全出钱稻孙先生之善意，承瞿兑之先生、寿普喧先生宠赐序文，一并铭谢。[①]

从以上各条看，无论是从其史观还是其研究者的勤勉、严谨、谦逊的学风、规范的学术写作，在今天都仍然是值得学习的。其研究成果的意义，如瞿兑之[②]的序文所言，“宋明末造，志人仁士行遁海东者踵趾相接，于是圣贤义理纲常名教之精蕴益与彼邦固有之教化互相浚发，其关系视形而上之文献尤为重要。世人于朱舜水之讲学多已耳熟能详，而不知外此有李竹隐陈元赟戴笠诸人，其事迹向来散见诸书，无人为之贯串，晦而不彰者多矣。今而后举中国文化向外流播之线索与夫中日两国文化互相影响之迹兆研求而会通之，诚明乎得失而达于世变者所当有事也。梁君盛志致力于此，历有年岁，然遍搜彼我两邦文献以求唐宋以还两国名贤往来之踪迹，显微阐幽，批郤导窾，疏通证明而纲举目张焉。（中略）兹汇次而总为一书，曰《汉学东渐丛考》，其不灭无疑焉。”[③]而寿普喧的序文中说：“治中日交通史者，东土不乏名家，自木宫泰彦、辻善之助等之书出，其事迹之彰彰在人耳目者，固已燦然秩然，国人译读其书，夙所推重，独惜无搜求吾国文献以相印证，裨补疏失，为学术上之诤友者。梁君此书虽寥寥十余篇，然如李竹隐戴笠延长经筒等，皆东土学者从未引用之文献，阐微烛幽，其为创获无论矣。”[④]读其书，乃知此言并非过誉。

如该书中《宋末李竹隐海外讲学考》，确实为一重大发现。文章结尾说：“若竹隐之浮海，实为缁徒外华人传理学于扶桑之第一人。其声施虽不如朱舜水，而耿介之操，贞固之节，遭际艰屯，流离转徙，无时无地，不以淑世淑人为念，则二人初无二致。此亦学术史上一重要公案，故望海内外博雅君子，匡余疏失，俾能究明真相，传为定论也。”[⑤]此问题发现之

① 梁盛志：《汉学东渐丛考》（弁言），中国留日同学会，1944 年，第 5—6 页。

② 瞿宣颖（1893—1973）：瞿鸿机之子，字兑之，抗日战争时期在北京任伪职时改名瞿益锴（为《汉学东渐丛考》作序，即署此名），抗战后号蜕园，以示悔改之意。其相关情况与著述，参见寻林、龚笃清编著：《湘人著述表（二）》，岳麓书社，2009 年，第 1242 页。

③ 瞿益锴：《汉学东渐丛考 序一》。同上，《汉学东渐丛考》，第 2 页。

④ 寿普喧：《汉学东渐丛考 序二》。同上，《汉学东渐丛考》，第 3 页。

⑤ 梁盛志：《汉学东渐丛考》，第 74 页。梁容若：《中日文化交流史论》，第 185—186 页。

经过，作为一种经验谈，对初学者亦不无启发意义，特录其原文后之自述(1942年12月2日)于此。曰："余治中日交通史，欲以中土文献弥补东籍之疏，故于沿海各省方志，留意翻检。二年前曾于《广东通志》见过洋乐事，检之东籍无证，初以为齐东野语。后由瞿兑之先生《养和室随笔》知屈大均《广东新语》亦记此事，乃为《理学东渡与李用》一短文，刊于国立编译馆馆刊一卷一期，依据寡薄，仅提示此问题之轮廓而已。其后承澳门友人寄示《宋东莞遗民录》，竹隐在国内关系文献，因以大明。复由《甲子夜话》及《本朝高僧传》辨圆传，知博多宋人与歌舞伎关系，因重订为本篇。今所待者惟海外遗迹遗事之发现耳。"①此后再很少人提到李竹隐的事，即便提到，也认为李竹隐到日本就算是事实，也是个例外。② 尽管如此，还是期待着能发现新的史料。

该书除了于史料发掘、遗物考证方面有其独创之外，且"鉴往知来"，在史迹疏跋中也自有作者一种所"信"的寄托在。如其在《空海入唐求法记》的篇末感叹："惠果以大唐三代国师，抚异域游僧为法嗣，与水户侯尊亡明寒儒朱舜水为宗师，其卓识幽怀，均可以感天地泣鬼神。而空海所以符期许，舜水所以答尊礼者，莫不卓然可传。余既记朱舜水事，因复诠次空海求法始末，以告世之重师道者。"③而在《圆仁与其〈入唐求法巡礼行记〉》一文的最后又写道："自圆仁等归，而日本之遣唐使遂不复至，而唐亦自此衰矣。周公修德，而越裳氏来，文化领导，岂易言哉。"④既然是文化交流，交流双方或多方，首先要保有对文化尊重的卓识幽怀，而要想争取到文化的领导地位，需以"修德"为先。1984年年底身在美国的梁容若在为自己即将出版的《中日文化交流史论》所写的《自序》中说："五十年来，我想从历史研究上加强两大民族间的深刻认识。'取人为善，与人

---

① 梁盛志：《汉学东渐丛考》，第75页。

② 王勇2001年11月9日在日本驹泽短期大学佛教研究科的讲演《鑑真来日のなぞ》，参见http://www.geocities.jp/jiangnankejp03/jiang_yan/08.htm。

③ 梁盛志：《汉学东渐丛考》，第26页。梁容若：《中日文化交流史论》，第149页。

④ 梁盛志：《汉学东渐丛考》，第57页。梁容若：《中日文化交流史论》，第172页。

为善’，推进共同繁荣，以求合作之道。”在重视“修德”这一点上，可以说是前后一贯的。

由汪向荣选编的《中日文化交流史论》一书，不仅从大处可见著者对中日关系脉络的把握，而且在一些细微处也显示著者深厚的国学素养。比如对太宰春台《长语》的评价，特别是对诸桥辙次《大汉和辞典》的意见，提出了23条，除了其中第19、20、22这三条积极肯定的评价外，其余20条都是指出其具体错误之处，如将民国时期的胡适视为嘉庆进士胡培翚之子等，遗憾的是该辞典的修订者未见到此文，所提的问题在1984年的修订版中几乎都没有订正。虽说瑕不掩瑜，但是如梁容若所言，“有些讹误的发现订补，中国学者远比日本学者为容易”，[①]“日本的汉学界，如果能多和中国的读书人联系，一定事半功倍，相互有益处。”[②]希望像《大汉和辞典》这样的伟业在再修订的时候能够参考这些意见，或者能够集中日学者之力一同进行，一定不仅可以精益求精，而且可以增进友谊，成为中日文化交流的新的壮举。

《中日文化交流史论》的出版，还具有方法论的意义，也不容忽视。汪向荣在该书《后记》中充分肯定本书的意义，指出：“在中日关系史这一学科作为历史科学的分支而起步时，本书的出版将作为其标志而载入史册。”同时汪向荣在这里明确地阐述了学术与政治的关系、研究与翻译的关系，其作为中日关系史研究的方法论的论述，也同样将载入史册。他说：“研究从属于当前政治，而不是学术性的探讨，使过去中国对中日关系史、文化交流史的研究都和政治相呼应，没有形成一种独立的学术，以致进步不快。要使中国对日本的研究脱颖而出，必须先消除这种原因，使之成为一种独立的学术研究。”强调了学术研究的独立性的重要。同时，关于研究者的立场问题、研究与翻译的关系问题，他主张：“中日关系史跟其他历史学科一样，都必须是作为中国史学工作者的研究的学科，

---

① 梁容若：《评诸桥辙次著〈大汉和辞典〉》，见《中日文化交流史论》，第369页。

② 梁容若：《评神谷正男著〈产语研究〉》，见《中日文化交流史论》，第341页。

应该有自己的立场、观点，和日本史学工作者的研究中日关系史并不一样，结论可以相同，立场和观点却不会一致。因为这样，过去我国也翻译出版了一些日本学者的著作，但不能代替我们自己的研究。这是我在研究中日关系史方面的基本论点，虽然半个世纪来经历的道路坎坷不平，可是我不想，也不会改变我年轻时的论点。”①

话又说回来，学术和政治的关系，如汪向荣在《后记》中又提到的那样：“学术研究不可能和政治没有关系，学者也并不生活在真空环境中，因此说要学术研究完全不受政治影响是不可能的。”他说：“不过总还有人把学术研究和政治区别开，在一定程度上尊重和支持学术研究的独立性。”②学术研究受政治的影响，汪向荣早年求学于京都帝国大学东洋史学科，1944年就出版有《中日交涉年表》，对于丙午（1966）之痛的记忆，从其所记述的“所存图书资料，包括所有笔记和全部卡片，均已毁于丙午”、“丙午以后十年中，没有可能接近日本书刊”③等文字可见一斑。在海峡的另一方，1967年台湾知识界因“梁容若事件”即所谓“文化汉奸得奖案”闹得沸沸扬扬，对此大陆学界虽然很少有人提及，④但是由一次学术评奖而引发包括胡秋原、徐复观等文化名人参与的“中国文化与汉奸”“文章与气节”“文学与政治”乃至“民族思想与历史文化、国家生存的关系”的大讨论，作为一种历史现象，自然有不少值得反思的地方。⑤ 仅就刊登在

---

① 汪向荣：《梁容若著〈中日文化交流史论〉后记》（1984年12月25日），见《中日文化交流史论》，第420、421页。

② 同上，第420页。

③ 汪向荣：《中日关系史资料汇编·前言》，汪向荣、夏应元编：《中日关系史资料汇编》，中华书局，1984年，第3页。

④ 古远清在《纪弦在抗战时期的历史问题》（《书屋》2002年第7期）中提到一句：“台湾作家梁容若于1967年11月11日获台湾中山学术文化基金会的文学史奖后，被人检举为梁容若即当年的文化汉奸梁盛志，为此闹得沸沸扬扬，还编了一本《文化汉奸得奖案》的小册子”。其《胡秋原：不怕开除党籍的统派》一文中有一节为“痛斥文化汉奸在台借尸还魂”，较详细介绍了此事件，见古远清：《几度飘零：大陆赴台文人沉浮录》，广西师范大学出版社，2010年，第115—117页。

⑤ 参见刘心皇编：《文化汉奸得奖案》，台湾：阳明杂志社，1968年。2014年大陆出版的《徐复观全集·论文学》（九州出版社）中收录了与此事有关的《回给王云五先生的一封公开信——有关中山文化学术基金董事会的审查水准问题》和《文学与政治》两篇，可以参考。

1941年由日本的国际文化振兴会编、日本评论社出版的《日本文化的特质——纪元二千六百年纪念国际悬赏论文集》上的梁盛志的获奖论文《日本文化与支那文化》而言，可以讨论的地方也不少。至少有以下几点值得注意：

第一，无论这次悬赏论文征集活动的评委是谁，作为当时日本文部省、外务省、情报局等政府机构协助下进行的一项国际文化活动，其目的和效果，如该活动的主办方所总结的那样，都是为了达到"汇集世界的声音来高呼'拯救世界之道在于日本精神的实践，世界新秩序的根底必在日本精神！'"[①]日本当局不仅在1938年发布了《国家总动员法》，动员日本国内一切力量为战争服务，而且力图动员全世界可以动员的力量来为其宣扬日本文化服务。无论给这种活动涂抹上怎样的文化或学术的色彩，都无法掩盖其服务于侵略战争的本质。

第二，无论是以何种方式或渠道参加的这次征文活动，文章获了奖、作者领了奖，作者就应该对自己的行为负责、对署有自己名字的文字负责。无论作者的主观意愿如何，这一行为在客观上的效果可以说是服务了那场侵略战争。如果没有这种觉悟，至少可以说是一种政治上的糊涂。

第三，从该获奖文章中言及"通晓(中日)两国语言文章的人每日增多，著作者一旦拿起笔就会立即影响两国关系，对此要如何以虔敬之心从事才好？"[②]来看，作者在当时应该是具有这种觉悟的。就是说作者当时是意识到自己的言论的效果的。当然，即便如此，我们也要对获奖文章本身进行分析。总的感觉是作者在"衷心祈愿日本文化升华为世界文化"[③]、理解"建设东亚的新秩序"[④]的前提下，从文化交流的角度对中日双方提出了劝告乃至批评，甚至对"日本人在私生活及社会上都有秩序、

---

① 《日本文化に関する国際懸賞論文募集事業報告》，国际文化振兴会编：《日本文化の特質》，日本评论社，1942年再版，第428页。

② 梁盛志：《日本文化と支那文化》，同上《日本文化の特質》，第30页。

③ 同上，第19页。

④ 同上，第23页。

政治上公明这些方面极少影响到中国”[①]表示遗憾。其对日本的接受中国留学生在态度与制度上的批评、对日本的中国研究的缺陷及“支那通”的缺乏历史素养因此对中国现实的理解仅仅停留于表面的批评以及对中国人在日本研究与理解方面缺陷的批评都很有针对性，在现在看来甚至也不失其启发意义。但是这已经是另一层面的问题了。比如几乎同样的对日本在接待中国留学生的态度与制度方面的批评意见也出现在作者后来对实藤惠秀的著作《中国人日本留学史》的评价[②]中，我们对这样恳切而有见地的书评，当然是应该给予高度评价的。

近代中日关系非常复杂、敏感，在这一研究领域，政治与学术的关系也是如此，不能不谨慎从事。有时候，你以为自己是在很“学术地”在探讨问题，却没有意识到已经陷入了某种政治漩涡。这样再想洗刷，就为时已晚。在大敌当前、民族危亡之际，只要能够鼓舞士气、克敌制胜，如《征倭论》就有其积极意义，而你这时要以所谓其“不重视客观地研究日本”来批评其“媚俗”，就是不识时务。作为研究者不能在政治上犯糊涂或犯错误，这是一个很好的经验教训。

2. 20世纪八九十年代的中日文化交流史研究

八九十年代中日文化交流史研究水平，可以由两套在日本学界也引起了很大反响的丛书来代表。这就是八十年代末在东京六兴出版社出版的13卷本“东亚中的日本历史”丛书和九十年代在中日两国分别出版的10卷本“中日文化交流史大系”。

关于13卷本“东亚中的日本历史”的编辑出版经过，该丛书的组织者王金林有比较详细的记述，此事本身也是当代中日文化交流的一件美谈，作为史料，详细引用如下：

> 1984年五六月间，我受别府大学邀请，参加该校的史学科成立20周年纪念会。在会上我作了《关于邪马台国的若干问题》的学术

---

① 梁盛志:《日本文化と支那文化》,同前《日本文化の特質》,第29页。

② 梁容若:《评〈中国人日本留学史〉》,收入梁容若的《中日文化交流史论》中。

报告，提出来北部九州的邪马台与畿内地区的“前大和国”并存说，引起了媒体和学界的关注。六兴出版社据此约我写一本以邪马台国为中心的专著。1986年初，我的《古代の日本——邪馬台国を中心として》出版，日本学界对此有较好的评价。有鉴于此，六兴出版社萌生了由中国学者撰著一套日本历史丛书的想法，1986年11月，六兴出版社编辑部长福田启三受天津社会科学院之邀请访问中国。期间，他与天津社会科学院方达成如下协议：一是在天津社会科学院主持下，由中国学者撰写一套多卷本的日本历史；二是相关具体的操作委托王金林执行。这样，我以天津社会科学院日本所副所长和中国日本史学会秘书长的双重身份，进入具体操作。出版社关于选题的要求是，不要纯粹的日本历史选题，选题应突出中日之间政治、经济、文化关系史，以及能充分反映中国的日本史学界观点的选题。关于具体撰稿人的选定，出版社全权委托我方的决定。但天津社科院则作了限制，即本院和天津的撰稿人人数应该有相应的保证。根据最后确定的选题，可聘15名撰稿人，除去天津社科院4名，南开大学3名，留给外地的名额是8名。这8人既要与他的研究领域相吻，又要考虑完成选题的可能性。最终根据研究专长和选题相吻合的原则，在北京聘请了5人，沈阳聘请了3人。长春、沈阳、北京、上海的不少挚友、同仁，没能入聘，时至今日，我仍感到歉意。

这套丛书共13卷。各卷名及作者如下：

第1卷　《倭国と東アジア》（沈仁安）

第2卷　《奈良文化と唐文化》（王金林）

第3卷　《織豊政権と東アジア》（张玉祥）

第4卷　《近世日本と中日貿易》（任鸿章）

第5卷　《日中儒学の比較》（王家骅）

第6卷　《明治維新と中国》（吕万和）

第7卷　《明治の経済発展と中国》（周启乾）

第8卷　《日中現代化の比較》（马家骏、汤重南）

第 9 卷 《孫文の革命運動と日本》(俞辛焞)

第 10 卷 《日本ファシズムの興亡》(万峰)

第 11 卷 《日本の大陸政策と中国東北》(易显石)

第 12 卷 《中国人の日本研究史》(武安隆、熊达云)

第 13 卷 《天皇と中国皇帝》(沈才彬)①

由王金林出访日本,在日本学界雁过留声之后,在日本出版界和中日学术界有识之士的协助下,引出一队展示中国日本史研究的整齐雁阵,飞越中日历史的天空,成为中日文化交流史上一道值得纪念的风景。对这套书的积极意义,论者多有提及,此处不再赘述。

日本学界对这套丛书所给予的极大关注,从日本的历史学研究会②集中新锐研究者来为这套丛书撰写书评,并于 1990 年 6 月一并刊发在其会刊《历史学研究》(No. 607)上可见一斑。一共 80 页的这期刊物,从第 30 页到 53 页(以下只注页码),按照其刊登的次序,分别是笠原十九司对第 12 卷③、关和彦对第 2 卷、鹤田启对第 4 卷、伊东贵之对第 5 卷、石井宽治对第 6 卷、铃木邦夫对第 7 卷、铃木邦夫对第 8 卷、藤井昇三对第 9 卷、伊藤悟对第 10 卷、小林英夫对第 11 卷的书评。日本学者的评论意见和提出的问题,在今天看来也仍然具有启发意义,值得我们很好地总结和反思。

概括起来,有以下几点值得注意。

第一,在对十三本书选题力图从总体呈现中国学者对从原始、古代

① 王金林:《20 世纪 80 年代中国的日本史研究与学会活动》,收入李玉主编:《新中国日本史研究的回顾与展望》,天津古籍出版社,2012 年,第 230—231 页。

② 历史学研究会,是日本具有代表性的民间历史学研究团体。1932 年 12 月成立,其前身是 1931 年 2 月东京帝国大学史学科的少壮派结成的同仁组织"庚午会"。1933 年 11 月会刊《历史学研究》创刊,第二次世界大战中一度停刊,战后研究会又开始活跃,会刊亦复刊。主张"于科学的真理之外,不承认任何权威",强调"学问的完全独立与研究的自由",力图排除国家、民族的偏见而追求"民主主义的、站在世界史立场的""科学的历史学"。战后,远山茂树、藤原彰、永原庆二、中村正则等中国学界熟悉的历史学家曾任该研究会委员长。

③ 联系上述关于学术与政治的关系,笠原十九司在论及该书中对周作人"缺乏民族的骨气",在日本帝国主义侵略中国时沦为"罪恶的帮凶"的这种严厉批评时,感叹:"在像周作人这样杰出的日本文学研究者被卷入悲剧的历史状况下(当然是日本人使之卷入的),不可能指望对日本文化有真正理解的日本研究有什么进展。"(《历史学研究》1990 年第 6 期,第 36 页。)

到现代日本各个时代的研究成果的努力表示肯定的同时，提出从标题上看，第1、2卷是原始、古代史，中世史一册也没有，就跳到了第3卷的《织丰政权与东亚》了，认为这是“中国学者日本历史观的反映”，也“反衬出日本学界对中世中日交涉史研究的现状”。关和彦的这种意见，写在对王金林的书评中。二十年之后，王金林的《日本中世史》上下卷的出版（2013年昆仑出版社），可以看作是对这一评论的回应吧，也体现了作者从善如流、坚持不懈和勇于担当的精神。

第二，“参考、引用的日本古代史研究著作很少。这不是王氏个人的问题，而是古代史研究的中日学术交流体制层面的问题。与日本的古代史研究者每个人还不是那么积极、自觉地从事这方面交流有关。从组织上和个人方面都有必要留意这一点，以寻求研究成果的共享的体制进而充分地进行交流”（38页）。对第4卷的书评中提到：“作者推算自清朝将台湾收入掌中以后到幕末，从长崎输入的日本铜约为3亿3 000万斤，而这个推算作者在该书中只引用了其自身的论文”（39页）。

第三，学术概念、用语的使用上，尚有待进一步推敲和思考。如评者对将“王朝”这个概念放到地名“奈良”和国名“唐”上进而并列起来作书名提出疑问，并且提出将奈良文化作为唐风文化、平安文化作为国风文化是否具有一般性的问题（38页）。在论及《近世日本与中日贸易》时，提出因为作者对“锁国”“海禁”这样的核心概念缺乏具体分析，因而对当时两国贸易的特质及中日关系的认识就难以深入（40页）。

第四，研究方法方面，特别是关于比较研究，对于第5卷，评论者强调进行思想的比较研究时要注意“比较双方都具有抽象度很高的思想体系，而且只有设定特定的视角来加以分析，这样的比较才具有某种有效性。而在这一点上，在日本未必存在汉代儒学或中国朱子学可匹配的体系性的思想，这就是本书的比较给人稍稍觉得有拘泥于字句异同的印象的原因之一。”评论者紧接着指出：“就像作为本书研究对象的中日两国儒学实际上存在着影响的关系，对这样两种思想进行比较时，最为重要的是应该注意其在接受之际出现的冲突和变化，特别是对研究像儒学这种具有很强的社会性的思想时，就不能单纯地停留于思想的理论层面，如渡边浩的《近世日本社会与汉学》(东京大学出版会，1985年)所描绘出的那样，其引起冲突与变化的社会、历史条件的差异，进而如本书作者自身也提到的'中日儒学社会机能的差异'(350页)，这些侧面应该着力加以考察。然而本书给人的感觉只是停留于比较思想表面的异同。""将具有不同社会历史背景的思想家的思想，从其相关的背景中抽取出来加以比较，从而断定谁先进之类的这种态度，大可怀疑。""如作者在终章中所言，儒学具有在周边诸国被接受的普遍性，但同时也有其产生于中国社会、文化中的非普遍性、特殊性，这是其传向周边诸国发生变化的很大原因。因此在比较中日儒学之际，两方面的情况都必须研究，而作者有将重点放在其普遍性、共通性上之嫌，觉得夸大了儒学思想对日本的影响。特别是以古代文献中所见的儒学语汇，就直接断言具有单纯的文饰以上的思想上的影响，是要慎重的。而且，对明治维新之后的国家主义意识形态、国民道德、作为武士道变形的军人精神等，也不能用儒学之名加以统括。作者的态度，如果斗胆用失敬的说法的话，不能不说是一种大国主义的想法吧。评者认为在进行思想的比较之际，双方分别存在的情况自不待言，在现实交涉的情况下，在警戒陷入风土决定论或日本特殊论的同时，与着眼于两者的共通性相比，在理解其思想及其社会背景的基础上，关注其异质性，会更加有效"(41页)。如此种种，强调在进行比较研究时要注意双方具体的社会历史条件的不同，与普遍性、共通性相比，更应该注意其异质性，这些说法在方法论上都是很有参考价值的意见。

但是，评者此时关于中国儒学对日本的影响，如书评中所言："尤其在古代，儒学对日本人而言，如津田左右吉所说的那样，是'文字上的知识'吧"(42页)。[①] 可见津田左右吉的影响之深。王家骅曾经回应过这

① 津田左右吉的原话是这样的："不存在儒教日本化了的事实，儒教这么说还是儒教，是支那思想，是文字上的知识，没有渗透到日本人的生活。因此，认为日本人与支那人由儒教而接受共通的教养创造共通的思想的想法，完全是愚昧的。"(见《シナ思想と日本》，岩波书店，1938年，第162—163页。)

种批评，他说："从战后日本成为经济大国后寻求文化大国地位，许多思想家支持津田，将中国及朝鲜对日本的影响矮小化。作为一个中国学者，有责任梳理儒家思想对日本文化的影响，还历史本来面目，我以为儒学到日本，发生一定变异是有可能的，但与中国总还是属于同一种属的。就像蒙古马到其他地方，变成矮脚马，但终究还是马而非驴。我想以实证材料证明儒学对日本的政治、法律、道德、宗教、文学、史学及当代日本社会的影响。否认这些影响，是非历史主义的。"①中日学者对中日关系史研究中的许多问题，都还存在着各种不同的意见，这些不同意见的背后，既有方法论上的不同，也有立场上的差异。方法论的不同，是可以通过讨论来达成彼此的共识的；立场上的问题，往往难以相互融通，但是通过讨论至少可以加深彼此的理解。我们相信，整理和编辑出版王家骅的遗著《中日儒学：传统与现代》，无论是在方法上还是在立场上，对于我们今天理解中日思想文化关系，都还是很有借鉴意义的。

对这套丛书，日本学者还提出了许多其他很有意义的问题与意见，如对明治维新的"不彻底的资产阶级革命"性质的分析过于抽象和简略、对从攘夷到开国的具体历史过程研究有待深入（45 页）、在孙文的对日观上需要警惕"个人崇拜的历史解释"及力戒将"孙文偶像化的倾向"（49 页）、对日本法西斯主义的批判及其兴亡过程的叙述无论是从理论上还是从其内在发展的逻辑上都还有待加强研究（50—51 页）、围绕东北问题中日两国的侵略与抵抗运动如果放到国际形势的大背景下考察将更加全面（53 页），等等。如他们指出的那样，其中许多问题，也同样在日本学界存在。而这些问题在今天看来，是否依然具有参考价值或启发意义，相信大家看过之后也是心知肚明的。

这套 13 卷本的"东亚中的日本历史"丛书，虽然是以"日本历史"命名的，但是每一册如上所述或通史性地或断代地都贯穿了相应时期的中

---

① 王家骅、钱茂伟、章益国：《儒学与中日东亚文化——王家骅教授访谈录》，《历史教学问题》2001 年第 4 期。见王家骅：《中日儒学：传统与现代》，人民出版社，2014 年，第 325 页。

日关系或相关问题的比较研究，因此可以说"也反映了中国学者研究中日文化交流史的成果"，①同时也可以看出日本史研究与中日文化交流史研究的紧密关系。而大张旗鼓地以"中日文化交流史"命名的标志性著作，则是90年代中后期由中国的浙江人民出版社和日本的大修馆书店出版的10卷本中日文版的"中日文化交流史大系"（日文版为"中日文化交流史丛书"）。这套书是由中日两国学者共同编辑、撰写而成，因此"文化交流"的意义与形式，可以说体现得更加充分。

这套"大系"的内容及宗旨，中方主编周一良在《序》中指出："本书宗旨——阐明文化交流自来是双向的、相互影响的。"而内容"涵盖面比较广，计十个方面：历史、法制、思想、宗教、民俗、文学、艺术、科技、典籍、人物，不愧大系之称。""由这十个门类可以看出中日两国文化交流时代之久，方面之广，相互影响之深，相互关系之密。世界上几乎任何两国之间都难以比拟。"②关于这套书的学术意义，有人评价说"《大系》的问世，标志着具有中国特色的'日本学'正趋成熟，在中日文化交流史领域已能与国际学术界平等对话。"③而其学术史意义，体现在每卷的序论中，从各卷序论对相关专题的交流与研究状况的概述中可以获得很多有益的学术史信息。"在《大系》的基础上，再搞一部简明扼要的单卷本通史"④的建议迟迟难以实现，可见在中日文化交流史领域"简明扼要的单卷本通史"的撰写难度之大。

这个时期，除了这两套丛书之外，各种专著当然也有不少。而影响较大的，近代方面有王晓秋的《近代中日文化交流史》（中华书局，1992年），古代方面有王金林的《汉唐文化与日本古代文化》（天津人民出版

① 王晓秋：《中日文化交流史的特点、分期和研究概况——中国学者所见之中日文化交流史》，王晓秋、大庭修主编：《中日文化交流史大系[1] 历史卷》（序论一），浙江人民出版社，1996年，第24页。

② 周一良：《〈中日文化交流史大系〉序》（1994年9月15日），《周一良集》第四卷：日本史与中外文化交流史，辽宁教育出版社，1998年，第547、548页。

③ 王平：《简评〈中日文化交流史大系〉》，《日本学刊》1998年第1期。

④ 同上。

社，1996年）。其具体内容与其他著作，限于篇幅，就不在此展开论述了。

3. 新世纪中日文化交流史研究的盛况

新世纪中日关系、中日文化交流史研究的盛况，可以从以下几个方面来梳理。

（1）通史性著作

2001年高等教育出版社出版了王勇的专著《日本文化——模仿与创新的轨迹》，该书虽然书名和章节都没有打上“中日文化交流”的标签，但是我想也可以作为一本中日文化交流史来阅读。其写作意图如《前言》所记：“通篇以‘模仿与创新’为主线，聚焦于生成日本文化之内外因素的交互作用”，①那么，如何解释这“内外因素的交互作用”呢？他在《结束语》中作了精练的回答，即：“从中国传来文明的种子，在日本的土壤中生根、发芽、开花、结果，与当地的花树草木和谐相处，烘托出蔚为壮观的文化景观。”②值得一提的是，王勇也是上述“中日文化交流史大系”工程的发起者之一。关于这一点，该丛书的策划张宪章在《中文版编后附志》中这样记述：“首先应予记载的，是杭州大学王勇教授和日本国际日本文化研究中心中西进教授的倡议之功。1990年秋二位教授首倡是议，揭开了这一工程的帷幕。”③当时还不到40岁的王勇，之所以具有这种号召力，除了出于对“中日交流史”研究的热忱之外，学术事业的组织能力当然也得到了充分的证明。而他个人的学术事业也从研究“遣唐使”出发到提出“书籍之路”，再到2014年成为国家社科基金重大项目“东亚笔谈文献整理与研究”的首席专家，其“交流史”视野与深度不断拓展，其所在的浙江大学日本文化研究所和浙江工商大学日本文化研究所以及现在的东亚研究院，也一直是中国中日文化交流史研究的重镇。

“在《大系》的基础上，再搞一部简明扼要的单卷本通史”，这种愿望

① 王勇：《日本文化——模仿与创新的轨迹》（前言），高等教育出版社，2001年，第1页。

② 同上（结束语），第396页。

③ 张宪章：《中文版编后附志》（该文附于中文版“大系”每一卷之后），同上《中日文化交流史大系[1] 历史卷》，第381页。

首先以高等学校教材的形式得以实现了，这便是 2011 年北京大学出版社出版的滕军主持编写的《中日文化交流史：考察与研究》。该书是滕军在北京大学讲授“中日文化交流史”通选课 13 年的教学成果结晶。该书以人物交流为主线叙述中日文化交流在秦汉六朝、隋唐、晚唐五代北宋、南宋元代、明、清前期六个时期的发展脉络，其中附有对中日相关史迹的实地考察报告，这种以实际行动“续写新的中日文化交流史”的做法，不仅增加了现场感和可读性，而且可以为对中日文化交流史有兴趣的读者提供向导和知识的普及。而六篇综述，即中日文字、文学与书籍的交流、艺术的交流、建筑的交流、科技的交流、民俗的交流，则主要是对上述“大系”的概括与提炼（中日建筑的交流综述主要参照了张十庆的《中日古代建筑大木技术的源流与变迁》，天津大学出版社，2004 年），这样就可以以专题的形式为正文中以人物为线索所未能涵盖的交流史内容给予补充。阅读该书，读者既可以得到中日文化交流史的总体面貌，又能够领会以人物为中心的主要脉络，还可以感受到众多鲜活的史迹。应该说这是一本独具匠心、引人入胜的好教材。

具体领域的通史性著作，值得注意的有日本汉文学、汉学、中国学方面的研究成果。如陈福康的《日本汉文学史》上中下三卷，上海外语教育出版社 2011 年出版；李庆的《日本汉学史》共五部，第一部起源和确立（1868—1918）、第二部成熟和迷途（1919—1945）、第三部转折和发展（1945—1971）、第四部新的繁盛（1972—1988）、第五部变迁和展望（1989—），2010 年全帙五卷由上海人民出版社一并出版；严绍璗的《日本中国学史稿》，2009 年作为阎纯德、吴志良主编的“列国汉学史书系”的一册由学苑出版社出版。其他如郭蕴静、周启乾的《中日经济关系史》（上下，昆仑出版社，2012 年）、季羡林、汤一介主编的《中华佛教史》中杨曾文所著的《中国佛教东传日本史卷》（山西教育出版社，2013 年）、冯立昇的《中日数学关系史》（山东教育出版社，2009 年）、孙玉明的《日本红学史稿》（北京图书馆出版社，2006 年）以及较早出版的王桂等编《中日教育关系史》（山东教育出版社，1993 年）、刘起釪的《日本的尚书学与其文献》

(商务印书馆,1997 年)、秦永章的《日本涉藏史——近代日本与中国西藏》(中国藏学出版社,2005 年)等等,这些著作在相关领域都有开创之功,值得关注。

如何在 13 卷本"东亚中的日本历史"和 10 卷本的"大系"以及大量先行研究的基础上,撰写一本超越木宫泰彦的《日中文化交流史》[①]的综合性的学术专著《中日文化交流史》来,仍然是中国学者尚需努力的目标。

(2) 史料整理

史料整理研究,如上所述,汪向荣积数十年之功的著作《中日关系史资料汇编》和《中日关系史文献论考》在 20 世纪 80 年代出版,他校注的《唐大和上东征传》、《日本考》(与严大中校注)也收入"中外交通史籍丛刊"由中华书局出版,其学术史意义可谓功莫大焉。

80 年代以来,出版了不少影印的资料集。如 1985 年杭州古籍出版社精装影印出版《小方壶斋舆地丛抄》(全二十册)。该丛书由(清)王锡祺编,分初编、补编、再补编各十二帙,光绪三年(1877)开始编辑,二十三年编刊完成,广辑清代地理著作 1366 种,亦收录关于日本、朝鲜、东南亚及英、俄等欧美各国的研究、介绍及见闻著作。日本方面的,有傅云龙的《日本疆域险要》《日本沿革》《日本河渠志》《日本山表说》《日本风俗》,黎庶昌的《游日光山记》《游盐原记》《访徐福墓记》,陈其光的《日本近事记》,王韬的《扶桑游记》《日本通中国考》《琉球问归日本辨》,王之春的《东游日记》《东游琐记》等等。

日本学者实藤惠秀积毕生精力收集晚清民国时期中国人的日本研究著作,其中"东游日记"达二百余种,至今收藏在东京都立图书馆实藤文库。随着国内学者对"东游日记"学术价值认识的提高和研究的推进,"浙江大学日本文化研究所(原杭州大学日本文化研究所)自一九八九年成立起就将东游日记作为研究的主要课题之一",王宝平主编的"晚清中

① 中译本木宫泰彦的《日中文化交流史》,胡锡年译,商务印书馆 1980 年出版。

国人日本考察记集成”影印出版了《教育考察记(上、下)》(吕顺长编著,杭州大学出版社,1999 年),后来此“集成”改名为“晚清东游日记汇编”又影印出版了黄遵宪的《日本国志》(上海古籍出版社,2001 年)、《日本政法考察记》(刘雨珍、孙雪梅编,上海古籍出版社,2002 年)、傅云龙的《游历日本图经》(上海古籍出版社,2003 年)、《中日诗文交流集》(王宝平编,上海古籍出版社,2004 年)。此外,王宝平还编著有《日本典籍清人序跋集》(上海辞书出版社,2010 年),为这一领域的研究提供了系统的基础史料。

近年来,名人书简的整理颇有声色。如张小钢编注的《青木正儿家藏中国近代名人尺牍》(影印且活字标点,大象出版社,2011 年),李廷江编著的《近代中日关系源流:晚清中国名人致近卫笃麿书简》(影印且活字标点,社会科学文献出版社,2011 年),小川利康、止庵编的《周作人致松枝茂夫手札》(只影印,广西师范大学出版社,2013 年)等。这些书信原件的整理出版,对于深化近代中日关系、中日文化交流史的研究无疑具有重要的意义。如我们看周作人 1937 年 12 月 7 日给松枝茂夫的信,其中说到:

> 六月中曾为《国闻周报》写一小文,说明了解“日本精神”之难,截至今日只能自白曰不懂,盖吾人平日所称为日本文化而加以赞叹解说者实在只是东亚共有文化之一色相,因此吾侪汉人亦觉得能了解,此种研究可以为治国故(支那学)者之助,却与了解日本民族完全无用,鄙人以前所知之百一即属此方面,近日知其无益,故不愿再以此自欺欺人也。鄙意欲知日本国民精神须从神道下手,此处不敢牵涉“祭政一致”等大道理,乃只是就“お祭り”为主的民间信仰说,鄙人直觉的感到日华两族最殊异者乃在宗教的情绪,如“神凭”这种事实在汉族今已几乎全无矣。但鄙人自信是出于儒家的人,对于宗教完全隔膜,“祭り”等事虽有兴味,实觉无入门研究之希望耳。数年前曾将文学店关门,今于卢沟桥事件之前又将日本研究店闭歇,可谓得时,此后谈东方文化者将如雨后之菌矣。以后作何事尚无计

> 较，此一年乃在翻译，将希腊人自著神话翻译成汉文，本是多年宿望，于今得达亦是大好事也。妄谈希勿见笑，此上松枝先生座右。[①]

信中提到的《国闻周报》的“小文”即《日本管窥之四》。这封信对于我们理解周作人从“管窥”之后到前文提及的1940年底写的《日本之再认识》之间的思想情绪的关系就很有帮助，如日本文化中“东亚共有文化之一色相”对于“了解日本民族完全无用”的说法与他后来强调的应该于“同中求异”是一致的。另外如“鄙人自信是出于儒家的人”、“今于卢沟桥事件之前又将日本研究店闭歇，可谓得时”等自白，对于理解当时周作人的心绪都是很好的材料。近代以来中日文化交流史研究中许多细致的工作还有待深入，书信、日记、笔谈[②]等基础史料的挖掘整理，无疑对于推进这方面的研究大有裨益。

虽然我们在史料的整理方面已经作了不少工作，但是总体上看还是显得有些零散，还不系统。值得庆幸的是，我们的日本研究界还有一批有识之士具有强烈的原典意识，这里又不得不再次提到王勇，他在2007年5月1日写的《〈中日关系史料丛刊〉总序》中说：

> 纵观中国的日本学研究，从20世纪70年代步入正轨，虽然在局部出现领先世界的亮点，但整体水平尚未跻身国际前列。究其原因，学术空气浮躁，二手资料泛滥，很少有人潜心建构基础的工作。有鉴于此，我所创建以来，坚持每周一次的读书会活动，逐字逐句研读中日关系原始史料，毕十三年之功完成《中国正史日本传新注》(三卷)后，重心转向日本的汉文典籍，拟整理出一批涉及中日关系的重要文献，为日本学研究打下基础。
>
> 这套书收录的范围，既包括日本人撰录的典籍，如《日本书纪》、《续日本纪》、《唐大和上东征传》、《邻交征书》、《异称日本传》、《善邻国宝记》等；也涵盖中国人撰著的典籍，如《延历僧录》、《日本考略》、

① 小川利康、止庵编：《周作人致松枝茂夫手札》，广西师范大学出版社，2013年，第32—35页。
② 如刘雨珍编校的《清代首届驻日公使馆员笔谈资料汇编》(上下)，天津人民出版社，2010年。

《吾妻镜补》等；同时考虑采择一些资料汇编，如《佚存东瀛的唐代诗文》、《日本典籍中的清人序跋》、《四库全书中的日本史料》等。当然，这些仅仅是笔者现在想到的，具体选择何种书目，规模扩大抑或缩小，则要因人而定、审时变通了。①

这套"中日关系史料丛刊"已经出版了一种，即《邻交征书》，但是自2007年之后，未见该丛书的第二种出版，虽然也知道有的选题已经另行出版，作为序文中提到的"读书会"的亲历者，也作为"原典意识"的共鸣者，衷心希望这套"丛刊"不要因为"审时变通"而打乱计划。

（3）文献学研究

严绍璗编著的《日藏汉籍善本书录》（全三册，中华书局，2007年），在其个人而言，积二十年之功而成此巨著，不仅可以成为他的"墓志铭"，②而且，在中日文化交流史的文献学研究领域中也的确具有里程碑的意义。我想，也许在今后很长一段时间内，这一领域的一项重要工作就是如何使其更加完善和丰富。可喜的是，这种完善的工作已经开始有人在切切实实、扎扎实实地做了。比如黄仕忠所著《日本所藏中国戏曲文献研究》（高等教育出版社，2011年）就专门有一节为"《日藏汉籍善本书录》散曲戏曲部分正误"。黄著对《书录》第三册中的"散曲之属"与"南北曲之属"（第2039—2061页）进行复核，发现不少问题。其结论是"只有大约百分之十五的条目，编著者曾经查阅过原书（存有两个以上版本时，有时还只查核了其中一个版本）。"认为其"存在问题的条目所占比例明显偏高"，并分析指出："目验原书比例过低，抄自不同的目录、书志，凭感觉予以单列或归并，没有再复核原藏者目录，没有用同类古籍善本书目加

① 王勇：《〈中日关系史料丛刊〉总序》，[日]伊藤松辑、王宝平、郭万平等编《邻交征书》，上海辞书出版社，2007年，第2页。

② 严绍璗在该书的《后记》中说："'我想让它成为我的墓志铭吧！'是的，二十年的生涯，不敢有多大的夸张，但好像进行在地狱的通道中，它凝聚着我的理念和劳作，多少有点'涅槃'的感觉。"《日藏汉籍善本书录》下册，第2169页。

以印证，这些都是造成《书录》错误频见的原因。”①无论黄著所言是否属实，一部四百余万言的皇皇巨著，出现一些错误在所难免，也瑕不掩瑜，但是其提出的问题，作为一种方法和态度，不仅对于我们完善和丰富这个里程碑而言，就是对一般的文献学、书志学，进而一般的历史研究而言，也具有重要的指导意义。

对中日汉籍文献交流的专题研究，在九十年代比较有影响的如王勇主编的《中日汉籍交流史论》（杭州大学出版社，1992 年），到新世纪，这种分门别类的书志书目工作还有人在做，如苏桂亮、阿竹仙之助合编的《日本孙子书知见录》（齐鲁书社，2009 年），刘毓庆、张小敏编著的《日本藏先秦两汉文献研究汉籍书目》（三晋出版社，2012 年），胡宝华编著的《20 世纪以来日本中国史学著作编年》（中华书局，2012 年）等，这些著作是否经得起逐条目验原书的复核，也还有待检验吧。而 1946 年已经编成的《中国甲午以后流入日本之文物目录》这部珍贵文献，在 2012 年由上海的中西书局正式出版，其“非常重要的文献价值、学术价值和非同寻常的历史意义和现实意义”，②当然自不待言。

除了书志书目的研究编纂之外，综合性的文献学研究，也有值得关注的成果。如“日本《论语》古抄本综合研究”作为北京大学中国古文献研究中心的重大项目于 2009 年在刘玉才教授的率领下成功立项，该项目“致力于深入梳理日本《论语》古抄本的传承源流，探究其文本变迁状况，并与中国通行版本进行文本比勘，施以文献学综合研究。”为此影印出版了日本《论语集解》的三个典型抄本：“三十郎盛政传抄清家点本”、“青莲院本”和“林泰辅本”，分别撰有解题并附有校勘成果。③ 此外还集

① 黄仕忠：《日本所藏中国戏曲文献研究》，高等教育出版社，2011 年，第 280 页。

② 徐森玉主编，顾廷龙、谢辰生、吴静安、程天赋编：《中国甲午以后流入日本之文物目录》（卷一——卷三），中西书局，2012 年，中西书局的《出版说明》，第 7—8 页。

③ 高桥智解题，吴武国、林嵩、沙志利校勘：《影印日本〈论语〉古抄本三种（三十郎盛政传抄清家点本〈论语集解〉青莲院本〈论语集解〉林泰辅旧藏本〈论语集解〉）》（全三册），北京大学出版社，2013 年。

中翻译介绍了日本学者高桥智的研究成果,[①]并组织了专门的学术研讨会。[②] 像文献学这么"奢侈的"学问能够在中日文化交流史研究领域不断推进,或许也是国力强盛、研究者开始能沉静下来的一个表现吧。

(4) 各种比较研究与专题研究

近代中日文化交流史研究的代表人物王晓秋,2012 年出版了一本《东亚历史比较研究》,该书的前言《历史比较研究的意义和方法》既有很强的针对性,又很有普遍的指导意义,值得一读。他说:"历史的比较研究并非随意把两个历史现象拿来就可以作比较研究。它必须要遵循可比性的原则,也就是一般应属于同类型或同层次的历史现象才可以作比较,比如同样是改革、革命、农民战争,或同样是政治家、思想家、军事家等,或者至少是比较的双方之间存在着某种联系或关系。因此在运用比较研究方法时,一般首先要确定可比性的主题,然后分别研究可比各方的特点、过程和根本属性,再比较其异同,从同中求异,异中求同,进而寻找历史现象之间的联系、本质和规律。""东亚各国的历史既有许多共同性,又有不少差异性,还有不少关联性,从中可以找到大量比较研究的课题,而且也是东亚各国文化学术发展以及政治、经济、外交、国际关系等方面现实的迫切需要。"[③]这些话,简明扼要,已经把道理讲得很通透。

中日比较的确有许多题材可以研究,实际上这方面的成果也很多。如前所述,六兴出版社的 13 卷本,"比较"可以说几乎是每一卷中或明或暗的主题。此后在哲学、文化方面,如李威周编著的《中日哲学思想交流与比较》(青岛海洋大学出版社,1991 年)、李甦平的《圣人与武士——中日传统文化与现代化之比较》(中国人民大学出版社,1992 年)、王中江的

① 高桥智著、杨洋译:《日本室町时代古抄本〈论语集解〉研究》,北京大学出版社,2013 年。该书还影印大阪府立图书馆 1931 年编印的《论语善本书影》作为附录。

② 刘玉才主编:《从抄本到刻本:中日〈论语〉文献研究》,北京大学出版社,2013 年。

③ 王晓秋:《历史比较研究的意义和方法》,王晓秋:《东亚历史比较研究》(前言),北京大学出版社,2012 年,第 3 页。

《严复与福泽谕吉——中日启蒙思想比较研究》(河南大学出版社,1991年)等等,到新世纪之后这方面的研究成果更多,如徐水生的《中国哲学与日本文化》(中华书局,2012年)、周见的《近代中日两国企业家比较研究:张謇与涩泽荣一》(中国社会科学出版社,2004年)、李卓的《中日家族制度比较研究》(人民出版社,2004年)、钱国红的《走近"西洋"和"东洋"——中日世界意识形成的比较研究》(商务印书馆,2009年),张中秋的《中日法律文化交流比较研究——以唐与清末中日文化的输出与输入为视点》(法律出版社,2009年)、孟祥沛的《中日民法近代化比较研究——以接待民法典编纂为视野》(法律出版社,2006年)、刘晓峰的《东亚的时间——岁时文化的比较研究》(中华书局,2007年)、王小林的《汉和之间:王小林自选集》(上海人民出版社,2014年)、张永广的《近代日本基督教教育比较研究(1860—1950)》(上海社会科学院出版社,2012年)等等,不胜枚举。而比较研究要做到既有宏观的文化视野,又有精细的心理分析;既有不露痕迹的理论提炼,又有亲历现场的鲜活体验;既有抽丝剥茧的历史叙述,又时刻关注当下的时代状况,这很不容易,但是,王敏的《汉魂与和魂——中日文化比较》(世界知识出版社,2014年)做到了这些,该书基于她从事中日文化交流的丰富的切身经验和敏锐观察,加上其生花妙笔,可以说是一本难得的雅俗共赏的佳作。

专题研究方面的成果涉及的领域之广、数量之多,更是令人眼花缭乱。就我比较熟悉的领域而言,如郑匡民的《梁启超启蒙思想的东学背景》(上海书店出版社,2003年)、《西学的中介——清末民初的中日文化交流》(四川人民出版社,2008年)、尚小明的《留日学生与清末新政》(江西教育出版社,2003年)、吕顺长的《清末中日教育文化交流之研究》(商务印书馆,2012年)、杨继开的《清末变法与日本——以宋恕政治思想为中心》(上海古籍出版社,2010年)、朱忆天的《康有为的改革思想与明治日本》(上海人民出版社,2011年)、张玉萍的《戴季陶与日本》(北京大学出版社,2014年)、赵京华的《周氏兄弟与日本》(人民文学出版社,2011年)、董炳月的《"国民作家"的立场:中日现代文学关系研究》(生活·读书·新知三联书店，2006年）、沈国威的《近代中日词汇交流研究——汉字新词的创制、容受与共享》（中华书局，2010年）、郭连友的《吉田松阴与近代中国》（中国社会科学出版社，2007年）、王守华和王蓉的《神道与中日文化交流》（河北人民出版社，2010年）等等，都各有闪光之处。还有王维坤的《中日文化交流的考古学研究》（陕西人民出版社，2002年）、江静的《赴日宋僧无学祖元研究》（商务印书馆，2011年）、陈小法的《明代中日文化交流史研究》（同上）、朱莉丽的《行观中国——日本使节眼中的明代社会》（复旦大学出版社，2013年）以及前述汪向荣的相关著作等等，近代以前中日文化交流史的研究与纯粹的日本古代史研究相比，要活跃得多。

中日之间的相互认识，最近成为学界比较关注的课题。日本的中国认识，比较有影响的如杨栋梁主编的六卷本《近代以来日本的中国观》（江苏人民出版社，2012年）。此外有吴光辉的《日本的中国形象》（人民出版社，2010年）及其前述《他者之眼与文化交涉——现代日本知识分子眼中的中国形象》、谭建川的《日本教科书的中国形象研究》（北京大学出版社，2014年），反过来，中国人的日本认识，有汪向荣的《古代中国人的日本观》（上海古籍出版社，2006年）、彭雷霆的《近代中国人的日本认识（1871—1915）》（社会科学文献出版社，2013年）等。

（三）中日文化交流史研究的前景与展望

研究文化交流史，现在有一个比较好的环境，2014年9月24日，国家主席习近平在人民大会堂出席纪念孔子诞辰2565周年国际学术研讨会暨国际儒学联合会第五届会员大会开幕会并发表重要讲话，指出："人类已经有了几千年的文明史，任何一个国家、一个民族都是在承先启后、继往开来中走到今天的，世界是在人类各种文明交流交融中成为今天这个样子的。推进人类各种文明交流交融、互学互鉴，是让世界变得更加美丽、各国人民生活得更加美好的必由之路。"强调："正确对待不同国家和民族的文明，正确对待传统文化和现实文化，是我们必须把握好的一个重大课题。”[①]与文化交流相关的研究课题在国家社科基金重大课题中的比例也在增大，希望大课题能够真正出现大成果。

在中日文化交流史研究领域，近年涌现出了不少优秀的成果，其中有两件事尤其值得称道。第一，是2006年中日两国领导人就启动中日两国学者之间的共同历史研究达成共识之后，双方组建了研究团队开始进行研究，就所确定的共同研究题目，进行交换意见、充分讨论，各自表述，到2010年1月公布了第一阶段的研究报告。这份“根据政府间协议共同进行历史研究的成果”于2014年由中国的社会科学文献出版社和日本的勉诚出版社出版，其意义如中方首席委员步平所言：“关注中日关系发展的读者可以通过双方学者的研究结果进行分析比较，更加深入到历史问题的深层，使得双方在历史认识问题上的相互理解得到提升。”[②]相信这两卷研究报告（古代史卷和近代史卷）不仅对于促进今后中日相互理解具有建设性的意义，而这一事件和文本也为交流史和比较研究提供了新的素材和文本。

第二，朱舜水研究的集大成者、台湾大学教授徐兴庆在出版了资料集《新订朱舜水集补遗》（台湾大学出版中心，2004年）和专著《朱舜水与东亚文化传播的世界》（同上，2008年）之后，又在日本德川博物馆（馆长德川真木）的大力协助下，组织大陆和台湾学者从2012年开始实施“水户德川家旧藏·儒学关系史料调查”计划，据报道称，在2013年9月5日晚于该馆举行的史料调查报告会上公布了所发现的南明政权鲁王1653年给朱舜水的敕书。[③] 作为此调查计划的成果，已经出版了两册《日本德川博物馆藏品录》，即第一册《朱舜水文献释解》（德川真木监修、徐兴庆主编，上海古籍出版社，2013年）和第二册《德川光圀文献释解》（同上，

① 习近平：《在纪念孔子诞辰2565周年国际学术研讨会暨国际儒学联合会第五届会员大会开幕会上的讲话》（2014年9月24日），《光明日报》2014年9月25日第2版。

② 步平、［日］北冈伸一主编：《中日共同历史研究报告（古代史卷）》（步平：《出版序言》），社会科学文献出版社，2014年，第4页。

③ 今井俊太郎：《南明政権鲁王が1653年に送付朱舜水宛て勅書発見　徳川ミュージアム所蔵史料報告会「一級品の文物」》，《茨城新闻》2013年9月7日。

2014 年)，并且以徐兴庆和辻本雅史为责任编辑在 2014 年 9 月发行的《季刊日本思想史》第 81 号出版了题为“朱舜水与东亚文明：水户德川家的学问”的特集。这些资料与研究成果不仅对于推动中日文化交流史具有重要的意义，而且它本身就是海峡两岸和日本方面文化交流的宝贵见证和重大收获。写到这里，又想起民国时期梁盛志批评梁启超的《朱舜水先生年谱》“详略失宜”、“择焉不精”，且谱中对许多“注意舜水事实者所欲之问题”，“或语焉不详，或略未涉及”，并分析其原因在于“作者于其著述之流传，未事考索，仅据最晚出之中国刊本，则亦未审也。”最后在文章的结尾感叹：“以著者之博雅，并久寓日本，而本篇之凭藉乃如是贫乏，亦可异也。”[①]朱舜水，这一中日文化交流史研究领域中备受瞩目的人物，经过多少代人的努力之后，其新的全集与年谱的面世或指日可待了。由此，联想到这一领域中还有多少类似的大大小小的课题有待于我们去进一步努力挖掘呀。

实际上，我是不太赞成轻言交流或比较研究的。因为交流或比较涉及的对象就不止一方，尤其是两个不同的国家、文化之间，甚至东亚或更大范围的交流、比较研究，如果不将关系各方都搞清楚，所见就容易流于表面，比较也难以深入。尤其是翻开中日两国的历史，里面存在着太多似是而非，也存在着太多揪人心肺的片段和点滴，如果没有冷静的理性和足够的定力，甚至健康的心智和温厚的涵养，就擅议交流、比较，往往容易剑走偏锋，甚至误入歧途。因此，我认为，目前我国中日文化交流史研究最大的课题仍然是史料的整理和史实的挖掘与考辨的问题。史实清楚了，道理终究自然会明白。发掘未知史实的重要性自不待言，辨析许多常识中的史实性错误，尤为不易。最近调查津田左右吉的论著与思想在民国时期的影响，就发现鸟山喜一的著作《渤海史考》翻译成中文(陈清泉译，1929 年上海商务印书馆初版)之后，却以津田左右吉作为该

① 梁盛志：《梁任公著朱舜水年谱补正》，收入《汉学东渐丛考》，第 115—125 页；又见梁容若：《中日文化交流史论》，第 222—230 页。

书作者在中国学界流行竟一直无人察觉。类似的情况或许还不少。澄清史实本身，当然不仅需要"与史料肉搏"的考据的硬功夫，也可见"著书者之心术"即研究者"史德"之高下。"秽史者所以自秽，谤史者所以自谤"，[①]是否已自觉或不自觉地为某种外在目的或现成理论所动，不可不时时自省。至于当前我们的研究中有哪些具体的不足，要对此进行系统而深入的分析，或许需要有一个参照系——如台湾、日本，甚至西方学界的相应状况——来比照观察才更有说服力，这个工作在这里只能留作前景展望中的课题了。

在展望前景的时候，我想到的首先还是沉潜下来，回到各自的原典、回到彼此的原典。请允许我抄录一段中日文化交流史研究的前辈学者周一良教授的告诫，来与大家共勉，并结束这次漫谈。他这样说：

> 有志于研究两个国家关系的历史或者文化交流的青年，我觉得应当具备一个先决条件，就是对两国之中的一方（当然能够对双方更好）的历史或文化具有比较深入的研究或素养。只是在有了这样一个基地或说据点的情况下，再来探讨这一国和另一国的历史关系，研究这一国和另一国之间的文化交流、相互影响，才能够比较具体深入，言之有物，才能探索出相互关系（政治、经济、文化等各个方面）中某些带有规律性的东西。（中略）如果不深入某一方，浮在两国具体历史之上来侈谈关系或文化交流，恐怕是不容易取得好成绩的。[②]

（本文根据2014年10月24日在浙江工商大学日本语言文化学院王宝平、江静教授开设的"中日文化交流史"课上的讲稿提纲整理扩充而成。原载《日本学刊》2015年第2期。收入《"中国式"日本研究的实像与虚像》，中国社会科学出版社，2015年。）

---

① 章学诚：《文史通义》卷三内篇三史德，见章学诚著、叶瑛校注：《文史通义校注》（上），中华书局1985年，第219页。

② 周一良：《中日文化的异与同》（1984年），见《中日文化关系史论》，第39页。

第一章　湘学与近代日本知识建构

一　船山史论与近代日本的知识建构

前言:为什么要研究“船山史论与近代日本”

近代中日思想文化的交流与影响,其深度与广度、其错综复杂的程度如何,还有许多问题值得我们去研究。仅从“东亚的出版与知识的建构”这个议题[①]来说,两国著作的相互翻译出版及其对知识建构的影响,就是一个大题目。谭汝谦主编的《中国译日本书综合目录》(香港中文大学出版社,1980 年)和《日本译中国图书综合目录》(同上,1981 年)虽然有待完善,但已经蔚为大观。中日著作互译,由于国情不同,不同时期的状况也各不相同。择其要者言之,如在甲午战争之后,中国的有识之士已经意识到“今日欲自强,惟有译书而已”。而译日本的书又是一个捷径,如康有为说:“泰西诸学之书其精者,日

① 此议题是 2014 年 5 月 8—9 日在复旦大学召开的“第六届东亚文化交涉学会”年会总议题“东亚知识的生产、规划、流通与影响”的一个分科会子题。本文在提交给本次年会的论文的基础上补充修改而成。

人已略译之矣，吾因其成功而用之，是吾以泰西为牛，日本为农夫，而吾坐而食之。”其效果，甚至认为如果能够早将“日书尽译，上之公卿，散之天下，岂有割台之事乎？”①与中国的欲“坐而食之”以求自强、免遭宰割的境况相比，日本在日俄战争之后跻身于世界列强之中，而知识、出版界面对维新以来热衷于输入西洋新学术而置日本与中国古典于不顾的倾向，一些“有识之士”提出汉文是日本的“第二国文”，认为汉籍对于加强“伦理的信念”、培养“高尚的人格”具有重要的感化作用。② 早稻田大学出版部出版的《先哲遗著 汉籍国字解全书》和富山房出版的《汉文大系》两套丛书③自1909年出版之后，一再重版，产生了广泛的社会影响。

近代日本思想文化史中西洋因素与中国因素的关系，当然不能简单地用“近代＝先进＝新”与“传统＝保守＝旧”这样的价值判断模式来理解，甚至在受影响的程度上也很难抽象地断定什么因素是重要的，或占优势的，或具有决定性的，而什么因素不是。对各种因素及其相互关系进行具体的分析，揭示其在近代日本知识建构中的角色意义，可能会改变我们对近代日本思想文化的基本认识。中日关系，不仅是近代中国和日本两国对外关系的重要一极，也与两国近代思想文化的形成密不可分。关于日本近代思想文化中的中国因素问题，有待分析的历史现象，还有很多。中日之间的人物往来、相互认识、思想影响，或从具体的个案（如词汇概念），或从地域交往特点，或从宏观上着眼整体，等等，方方面

---

① 康有为：《日本书目志·自序》，姜义华编校：《康有为全集》第三集，上海古籍出版社，1992年，第584、585、586页（姜义华、张荣华编校：《康有为全集》第三集，中国人民大学出版社版，2007年，第263、264页）。

② 早稻田大学出版部：《先哲遗著 汉籍国字解全书绪言》（1909年10月），见《先哲遗著 汉籍国字解全书》第一卷，早稻田大学出版部，1926年（再版）。

③ 参见町田三郎：《漢文大系について》《漢籍国字解全書について》，收入其《明治の漢学者たち》，东京：研文出版，1998年。

面的研究成果已经不少。① "东亚文化交涉学会"通过学术年会、期刊和著作等各种形式有力地推进了这方面的研究，②作为学会的一员，我在深受鼓舞的同时，也在原有思路与研究③的基础上，对其中国因素的细部(特别是"湘学"与近代日本)做了一些拾摭钩沉的工作。④ 船山史论与近代日本，也是这项作业的一部分。

对王船山的著作，并不带着一定的先入之见的研究目的去读，而只

① 手头所及，中国大陆出版的代表性成果，如王晓秋《近代中日文化交流史》(中华书局，1992年)，野村浩一著、张学锋译《近代日本的中国认识》(中央编译出版社，1999年)，郭连友《吉田松阴与近代中国》(中国社会科学出版社，2007年)，郑匡民《西学的中介：清末民初的中日文化交流》(四川人民出版社，2008年)，万鲁建《近代天津日本侨民研究》(天津人民出版社，2010年)，孔祥吉、村田雄二男("郎"之误植)《从东瀛皇居到紫禁城——晚清中日关系史上的重要事件与人物》(广东人民出版社，2011年)，李廷江编著《近代中日关系源流：晚清中国名人致近卫笃麿书简》(社会科学文献出版社，2011年)，张小钢编注《青木正儿家藏中国近代名人尺牍》(大象出版社，2011年)，吕顺长《清末中日教育文化交流之研究》(商务印书馆，2012年)等。台湾方面，有黄俊杰主编的"东亚文明研究丛书""东亚儒学研究丛书"中的相关著作(上海华东师范大学出版社引进该丛书出版黄俊杰主编的"儒学与东亚文明研究丛书")，徐兴庆主编的"日本学研究丛书"(如《近代東アジアのアポリア》，台大出版中心，2014年)等。日本方面，如竹内好、桥川文三编《近代日本と中国》(上下卷，朝日新闻社，1974年)，小岛晋治、伊东昭雄、光冈玄、板垣望、杉山文彦、黄成武编著《中国人の日本人観100年史》(东京：自由国民社，1974年)，小岛晋治监修《幕末明治中国见闻录集成》(共20卷，东京：ゆまに书房，1997年)，山室信一《思想としてのアジア》(岩波书店，2001年)，小岛晋治《近代中日关系史断章》(岩波书店，2008年)等。

② 参见该学会网站(http://www.sciea.org)。创会会长陶德民在学会创立趣意书中说："本学会是为了动态地把握东亚的文化生成、接触、冲突、变容、融合等诸现象，为了将综合的文化交涉的样态从人文学的多样的方法、以多视角的见地加以阐明，以谋求会员相互研究上的联系与交流为目的而设立的组织。"

③ 参见刘岳兵的《中日近现代思想与儒学》(北京：三联书店，2007年)、《日本近现代思想史》(北京：世界知识出版社，2010年)、《近代日本的中国观 第三卷(1840—1895)》(江苏人民出版社，2012年)。

④ 如《叶德辉的两个日本弟子》(《读书》2007年5月号)、《近代湘学与日本——以杨昌济为例》(方克立、陈代湘主编：《湘学》第5辑，湘潭大学出版社2010年)、"Naitō Konan and Hunan Studies"(*Journal of Cultural Interaction in East Asia*, Volume 4 2013，中文版《内藤湖南与"湘学"》，阎纯德主编《汉学研究》第十五集，学苑出版社，2013年)、《狩野直喜的文人情趣——以狩野直喜与湘籍学者的交往为例》(2013年5月25—26日复旦大学哲学系主办的"全球化视野下的中国儒学研究"国际学术研讨会论文)、《魏源的〈圣武记〉在近代日本》(2014年10月28日中国社会科学院学部主席团主办的中国社会科学论坛2014·历史学暨第五届中国古文献与传统文化国际学术研讨会论文)等。

是凭着其“有趣”、凭着自己涌动的求知欲去读，[①]这在近代的中国和日本几乎难以做到。遽变的社会环境影响着处在这种环境中的“读书人”的心态，让人难以静下心来不是为了某种外在的需求，而只是满足于对“人的动向、感情、思考”的兴趣去读它。[②] 不仅社会环境和受制于这种环境的精神状态不允许这样，而且船山学“潜德幽光，久而愈昌”[③]的命运，也与其本身的思想特征有关。清末的变法派和革命派均从船山著作中或汲取其“主张国民平等之势力，以裁抑专制”[④]的思想，或视其书为“民族主义之原动力”，[⑤]皆重视其“括天下得失之几，尽古今兴亡之理”[⑥]的史论政见。在清末民初，国家再次面临兴亡的命运，王船山“卓绝千古”的史识，“其价值至今日乃大显”[⑦]也是自然的事。

随着遽变的社会环境趋于平静，王船山在中国近代思想史上的意义也引起了日本学者的注意，通过读解王船山而引发如下一系列的思考：“中国近代思想史的研究，其意义究竟何在？思想是什么？思想史是什么？研究是什么？继而旧的中国思想与新的中国思想有何关系？”[⑧]继而王船山终于在日本的中国思想史研究的通史性著作中开始占据一个独立的单元。[⑨] 新中国成立之后，船山学研究在中国也随着其主要著作的重新点校出版而逐渐深化，而《船山全书》的出版，系统、全面而准确地再

---

① 西顺藏：《王船山読書会二つの紹介と王船山門前の記》，载《中国近代思想史研究会会报》二(1959 年 2 月)，见《西顺藏著作集》第二卷，东京：内山书店，1995 年，第 142 页。

② 同上书。

③ 梁启超：《儒家哲学》(1927 年讲演，周傳儒笔记)，《饮冰室合集》第十二册・专集之一百三，中华书局，1989 年，第 62 页。

④ 梁启超：《论中国学术思想变迁之大势》(1902 年)，《饮冰室合集》第一册・文集之七，中华书局，1989 年，第 82 页。

⑤ 高燮：《湘乡曾氏刊船山遗书》(1906)，高铦、高锌、谷文娟编：《高燮集》(南社丛书，柳无忌总主编)，中国人民大学出版社，1999 年，第 13 页。

⑥ 王船山：《薑斋文集》卷五・九昭，《船山全书》第十五册，岳麓书社，1996 年，第 150 页。

⑦ 同上，梁启超《论中国学术思想变迁之大势》(1902 年)。

⑧ 西顺藏：《王船山読書会二つの紹介と王船山門前の記》，同上《西顺藏著作集》第二卷，第 143 页。

⑨ 西顺藏：《王夫之》，宇野哲人博士米寿纪念论集《中国の思想家》(下)，东京：筑摩书房，1963 年；小川晴久：《王夫之》，日原利国编《中国思想史》(下卷)，东京：ぺりかん社，1987 年。

现了船山著作的风貌，在船山学史上具有重大的意义。

中国思想史或哲学史的研究者，无论国籍如何，身在何处，其问题意识，几乎都不外乎上述日本学者西顺藏所涉及的范围：第一，满足于研究者探索王船山这样一位有趣的历史人物的“动向、感情、思考”的个人兴趣；第二，进而从研究对象回到追问研究者自身：思想是什么？思想史是什么？研究是什么？第三，历史的维度，即通过船山学暗然而日章的命运，来探讨旧的中国思想与新的中国思想有何关系。不出研究对象即王船山、研究者自身、中国思想史（旧的与新的）三个方面。

从东亚文化交涉学的视角来看，作为一个日本思想史研究者，首先要做的工作是力图拓宽研究的时空视野，探讨船山学与近代日本的关系，阐明船山著作在日本翻译出版的背景、其著作在翻译成日文时译者在文本上作了哪些处理、与原著有哪些差异并力图分析这种差异的意义，讨论这种差异是单纯出自译者的主观判断还是与当时日本思想的普遍状况相关等等，通过这些研究，我们可以发现近代日本的翻译著作对近代日本知识建构的某些机理。王船山的《宋论》《黄书》《读通鉴论》这些重要的史论著作都被译成了现代日语，[①]本文只是以《宋论》的日译本《宋朝史论》为中心进行考察和讨论。

（一）《宋朝史论》翻译出版的背景

明治时代及其之前王船山的著作在日本的情况如何，尚待考证。从明治时代出版的中国哲学史著作中几乎未见王船山踪影看，当时日本学

① 公田连太郎译注《国译读通鉴论》（上・下，续国译汉文大成・经子史部 23・24 卷），国民文库刊行会，分别于 1931 年 11 月、1932 年 3 月发行，后多次再版（如 1979 年，日本图书中心出版“复刻爱藏版”）。松井等译《支那近世政治思潮》收录黄宗羲的《明夷待访录》、王夫之的《黄书》和节译的顾炎武《日知录》，作为“兴亡史论丛”第二期第九卷 1919 年由“兴亡史刊行会”出版。日译本的《读通鉴论》为全文翻译并注，《黄书》也是全译本。

界并未重视其人。[①] 1903 年东京博文馆出版文学士中内义一的《支那哲学史》,其中有"清初三大儒"或"明末清初三大儒"之称,从"清人理学之先驱"而论,所指三人为孙奇逢、黄宗羲和李二曲。[②] 该书为"帝国百科全书"的一种(第 39 编),或可窥见当时日本学界的一般看法。中国学界关于明末清初代表性思想家的说法,在清末民初也有一个从"五先生"到"四大儒",最后逐渐定位为"三大家"的曲折而富有戏剧性的过程。[③] 日本的中国研究者在这个时期,也有"为中国政治"出谋划策者将明末清初顾、黄、王相提并论。如内藤湖南在 1916 年 2 月底 3 月初在《大阪朝日新闻》上连载《支那将来之统治》一文,曰:

> 在中国,自古就有许多学者作经世之论,虽皆大可参考,其在国家兴亡之际,学者受到非常的刺激,其议论尤为痛切。在明亡清兴之时,顾炎武、黄宗羲、王夫之这些人因为都目睹故国灭亡而为夷狄取代的惨祸,发出非常的感慨并对此进行了议论。他们的议论几乎都一致认为君主权力过大是骚乱的根源,且地方政治委以并非本地而是外乡的地方官,因此没有责任观念,不能镇抚一方是骚乱的根源,而将这种骚乱的根源都归结为人民的幸福没有基础的政治。到了清朝,国家好歹得到了治理,像这种关系到国体根本的议论也一时没有了。但到了当今这样的时势,又有必要回想起前代学者的议

---

① 日本学界对王船山研究,朱迪光《王船山研究著作述要》(湖南大学出版社,2010 年)附录一《王船山研究论文索引》和附录二《王船山研究著作索引》中零星可见。附录一中有"1918—1981 年日本研究王船山书目(内部)/(日)高国淳//船山学术研究简报,1982.(3)"一条(第 557 页,"高国淳"为"高田淳"之误植)。2010 年日本早稻田大学出版部出版的松野敏之的著作《王夫之思想研究 :『讀四書大全説』における「作聖之功」議論を中心にして》所列参考文献专门有一项为日本的研究著作与论文。以上两种均未提及《宋朝史论》,谭汝谦编《日本译中国图书综合目录》(香港中文大学出版社 1981 年)收录了《读通鉴论》《宋论》与《黄书》的相关信息。

② 中内义一:《支那哲学史》,东京:博文馆,1903 年,第 302、306 页。此说之由来,其中引魏象枢(1617—1687,治程朱理学,著有《寒松堂集》《儒宗录》《庸斋闲话》等)之言:"平生愿见而不能得者三人,夏峰梨洲二曲也。"(第 304 页)中内义一(即中内蝶二,1875—1937),出生于日本高知县,毕业于东京帝国大学,为小说家、剧作家,记者。

③ 参见秦春燕:《清末民初的晚明想象》,北京大学出版社,2008 年。

论。与前代尤为不同的是当今出现了与外国的关系，因此有必要考虑四周的势力，而就其国内的情况而言，无论是明末还是今天都是一样的。因此为了中国的政治，无论如何要归结到中央的组织以小政治为宜这一点上。我所说的和古人所说的都是这样的，这是不可动摇的原则。①

此“小政治”何谓？其结论就是要“中国人将政治上的机关委托给外国人”，目的在于建议中国输入地理上接近的像日本这样的国家在政治上的强大能力，来“作为中国的巡警、看守”。内藤湖南从“日本的安全”出发，在这里借助于中国古人的经世之论，为中国的安全和世界的文明开出了自以为是“行最高尚天职”的得意良方。②

与上述极端的政治论、时势论③相对应，也有学者偏重于关注其学术思想，当然主要是其政治经济思想。1918 年，毕业于京都帝国大学法科和中国哲学科、时任该校经济学部讲师的小岛祐马（讲授东洋经济思想史），开始发表研究明末清初顾炎武、黄宗羲和王夫之政治经济思想的相关论文，明确地指出：“作为有清一代学问上、思想上的代表、对后世有伟大影响的学者有三位，就是《日知录》的作者顾炎武，《黄书》《噩梦》的作者王夫之，还有一位即这里要介绍其思想的黄宗羲。”④紧接着这篇黄宗羲的研究论文，在同年 9 月又刊出了《王夫之的经济思想》一文。⑤ 后摘录该文的主要观点，以《关于王船山的经济说》为题发表在《支那学》第三

①《内藤湖南全集》第 4 卷，筑摩书房，1971 年，第 539 页。书名、篇名中出现“支那”一词者一仍其旧，正文中皆改为“中国”。

② 内藤湖南：《支那将来の統治》，同上《内藤湖南全集》第 4 卷，第 546 页。内藤湖南的中国认识，与此相关者，参见陶德民的《明治の漢学者と中国—安繹・天囚・湖南の外交論策》（日本关西大学出版部，2007 年）、杨栋梁的《民国初期内藤湖南的“支那论”辨析》（载《南开学报》2012 年第 1 期）。

③ 内藤湖南在《支那史学史》中提及：“当时的学者与顾、黄、王诸氏一样都是对时局深有感慨而著述，即所谓史论即时势论。”《内藤湖南全集》第 11 卷，筑摩书房，1969 年，第 310 页。

④ 小岛祐马：《黄宗羲の政治経済思想》（《経済論叢》7 卷 1、2 号，1918 年 7、8 月），见小岛祐马：《中国の社会思想》，筑摩书房，1967 年，第 197 页。

⑤ 小岛祐马：《王夫之の経済思想》（《経済論叢》7 卷 3 号，1918 年 9 月），收入小岛祐马：《中国の社会思想》一书。他还计划写作《顾炎武的政治经济思想》，因故未能完成。

卷第三号(1922年12月)。小岛祐马研究趣向在他的《黄宗羲的政治经济思想》一文中表现得非常明显。在该文的结语部分,他说:“概观上述宗羲的意见,尽管看起来包含了许多诡激思想,但在中国这种思想并不稀奇。古来支配中国思想界的儒教教义本身,原本就具有民本主义与社会主义的性质。”①这种研究趣向,当然与小岛祐马本人的思想,特别是他当时与河上肇的交往有关。② 对王夫之的理解自然也受到这种趣向的影响。他说,《船山遗书》中足以体现其政治经济思想的为《读通鉴论》《宋论》《噩梦》《黄书》等。接着指出:

> 特别是《噩梦》《黄书》被认为与黄宗羲《明夷待访录》不相上下(《复堂日记》二)。但如因此而速断其与《明夷待访录》一样为高唱民本主义者就错了。其所言,与其说是政治上的根本论,不如说更多的是陈述对各种设施与组织的意见,许多地方如果不知道制度或历史的话就难以了解。其著述最近之所以在革命家之间被推重,是由于其《读通鉴论》《宋论》中以锐利的笔锋攻击夷狄的民族论讨得了对清朝有反感的人的欢喜。如果夫之在临终之际所说的我的著作不到两百年之后不可行于世,而子孙守此遗训暂不刊行的传说是事实的话,这恐怕也是因为其夷狄论中暴露反清朝的思想。下面想论述这些著作中的夫之的经济思想,没有什么特色的部分一概除去,这里仅仅就其关于均分政策的意见介绍几点。③

文章介绍了王船山的“度民以收租,而不度其田”、尊农抑商、物价调节等均分政策,并分析指出,其特征在于“力图调和干涉主义与放任主义”,其学说中存在的矛盾是由力图调和而不能所造成的,“与许多全然

① 同上,小岛祐马:《中国の社会思想》,第216页。

② 参见刘岳兵:《日本近代儒学研究》,商务印书馆,2003年。该书第三章为“小岛祐马论:‘共同社会’——大同理想的再兴”。

③ 同上,小岛祐马:《中国の社会思想》,第221页。《复堂日记》卷二记载:“阅王船山《噩梦》《黄书》。皆与黎洲《待访录》相出入。”见范旭仑、牟晓明整理:《谭献日记》,中华书局,2014年,第36页。

立足于干涉主义的儒家相反，作为儒家的历史学者，王船山是从放任主义出发，放任主义是其出发点，而渐次倾向于干涉主义，应该说这是其特色所在。”①进而解释说，他之所以采取干涉主义是由于其主张经济上的平等主义，而他的放任主义又与他所主张的人类在政治上进而道德上的不平等（“天下之大防有二，夷狄华夏、君子小人也”）紧密相关。由于主张道德上的不平等进而又否定经济上的平等，小岛祐马认为这是船山经济思想在深层次上的“缺憾”，其经济思想上的矛盾是其“穷理不彻底”所致。② 所谓经济上的平等主义，实际上是小岛面对当时日本的资本主义社会发展状况对船山思想的解读和引申。在解读船山关于王者与土地的关系的论述（《读通鉴论》卷十四及《噩梦》）时，他这样解释说：“由船山所言可见，土地乃天之所与，应为万人平等利用。虽为王者，亦不许违反此天则而独占土地。而此土地，在此前的经济状态下几乎可谓唯一的生产手段。因此，其所言进而从另一面可以看到有万人在经济上均为平等的立场。然而自由竞争的结果使得豪商大贾拥有巨富，而使贫弱之民受苦，这就极大地违反该原则，因此我认为王船山主张为政者必须实行干涉政策以救此缺陷。”③在王船山诞辰三百周年之际，小岛祐马通过阅读船山的相关论述，甚至感叹“被称为任凭自由竞争的资本家对工人阶级的现代社会的缺陷好像在二百几十年前就已经遭到了痛击。”④小岛还引用王船山《读通鉴论》卷三中的一个讽喻，即“举富人子而官之，以谓其家足而可无贪，畏刑罚而自保，然则畏人之酗饮，而延醉者以当筵乎？”以此来批评资本主义的政治制度，指出：“以财产的多寡来作为给予参政权的标准这样的制度，也难免同样的嘲笑。”⑤由当时小岛祐马的思想倾向来

---

① 同上，小岛祐马：《中国の社会思想》，第 232、234 页。

② 同上，小岛祐马：《中国の社会思想》，第 234—237 页。小岛祐马：《王船山の経済説に就いて》，《支那学》第三卷第三号（1922 年 12 月），第 79—84 页。

③ 小岛祐马：《中国の社会思想》，第 235 页。又见小岛祐马：《王船山の経済説に就いて》，《支那学》第三卷第三号（1922 年 12 月），第 82 页。

④ 小岛祐马：《中国の社会思想》，第 227 页。

⑤ 同上书，第 228 页。

看,他所批评的王船山“穷理不彻底”主要是指其没有将平等主义贯彻到底。从这种意义上说,王船山的“民族论”“华夷论”这些“政治上的根本论”在小岛祐马看来并不是王船山思想的特色所在,船山思想的特色在于其针对具体制度、政策的史论中。小岛祐马的黄宗羲、王船山论,也可以看作是中国儒家传统中的民本主义、均分平等思想在日本大正民主主义思潮中泛起的一丝涟漪。

几乎在小岛祐马发表黄宗羲、王夫之论的同时,“兴亡史论刊行会”策划的“世界兴亡史论”丛书出版,王夫之的《宋论》被译为《宋朝史论》(译者松井等、前川三郎)收入该丛书第一辑于 1918 年 8 月出版。一年之后,即 1919 年 12 月,该丛书第二辑又出版了松井等翻译的《支那近世政治思潮》,其内容包括黄宗羲的《明夷待访录》、王夫之的《黄书》和节译顾炎武的《日知录》。该书凡例第一条即说明:此三书“为中国近世政治论之白眉,故合为一编名为《支那近世政治思潮》”。王船山的《宋论》与《黄书》的日文翻译,据译者凡例介绍,都得到市村瓒次郎的关心指导,后者还得到过内藤湖南的“恳切的忠告”及“畏友稻叶君山的有益的助言”。

第一次世界大战之后,日本已经成为帝国主义阵营中的重要一员,而且力图充当侵略中国的排头兵,1915 年 1 月 18 日提出“对华二十一条”,企图将中国变成日本的殖民地。许多知识分子为此或出谋划策,或附和造势。[①] 后来,一些“有志之士”组织“兴亡史论刊行会”,选译出版世界各国有关历史兴亡盛衰的“千古不磨的名著”,以鼓舞国民“兴国之意气”,促使国民自觉“盛衰之理”。船山史论中的民本思想与平等均分观念,如上所述虽然作为“中国元素”可以说也参与到了大正民主主义思潮的酿成过程中,但同时,其著作作为“兴亡史论”的世界名著被卷入了更加声势浩大的民族主义浪潮,成为促使日本所谓“国民自觉和警醒”的精神食粮和日本帝国主义实行其称霸东亚的所谓“最高尚天职”的“他山之

① 1914 年 12 月 14 日松井等在东京地学协会的例会上发表讲演《山东省的历史地理》,讲演笔记在《地学杂志》第 27 年第 314 号、315 号(1915 年 2 月、3 月)连载发表。

石”。船山史论如何为日本所用，是探讨中日两国民族主义思想资源相关关系的重要素材。

关于“兴亡史论刊行会”的情况，我们可以从该刊行会刊行书目第一卷《世界史论进讲录 附录　近世列强史论·政治学说史论》(兰克著，村川坚固译，1918 年 2 月出版）书后所附材料——《兴亡史论刊行之旨趣》《刊行书目》《编辑顾问及翻译者》中了解相关情况。

“大正六年九月”所拟《兴亡史论刊行之旨趣》，全文如下：

其盛也玉楼花笑，其衰也残壁草悲。身处历史之长河，静观一国之兴亡、一世之盛衰，谁能没有朝云暮雨之感慨？

且不说远古之事，当今旷古之大战，使大大小小多少民族陷入战乱的漩涡中。既有小国之衰亡，也有大国之革命；既有旧民族之衰退，也有新民族之兴起；全世界之时运正处在一大转机中。实际上，我等于最近数年之间、过去数十年，或自我等祖先数百年以来，也遇到许多大事。这次战乱产生，所遗留下来的问题还有很多，国家民族的前途岂能掉以轻心。苟立于此，有兴国之意气、有深谋远虑的国民，才能在国际上作为优者而兴起，否则只能作为劣者而灭亡。历史反复，可为鉴戒。如此，吾等新兴国民，岂能不追踪兴亡之迹、研究盛衰之理，取他山之石以攻我之璞哉！

在此我们新设“兴亡史论刊行会”，广搜古今东西论述国家民族兴亡的世界名著，加以选译编纂成十二卷的一套丛书，以提供给社会各界。虽觉自不量力，所幸得到学界大家的热诚指导与援助，才逐渐选定书目。皆为千古不灭之大著，在给予绝大的国民自觉与无限的国家教训方面，确乎兴国史丛之权威。加上翻译也是斯学之巨腕，以期将原著的面貌鲜活地呈现出来。政治经济、军事外交、文艺美术、哲学宗教，彼此纵横交错，且相互关联、相互照应，作为国民知识之宝库，蔚然成为我文坛之奇观。

先哲曰：盛衰之理虽曰天命，岂非人事哉？忧劳可以兴国，逸豫可以亡身。宜深为自觉自励也。兴亡史论刊行会成，谨仰大方君子之赞襄云尔。

其《刊行书目》所列十二卷著作如下：

第一卷《世界史论进讲录》，兰克(Ranke，Leopold von)原著

第二卷《凯撒时代罗马史论》，拿破仑三世(Napoléon III)原著

第三卷《俄罗斯史论》，克柳切夫斯基(Kliuchevskii，Vasilii Osipovich)原著

第四卷《法兰西革命史论》，史坦恩(Stein，Lorenz Jacob von)原著

第五卷《英国膨胀史论》，西利(Seeley，John Robert)原著

第六卷《普鲁士勃兴史》，特赖齐克(Treitschke，Heinrich Gotthard von)原著

第七卷《君主经国策・韬略提要》，马基雅维利(Machiavelli，Niccolò)、若米尼 (Jomini，Antoine Henri)原著

第八卷《英国宪政论》，白芝霍特(Bagehot，Walter)原著

第九卷《欧洲思想史》，文德尔班(Wilhelm Windelband)原著

第十卷《宋朝史论》，王船山原著

第十一卷《史论丛录》(上)，诸大家原著

第十二卷《史论丛录》(下)，诸大家原著

将王船山的《宋论》与马基雅维利、兰克等世界著名思想家和历史学家的著作放在同一个系列中，无疑对于日本知识界了解中国的史论著作具有很大的推介意义。这里不可能逐一分析入选的前十卷著作每一卷作品及其作者各自的思想特点与倾向，但是在选编之际，如上述“旨趣”中所言“作为优者而兴起，否则只能作为劣者而灭亡”的“优胜劣败”论，无疑是“绝大的国民自觉与无限的国家教训”的重要指针。如编辑顾问中的东京帝国文科大学教授、文学博士、社会学家建部遁吾(1871—1945)，就主张社会有机体论与社会进化论，而第八卷的作者白芝霍特(1826—1877)也是英国的社会达尔文主义的代表人物。

当时日本思想界的状况，由李大钊在1919年2月1日出版的《国民》杂志第一卷第二号上发表的《大亚细亚主义与新亚细亚主义》一文可见一斑。此文开宗明义："日本近来有一班人，倡大亚细亚主义。我们亚细亚人听见这个名辞，却很担心。倡这个主义的人，有建部遁吾、大谷光瑞、德富苏峰、小寺谦吉等。"强调两点："第一，须知'大亚细亚主义'是吞并中国主义的隐语。""第二，须知'大亚细亚主义'是大日本主义的变名。"总之，"这'大亚细亚主义'不是和平的主义，是侵略的主义；不是民族自决主义，是吞并弱小民族的帝国主义；不是亚细亚的民主主义，是日本的军国主义；不是适应世界组织的组织，乃是破坏世界组织的一个种子。"①而取代清朝成为统治中国的后继者，也是日本近百年来一些所谓"兴亚的大先觉者"梦寐以求的心愿。② 当时日本正欲以优胜劣败的原理为侵略中国正名，而王船山论宋朝之亡，恰好影射了他们对民国时期中国身处重患且已积重难返的诊断。③ 在这样的思想氛围中，《宋论》入选了该丛书。

入选该丛书中的中国史论著作虽然只有如上《宋朝史论》和《支那近世政治思潮》两册，却有两位东京帝国大学东洋史教授担任该丛书的顾问，即北方民族及西域史研究开拓者白鸟库吉（1865—1924）和东洋史学开拓者市村瓒次郎（1864—1947）。④ 如前所述，市村瓒次郎与这两本书

---

①《李大钊全集》第三卷，河北教育出版社，1999年，第146、147页。

② 如佐藤信渊（1769—1850）在1823年著《宇内混同秘策》，扬言："愚蠢的满奴都能掠取支那，何况以皇国的兵粮、大铳、火药的神威能不成为其后继者吗？十数年间统一支那全国，也不在话下。"（鴇田恵吉編：《佐藤信淵選集》，東京：読書新報社出版部，1943年，第414頁。）参见刘岳兵：《近代日本中国认识的原型及其变化机制》，《历史研究》2010年第6期。

③ 市村瓒次郎：《中華民国の前途》（1913年5月25日汉文学会讲演），收入其《支那论集》，东京：富山房，1916年，第165—166页。

④ 编辑顾问主要还有东京帝国文科大学教授文学博士箕作元八（1862—1919，西洋史学者，著有《西洋史講話》《仏蘭西大革命史》等）、东京帝国文科大学教授文学博士村川坚固（1875—1946，西洋史学者）、陆军大学教授司马亨太郎（1862—1936，德语学者，曾任东宫御用官、学习院教授）、早稻田大学教授北昤吉（1885—1961，北一辉的弟弟，思想家，著有《柏格森哲学的解说及批判》《从哲学到政治》等）等。"兴亡史论刊行会"的代表者为松宫春一郎（1875—1933，毕业于学习院，供职于外交时报社，同时为1920年开始发行的"世界圣典全集刊行会"丛书——"兴亡史"的姊妹丛书——的代表）。

的推选有关，特别是《宋朝史论》，他说："'兴亡史论刊行会'曾想收录一部中国的史论，委托我来选择，我指定王船山的《宋论》，且推荐松井、前川两人作为翻译者。因为松井氏长期研究东洋的史学，尤其对宋史造诣不浅；而前川氏汉文素养深厚。今此翻译已成，特草一篇《支那历代史观》以代序文。"①该序文《支那历代史观＝诸民族的盛衰与汉文化的变迁》是这样开篇的：

> 游禹域，入燕京（北京），登城门之高楼，近观宫殿之参差，远望川原之萦绕，怀古思今，感慨必油然而生。辽、金、元、明、清及现代竟然在同一块土地上相继建都，可征契丹、女真、蒙古、汉人等诸民族之兴亡盛衰也。然同一块土地而经历历代兴亡者岂独燕京为然？长安如此，洛阳如此，金陵（南京）、汴京（开封）亦莫不然。而在这些土地上频频更换其国主，说明中国经历过多少次的易世革命。而其间一贯穿古今的汉文化犹存，实近乎一大奇迹！今于此以各民族的兴亡为经、以汉文化的消长变迁为纬，考察中国四千年的历史大势。②

考察的结果在序文的最后一段，曰：

> 过去压迫汉民族的周边外族虽然在武力上处于优势，但是在文化上常常劣于汉族。因此，外族在用武力征服汉族的同时，其文化却被征服了。然而，现在在汉民族周围压迫而来的民族，已经不是以前的女真族，也不是蒙古族或回藏民族，而是无论在武力还是文化上都远远卓越于汉族的欧美诸民族，他们以富强的实力、利用海陆交通之便，在欧洲大战之后而杀到东亚地区，其影响首当其冲的不能不说是汉民族本土的中国。因此，对于汉民族的前途与汉文化

---

① 市村瓒次郎：《支那歷代史観＝諸民族の盛衰と漢文化の変遷》（《宋朝史论》序），王船山著，松井等、前川三郎译：《宋朝史论》（序文），兴亡史刊行会，1918年，第21—22页。（1931年作为"世界兴亡史论"第九卷由平凡社再版。）

② 同上，《宋朝史论》（序文），第1页。

> 的将来，不能不抱有很大的悬念。汉文化存则汉民族有，汉文化灭则汉民族无。中国虽然经过四千余年的变迁、拥有多民族盛衰消长的历史，但依然使人觉得是中国这个国家的继续，其原因就在于贯穿于各个时代的汉文化犹存。在这片国土上，最近的当务之急难道不是与文化上最类似的武强的民族相互依赖相互扶助对抗欧美诸民族，以图保护其民族保持其文化吗？若不然，而徒学远交近攻之旧策，如果真重蹈宋朝与蒙古联盟的覆辙，他日不仅危及汉民族国家的独立，汉文化的存续也甚至值得怀疑了。由此可见，中日提携亲善，不单是为了日本，也是为了汉民族、汉文化。①

这里的建议可谓与内藤湖南的主张有异曲同工之妙，即中国要保持国家独立，必须与文化上类似、军事上强大的日本“相互依赖相互扶助”。虽说是“相互”，而实际上他诊断由于中国“陷于重患”，“前途堪忧”，“如果汉民族能够自觉，或许能够发挥出一大势力来，若不然，中华民国的前途不容乐观。那么日本国民至少要激励汉民族，必须要暂且使其国家得以维持。”②他认为日本应该有更加远大的理想和目标：“既然已经与列强为伍，就应该进而成为列强的霸者。”他清醒地认识到在列强对峙的时代，其优胜劣败的战争不可避免，“以和平为手段而废止列强的战争，完全是空论；必须要有以战争为手段达到和平的目的是不可避免的这种觉悟。”③以战争为手段而获得的和平，能否在世界实现孔子所谓的“仁”的理想？一个世纪过去了，至少市村的以战争为手段的“觉悟”在现在来看也不过落入了另一种“空论”。1917 年 2 月 28 日，法国公使代表日、英、俄等协约国七国照会中国外交部，答应中国与德国绝交加入协约国之后，将以善意对待中国所提出的条件。对此事，市村瓒次郎以“支那引入

---

① 同前，《宋朝史论》(序文)，第 20—21 页。

② 市村瓒次郎：《中華民国の前途》(1913 年 5 月 25 日汉文学会讲演)，收入其《支那论集》，东京：富山房，1916 年，第 188 页。

③ 市村瓒次郎：《平和と戦争》(1914 年 11 月孔子祭典会讲演)，同上《支那论集》，第 316、317 页。原文有着重号。

问题”为标题，有两句非常犀利的评价，曰：“可得而亲则可得而疏，可得而利则可得而害。”[①]只要列强争霸、优胜劣败的形势在，亲疏、利害都随时可能随着形势的变化而变化。

以这种争霸之心来理解宋代兴亡的话，会有什么样的解释呢？市村瓒次郎在序文中有一段关于宋代的论述，他指出：

> 宋代为了矫正唐末五代以来藩镇武断之弊风，推行尚文的政治，结果虽然使得汉文化得到明显的发展，但是文弱之余弊更有甚者。不仅震怖于契丹的威胁，对西夏的入侵也无计可施，只能甘于不时地签订屈辱的讲和条约。神宗与王安石之所以改革制度谋求富强之策，就是出于对外雪耻。然而改革最终失败，没有什么效果。而此时，宋代的文化愈益发展。唐代以来长期支配思想界的佛道二教，其势之所及，进而影响到儒教，于此形成了道学即儒教哲学。其濂洛关闽诸家，活用佛、道思想来解释儒教的经典，使儒教呈现复活的曙光，表现出一种活泼的气势。他们通过儒教建立一种宇宙观、人生观，其自信有不与他者相容之风。以此联系到政治问题，便成为党争的远因。此前旧法派与新法派之相争，此后主战派与讲和派之相攻，虽然情况复杂，亦不能说与学风无关。而此一胜一败，徒有害于汉民族的统一，也使国家的基础发生动摇。[②]

把宋亡的教训归结为尚文、文弱，认为由于文化的发展产生不同的学派，成为政治斗争（“党争”）的远因，最终损害了民族的统一、动摇了国家的基础。这与王船山在《宋论》中的分析关系如何，下面还将论及。

顺便我们再看看内藤湖南对王船山《宋论》的认识。这主要反映在他的《支那史学史》中。他曾经在1914—1915、1919—1921和1925年三次讲授这门课程，后来以第二、三次的授课内容为蓝本整理出了这本著作，而且该书有了中文译本。在“清朝的史学”一章中以人物立项的，只

---

① 伊东忠太、杉村广太郎：《阿修羅帖》第3卷，东京：国粹出版社，1921年，No. 233。

② 同前，《宋朝史论》（序文），第13—14页。

有“黄宗羲与浙东学派”“顾炎武”“王夫之与胡承诺”“徐乾学及其门下(一)(二)”，可见他对王夫之的重视。在谈到《宋论》时，他概括说：“宋之所以亡中国，是因为宋朝的制度主要针对内部的猜疑心，而没有去考虑外部的夷狄所致。宋一统天下之际，嫌忌地方有兵权，而将其收归中央，这是宋灭亡的原因。”“若宋在平天下之际，充分备兵力于北方，选用人才委以重任，而君主没有猜疑之心的话，就不会被契丹侵略、被女真蹂躏，被蒙古所亡了。”总之，内藤湖南强调“宋朝是因为对内的猜忌心，却让外国夺取了天下。”①

尚文、文弱、党争、猜忌心，这些解释，是否会影响到对《宋论》的日文翻译？日译本的《宋朝史论》与原著在文本上有哪些差异呢？

(二) 日译本《宋朝史论》与原著《宋论》文本上的差异及其意义

日译本《宋朝史论》由市村瓒次郎的《序》、译者的《序说并原著者王船山小传》、《凡例》及《目次》、正文组成，扉页有王船山的肖像。

日译本的文本特色及其与原著在文本上的差异，我们可以首先从译者的《凡例》中得到一个基本的认识。凡例共八条，全文如下：

> 一、如序说所记，本书乃译述明末清初硕学王船山著《宋论》而成。
>
> 二、欲玩味汉文简劲之长处者，应先熟读原文，不可由译文而得。本书为了尽量通达文意，不拘泥于原文的文辞句法。王船山的文章艰涩拮屈之字句不少，更觉有其必要。
>
> 三、文中有多处不知所依据的事实就难于理解者，因此在必要

① 同前，《内藤湖南全集》第11卷，第309、310页。马彪翻译的中文版《中国史学史》(上海古籍出版社，2008年)第242页的译文：“对于宋何以亡国的原因，他认为主要在于宋制度只对内部有猜疑心，而没有去考虑外部夷狄所致。”这一句虽然是接着王船山的原话的解释，但是译文中“他认为”为译者所加，是要表示这是内藤湖南对王船山的理解，但是从逻辑上看，内藤湖南的这句解释与所引王船山的原文“汉唐之亡，皆自亡也。宋亡，则举黄帝尧舜以来道法相传之天下而亡之也”并没有什么严密的内在关系，因此这里的解释更多的是内藤的意思，是内藤这样认为。“他认为”是译者主观所为，反而容易引起误会。

之处夹有小注。

四、摘一篇之大意揭于篇首，名曰小序。此非为特别必要，出自方便读者之微意。

五、原书由十五卷组成。今据体裁之便，改原文之“卷”为“章”，且个项以“节”称之。

六、原书各卷长短不一。因此本书各章也长短甚为不同，请读者理解。

七、本书尽量选取原书中与国家兴亡相关的部分，有些不相关的就省去了。因此整体篇数本书与原著未必一致。亦请读者谅恕。

八、本书之译述乃市村博士之指示，且寄来综论大观中国四千年波澜壮阔兴亡盛衰之由来的长篇序文；卷头所载原作者的肖像是平福百穗画伯根据《船山遗书》画像所摹写。谨此深谢其好意。

首先，书名由《宋论》改为《宋朝史论》，凡例一所言“序说所记”，即序说开篇的说明：“《宋朝史论》是假王船山所著《宋论》而起的书名。《宋论》由十五卷组成，评论北宋南宋三百二十年间的史迹，非首尾一贯的长篇，而是以一百一十三项事迹为题目的一百一十三篇评论组合而成。”① 译者认为原著的内容是对宋朝“史迹”的“评论”，故更名为《宋朝史论》。以“史论”概括原著“论”的特征，已经成为学界共识，或未尝不可或未必妥当，且另当别论，但是书名的变更，也使得后学在做学术史整理时容易产生疏漏，如日本最新出版的王夫之思想研究专著中所列日文参考文献，就未见该书信息。② 其次，为方便读者，译者在正文必要处夹有小注、每篇(节)不仅列有标题，而且篇首皆有小序说明该篇大意，这与中文刊行本多有不同。每篇有标题的，据杨坚《宋论编校后记》，有民国三年(1914 年)上海会文堂书局《标目读通鉴论附宋论》本，对照各种版本，指

① 同前，《宋朝史论》(序说并原著者王船山小传)，第 1 页。此处说 113 篇(项)，通说为 115 篇。该序说列举各卷篇数中，谓“第八卷徽宗(五项)”、“第十卷高宗(十五项)”，各少一项。

② 同前，松野敏之：《王夫之思想研究 ：『讀四書大全説』における「作聖之功」議論を中心にして》。

出“惟会文堂本于全书一百一十五论皆着标题，有别于他本，遂亦据以录入本版，以便读者。”①中华书局出版的“中华经典名著全本全注全译丛书”收录刘韶军译注的《宋论》，删去了每篇的标题，在每卷（章）卷首附有“题解”，没有概括每篇大意的小序。②

最重要的是凡例七，所谓省去与国家兴亡不相关的部分，其相关不相关的标准是什么？值得探讨。其序说中也提到：“其中有直接关系国家兴亡的，也有不是的，但是在王船山看来无不与国家兴亡有关。”③《宋朝史论》一共省去 31 篇，约占总篇数 115 篇的 27%，省去的篇目（篇名据《船山全书》本）如下：

卷一　太祖：一〇　太祖享太庙欲撤礼器而用常膳、一三　宋定妇为舅姑服及封赠本生父母之礼、一四　太祖遵杜太后传位之命；

卷二　太宗：八　废楚王元佐为庶人、九　太宗无嗜好惟喜读书；

卷四　仁宗：五　仁宗使曹后育英宗、九　韩范二公之才、一四　富弼有憾于韩琦；

卷五　英宗：二　濮王典礼之议；

卷八　徽宗：五　杨时应诏而出；

卷九　钦宗：四　马伸请张邦昌复辟；

卷十　高宗：三　李纲之建言、四　吕好问朱胜非之同逆、六　林勋上书请行什一之税、八　胡安国与秦桧同情、九　娄寅亮请立太祖后为嗣、一〇颁戒石铭于州县、一五虞允文甫至采石即决战、一六　高宗内禅；

卷十一　孝宗：一　符离之溃、二　孝宗奉养高宗；

卷十二　光宗：一　孝宗急传位于其子、二　朱子请行经界法；

卷十三　宁宗：三　朱子祧庙之议、四　蔡元定之窜死；

① 见《船山全书》第十一册，岳麓书社，1996 年，第 348 页。

② 刘韶军译注：《宋论》（上下），中华书局，2013 年。

③ 同前，《宋朝史论》（序说并原著者王船山小传），第 1 页。

卷十四 理宗：一 真德秀魏了翁讼济王竑之冤、二 史弥远请录儒先子孙授以山长、四 史嵩之毒杀徐元杰刘汉弼杜范、五 起复史嵩之之众议、六 刑具之酷始于宋末；

卷十五 度宗 恭宗 端宗 祥兴帝：一 文天祥奉太后命如元军。

对以上这些被译者删去的所谓与国家兴亡“不相关”的内容进行分析整理，大概可以归纳为以下几类：

第一，礼法、政治制度论。如卷一的第十、十三、十四篇、卷四第五篇、卷五第二篇、卷十第九、十六篇、卷十一第二篇、卷十二第一篇、卷十三第三篇，第十四卷第六篇，占所删除内容的近三分之一强。

第二，经济政策论。如卷十第六篇、第十二卷第二篇。

第二，德行、道义、人才、学问及社会关系论等。作为儒家知识分子，这一类论述与政治、经济方面的论述紧密相关，既具有独立意义，也可以说是前面两类论述的基础。这类论述在对于持道德史观的儒家知识分子而言，是理所当然的，未删去的部分中也还有大量类似的论述存在，故对此存而不论。

这里只是简要地介绍前面两点的相关情况。

礼法、政治制度论①所占的篇幅最多，大部分与皇室相关。如卷一所删去的三篇全部是礼制方面的内容。传统中国被称为“礼仪之邦”，礼在中国文化中的地位，如元代学者陈澔所言：“前圣继天立极之道，莫大于礼；后圣垂世立教之书，亦莫先于礼。”（《礼记集说》序）《宋论》中直接论述礼制的篇目都被删去，而以卷一最为典型。从卷一中删除的三篇来看，《宋论》中关于礼制的论述大致有以下两个方面的内容：

(1) 对具体礼制事项的评价。如对宋太祖欲撤礼器而用常膳之事，一方面批评其“卒然而撤之，卒然而复之，义不精而典礼不定，过矣”，强调祭祀典礼之事“非可以意之偶发而废兴之”。尽管“其易之之情、复之

① 王夫之的礼学思想，参见陈力祥：《王船山礼学思想研究》（巴蜀书社，2008 年）。宋代礼制，参见陈戍国：《中国礼制史 宋辽金夏卷》（湖南教育出版社，2001 年，第一章“赵宋礼仪制度”）。

之心，则固诚有于中憬然而不容抑者存也。”又如对尹拙等提出的“妇服舅姑斩衰三年”，批评其有“渎典礼”，是“变而失其正也”；而认为李昉提出的“后父母亡，得封本生父母”这种对古制的改变，是“变之正也”。再如在传位问题上，评价宋太祖说：“以己期人，虽公而私；观之不达，虽智而愚；乃以不保其子弟，不亦悲乎！”当然，像卷五的“濮王典礼之议”，更是关系到宋代宗法观念与传承制度的一次大讨论（“濮议之争”）。①

（2）对礼法制度及其变化发展的原则性与时代性的论述。如王夫之解释“礼从其朔”时，强调“朔者，事之始也；从之者，不敢以后起之嗜欲狎鬼神也。”同时在解释“礼，时为大”时，又强调“时者，情之顺也；大之者，不忍于嗜欲之已开，而为鬼神禁之也。”②无论什么观念或制度，王船山都强调“古今相酌，而古不废今”，既反对“舍今以从古”，也反对“执古以律今”。对礼之可变与不可变、革与因的关系，他强调“大伦之正”是不可变的，而在具体细节上，只要情理相协，就要与时俱进。谭献为《宋论》的思想特征总结了两句话：“曰仁心为质，曰设身处地”，③可以说是深中肯綮。

王船山有“陋宋”之说，宋之所以“陋”，之所以“耻”，进而之所以亡，就是因为统治者“惟己之意欲”而动，“惟己之意欲”就是“私”，没有掌握好政治制度的原则性与时代性之间的平衡。所以王船山在《黄书》中说：“圣人坚揽定趾以救天地之祸，非大反孤秦、陋宋之为不得延，固以天下为神器，毋凝滞而尽私之。”④就是要在“私”字上开刀，“革陋宋鬻贩之私，则大公行矣。”⑤强调“中国财足自亿也，兵足自强也，智足自名也。不以

① 参见王云云：《王夫之礼学思想的特色——以“濮议”论为中心》，《西北大学学报（哲学社会科学版）》2011 年第 1 期。

②《宋论》卷一，《船山全书》第十一册，岳麓书社，1996 年，第 36—37 页。

③《谭献日记》，中华书局，2014 年，第 66 页。

④《黄书》宰制第三，《船山全书》第十二册，岳麓书社，1996 年，第 508 页。顾炎武、黄宗羲、王夫之著、松井等译《支那近世政治思潮》，东京：兴亡史刊行会，1919 年，第 107 页

⑤《黄书》慎选第四，《船山全书》第十二册，岳麓书社，1996 年，第 522 页。同上，松井等译《支那近世政治思潮》，第 127 页。

一人疑天下，不以天下私一人，休养厉精，土佻粟积，取威万方，濯秦愚，刷宋耻，此以保延千祀，博衣、弁带、仁育、义植之士甿，足以固其族而无忧矣。"①

其次，被删去的经济政策的论述，也是《宋论》中非常精彩的部分。经济政策的核心，也是要以民心民情为本，要以变化的时势为依据，不能食古不化、不能搞教条主义。卷十高宗的第六篇"林勋上书请行什一之税"中说的就是以"先王之法"为名而不顾时代变化的实际情况，其祸害之惨"足以杀天下而亡人之国"。② 同样，被删去的部分中还有王船山对朱熹"请行经界法"所提出的类似的批评："朱子知漳州，请行经界法，有诏从之。其为法也，均平详审，宜可以行之天下而皆准，而卒不能行。至贾似道乃窃其说以病民，宋繇是亡，而法终沮废。"为什么会如此？王船山的分析非常精辟独到。他认为那些"思而可得、学而可知"的道理，还是一种抽象的概念，是一种似是而非的理论，运用到复杂的实际生活中往往行不通。"古人之教我以极深研几之学，而我浅尝而燥用之，举天下万民之情，皆以名相笼而驱入其中，故曰'罔'也。"③"极深研几之学"来自对"天下万民之情"的反复体察，学问的深奥精微之处才能逐渐显现。而不能简单粗暴地将"天下万民之情"装进抽象空虚的"名相"中就了事。

《礼记·礼运》中说："人情者，圣王之田也。修礼以耕之，陈义以种之，讲学以耨之，本仁以聚之，播乐以安之。"对此，王船山解释说："人情者，非一人之思所能皆虑，非古人之可刻画今人而使不出于其域者也。乃极其所思，守其所学，以为天下之不越乎此，求其推行而准焉，不亦难乎！"④对真理的追求，不可能一蹴而就、一劳永逸；好的政策，不是千古不变的教条，只有不断地随着历史条件的变化，因地制宜、顺势而为、实事

①《黄书》宰制第三，《船山全书》第十二册，第519页。同上，松井等译《支那近世政治思潮》，第122页。

②《宋论》卷十，同上，《船山全书》第十一册，第229页。

③《宋论》卷十二，同上，《船山全书》第十一册，第275、276页。

④《宋论》卷十二，同上，《船山全书》第十一册，第276页。

求是，这块“人情之田”才能春华秋实，硕果累累。这些国家治理的根本理念怎么会与“国家兴亡”无关呢？

《宋朝史论》中，除了整篇删去之外，也有删去某些篇目中几句或整段的情况，不在此一一列举了。

在文本上与原著的差异，除了删除的部分之外，每篇前面增加的“小序”也值得注意。一方面如译者所言是“出自方便读者之微意”，通过这些“小序”可以看到译者的态度。纵观各篇“小序”，其写法特点可以归为以下几类。第一，以“本论”概括大意，不出现原著者王船山的名字；第二，直言王船山对相关问题是如何论述的；第三，虽然不一定出现原著者王船山的名字，但是以“骂”（卷四—八，“科举之诗赋优于其策问”。“厌恶成为宋朝大弊的言论纠纷之余，以至于骂到科举的策问”①）、“痛骂”（卷三—六，“宋初之宽政”。“痛骂极端的勤俭精励主义”②）、“痛论”（卷四—七，“宋对西夏的失策”。“痛论当时宋朝的弱势”③）、“颂扬”（卷六—八，“章惇的功劳”。“章惇虽为奸人无疑，但就其征讨湖北的蛮夷传播中国的文化一事而言，解释完全应该作为其功劳加以颂扬的缘由”④）、“惋惜”（卷七—二，“元祐诸公不通理财”⑤）、“论破”（卷八—三，“宋对于童贯

① 同前，《宋朝史论》，第219页。

② 同前，《宋朝史论》，第145页。

③ 同前，《宋朝史论》，第212页。卷八—四“徽宗与蔡京”的小序也用了“痛论”一词：“……痛论君臣相戏而不顾国事，即便不出现像女真那样的劲敌，宋朝的衰运也不可避免的道理。”同上，第343页。还有卷九—二“空谈亡国”的小序也用了“痛论”一词。“宋人不审敌方意图，又无确乎奋发之勇，徒弄口舌之空论而不顾防卫之实务，遂招致大祸。本论痛论其所以。”同上，第360页。

④ 同前，《宋朝史论》，第293—294页。“论人之衡有三：正邪也，是非也，功罪也。正邪存乎人，是非存乎言，功罪存乎事。三者相因，而抑不必于相值。”（《船山全书》第十一册，第173页。）该篇中提到：“谓沙漠而北，河、洮而西，日南而南，辽海而东，天有殊气，地有殊理，人有殊质，物有殊产，各生其所生，养其所养，君长其君长，部落其部落，彼无我侵，我无彼虞，各安其纪而不相渎耳。”（同上，第174页。）对此《宋朝史论》未有论及，而当代有论者将其作为“与少数民族保持互不侵略、相安无事的关系”的论据，认为王船山在这里“提出了和平共处、共同发展的民族关系的新认识。”（王嘉川译注《宋论》前言，中华书局，2008年，第3页。）

⑤ “知国计通理财应为大臣之责务，以不知不通为高洁，此误解尤其不对。王安石不通而为小人误，攻击王安石的元祐诸公亦不知，与王安石无异。如同两盲相触相骂，而为元祐诸公惋惜。”同前，《宋朝史论》，第305—306页。

及辽金的态度”。“虽谓靖康之祸本于童贯之愚策，而宋之弱势非自徽宗朝始，而由来于宋初以来之积弊，揭穿了当然招致败亡之不幸、亡国之祸不可免的秘密。”①)、“喝破”(卷二一七，“九世同居非美事”。“喝破其伪善”②)等表现强烈情感色彩的词汇来转述王船山的态度。

如此增删，其意义何在呢？这与译者松井等对王船山史论的评价是紧密相关的。如前所述，《宋朝史论》的译者松井等为该书写了一篇《序说并原著者王船山小传》(以下简称《序说》)。《序说》一方面充分肯定了王船山的学术可与其同时代被仰为一方宗师的顾炎武、黄宗羲、孙奇逢、李颙等大家相比肩，而且作为史论家，特别是“兴亡史论家”，王船山更是中国学术史上的佼佼者。同时也结合《宋论》指出船山史论以下三个方面的缺点并表示一种同情的理解：

> 其一，以伦理道德作为是非得失的判断标准，非平正的事实论，有为议论而议论之嫌。此乃中国史论家难免的通弊，因为王船山奉程朱之学，与其说王船山是史论家，不如说经学家才是他的本分。如果知道中国史学与经学难以分离，应该就不会只去责备王船山了。其二，其论法稍稍偏于矫激，有过多交织慷慨之气之嫌。这是因为时势激荡，王船山观察其所处明朝的没落，作为身处战乱漩涡为生死挣扎的人，自然会受制于自己的感情，托古人的故事以泄露胸中的烦闷。其三，作为题材或论据的历史事实有缺乏正确性之嫌。《船山遗书》的编者亦谓“先生博极群书，下笔千言，无暇翻阅，间亦记忆偶误”(欧阳兆熊《重刊船山遗书凡例》，《船山全书》第16册，岳麓书社1996年，第421页——引者)，凭记忆而引证事实，难

① 同前，《宋朝史论》，第336页。

② 同前，《宋朝史论》，第85页。卷十一一二“南北讲和之真相”小序中也用了“喝破”一词，曰：“南宋之孝宗与金世宗同时在位，南宋的乾道元年即金的大定五年，两国讲和，废原来的君臣之礼，称宋帝为侄、金帝为叔。自此南北交争久绝。后世中国论者谓二帝为宽仁之君，故有如此成果。对此王船山喝破了两国同样面临不能活跃的内情，结果，这里蕴含了两国同时衰亡的前兆。”同前，《宋朝史论》，第430页。

免有误。编者又谓因为怕“欲改之则与本意不符，竟置之”（同上），当如此然，即便于事实有一些误解或曲解，也不难知道王船山的论旨之所在。①

道德史观、情绪化的偏激、史实的错误，从重视历史的客观性的角度而言，这些都是致命的缺点。但是如序说所言，王船山更是一个经学家，他有自己的史学思想，作为思想家而言，译者注意到“其论旨可玩味处颇多”，“有不少非中国人不能着眼的很有价值的论点”，并强调指出：

中国有中国固有之事，不可以外国之事例加以推测。对此，中国论客之着眼亦有出乎吾人想象之外者。想要由中国的历史来考究中国的国情，不可不参照中国论客之所见。中国的史论家的论法论旨与欧美的相比，显得散漫，缺乏平正，以此为理由而一概排斥中国史论家的见解，这是研究中国历史还没有入门的表现。阅读《宋论》时，要暂且放下只是批评其缺陷的态度，体会其奇警且着实的论法论旨，可为探究中国情况助一臂之力。②

研究中国历史要注重中国历史自身发展的特点、关注中国历史学家的相关论述，不能用外国的事例或理论妄加推测，这种研究态度是难能可贵的。

《宋朝史论》的译者在文本上的增删，就是为了突显王船山的道德史观、慷慨之气和“奇警且着实的论法论旨”。从内容上看，市村瓒次郎与内藤湖南所强调的文弱与内耗这些导致宋亡的原因，在《宋朝史论》中得到进一步加强。我们也应该注意到，译者强调船山史论中的情绪化因素，并同情地理解为是时势与个人生命体验使然。但是对王船山“身处战乱漩涡”经过“生死挣扎”而得出的许多闪耀理性光辉和饱含人性智慧的宝贵思想，以无关国家兴亡为理由而舍弃了。正如译者所言，这些删

① 同前，《宋朝史论》（序说并原著者王船山小传），第 3—4 页。
② 同上，第 4—5 页。

去的部分“在王船山看来无不与国家兴亡有关”，因此，译者所谓的“不相关”，其实不过是与日本的兴亡不相关而已。上述删去的有关礼制特别是皇室的典礼和具体礼法制度，与日本的情况大不相同，而且经济政策也与日本的社会大相径庭。《宋朝史论》作为“兴亡史论”丛书中的一种，其目的如前所述，自然是为了鼓舞日本国民“兴国之意气”，使日本在优胜劣汰的盛衰之理中占据不败地位。因此对于有违于此的思想必然是避之犹恐不及、删之犹恐不快的。如王船山对那些“恻隐之心亡，而羞恶之心亦绝”的“不仁者”，批评其“立身扬名、移孝作忠之说，皆唯其口给以与人相啮蹄，复何所忌，而尚可与之正言乎？”①这些论述当然在删除之列。在近代日本国民道德体系和“万世一系”的“皇国”史观中，忠孝关系正与王船山所批评的“移孝作忠”若合符节。② 在民族主义情绪高涨、向“成为列强的霸者”迈进中的近代日本，不等到自我膨胀的梦想破裂，是很难有如船山批评的“陷于禽兽之阱”的自我觉悟的。

（三）《宋论》译者松井等的中国研究

如前所述，内藤湖南曾主张想要为当下的中国出谋划策，就要了解和利用中国古人的议论，松井等也强调要“探究中国情况”，“考究中国的国情，不可不参照中国论客之所见”。因此，近代以来，日本的中国研究可谓成就斐然，对此中国学者已经有了比较系统的研究成果。③ 但是我

---

①《宋论》卷十四，《船山全书》第十一册，岳麓书社，1996年，第320页。

② 参见韩东育：《“仁”在近代日本史观中的非主流地位》，《历史研究》2005年第1期。该文收入其《道学的病理》一书时有删改，书中明确指出：“由于日本以‘忠’为道德之绝对，而以‘孝’为‘忠’之从属，所以，它与以‘孝’为绝对而以‘忠’为相对的‘革命’思想的发源地——中国，截然不同。”韩东育：《道学的病理》，商务印书馆，2007年，第271页。相对、绝对之说，或因道德主体为国家、个人之不同亦可另当别论。

③ 如李庆的《日本汉学史》共五部，第一部“起源和确立”（1868—1918）、第二部“成熟和迷途”（1919—1945）、第三部“转折和发展”（1945—1971）、第四部“新的繁盛”（1972—1988）、第五部“变迁和展望”（1989—），2010年由上海人民出版社一并出版；严绍璗的《日本中国学史稿》，2009年作为阎纯德、吴志良主编的“列国汉学史书系”的一册由学苑出版社出版；此外可参见钱婉约的《从汉学到中国学：近代日本的中国研究》（中华书局，2007年）、胡宝华编著的《20世纪以来日本中国史学著作编年》（中华书局，2012年）等。

们关注的对象还主要是当时日本帝国大学（特别是东京大学和京都大学）中国研究的教授这类所谓大学者，而对一般的中国研究者关注不够；而且目前的研究多局限于就中国研究而论中国研究，基本未出中国研究的论域，而对其中国研究与近代日本知识建构的关系论述得还不充分。

《宋朝史论》的译者之一松井等（1877—1937）其人，如前述市村瓒次郎所推荐的那样，“长期研究东洋的史学，尤其对宋史造诣不浅”。日本学者在梳理其“东洋学的谱系”的时候，松井等也与箭内亘、今西龙、池内宏、羽田亨、和田清等英才被视为“市村·白鸟时代东京大学东洋史学出身的逸秀”。[①] 松井等去世后，高桥政清撰有《松井等先生小传》刊载于《国史学》第33号。吉川弘文馆的《国史大辞典》中也有山根幸夫执笔的专门词条介绍。他1901年毕业于东京大学史学科，之后参加陆军，亲历过日俄战争，随津野第四军参加柝木城、辽阳、沙河、奉天诸战，因其战功而升到步兵中尉。1906年进东京帝国大学史料编纂所，翌年为国学院大学讲师，一直在该校任教，1920年升为教授。松井等的中国研究，与上述“兴亡史论”丛书顾问白鸟库吉关系密切。1908年1月在满铁总裁后藤新平的支持下，在南满洲铁道会社设立“满鲜历史地理调查部”，白鸟库吉为主任，当时的部员只有箭内亘、松井等、稻叶岩吉三人。[②] 池内宏、津田左右吉后来加入进来。该研究的意义，白鸟从政治上、学术上都作了说明。他说：

> 在现代，各种事业都必须建立在确实的学术基础上，满、韩经营也固然如此。然我国民对该地方的学术研究尚属幼稚，不足以作为实际事业的指针。从我的史学专业而言，其政治史，就连其民族之间竞争的事迹也还有许多未阐明，烙印着许多民族盛衰兴亡之迹的

① 中嶋敏：《市村瓚次郎》，江上波夫编：《東洋学の系譜》，東京：大修館書店，1992年，第26页。

② 白鸟库吉：《後藤伯の学問上の功績》，《白鸟库吉全集》第十卷，岩波书店，1971年，第387页。白鸟库吉监修《满洲历史地理》第一卷，丸善株式会社，1940年复制版（1913年初版）田中清次郎的《序》。“满鲜历史地理调查部”的开设，一说为1906年。白鸟库吉《满鲜史研究の三十年》，同上，《白鸟库吉全集》第十卷，第405页。

> 白山黑水,有暗云深锁之感。这块土地与我国这样的半岛国家有紧密的关系,古今皆然,而且半岛上的风云变幻,常常起因于满洲之旷野,因而满洲也直接关系到我国运之消长,古今犹然。念及此,究明此间各民族竞争的真相,知悉造成现在的形势的由来,对经世家而言就不能等闲视之,而史学的如此状况,真是令人遗憾。而一般学术界也大致如此。这是我呼吁满、韩研究为当今之急务的理由之一。①

松井等在白鸟库吉的感召和关照下加入了这一研究行列,先后发表了《隋唐二朝高句丽远征的地理》《渤海国的疆域》《辽代在满洲的疆域》《从许亢宗的行程录看辽金时代满洲的交通路线》《金代在满洲的疆域》等论文。调查部解散后又在东京大学的《满鲜地理历史研究报告》上发表了《契丹勃兴史》《契丹可敦城考附阻卜考》《辽代纪年考》《契丹的国军编制及战术》《宋代对契丹的战略地理》《北宋对契丹的防备与茶的利用》《北宋对契丹的配兵要领》等论文。而松井的一些研究成果不仅被白鸟库吉吸收到他的朝鲜史和"塞外民族史"研究中,在中国也有一定的影响。②

关于松井等中国研究的经历,从其自述来看,大致经历了从一高受那珂通世的影响到进入东京大学选择东洋史作为自己的专业,毕业后从军的经验一时让他对历史研究抱有根本的怀疑,后经箭内亘介绍加入满

① 白鸟库吉:《〈满洲历史地理〉序》(1913年),同上,《白鸟库吉全集》第十卷,第449—450页。

② 金毓黻1934年完成的《渤海国志长编》的《征引书录》中列有《满洲历史地理》和《满鲜地理历史研究报告》。对前者,特别提到:"其中与本编有关者,即为松井等所撰渤海之疆域一篇。此书通体皆精,又附图中之渤海时代疆域图,亦余取以入本编,且加以修正者也。"见金毓黻:《渤海国志长编》,吉林省文物工作队、吉林省社会科学院东北史所标点,吉林:社会科学战线杂志社翻印,1982年,第602页。其1932年4月30日日记记载:"撰《渤海国志征引书录》,凡得九十五种。译《满洲历史地理·渤海之疆域》一篇,日本松井等所著也。"(金毓黻:《静晤室日记》第四册,辽沈书社,1993年,第2816页。)1938年12月27日日记中特意引《三十国春秋》作者萧方等的名字来议论松井等的名字,说:"方等岂能单用方字,此盖误以为等字为若干人同撰中语,故刊去之。近倾日本有松井等研史学颇有声,引之者称曰松井,亦由此而误也。"(同上《静晤室日记》第六册,第4261页。)可见当时其声誉已经影响到中国学界。

鲜史研究团队。[①] 据调查，松井等的中国史研究主要著作还有：《改订中等东洋历史》（东京：宝文馆，1915 年）、《东洋文化观》（东京：国史讲习会，1922 年）、《支那现代史》（东京：明善堂，1924 年。1939 年以《支那近代史》再刊）、《东洋史讲座·第四期前编·满洲民族盛衰的时代》（东京：雄山阁，1930 年）、《东洋史讲座·第四期后编·新支那时代》（东京：雄山阁，1930 年）、《东洋史概说》（东京：共立社，1930 年。1934 年订正增补以《东洋史要释》为书名再版）、《东洋史精粹》（现代史学大系第 12 卷，东京：共立社，1931 年。1946 年由日本图书株式会社再刊）、《支那现代思潮》（岩波讲座"东洋思潮"，1934 年）、《东洋近世史 2》（编著，世界历史大系第 9 卷，平凡社 1934 年）等。以上著作中的一些相关内容与文字或有重复之处，但也各具特色。其中《东洋史概说》一书是根据作者在国学院大学、东京女子高等师范学校、东京女子大学、陆军大学、早稻田大学、东洋大学、大正大学、日本大学、千代田女子专门学校等学校讲授"东洋史"课程的讲义整理而成，该书《序》（1930 年 1 月）中特别指出："在整理之际，省略了大部分的理论说明，关于这些理论上的说明，预计将来在拙著《东洋史灯》中详细论述。"[②]《东洋史概说》一书颇受好评，1934 年将其加以订正增补，改名为《东洋史要释》出版。[③] 松井等的著作中并没有《东洋史灯》这本书，但是在《东洋史概说》出版一年后，1931 年出版了其《东洋史精粹》，从该书的前言及内容看，该书确有偏重史论的特点。而且相对于其他著作，我们可以明显看到该书所受王船山《宋论》影响的痕迹，其他著作援引王船山论述未标明出处，此书都直接标明了。而且从二战之后该书还能得以再刊看，此书也可视为松井等的代表作。因此这里以该

① 松井等：《その人その顔——「蒙古史研究」の跋に代へて——》，箭内亘《蒙古史研究》，东京：刀江书院，1930 年，外篇，第 25—30 页。

② 松井等：《东洋史概说》，东京：共立社，1930 年，序，第 2 页。

③ 金毓黻在 1934 年 5 月 8 日日记中记载："日本松井等氏撰《东洋史概观》，东京市共立社书店出版，松井氏邃于东洋史，此作当甚可观。"（同上《静晤室日记》第五册，辽沈书社，1993 年，第 3312 页。）此处书名《东洋史概观》当为《东洋史概说》之误，松井等的著作中没有《东洋史概观》。

书为中心简要说明相关情况。

首先从历史观来看，松井等的思想经历了一个转变的过程。《东洋史精粹》的前言中说：

> 历史，只要将事实作为事实来直书就可以了，对于事实加以所谓理论上的说明，那不是真正的历史而是史论。这种说法也有时占有很大势力。我记得也曾经接受过这方面的教导。如果被这种说教束缚，很可惜，一生就会在年代记的编纂那样的工作中过去。我的一生由于某种最为重大的动机所激发，能够改变观察历史的眼光的方向，我为此暗自窃喜。
>
> 历史，不是单独的事实的拼凑，是生活变迁的说明。与理论不理论无关，说明本身即是事实，零零碎碎地排列的事实，实际上不过是事实的表象。将这种说明加在东洋史上，这里将其命名为东洋史精粹。①

这种历史认识的观念上的改变，在此前一年出版的《东洋史概说》中就已经表现出来。“历史应该是对从过去到现在的事像的变迁、其流动的状态的说明。对其流动状态的说明是当今东洋史至难之事。”②即单纯的事实拼凑得到的只是历史的表象，只有对史实的说明、对流动的历史过程的解释，才是历史的精粹，而这也是最不容易的。在“满鲜历史地理调查部”所进行的研究工作，某种意义上可以视为其“将事实作为事实来直书”，即注重对事实本身的考据性的研究阶段。随着他在国学院大学等学校讲授通史性的“东洋史”课程的经验积累和曾经在日俄战争中“满洲”战场上的“与皇国兴废”共生死的精神历练，即其所谓人生中“最为重大动机”的激发，他的思考不仅仅停留在历史的表象上。“不只是将过去作为过去来考察，而应该通过理解过去的事象来说明现代生活的实相。成为历史中考察对象的，都是人类生活变迁流动的样态，无视这种流动，

---

① 松井等：《东洋史精粹》(现代史学大系第 12 卷)，东京：共立社，1931 年，前言，第 1 页。

② 松井等：《东洋史概说》，东京：共立社，1930 年，序，第 1 页。

历史学就不成立。”[①]也就是说，松井等的历史观中至少有两点值得注意，第一，历史学家需要对流动的历史现象进行理论上的说明，这种说明，即史论是历史的精粹；第二，研究过去的历史事像，是为了说明现代生活的实相，目的在于解释现实的生活，对理解现实生活有用，即治史要有经世的目的。而这两个方面恰恰都是船山史学的重要特征。如作者所言，读过王船山《读通鉴论》和《宋论》的人都“应该知道王船山是中国的史论家，尤其是兴亡史论家之白眉。”[②]船山更强调史论的经世之功。他主张：“所贵乎史者，述往以为来者师也。为史者，记载徒繁，而经世之大略不著，后人欲得其得失之枢机，以效法之无由也，则恶用史为？”[③]简而言之，“史无阐幽之笔”，则“不如其无史也”。[④]

而且松井等的这种历史观，也融入了他对中国历史文化相关事象的理解与评价中。最为明显的是他对清初“考据学”的评价：

考据学实际上是清代学术的特色。回归古典是考据学的标语。探究中国古代文化是考据的目的。其学风之端绪在于排斥明代空疏的哲学观念游戏，而要求兴起对现实生活有意义的学问。兴起对现实生活有力量的学问，不要依赖书籍，而是直观我们生活的本身，必须从其生活经验中找出可以作为我们行为的信条，颜元、李塨一派就是这样主张的。有别于此，要求自身发挥古代贤人的精神，将这些贤人的见识与行为作为参考，而认为建设在我们的现实中发挥作用的学问是关键，因此古典研究是当务之急。顾炎武是这一派的开祖。忠实地研究古典，体会先贤的思想与风范，由此创造我们的生活信条，这是顾炎武的主张，其研究的结果以片段的形式留下来，就是名著《日知录》。

黄宗羲与顾炎武怀着同样的主义，认为为了了解先贤的精神研

① 同前，松井等：《东洋史概说》，第 1 页。

② 同前，《宋朝史论》(序说并原著者王船山小传)，第 3 页。

③《读通鉴论》卷六，《船山全书》第十册，第 225 页。

④《宋论》卷二，《船山全书》第十一册，第 65 页。

究历史非常重要。他为了以简洁而强有力的方式对先贤的精神进行说明，著作了一本《明夷待访录》。该书为中国近代革命党人所爱读，但当初并非是为鼓吹革命而写的。如果将黄宗羲作为古典研究的历史派的话，作为哲学派的大家而得到认可的是王夫之。他以宋代学者的人格修养为目的，想要将心性论和伦理说结合起来以在现实中活用，在政治评论方面也颇有见识。在《船山遗书》的丰富著作中，宋代性理研究及相同态度的论述很多，还有像《黄书》这样的国粹主义的政治论著作。该书也是近代中国革命党的爱读书之一。①

就是说，研究古典、考据，不是终极目的，终极目的是要对现实生活、对自己的心性修养发挥作用、形成正能量。这样评价考据学，实际上也是为他自己的研究工作加以定位并赋予意义。《宋朝史论》与《支那近世政治思潮》的译介对其潜移默化影响是不言而喻的。

船山史论的影响，还表现在松井等在其著作中充分吸收了王船山的一些具体观点。如松井等在批评“宋朝对北方之敌的态度，完全是甘于懦弱姑息，其迫在眉睫也只是空有骚然议论”之后，紧接着就援引王船山《宋论》中的言论：“清朝王船山讥笑说：‘无事而嬉于堂，闻变而哄于市，今古败亡之券’。此评语，真是至理名言。”②又如在揭示仁宗时代治世的背面已经启乱政之源，也赞成王船山的见解：

① 同上，《东洋史精粹》，第267—268页。松井等接着写道：“以上诸大家对明代，特别是明末学问陷入极为空疏的观念游戏感到不满，追求对现实能发挥作用的学问，而向古典来探求这种学问。他们都遭遇了明末清初不安定的时代，目击了满洲人的入侵，因此自然有一种紧张的气氛，同时提出了强有力的主张。”（同上，第268—269页。）松井等的《东洋史讲座·第四期前编·满洲民族盛衰的时代》（东京：雄山阁，1930年，第86—87页）、《东洋史概说》（东京：共立社，1930年，第222—223页）及其增补版《东洋史要释》（同前，1934年，第147页）中的论述，用语或基本相同，或稍微简略，但是都没有如《东洋史精粹》中明确指出考据学是清代的学术特色。松井等翻译的《支那近世政治思潮》附有顾炎武、黄宗羲、王夫之三家的小传，分别根据张穆的《顾亭林年谱》、黄炳垕的《黄梨洲先生年谱》和《船山遗书》所附《船山先生行状》而成（《支那近世政治思潮》第397—398页作“黄垕炳”，“当以黄炳垕为是”。来新夏：《近三百年人物年谱知见录（增订本）》，中华书局，2010年，第31页）。

② 《东洋史精粹》，第186页。引文见《宋论》卷四，《船山全书》第十一册，第128页。此处“今古败亡之券”后原文还有“可不鉴诸！”，未引。《宋朝史论》，第218页。

> 庆历之世，虽然可以享受学艺发达的余裕，但是缺乏更新多年萎缩的国势的勇气。特别是仁宗有善纳谏言的美名，重视政道之体，奖励政治上的进言献策，从形式上看似乎是忠实于政治，但实际上对多数谏言的当否不加检讨，许多场合是原封不动地就敢根据这些意见来进行制度变更。因为本来对谏言就考虑得不充分，却因此而诱发喧闹的政争，而许多人为党争而利用政论。其后，从神宗到整个南宋时代，摆弄华而不实、无责任的政论这一恶习蔓延开，整个宋朝都为政论之喧嚣及党争之烦恼所困。指出其弊害已经从仁宗时代就开始的，是清朝的王船山，他揭发了庆历治世的反面，是很正确的见解。①

还有些地方没有直接引用或注明，但明显是接受了王船山的观点，如松井等所言南宋的再度议和即金世宗与宋孝宗的相和，“实际上是南北双方士气衰弱的结果，达成的和平不过是消极的和平”②等等，不一一列举了。

研究者的视角与态度，也不是一成不变的，有时甚至会是矛盾的。体现在其研究成果中不同的思想主张，对当时的知识建构的作用也会有所不同。上文已经探讨了松井等的历史观的变化及其与船山史论的关

① 同上，《东洋史精粹》，第 188 页。《宋朝史论》第四章第二节“仁宗的盛治及其反面”，第 176—183 页。

② 同上，《东洋史精粹》，第 193 页。见前注释所示《宋朝史论》第 430 页的小序。《宋论》卷十一中论述说：“乾道元年，和议再成，宋与女直无兵革之争者四十年。论者谓二主皆以仁恕宅心，而天下咸被其泽。呜呼！此偷安之士，难与虑始之民，乐怀利以罢三军，而不恤无穷之祸。流俗之言一倡，而天下交和，夫孰能听之哉？宋之决于和，非孝宗之心也。孝宗嗣立以来，宴寝不忘者兴复之举，岂忍以割地终之。完颜雍雄心虽戢，然抑岂有厌足之欲，顾江左而不垂涎者。故和者皆其所不得已，而姑以息民为名。贸贸者从而信之，交起而誉之，不亦愚乎？宋与女直，相枕而亡，其几兆于此矣。”见《船山全书》第十一册，第 266 页。但是市村瓒次郎在《东洋史统 卷二》中试图为议和者“正名”，说：“后世将南宋主张讲和的人物都视为卖国贼，未免稍失极端。只有明代丘濬与清代赵翼的评论与多数意见不同，我认为颇为切合实际，有其稳当之处。”接着引出王鏊《震泽纪闻》中的丘濬之语（“宋家至是亦不得不与虏和，南宋再造桧之力也”）和赵翼的“以和保邦犹不失图全之善策”（《廿二史札记》卷二十六）等论述。见市村瓒次郎：《东洋史统 卷二》，东京：富山房，1940 年，第 685—686 页。

系，实际上，松井等对中国的态度和认识，也有一个变化的过程。起初，像日本当时许多的中国研究者和一般的社会舆论一样，他在政治倾向上表现了对日本政府的认同，如 1915 年 9 月出版的教科书《改订中等东洋历史》的结尾，他表示了对“二十一条”的赞同并主张“监视列强在中国的活动”是日本必须承担的责任与义务。[①] 1922 年，松井等出版了《东洋文化观》，观察中国的视角从政治、国家的侧面转换到文化、社会的方面。而且他非常重视中国社会中的个人平等观念，认为这是中国社会组织的基本观念。但是由于宗法家族制度的束缚，这种观念没有能够使独立自主的精神得到发扬。[②] 虽然他在分析中国文化的具体方面时提出了种种批评，但是，从总体上给予同情和希望。他说：“中国社会饱经沧桑，长期积累和品尝了许多悲喜的经验。中国的社会已经不是深闺的处女，而是精于世故的妖妇。”[③]这种饱经沧桑的社会与深厚的文化密不可分。“中国社会的烂熟与中国文化的发达不能分开来考虑。中国社会的履历，难道不是指明了其他各国的社会应该去探寻的方向吗？中国的文化难道不就是其他各国的文化前进的目标吗？”[④]他指出：“现在我们眼前的中国，看上去已经不像样子，全然失去了风采，因此我们容易嘲笑其文化回转的气运如同烟消云散。要看到千年古树开花，也许还在几年之后，但是要知道这古木还牢牢地扎根在这片大地。”[⑤]继而他对因为政治的混乱而对中国进行所谓“国际管理”提出怀疑，主张“民国将来的命运必须由民国人士的觉醒去开拓”。[⑥] 作为日本的历史学家，他被认为是“最先承认中国新文化运动意义的”。[⑦] 促使他实现这种思想转变的因素虽然尚

---

① 松井等：《改订中等东洋历史》，东京：宝文馆，1915 年，第 147—148 页。
② 松井等：《支那社会思潮》，《岩波讲座世界思潮》第四册，岩波书店，1928 年，第 78、89 页。
③ 松井等：《东洋文化观》，东京：国史讲习会，1922 年，第 130 页
④ 松井等：《东洋文化观》，第 131 页。
⑤ 松井等：《东洋文化观》，第 132 页。
⑥ 松井等：《支那现代史》，东京：明善堂，1924 年，第 278 页。
⑦ 山根幸夫：《松井等》(词条)，国史大辞典编辑委员会编：《国史大辞典》第 13 卷，吉川弘文馆，1992 年，第 91 页。

待进一步研究，如前所述，船山思想中的平等观念早已为小岛祐马阐释过，而强调“古今殊异者，时之顺也”①的历史发展观也是船山史论中的基本思想。松井等作为日本知识界船山著作的译介者，他们之间的思想关联无疑值得关注，可以肯定王船山的史论和史观对松井等的思想转变具有重要的意义。

整理和研究近代日本的中国学史，内藤湖南、白鸟库吉这些被纳入“东洋学的系谱”的“谱主”固然值得研究，但被他们的光环所掩盖了的在他们周围的点点繁星，也以各自不同的方式在近代日本的知识建构中闪烁着光辉，这辉光中也掩映着中国的智慧。同时也应该注意到，日本的中国研究者，研究中国、翻译介绍中国的典籍，自身也到受中国思想文化的影响，但是这与他们对现实中国的态度如何是两回事，并不能因此就认为他们一定都是无条件地主张中日友好，这是不言而喻的。如松井等，他可以一方面承认中国新文化运动的意义，肯定“传统中国向现代中国转变是必然的倾向”，②同时，他也可以在九一八事变之后“豪迈地”表示：“我松井等虽然老了，但是作为陆军步兵中尉，可以率领国学院诸君的义勇队，赴满洲为国奉公。”并且常常给学生“极为明快地解释这次事变的历史必然性及其对国家的意义”。③ 人们经常强调学术研究要经世致用，却常常忽略了更应该思考所经何世、所致何用的重要性。作为历史研究者，不能不反思知识建构的时代性。

小结：《宋朝史论》对近代日本知识建构的启示

以上对《宋朝史论》翻译出版的背景、《宋朝史论》与《宋论》在文本上的差异以及译者松井等对《宋论》的认识、其中国研究、《宋论》对其研究的影响等方面，进行了介绍与整理。《宋朝史论》只不过是近代日本庞大

① 《宋论》卷一，《船山全书》第十一册，第 45 页。

② 松井等：《支那现代思潮》，《岩波讲座东洋思潮》第九卷，岩波书店，1934 年，第 43 页。

③ 高桥政清：《松井等先生小传》，《国史学》第 33 号，1937 年 12 月。

的“和译汉文”工程①的一个缩影。近代以来日本翻译中国古籍的规模之大、持续的力量之强劲、时间之长久，无论是观其大概还是仔细思量，对中国的日本研究者或中日文化交流史研究者而言，无疑是一个很大的刺激，也是一个很大的值得研究的课题。以《宋朝史论》为例，思考“和译汉文”对近代日本知识建构的意义，至少有以下几点值得注意。

第一，文本形式的普及性。在近代日本学者（汉学家、中国研究者）、书商来中国寻访、探求、索购古籍文献的同时，用现代日语翻译汉籍使之在知识界和社会民众中普及，也蔚然成风。着力于汉籍文献的搜集，是近代日本中国研究学术水准的基本保证，至少在基础文献的使用上，近代日本学者可以达到与中国学者几乎同样、有些方面甚至更高的水平。而汉籍的大量翻译，使得小众化的、高水平的学术研究成果具有了能够向社会普及的大众化的接受基础。这样就可能在整个社会形成一种关于中国认知的知识建构的良性互动。这种互动的形成，虽说是时势使然，有识之士的诱导、推动也不可忽视。同时，维持这种互动的平衡也同样重要，既不能曲高和寡，也不能流于俗套。一些日本学者担心青年一代汉文读解能力的下降或所谓中国学研究的“地盘下沉”，都是对担心这种互动失衡的敏感认识。

第二，文本内容的多义性。对于王夫之的著作，近代日本学者有侧重于其政治论的，也有侧重于其学术性的；有侧重介绍其史论的，也有最终重视其哲学上的贡献的。正是因为其人物与著作的多义性，使得其思想因素可以渗透到近代日本不同的思想领域，或者为大正民主主义思潮

① 除前文提到的《汉文大系》《汉籍国字解全书》之外，重要丛书还有《国译汉文大成》（国民文库刊行会）、《续国译汉文大成》（同上）、《注解全译汉文丛书》（至诚堂）、《有朋堂文库汉文丛书》（有朋堂），战后有《新释汉文大系》（明治书院）、《全释汉文大系》（集英社）、《中国古典文学大系》（平凡社）、《中国古典新书》（明德出版社）、《中国的古典》（学习研究社）等等。详细情况请参见“中国古典丛书内容简介”的网站 http://www.rockfield.net/kanbun/congshu/。这也只是一部分，比如 1910—1912 年玄黄社出版的田冈岭云译注的“和译汉文丛书”等。具体书目可参见前述《日本译中国图书综合目录》，基本集中在分类表中的“120 中国・东洋思想”和“220 中国・亚洲”部分。

激起涟漪，或者为颇具民族主义色彩的“兴亡史论”的精神资源，在建构近代日本知识体系时发挥了不同的作用。

第三，文本取舍的选择性。从王船山及其著作在近代日本知识建构中的影响而言，这个问题可以从两个方面看，有对于一个具体文本内容上的取舍，也有对这个人物思想的不同方面的取舍，而这两个方面是紧密联系在一起的。我们上面对日译本《宋朝史论》与其原著《宋论》在文本上的差异已经做了详细的说明。之所以删去那些内容，虽说直接原因是译者认为这些内容与“国家兴亡”不相关，但是译者当时对王船山的理解很大程度上也是日本知识界的一般理解的反映。舍弃的主要内容之一的礼法、政治制度论及其中所包含的辩证思想，和经济政策论及由此所延伸出来的“极深研几”的哲理，这些与直接关系到兴亡的宋代朝廷对外关系、君臣之间的猜疑、官僚文人的空谈、党争、武备废弛等相比，当然是次要的。而当时日本知识界关心的，也是受到中国晚清社会思潮的影响，如桑原隲藏强调王夫之的著作“广泛为处于清朝末路之际的读书人喜爱，成为种族革命的原动力”。① 王船山的《黄书》及其“排外保种思想”成为他关注的焦点。②

如上所述，虽然后来译者松井等将王船山作为清初考据学的“哲学派大家”，但王船山的哲学思想在昭和前期的日本学界一直没有得到重视。1924 年早稻田大学出版部出版了渡边秀方的《支那哲学史概论》，提到王船山时也是就其史学方面一笔带过，而且还是在论述黄宗羲时，说到“其史学造诣之深，与王船山相伯仲”。③ 将王船山列为“硕学大儒”，也是突出其史学上的贡献，将其《读通鉴论》与章学诚的《文史通义》、万斯

① 桑原隲藏：《斯の如く支那を観る》，载于《时事新报》1920 年 2 月 9 日—13 日。此文未收入《桑原隲藏全集》，亦未见于《桑原隲藏著作目录》（《桑原隲藏全集》第五卷，岩波书店，1968 年，第 551—561 页）。

② 桑原隲藏：《歴史上より観たる南北支那》（收入 1925 年出版的《白鸟博士还历记念东洋史论丛》），见《桑原隲藏全集》第二卷，第 27、67 页。

③ 渡边秀方：《支那哲学史概论》，早稻田大学出版部，1924 年，第 654 页。

同的《明史稿》、全祖望的《宋元学案》相提并论。[①] 而在中国哲学史著作中将王船山单列一目的，寡闻所及，或首推宇野哲人的《支那哲学史——近世儒学》(东京：宝文馆，1954 年)。该书作为其《儒学史 上卷》(同，1924 年)的续篇，经历 30 年才出版，是知己朋友祝贺作者八十寿辰的纪念活动之一，由作者"整理旧稿，补缀缺漏而成此书"。王船山的部分是旧稿既有还是补缀而成，不得而知。作为哲学家的王船山在日本的中国哲学史著作中终于找到了一席之地。宇野哲人特别突显王船山思想中对功利主义的批判，引用其《思问录》中的"有公理，无公欲"一节，认为此语"彻底戳穿了功利主义者的弱点"，[②]我们如果联系到二十世纪五十年代日本的社会状况，大概也可以说是寄托了在经历了中日关系史上最为惨烈的战争之后这位中国学研究宿耆的深意的。"苟有经世之志的有为之士，读此书而能察学术思想如何改变世态人情之所以，将与其经纶而不无少补云尔。"[③]由此，我们稍稍拉长历史的时段，便还可以从文本取舍的选择性中看到文本活用的时代性和文本再生的持续性在知识建构的重要意义。

(原载《深圳大学学报》2017 年第 1 期，发表时有大幅删节。)

二　魏源的《圣武记》在近代日本[④]

鸦片战争之后，中国知识分子或西方传教士以汉文写作刊刻的汉籍世界史地著作，作为幕末维新期日本广求知识于世界的重要窗口，发挥

① 同前，渡边秀方：《支那哲学史概论》，第 653 页。
② 宇野哲人：《支那哲学史——近世儒学》，东京：宝文馆，1954 年，第 354 页。
③ 同上，宇野哲人：《支那哲学史——近世儒学》，序(1954 年 9 月)，第 1—2 页。
④ 本文根据 2014 年 10 月 28 日在由中国社会科学院学部主席团主办、在杭州召开的"中国社会科学论坛 2014 · 历史学 · 第五届中国古文献与传统文化国际学术研讨会"上的报告整理而成。

了积极的作用。这一点早已成为中日学界的共识。日本学者中山久四郎早就注意到这一点，他指出："不仅中国固有的学术，西洋的新学新知识也随着中国近世出现的西洋学术著作的汉译这种特殊的汉籍唐本的传来，及其翻刻、训点及日译、抄录等，在明治维新前后的日本，得到颇广泛的传播弘通，对于当时尚不具备读破西洋书籍能力的日本人而言，为其求知识于世界做出了巨大的贡献。"[①]并强调："近世中国对明治维新前后日本的影响非常广泛，无论在政治、法律、学术、宗教等其他各个方面，如果轻视近世中国，将终究无法完善明治维新史的研究。"[②]随着对"锁国时代"日本海外知识文献的基本面貌[③]与江户时代中国典籍流播日本的基本情况[④]的实证研究的深入展开，中国典籍在近代日本传播的相关细节及具体情况也越来越清楚。但是中国典籍对当时的日本究竟有多大的影响、发挥了多大的作用，如对中日学界研究者都很关注的魏源《海国图志》在日本的影响，也有学者提出，其"影响并没有像 19 世纪以前传入日本的汉籍那样在日本产生重大影响"，其"内容与思想也未超出同时期日本人的海外知识水平"。[⑤] 但是据统计，在 1854—1856 年三年间日本就出现二十多种选本，其中日译选本达十五种，[⑥]而且，如果我们了解到

① 中山久四郎：『近世支那より維新前後の日本に及ぼしたる諸種の影響』(原载史学会编『明治維新史研究』，東京：富山房，1929 年)，见中山久四郎：『読史広記』，東京：章华社，1933 年，第 226 页。

② 同上，第 229 页。

③ 開国百年記念文化事業会編：『鎖国時代日本人の海外知識——世界地理・西洋史に関する文献解題』，東京：乾元社，1953 年。

④ 大庭脩：『江戸時代における唐船持渡書の研究』(関西大學東西学術研究所研究叢刊一)，関西大學出版部，1967 年；大庭脩：『江戸時代における中国文化受容の研究』，京都：同朋舍，1984 年(此书由戚印平、王勇、王宝平翻译为《江户时代中国典籍流播日本之研究》，杭州大学出版社 1998 年出版。)

⑤ 李文明：《〈海国图志〉影响日本问题商榷》，南开大学日本研究院编：《日本研究论集 2008》，天津人民出版社，2008 年，第 286 页。

⑥ 王晓秋：《〈海国图志〉在日本的传播和影响》，陆坚、王勇主编：《中国典籍在日本的流传与影响》，杭州大学出版社，1990 年，第 290 页。又见于王晓秋：《近代中日文化交流史》，中华书局，1992 年，第 34 页。

有些译本乃是直接为卒伍水手而译，[①]或作为幕末维新前后旧藩学馆的教科书或教学参考书，[②]其在日本影响之深入，恐怕又不得不刮目相看了。

本文选择与《海国图志》同年出版的《圣武记》，根据上述实证研究的成果，考察其传入日本及其在日本翻刻、翻译的情况，或可以为我们思考中国的典籍在近代日本知识建构中所起的作用提供有用的素材。

(一)《圣武记》传入日本的基本情况

大庭脩的《江户时代唐船携来书籍研究》一书，汇集了幕末长崎会所各年度交易时的书籍分类账（“书籍元账”），为我们调查相关汉籍传入日本提供了一种非常重要的基本史料。关于《圣武记》自 1844 年传入日本的情况，大庭脩据此在相关著作中已经作了比较详细的说明，[③]但是这些说明与“书籍元账”或有出入，现依据相应年份的账本作成“《圣武记》传入日本一览表”[④]如下：

---

① 『海国図志筹海篇訳解』（1855 年再思堂藏版，译者平安学古馆南洋梯谦）有「海国図志訳解序」曰：“海国图志，全部六十卷，合二十四本，清人魏源所撰也。舶来仅止数本，盖近岁清国濒海患，夷兵入寇，魏氏因述御夷之术，自谓出韬略之右。余以其言为过情难信。既而阅之，其所载筹海篇，撮其要，谓水陆异战法，器械亦随变。惟臣舰大炮之尚，洋夷虽有英佛俄罗弥利之别，而至器械则同，左舰与炮矣。于是有水手操麾弓马之将，就卒伍之势。余始信乎，魏氏之言不诬也。以为此天下武夫必读之书也，当博施以为国家之用，此译解之举所由起也。抑欲施之水手辈，非供高明君子之览也。”见前述『鎖国時代日本人の海外知識——世界地理・西洋史に関する文献解題』，第 153 页。

② 参见中山久四郎：『読史広記』，第 219—220 页。

③ 参见大庭脩：『江戸時代における唐船持渡書の研究』，第 194—195 页。又见戚印平、王勇、王宝平译《江户时代中国典籍流播日本之研究》（『江戸時代における中国文化受容の研究』，同朋舎 1984 年初版），第 371—372 页。大庭脩在『江戸時代の日中秘話』（东方书店 1980 年初版）中亦有论及，见徐世虹译：《江户时代日中秘话》，中华书局，1997 年，第 181—182 页。

④ 时间栏中或为“书籍元账”作成的时间，往往比实际传入的时间晚一年。如大庭脩认为《圣武记》最初传入日本的时间为弘化元年（1844），而相关“书籍元帐”作成在弘化二年（1845）。见『江戸時代における唐船持渡書の研究』第 194 页。备注栏中的页码为『江戸時代における唐船持渡書の研究』的页码。

序号	时间	船号等说明	数量	单价	备注
1	弘化二岁巳（1845）五月	辰四番五番六番七番船	一部一套	二十五匁	辰岁（1844 甲辰）新渡。附巳年（1845 乙巳）新渡书籍之分。伊势守一部。（484 页）
2	弘化三岁午（1846）五月	巳三番四番五番船并辰船之御用残	一部二套	二十五匁	附巳三番四番五番船新渡之分。牧野备前守午四月调进相济。（498 页）
3	弘化四岁未（1847）正月	午二番船	二部	二十五匁	御役人御调 下野守 山城守 五十目。新渡入置。（503 页）
4	弘化四岁未（1847）八月	午四番船	四部各一套	二十五匁	百目。（511 页）
5	嘉永二酉岁（1849）五月	申三番船	一部十二本	三十五匁	嘉永二年（己酉）（528 页）
6	嘉永二酉岁（1849）十月	酉三番船	一部二套	三十八匁	（帙入）（539 页）
7	同上	同上	二部内一部一套、一部二套	三十七匁	七十目（帙入）（540 页）
8	同上	酉四番船	四部各二包	三十五匁	百四十目（541 页）
9	嘉永三年戌（1850）五月	酉五番船	三部各二包	三十五匁	（549 页） 四月，鹫津毅堂训点《圣武记采要》由夕阳楼刊行。
10	同上	天草难船	五部各二套	四十目	○残一部。久世大和守、远藤但马守、本庄安艺守、酒井右京亮御调。（552 页）

续表

序号	时间	船号等说明	数量	单价	备注
11	嘉永三岁戌（1850）十月	戌一番船	一部二套	四十目	（559页）
12	嘉永四年（1851）	戌四番船	一部二套	四十目	（563页）
13	嘉永五年（1852年）	亥二番船	一部一套	四十目	【百三十目 新海国图志 三部各六套】（565页）
14	同上	亥四番船	廿一部各二套	四十目	【新渡 百三十目 一部 御文库御用 一部学问所御用 一部牧野备前守 亥二番船 海国图志 三部各六套】（568页）
15	嘉永六年（1853）	子二番船	二部各二套	四十目	（571页）【百三十目 海国图志 一部四套。（570页）】【嘉永七年寅（1854）九月寅一番船 百八十目 海国图志 十二部各四套 陶梅记 内七部 除残五部；百八十目 海国图志 三部各四套 姚洪记。（575页）】
16	【落札账】安政六年未（1859年）六月廿五日六日	未一番船 三番船	二部	百六十匁三分（本屋）	（自六月晦日至七月朔日入札济）（648页）【海国图志 一部四套 四百三十六匁 本屋（646页）】

由上表可见，从1844年到1859年十六年间，通过唐船从长崎传入日本的《圣武记》一共有52部（其中残一部），每部价格从1844年最初的

25 匁，[①]到 1849 年涨到 35 匁、37 匁、38 匁，1850 年再涨到 40 目，到 1859 年竞买时，两部的价格高达 160 匁 3 分，每部超过 80 目。涨价的原因，除了大庭脩分析的“日本国内对此书的需要量在提高，或是由于中国国内此书的畅销而难以携来”之外，可能与该书出版的重订本（1844 年）和三次重订本（1846 年）有关。25 匁、35 匁、40 目也可能就是《圣武记》初版、重订本和三次重订本的价格。以 25 匁的价格传入的只有八部，35 匁的十一部（其中一部 38 匁、二部 37 匁），40 目的三十一部，超过 80 目的二部。相比之下，《海国图志》传入日本的时间要晚，而且传入的部书也只有二十二部。当然其部头大，价格也贵。值得注意的是，《海国图志》传入之后，翻刻、翻译版本较《圣武记》多得多。

输入中国典籍部数之多且频繁的，与现实紧密相关的，还有一本书值得注意，即戚继光的《练兵实纪》。1810 年的长崎输入书籍目录上就可以看到（午十番船，一部二套），到 1841 年的丑二番船带来二部各二套（每部五十目），翌年寅二番船带来一部二套（柳生订购，价格涨到六十五匁），1845 年账上记载输入四部（共百五十目），1846 年为十一部各一套（其中有帙一部，三十目；无帙十部，二十五匁；共二百八十目），1847 年午二番船载三部各一套（三十目一部）、同午四番船载三部各一套（价格降为二十目一部），到 1849 年申三番船载一部六本（价格为十六匁）、同申四番船载三部各一套（有帙，每部十八匁）。而 1843 年的竞买账目上，有十二部最高价为三百五十匁五分的记录，每部近三十匁。这部中国传统的兵书，在日本“开国”之前至少有四十一部输入到日本，其价格一路走低，与《圣武记》形成了鲜明的对照。

纵观《江户时代唐船携来书籍研究》的各种账本资料，鸦片战争之后传入日本的中国典籍，大部分还是中国的传统经典，几种儒家经典，特别

---

① 匁（读作 monme），既是重量单位，又是货币单位。这里是货币单位。江户时代银货的货币单位中，相当于贯的千分之一、分的十倍、厘的百倍。在具体标记时，如果是整十、整百的时候，也用目来代替匁，如十目、百目。作为银的重量单位，一枚＝十两＝四十三匁，这种算法到江户时代末都通用。在中国，一两是十钱（十匁）。

是朱子的相关著作，更是常销书籍。如《四书汇参》(《四书朱子本义汇参》，清王步青辑)输入日本的总部数不过30部，虽然没有《圣武记》多，但是其频率也非常高。其他如《朱子家训》、《四书困勉录》(《四书讲义困勉录》，清陆陇其撰、陆公镠编)等也是如此。详细的对比研究，有待今后进一步深入展开。

(二)《圣武记》在日本的翻刻

王晓秋较早关注《圣武记》在日本翻刻的情况，他在详细论述了《海国图志》在日本的影响之后，对《圣武记》的翻刻情况作了比较详细的说明：

> 魏源的另一部名著《圣武记》在日本翻刊得更早。1850年(嘉永三年)就有鹫津毅堂训点的《圣武记采要》上、中、下三册，由夕阳楼刊印。内容主要包括《圣武记》的《武事余记》中的议武五篇，即城守篇、水守篇、防苗篇、军政篇与军储篇。鹫津毅堂在自序中说明翻刻此书的目的，是为了总结中国鸦片战争的经验教训。他说："予倾借观圣武记于一贵权家，凡十四卷，系清人魏源撰述。""而议武一篇，最为作者所注意。盖道光壬寅鸦片之变，魏源身遭遇其际，清国军政之得失，英夷侵入之情状，得之乎耳目之所及焉。是以能详其机宜，悉其形势，然则海防之策莫善于是篇也。予乃抄写付之乎梓，题曰圣武记采要以问乎世。任边疆之责者能熟读是篇以斟酌而用之，则其实用或倍乎！"(鹫津毅堂：《圣武记采要》自序。)可是，这部书由于出版时没有得到幕府的许可，竟被勒令绝版，鹫津毅堂也被迫从江户逃到房州避祸。
>
> 同年的另一种翻刻本是斋藤拙堂的《圣武记附录》，共四册。收录了《圣武记》的全部《武事余记》，内容比前书更多，还载有魏源的《圣武记叙》。
>
> 《圣武记》在日本的第三种翻刻本名叫《他山之石》，是木活字五

册本，大约也是嘉永年间出版。其书名借用《诗经》中“他山之石，可以攻玉”一语（《诗经·小雅·鹤鸣》），意为他国历史经验可以用来作为本国的借鉴。这部书的一、二册收录了《圣武记》九篇记事。第三册是杨炳南的《海录》，第四册包括汪文泰的《英吉利考略》、焦循《荡寇记》、徐鲲《炮考》，第五册是蒋友仁的《地球图说》。《他山之石》即是由这些书摘编而成。①

如上所述，《圣武记采要》作为一个明确标明出版年（“嘉永庚戌新镌”）、刊行者（“夕阳楼藏梓”），且有训点者鹫津毅堂所写刊行原委的《圣武记采要序》的翻刻本，受到研究者的特别关注，是可以理解的。国内的魏源研究者，也很早注意到这个翻刻本。此序文，李瑚《魏源事迹系年（三）》卷末曾节录，②《魏源事迹系年》后经修订增补，录入该序全文。③ 后来又全文录入夏剑钦、熊焰的《魏源研究著作述要》。④ 以上各种，在引用此序文时，皆难免豕亥鱼鲁之误，现在对照原文，加以标点，全文照写如下：

孙子以火攻为下策，然方今防英夷之术，除火攻则无可措手。盖时势之变而兵法之不可一定而论也。战国以降至于明清，兵家之

① 王晓秋：《近代中日文化交流史》，中华书局，1992年，第34—35页（括号中为作者原注释）。大庭脩的『江戸時代における唐船持渡書の研究』中说到：“嘉永三年四月，出版了由尾张的鹫津监（毅堂）校对的《圣武记采要》三册，翻刻了原书的‘守城篇’、‘水守篇’、‘防苗篇’、‘军政篇’和‘军储篇’。这一翻刻是在原书刊行后的第八年、初传日本后的第六年和被销售于市场后的第四年。此外，《圣武记》附录四卷四册中的卷十一至十四也被翻刻，‘他山之石’中的卷一、二收录了《圣武记摘录》。值得注意的是，这两种翻刻本都采用幕府末期，即近代的活字印刷法印行，内容的选择和印刷方法都显现出鲜明的时代特色。”（第194页。译文为戚印平等译《江户时代中国典籍流播日本之研究》第372页。）又大庭脩的《江户时代日中秘话》中论及：“1850年（嘉永三年）4月，由尾张的鹫津监（毅堂）校订的《圣武记采要》三册出版，并翻刻了城守篇、水守篇、防苗篇、军政篇、军储篇。这年正是《圣武记》在中国出版的第八年、第一次舶来的第六年、在日本公开出售的第四年。同年，斋藤拙堂的《圣武记附录》收录了《圣武记》第11至14，添川宽平的《他山之石》收录了卷1至卷2。与此同时，《圣武记》得益于近代活字印刷技术的发展，开始在日本刊行。”（徐世虹译本，第182页。）

② 见《中国哲学》第十二辑，人民出版社，1984年，第487页。

③ 李瑚：《魏源研究》，朝华出版社，2002年，第426页。

④ 夏剑钦、熊焰：《魏源研究著作述要》（湖湘文库 乙编），湖南大学出版社，2009年，第144—145页。

书，六韬、孙、吴、司马法、尉缭子、素书、李卫公问对、大白阴经、武经总要、虎钤经、何博士备论、守城录、江南经略、纪效新书、练兵日记、武备志之类，不止百数部，而求其可取以用于今日者，屡屡而已矣。予倾借观圣武记于一贵权家，凡十四卷，系清人魏源撰述，自天命天聪至于嘉庆道光，大小征战一一缕述之，又有附录四卷，一曰兵制兵饷、二曰掌故考证、三曰事功杂述、四曰议武。是篇比诸书最晚出，故其所论颇切于时势，而议武一篇，最作者之所注意。盖道光壬寅鸦片之变，魏源身遭遇其际，清国军政之得失，英夷侵入之情状，得之乎耳目之所及焉。是以能详其机宜、悉其形势。然则海防之策，莫善于是篇也。予乃抄写付之乎梓，题曰圣武记采要，以问乎世。任边疆之责者，能熟读是篇以斟酌而用之，则其实用或倍乎孙吴矣。今有二人，其一人好古器，一人好新器，则人未有不以好古器为胜也。夷考之，则古器虽雅，未若新器之适乎时用而便且利也。呜呼，今之说兵者，无以是篇之晚出而轻之则可也。

嘉永三庚戌夏四月毅堂学人鹫津监撰乎夕阳楼无人处

兰洲川岛亮书

读此序文，有几点值得注意：第一，作者视《圣武记》为兵家之书，与古代兵书相比，因其最晚出，故“其所论颇切于时势”。强调兵家之战术要“适乎时用”。第二，最重视《圣武记》附录中的“议武一篇”，认为“海防之策，莫善于是篇”。之所以如此，因为此篇出自作者的切身所感和实际调查，即所谓“盖道光壬寅鸦片之变，魏源身遭遇其际，清国军政之得失，英夷侵入之情状，得之乎耳目之所及焉。是以能详其机宜、悉其形势。”第三，将此篇抄出刊行付梓的目的，在于希望“任边疆之责者，能熟读是篇以斟酌而用之，则其实用或倍乎孙吴矣。”充分肯定了该篇的“实用”价值。

关于《圣武记采要》触幕府之忌而造成所谓“圣武记事件”，[①]《鹫津毅

① 石黑万逸郎在其编辑发行的著作『有隣舎と其学徒』(一宫高等女学校校友会，1925 年)中称“嘉永三年开始毅堂有关事实的第一事件”为“圣武记事件”。见该书第 165—167 页。

堂先生碑》碑文曰："嘉永庚戌，君豫虑洋夷之患，手抄清魏源圣武记，曰采要，上梓颁同志，触幕府忌讳。有司将中以法，乃避之房总野间。"鹫津毅堂(1825—1882)，尾张丹羽郡(今爱知县一宫市)人，幕末、明治时期的儒学家、诗人，字重光、号毅堂、苏州，通称郁太郎、九藏。据上述碑文记载："君幼颖悟，受庭训，略通经史。年二十，考既亡，将奉遗命游学，妣戒之曰：吾门中圮，汝当勉学再兴，不然，吾不子视汝。因手剪红白帛，结之襟，以备遗忘。君泣而拜之，赴伊势，从学敬所猪饲氏。既而游江户，入昌平学。"①接下来就写到上面的事情。此后，1853年为久留里藩(今千叶县君津市)儒员，后致仕，1865年任尾张藩主侍读，后任藩校明伦堂教授、督学。维新后，曾任米登县(宫城县一部分)权知事，"适淫霖骤冷，五谷不登。君百万救济，一县得无饿殍。庚午(1870)夏，叙正六位，无几免官。此岁朝廷赏功赐禄一万五千石于藩侯，侯分与二百五十石于君，以其辅翼有劳也。"②后历任宣教判官、司法少书记官、司法权大书记官，列东京学士会会员。有《毅堂集》《亲灯余影》等著作。其外孙永井荷风所著《下谷丛话》对其事迹有详细记载。

宫武外骨的《笔祸史》将《圣武记采要》列入"出版年代不详的图书"中，但只是简短地说："说到《圣武记》，只听说是清朝魏源所著，大概是采录其要点的书，不知内容如何。"③列入此类的绝版书，都是没有见到实物，或者虽然见到实物而其出版年代不详者。因为该书明确标有"嘉永庚戌新镌"，可见作者宫武外骨没有见到《圣武记采要》原书。"施行暴威的德川幕府，也难敌时势的到来，在外患内忧交织而起，特别是勤王爱国之士奋起之时，已经无暇顾及去抓捕图书的作者和出版者。时代到了激荡的嘉永之后，就几乎没有图书绝版之事，正是因为幕府自身的前途命运也处于危急之中。其末路有趣且可悯。在如此时势中，此后的笔祸者，可以说在当时具有国事犯的性质，皆限于勤王家或攘夷党，其多属上

① 三島毅：「鷲津毅堂先生碑」，磯ケ谷紫江著『墓碑史蹟研究』第5卷，東京：後苑荘，1927年，第558页。

② 三島毅：「鷲津毅堂先生碑」。同上，第559页。

③ 宫武外骨：『筆禍史』，東京：朝香屋書店，1926年改订增补再版(1911年初版)，第165页。

书、檄文、诗歌、书牍之类，作为著作的版本一切皆无。”即“在世态骚然的嘉永之后，没有图书绝版之事。”①

虽说是“笔祸”，但实际上，鹫津毅堂似乎并没有因此受到多么严重的处罚。1850 年 4 月《圣武记采要序》完成，5 月 9 日幕府下令禁止民间关于海防（“海岸警卫”）的“蛊惑人心”、造成社会不安定的“种种妄说”或“无益之疑说”。② 中秋之后，鹫津为了避免町奉行所的盘问，去房州（今千叶县南部）暂避风头。据永井荷风发现的史料、金森盛德抄录的《温古新闻记》中的“嘉永四年辛亥二月二十四日”项记载：

> 同月二十四日圣武记采要一件解决。去年十二月十七日，北御町奉行所传唤，同居于牛込通寺町松源寺的浪人鹫津郁太郎，其出版此书，印刷者是神田松永町半次郎，印刷之后，此书渐渐惹起麻烦，众议森严，对此，郁太郎未付半次郎印刷费，板木就此保管而不齐全，半次郎将印刷本拿到町奉行所时，郁太郎已经不知去向。去年曾三次传唤半次郎，今春又三度传唤，今日得以解决。
>
> 罚款三贯文，书籍印刷者半次郎。③

永井荷风认为此事件“并未处罚鹫津毅堂，而是对印刷者处以罚金”。所谓“圣武记事件”的情况基本如此。值得注意的是，无论是《笔祸史》的作者还是永井荷风，都没有见到过《圣武记采要》原书。永井荷风说：“我于坊间的旧书店搜寻毅堂的采要而不得，便一览其原本圣武记。圣武记解说自清朝国初以来历代武事兵制之沿革，各章的结尾处有作者的评论，其主旨在于慨叹近来英鲁两国入寇及回教匪徒反乱之际，清国武备之不周，以此警示世人。圣武记始成于道光二十二年，两年后补订，

① 宫武外骨：『筆禍史』，東京：朝香屋書店，1926 年改订增补再版（1911 年初版），第 167 页。

② 内藤耻叟：『德川十五代史』第六卷，東京：新人物往来社，1969 年，第 3014 页。

③ 永井荷風：『下谷叢話』，東京：春陽堂，1926 年，第 116 页。此史料又见于石黑万逸郎的『有隣舎と其学徒』第 166—167 页。此书谓“毅堂为此被解除尾张藩籍”，与此史料中的“浪人鹫津郁太郎”相应。此书谓史料出自“金井安全的见闻录”（第 166 页）。参照增田涉：《西学东渐与中国事情》（由其民、周启乾译），江苏人民出版社，2010 年，第 77 页。

到二十六年又加以增订，是乃我弘化三年。因而，此书可谓我舶来之新书中最新者。”[①]如果因此认为《圣武记采要》是据1846年增订本摘录，就完全错了。经核查，采要所据原版实际上为1842年初版。

根据现有资料，列“《圣武记》日本节录翻刻一览表”如下：

书名	责任人	出版时间	翻刻内容	备注
圣武记采要	鹫津毅堂	嘉永三年(1850)四月	圣武记叙、卷十四武事余记·议武五篇(卷之上：城守篇、水守篇；卷之中：防苗篇、军政篇、军储篇一；卷之下：军储篇二、三、四)	夕阳楼藏梓。三册。篇末无补注。
圣武记附录	不明②	不明③	圣武记叙、圣武记目录、卷十一至十四武事余记	分春、夏、秋、冬四册
他山之石	不明④	不明⑤	卷一：国朝抚绥西藏记上、国朝抚绥西藏记下、西藏后记、乾隆征廓尔喀记、廓尔喀附记附录澳门月报；卷二：康熙乾隆俄罗斯盟聘记、乾隆征缅甸记、入缅路程、乾隆征抚安南记、嘉庆东南靖海记。	分宫、商、角、徵、羽五册(卷)，其中宫、商两册即卷一、卷二为《圣武记摘录》。

① 永井荷風：『下谷叢話』，第113—114页。

② 有论者认为是斋藤拙堂，如大庭脩(《江户时代日中秘话》第182页)、王晓秋(上文所述)，但是增田涉《西学东渐与中国事情》(由其民、周启乾译，江苏人民出版社，2010年)指出该书“无翻刻者的姓名”(第28页)。

③ 吉田松阴日记记载其1850年9月15日“至叶山，谈话入夜，借《圣武记附录》四册归。”(山口県教育会編『吉田松陰全集』，第7卷，岩波書店，1935年，第107页。)

④ 有论者认为是添川宽平，如大庭脩(《江户时代日中秘话》第182页)，但是前述『鎖国時代日本人の海外知識——世界地理・西洋史に関する文献解題』中指出《他山之石》一书“未记刊行时间与编辑者姓名”(第163页)。

⑤ 增田涉《西学东渐与中国事情》据吉田松阴1854年11月27日信中所言“购得《他山之石》一部”(『吉田松阴全集』第8卷，岩波書店，1939年，第308页)，推测其是“嘉永时候刊行的”(第75页)。

续表

书名	责任人	出版时间	翻刻内容	备注
圣武记拔萃	山中信古	安政三年(1856)六月	卷一:康熙亲征准噶尔记、雍正两征厄鲁特记;卷二:国朝俄罗斯盟聘记、俄罗斯附记、国初征抚朝鲜记;卷三:国初东南靖海记、康熙戡定台湾记、嘉庆东南靖海记;卷四:武事余记兵制兵饷;卷五:武事余记掌故考证;卷六:武事余记事功杂述;卷七:武事余记议武五篇上(城守篇·水守篇·坊苗篇·军政篇)卷八:武事余记议武五篇下(军储篇)。	天香堂藏版。第一集全四册。即卷一至卷四。京都:菱屋孙兵卫、大阪:秋田屋太右卫门、若山:阪本屋喜一郎、若山:阪本屋大二郎,四家书店发行。收入《域外汉籍珍本文库》第四辑史部第十册,西南师范大学出版社、人民出版社,2013年。
圣武记附录武事余记补遗	乌有陈人校编	不明	不明	藏于(日本)关西学院大学。待查实。

以上翻刻本,或"采要",或"摘录""拔萃",皆为节本选刊,而所依据的版本,除《圣武记拔萃》校订者中山信古明言"翻刻重订本以公乎世"①外,均为初刊本。从翻刻的内容上,如大庭脩所言,也可以看出那个"时代的特色"。② 最初翻刻的内容,是关注"海防策"的卷十四武事余记·议武五篇,既而将整个附录,卷十一至十四武事余记全部翻刻。从《他山之

① 域外汉籍珍本文库编纂出版委员会编:《域外汉籍珍本文库》第四辑史部第十册,西南师范大学出版社、人民出版社,2013年,第524页。卷首有校订者中山信古的简短说明,全文为:"《圣武记》,吾得重订本,乃魏氏定本也。比诸旧刊尤完备矣。向本邦抄而行世活字本及采要、他山之石等,皆据旧刊本,误脱颇多,吾以为遗憾。因欲翻刻重订本以公乎世,然全部不能遽毕謄写,今取其先成者数篇附训点授诸剞劂氏,姑题曰:拔萃。是以其次序不袭旧目云尔。山中信古识。"同上。目录中的卷五至卷八,或为第二集,未见。

② 大庭脩:『江戸時代における唐船持渡書の研究』,第194页。

石》中的《圣武记摘录》和《圣武记拔萃》翻刻的内容来看，俄罗斯最受关注。初版中的《廓尔喀附记》就是重订本中的《俄罗斯附记》。其次，两者都选刊了《嘉庆东南靖海记》，而且《圣武记拔萃》卷三中选刊的另外两篇也是关于"东南靖海"和"台湾"的记事。面临不得不"开国"这一时代的转变，"海防"是当时日本一个关乎国家存亡的重大议题。① 而清朝的经验教训，如书名"他山之石"所示，无疑是日本的一个重要借鉴。②

（三）现代日语译本《圣武记》

1844 年《圣武记》传入日本，经过了一百年，到 1943 年，日本出版了魏源第三次重订本的"全译本"，而且译者署名为"兴亚院政务部译"。其原委，《译序》中有说明，全文试译如下：

> 本书的原本依据魏源的第三次重订本，即道光二十六年的刊本，亦参酌了期间的新版本。
>
> 魏源生于乾隆之时征伐楚苗之前，长于嘉庆征教匪、海寇之时，至道光征回疆后，始出仕京师，期间查明研究史馆秘阁官书，及士大夫私家著述、涉及其生前数十大事，收之于胸中，追溯其物力之盛衰、人才、风俗、进退消息之本末，深究审明。至其侨居江淮之际，海警忽到、军问纷至，于是慨然触其胸中之所蓄积，尽发其积藏，驰骋往复，取其涉及兵事及议论若干篇，成四十余万言，即为本书著述之缘由，时在道光二十二年。
>
> 其所论之宗旨虽在警外先整内，其著述与论旨虽然时代不同了，而对于当世而言足可资参考反省者亦不少，关键在于读者的眼光如何。
>
> 彼曰："财用不足，国非贫；人材不竞之谓贫。令不行于海外，国

---

① 参见坂ノ上信夫的『幕末の海防思想』（東陽堂，1943 年）、原刚的『幕末海防史の研究 ：全国的にみた日本の海防態勢』（名著出版，1988 年）。

② 参见岩間 一雄的『海防論における日本と中国』，载岡山大学法学会編『岡山大学法学会雑誌』32 卷 1 号，1982 年 7 月。

非赢,令不行于境内之谓赢。故先王不患财用而惟亟人材,不忧不逞志于四夷,而忧不逞志于四境。官无不材,则国桢富;境无废令,则国柄强。桢富柄强,则以之诘奸,奸不处;以之治财,财不蠹;以之搜器,器不窳;以之练士,士无虚伍。如是,何患于四夷,何忧乎御侮!斯之谓折冲于尊俎。尝观周、汉、唐、宋、金、元、明之中叶矣,瞻其阙,夫岂无悬令?询其廷,夫岂无充位?人见其令雷行于九服,而不知其令未出阶闼也;人见其材云布乎九列十二牧,而不知其槁伏于灌莽也。无一政能申军法,则佚民玩;无一材堪充军吏,则敖民狂;无一事非耗军实,则四民皆荒。佚民玩则画箠不能令一羊,敖民狂则蛰雷不能破一墙,四民皆荒。然且今日揖于堂,明日觞于隍,后日胠于藏,以节制轻桓、文,以富强归管、商,以火烈金肃议成、汤,奚必更问其胜负于疆场矣。《记》曰:'物耻足以振之,国耻足以兴之。'故昔帝王处蒙业久安之世,当涣汗大号之日,必虩然以军令饬天下之人心,皇然以军事军食延天下之人材。人材进则军政修,人心肃则国威遒。一喜四海春,一怒四海秋。五官强,五兵昌,禁止令行,四夷来王,是之谓战胜于庙堂。"云云。

以上为魏源于其自序中所言。其内容记事详述自创国以来至道光年间所起几多事件之变迁,方略、用兵、绥抚、地势、风俗、政策之利害得失等,即其时代之情势,横说纵论,最为勤勉。今日,处日中关系尚需研究之秋,相信对照国情、民俗、历史之情态,如能有可熟察参考之处,裨益亦不少矣。

此乃译本书之缘由。

昭和十八年(1943)九月

译者识①

此译本虽谓全译本,但是魏源原书的《圣武记叙》并没有作为独立的篇什译出,而是以上述《译序》代替了,尽管此《译序》中已经包含了作者

① 興亜院政務部訳:『魏源聖武記』,東京:生活社,1943年。「訳序」,第1—3页。

《圣武记叙》中的主要内容(上面的划线部分)。值得注意的是,该译本在最后增加了一项《地名・人名假名附》,分卷对每一卷中出现的地名、人名“按照北方音”标注了日本的片假名,并在此附录前有署名“编者誌”的序言说明:

> 圣武记的事项涉及古满洲、内外蒙古、伊犁、新疆、西藏等广大地区,从人名地名到山川湖海,难读的文字很多。虽然知道标上假名有利于读者阅读,但此非易事,且又恐谬误流传,所以不敢为之。然而出版之际,不能辜负书肆之切望,不得已试以北方音标上假名。虽说是北方音,然而以日本假名来表现其音颇为困难,不过仅仅是以稍类似之音来表现而已,有与实际发音相差甚远者,如果能够以此为端绪而就教于其地其人则幸甚!①

综上所述,这个译本有以下几点值得注意:第一,译者未标个人,而标“兴亚院政务部译”,除正文的翻译之外,有“译者识”的《译序》,在附录的《地名・人名假名标注》中还有署名“编者誌”的《圣武记假名标注之事》的序言(“端书”)。可见,翻译《圣武记》是政府行为,而非某个人所为。兴亚院是1938年12月第一次近卫内阁中设置的由首相任总裁的对中国占领地区加以综合统治的中央机关。其中有政务、经济、文化三个部,政务部第一课、第二课负责对华政策的设计及对中国新政权的政治协助等事务,第三课负责对中国政治、经济、文化方面的调查事务,收集相关情报。② 除了利用其设立在中国华北、华中、厦门、蒙疆(张家口)各联络部收集情报出版《情报》《调查月报》等杂志外,还出版相关书籍,为占领和统治中国作参考。第二,强调《圣武记》虽然是一本历史著作,但是对当代仍然具有重要的参考借鉴意义。《译序》中特别翻译《圣武记叙》中的内容,“人材进则军政修,人心肃则国威遒”,现在读后,觉得有一

---

① 興亜院政務部訳:『魏源聖武記』,第725页。

② 「興亜院事務分掌規程」(1938年12月16日施行),见興亜院政務部編:『興亜院執務提要』,1940年1月,第38页。

种反讽的意味,《译序》中所言将此译著作为“参考反省”之资,译者或许真有一种“反省”的眼光,也难料。第三,从所附人名地名假名注音来看,可知编译者为地道的“中国通”。而且注音的目的也是想为更加准确地了解中国的情况或对于想要进一步实地了解中国的人提供线索。

(四) 余论

魏源同年出版的《圣武记》与《海国图志》,尽管《圣武记》先传入日本,但是有论者认为“在日本渗透的程度和影响远不及《海国图志》。其原因在于《圣武记》大半是清朝皇帝创业以来的武功史,日本人对此不怎么关心。卷十一至十四末尾诸卷日本人虽也关心,其翻刻版也出版了一些,其视野限于军事上的问题,不如《海国图志》那样涉及西欧诸国的人文、社会现象视野之广,因此与《海国图志》相比,人们对《圣武记》的兴趣不大。”①这种分析虽然不无道理,而魏源著作这两部书的用心及其不同侧重之所在,幕末儒者盐谷宕阴(1809—1867)早在嘉永七年(1854)的《翻刻海国图志序》中已经认识得很清楚。他说:

> 予向者读魏默深《圣武记》,以谓此魏氏之惩毖录也。道光鸦片之乱,殆与朝鲜壬辰之事类,而默深之忠慨义愤,十倍柳成龙。于是欲述惩前毖后之意以儆世。然举败事近于扬谤,颇有难于立言者焉。故首纪祖宗丰功伟烈,然后及武事余记,若曰今能师祖宗,则于善后乎何有?而善后之方,寓乎余记。可谓立体之得宜者矣。及读《海国图志》,则又谓此惩毖外篇也。记以省我、图志以知彼。英主硕辅,能斟其意、择其策,举而施诸政事,则转祸为福、变凶为吉无难也。②

盐谷将《圣武记》作为“惩毖录”,认识到魏源的“忠慨义愤”和“欲述

① 源了圆:『幕末・維新期における「海国図志」の受容——佐久間象山を中心として』,国際日本文化研究センター『日本研究』第9集,1993年9月。

② 塩谷宕陰:『宕陰存稿』巻四,塩谷氏藏梓,東京:山城屋政吉,1870年。

惩前毖后之意以儆世”的目标，而且在具体的写作与表现方法上，体会到魏源的良苦用心，即“举败事近于扬谤，颇有难于立言者焉。故首纪祖宗丰功伟烈，然后及武事余记，若曰今能师祖宗，则于善后乎何有？而善后之方，寓乎余记。”并赞赏这种做法“可谓立体之得宜者矣”。与《圣武记》相对应，他认为《海国图志》为“惩毖外篇”，两者的关系为“记以省我、图志以知彼”。盐谷对魏源理解得如此透彻，当然与当时中日两国的相似境遇密切相关，可谓魏源的“海外知音”。

而同在1854年，因吉田松阴“偷渡”事件而受牵连、身陷囹圄的佐久间象山在狱中则直接将魏源称为“海外同志”。他在《省諐录》中写道：

> 先公登相台，嗣管海防事。时英夷寇清国，声势相逮，予感慨时事，上书陈策，实天保壬寅十一月也。后观清魏源《圣武记》，亦感慨时事之所著。而其书之序，又作于是岁之七月，则先予上书，厪四月矣，而其所论，往往有不约而同者。呜呼，予与魏，各生异域，不相识姓名，感时著言，同在是岁，而其所见，亦有暗合者，一何奇也。正可谓海外同志矣。但魏云，自上世以来，中国有海防，而无海战，遂以坚壁清野、杜绝岸奸，为海防家法。予则欲盛讲炮舰之术，而为邀击之计，驱逐防截，以制贼死命于外海，是为异耳。①

可见，魏源对幕末日本的影响，重要的并不在于其思想比当时日本的知识分子先进，或其见识视野比他们高远广博，他们对具体问题的观点可以不一样，关键是这些不同无碍于他们在相似的西力东侵的国际境遇中作为“海外知音”或“海外同志”的精神上或情感上、心理上的相契、相惜。从这种意义而言，谈魏源的影响，恐怕就很难将其《圣武记》与《海国图志》截然分开来讲。但是，不能不承认，《圣武记》在幕末日本主要还

---

① 佐久間象山：『省諐録』(1854年)，『渡辺崋山 高野長英 佐久間象山 横井小楠 橋本左内』日本思想大系55，岩波書店，1971年，第415页。所言“先公登相台”指松代藩主真田幸贯于1841年6月至1844年5月任幕府老中，期间有一段时间负责海防事务。“予感慨时事，上书陈策”，指其于1842年11月24日的「海防に関する藩主宛上書」。

是被作为一部"兵书"来看的,从 1850 年鹫津毅堂的"海防之策,莫善于是篇"的充分首肯,到 1854 年佐久间象山嫌魏源"以坚壁清野、杜绝岸奸,为海防家法"保守,而主张要"盛讲炮舰之术,而为邀击之计,驱逐防截,以制贼死命于外海",即提倡主动进攻、以攻为防的不同策略,观点虽然不同,但重视的都是其兵法、战术的方面。

随着时代的发展变化,日本从西方列强的威胁下"挣脱"出来而变成了列强中的一员,中国这个昔日日本的"唇齿之国"也变成了日本与西方列强共同侵略的对象。为了更好地统治中国,了解中国的历史,特别是清朝衰亡的历史,成为实现或巩固日本"兴亚"理想的新使命和新"借鉴",于是,《圣武记》作为历史著作又重新得到重视。

内藤湖南(1866—1934)在论述清代的史学时,指出《圣武记》是魏源写的"清代的现代史",而且是对清朝的衰运"怀着很大的历史兴致来写作"的,因此也能"唤起读者很大的历史兴趣",感叹魏源的《圣武记》"用如同诗一样的写法,具有刺激读者的力量。"[①]而且,内藤 1915 年 8 月在京都大学讲授《清朝史通论》,其所列的纲目中,就将《圣武记》(三种)列为"关于清朝史著述"标本之首位,[②]并言及其传入日本的情况与特点,说:《圣武记》"在日本也翻刻了其一部分,且传入日本很多部,无论是谁,想看的话都可以见到。该书有三种版本,每版都不同,总之,它是由中国人对清朝历史经过自己的新思考而写成的最有力的著述。"[③]而他早在 1900、1901 年发表的论文《清国创业时代的财政》《清朝兴衰的关键》中大量引用了《圣武记》的内容。后来这些论文作为附录收入其出版的《清朝衰亡论》(东京:弘道馆,1912 年)中,在 1944 年其《清朝史通论》出版之际,《清朝衰亡论》又被录入再版。[④] 兴亚院政务部所译《圣武记》的具体

---

① 内藤湖南:「支那史学史」,「内藤湖南全集」第 11 卷,筑摩書房,1969 年,第 408、409 页。参见马彪中译本《中国史学史》(上海古籍出版社,2008 年)第 321 页。

② 内藤湖南:「清朝史通論綱目」,「内藤湖南全集」第 8 卷,第 447 页。

③ 内藤湖南:「清朝史通論」,同上「内藤湖南全集」第 8 卷,第 272 页。

④ 「清朝衰亡論」收入「内藤湖南全集」第 5 卷,筑摩書房,1972 年。

缘由，虽然尚待查明，但可以肯定，它与像内藤湖南这样的与当时政局紧密相关的“国策性”学者或“智囊”不会没有关系，尽管在这部“全译本”《圣武记》出版近十年前内藤湖南已经去世了。

魏源的《圣武记》1844 年传入日本后，从 1850 年翻刻本《圣武记采要》被幕府禁止出版到 1943 年由政府组织力量以“兴亚院政务部”的名义全文翻译出版，经历了百年的历史。这一百年中，中国和日本的社会、历史都经历了天翻地覆的变化。一百年前的这本中国典籍在日本，随着“读者的眼光”的变化，或者重视其作为“兵家之书”的属性，或者将其视为史家之书、作为一个清史著述的标本；或者对其兴味盎然，或者觉得兴趣不大。探索《圣武记》传入近代日本被翻刻、翻译的百年经历，可以为我们思考中国因素在近代日本知识建构中的作用提供一个鲜活的样本。

（原载于阎纯德主编：《汉学研究》第 20 集，2016 年春夏号）

三　叶德辉的两个日本弟子

对近现代中日文化交流，我曾以梁漱溟为例说明中国现代思想在日本的反响及其意义，旨在强调交流的相互性和复杂性。中国现代学术在日本的影响，还可以从日本学者直接师从中国学者的事例中得到说明。这里，我们来看看叶德辉（1864—1927）的两个日本弟子。

在近代社会思想变革的风潮中，湖南是各种势力交汇争夺的一个重要据点。叶德辉常常被视为保守派的典型，而且其为人处事也遭到许多非难。但是从学术史上而言，他的业绩不容忽视。而且在现代中日学术交流史上，他也是一个值得关注的人物。

叶德辉有两个有名的日本弟子，一个是松崎鹤雄，一个是盐谷温。

松崎鹤雄（1868—1949），号柔甫、柔父。生于九州阿苏世家，青少年时代曾就读于济济黉、熊本洋学校、长崎镇西学院等名校，后随德富苏峰到东京，随汉学家竹添井井学习《左传》《论语》《诗经》等。1908 年 12 月在西村天囚的推举下作为《朝日新闻》的通信员，随水野梅晓来到长沙，“寓居在陶渊明的远裔、道光年间的政治家、南京总督、以整顿盐政而奏功、任地之民为之建立生祠的陶澍的曾孙家。”①他先后从王闿运、王先谦、叶德辉学。首先跟王闿运学习，据他回忆，是在 1909 年 5 月入门成为其塾生，“我在其门人中是最贫穷的。中国执弟子之礼要拿很多钱去，少则百圆，多则三百圆乃至五百圆。同父子一样行三拜之礼。王先生说，因为你来自外国，很贫穷，就作为朋友来看待吧。这样，近八十岁的老爷子与三十多岁的我便成了朋友。伙食费三圆，我虽然贫穷但是还能够支付。”②关于王先谦，他说：“我亲炙葵园（王先谦的堂号）八年间，而频频叩其门。”③而对叶德辉，师从的时间长达九年，而且在《湖南的博学叶德辉》等文中以“叶师”相称，将自己归入其“门人”之列。

对叶德辉的学问，他说：“叶师的学问特征在目录学与说文学（文字学）。其著书中所着力的是关于目录的研究及说文研究的资料，但是对音声、音韵也很熟悉。著作中的《六书古微》是根据为我所作的说文学的讲义而整理出版的。还有《读若字考》《同声假借字考》是门人一同听讲过的。《说文故训》《说文籀文考证》是叶师得意的著述。”④还说：“叶师常常说，将《孟子》与《论语》配合而放入四书（也称四子书）、将《大学》《中庸》从《礼记》中抽出而组成四书，这是宋学者的工作，对此非常不满。《孟子》是战国时诸子之一，因此应该与《荀子》一起列入儒家诸子中，《大学》《中庸》应放入《大戴礼记》中。我也服膺此说。叶师让我们一起读了《老子》《庄子》《荀子》《孟子》这四子书。叶师精于三礼（《周礼》《仪礼》《礼记》），精通历代掌故、制度，也让门人必须要读。春秋取《左氏传》，以

---

① 杉村英治编、松崎鹤雄：《吴月楚风》，出版科学综合研究所，1980 年，第 117—118 页。

② 松崎鹤雄：《柔父随笔》，座右宝刊行会，1943 年，第 88 页。

③ 同上，第 26 页。

④ 同上，第 109—110 页。

《公羊传》为邪说而加以排斥。”[1]

当时学习的情况，松崎说：“如果我提出问题，（叶师）有时从早到晚忘了看戏，来教我。有时不饮不食来教我，甚至引起我的脑贫血。常常还有我晚上告辞叶府而出时，他说来送我，准备了两台骄子。家人窃窃私语说又去馨石巷（馨石巷是风化场所），骄子并排出门时，叶师低唱着‘我去东来主向西’的俗谣，因此我便坐骄直接回去。”[2]其“风流”的一面也可见一斑。而“当我稍微流露出读书懈怠或不买书时，他便会大声地斥责我说：‘没有钱买书的话那么就让自己钻到书籍中去，如果说很忙不能读书，那么小便的时间或吃饭的空闲总有吧。’”[3]“叶师乐于教人，这是受教者之幸。”[4]

松崎鹤雄在长沙学习，直到 1919 年 6 月。其间他经历了三、四次叶德辉由于口祸笔殃而遭官宪追捕的事情。1913 年叶德辉在逃难中还赠他一首留别诗，曰：“三年聚首又奔波，岁月催人奈志何。九死关头来去惯，一生箕口是非多。中原羹沸无宁息，王路平陂总折磨。辛辣久成薑桂性，道高奚畏世间魔。”[5]很能见他的性情。

据松崎记载，与叶德辉过从密切的日本友人有白岩龙平、水野梅晓、永井禾原等，西园寺公望、内藤湖南、岛田翰、盐谷青山、泷川亀太郎、长尾雨山等来直接访问过他，与竹添井井只有书信来往。[6]

松崎离开长沙之后，在大川周明的推荐下 1920 年到大连的“满铁”图书馆工作。相关情况可参考王若的《嘉业堂未毁之谜》[7]、《松崎与旅顺库籍整理处》[8]和罗继祖的《内阁满文档案与松崎鹤雄》[9]等文章。在满

① 松崎鹤雄：《柔父随笔》，第 110—111 页。
② 松崎鹤雄：《柔父随笔》，第 111 页。
③ 松崎鹤雄：《柔父随笔》，第 113—114 页。
④ 松崎鹤雄：《吴月楚风》，第 61 页。
⑤ 松崎鹤雄：《柔父随笔》，第 120 页。
⑥ 松崎鹤雄：《柔父随笔》，第 114 页。
⑦ 载《图书馆学刊》，1987 年 3 月号。
⑧ 载《图书馆学刊》，1989 年 1 月号。
⑨ 载《上海高校图情报学刊》，1991 年第 4 期。

铁期间,仰慕其学德的所谓有志者组织了“柔父会”,请他讲授毛诗、楚辞等,其《诗经国风篇研究》(1937年第一出版社)就是根据这时的讲义编成的。总之,大概很难将他单纯地视为“文化特务”或像一些日本学者那样认为他是“纯学问的人”。1928年,其子松崎简加盟日本共产党被捕入狱,后来被保释,又组织“满洲共产党”,因此他也不得不辞去满铁之职。1940年受华北交通会社之聘迁到北京,1946年结束了三十余年在中国大陆的生活回到日本。历史学家邓之诚写诗为之送别,曰:“卌年中土思依依,绿鬓来游白首归。从此花开肠应断,落花风里送征騑。”①

提到盐谷温(1878—1962),因为与鲁迅的《中国小说史略》的关系,或许很快就会想到他的《支那文学概论讲话》。实际上,他对元曲等中国俗文学研究的贡献中也有受惠于中国学者的背景。这就是他与叶德辉之间的师生关系。②

盐谷温出生于世代儒者之家。其祖辈盐谷宕阴,为幕府儒官,参与翻刻校订魏源的《海国图志》,在幕末日本思想界产生了很大影响。盐谷温毕业于东京帝国大学汉学科,来长沙之前,他已经是东京帝国大学的副教授了。为了学习以德国为中心的西方中国文学研究的方法,1906年先被派往德国留学。两年半之后,1909年秋到北京学习汉语,1910年冬盐谷温来到湖南长沙,经水野梅晓介绍拜叶德辉为师,直到1912年夏留学期满而归国。叶德辉去世后,他这样回忆当时学习的情形:“日钻研词曲,时伺暇赴丽楼,质疑请教。先师执笔一一作答。解字分句,举典弁惑,源泉滚滚,一泻千里。自朝至午,自午至晚,善教善诱,至会心处则鼓舌三谈,下笔生风,如毛发之细楷,十行二十行正书直下,乐而忘时。……先师为余之苦心诚悃所感,亦肯认余之学力,遂不遗余力而教。夏日酷暑,不顾汗流滴纸,冬日严寒,不顾指冻不能操管,开秘笈倾底蕴以授余。……余以短才而得通南北曲,实为先师教导所致。”③松崎鹤雄

① 松崎鹤雄:《吴月楚风》,第287页。

② 盐谷温与叶德辉,请参见拙著《中日近现代思想与儒学》序言,三联书店2007年3月。

③ 盐谷温:《先师叶郎园先生追悼记》,见《斯文》1927年8月号。

在叶德辉去世后所写的《叶德辉传略》中也说到“郎园大而经史四部，小而词曲，无书不购，无学不通。东京盐谷温从之问曲二年，于南北曲剧之变迁、声律雅俗之分辨，手书口授，语焉必详。”①

1920年盐谷温以《元曲研究》获得博士学位并升任东京帝国大学教授，成为日本“官学”中中国戏曲小说研究的奠基者。1923年，叶德辉为盐谷温的博士学位论文《元曲研究》作序，师生情谊溢于言表，其中除了提到盐谷“十年前游学来湘，与松崎柔甫同居，从余问业。柔甫从治小学，君治元曲。二者皆至难之事”，以及“曩著《六书古微》一书，以授柔甫。柔甫望洋不敢有所论述也”等之外，专就其习元曲之事做了详细说明。他说自己本来想写一本《剧史》，这时“适节山来湘，从问元曲，余书既不就，而以语言不通、风俗不同之故，虽口讲指授，多方比喻，终觉情隔，不能深入。盖以吴音不能移入湘人之口者，而欲以中原之音移于海外，岂非不可信之事哉。幸余家藏曲本甚多，出其重者以授君，君析疑问难，不惮勤求。每当雨雪载途，时时挟册怀铅来寓楼，检校群籍。君之笃嗜经典过于及门诸人，知其成就之早，必出及门诸人之右。尝以马融谓门人‘郑生今去，吾道东矣’之语许君，君微哂不让也。”对其《元曲研究》，叶德辉评价说：“叹君之博览鸿通，实近来中东所罕见。书中推论元曲始末，及南北异同，莫不缕析条分、探原星宿。幸余书未编定，若较君作，真将覆酱瓿矣。”但作为盐谷温的授业之师，他也指出了书中的不足，说：“君书尚有未及道者，则歌舞最初之缘起也。”并对此详加论述，最后写道：“君书旁搜博采，几令余穷于辞。以此补所未详，或亦先河后海之义。君览之，得毋有相视而笑、莫逆于心者乎？”②

对这篇序文，盐谷温在自编的《叶郎园先生追悼录》中说：“对未熟拙作陈过誉之辞，使添灿烂光彩，想起留学时之苦心，实有步蟾宫、登龙门之感，喜不自言。”

① 王雨霖：《〈辽东诗坛〉所载叶德辉死事》，《书屋》2006年第1期。

② 此序文附录于《先师叶郎园先生追悼记》之后。

叶德辉去世后，1927年7月11日，东京最先举行其追悼会，在当时被誉为“学界之美举”。[①] 仅就学术史的意义而言，叶德辉与盐谷温、松崎鹤雄的师生情谊，的确可以说是近代中日学术交流史上的一段佳话。

当然，那个时代的日本中国学研究很大程度上几乎都带有意识形态的特征。盐谷温在他的《国译元曲选》(1940年目黑书店出版)的“小序”中就明确希望自己的工作“对兴亚之圣业有所贡献”“以尽文章报国之微忱”。在本书中的“元曲概说”的最后，也满怀自信地表示：“本研究虽微微一学究之工作，但作为构筑东亚新秩序的基石之一，扮演了极为重大的角色。”

松崎鹤雄曾记述自己看到叶德辉校订从水野梅晓那里得到的日本丹波康赖编辑的医心方写本中的素女经的情形，[②]此书已经收录到叶氏所编的《双梅景暗丛书》，这部中国“性典的集大成”之作，已经由伊吹净将其中的一部分翻译成了日文，1982年在东京的公论社首次出版，又成了新时代中日文化交流的一个话题。而盐谷温在72岁还娶了一个37岁的原艺妓作后妻，也一度成为新闻事件，[③]甚至令永井荷风也觉得其“老健可羡”(《断长亭日乘》)。其“风流”的一面也似有与叶德辉相通之处。

在疏理日本近代学术史，特别是近代日本中国学的发展历史时，西方学术的影响自然是重要的，来自中国的传统学术的视角也不可忽视。比如盐谷温在来问学于叶德辉之前留学德国两年，他或许的确在欧洲学习掌握了西方近代学术的一套方法或理念，但是如果不能够真正深入到研究对象之中而具备对研究对象本身的切实把握，再高妙的方法大概也很难发挥作用。

(原载于《读书》2007年第5期)

---

①《斯文》第9编第8号的报道《叶郎园追悼会》。

② 松崎鹤雄：《吴月楚风》第52页。

③ 1949年12月21日《朝日新闻》。

四　杨昌济的思想与日本

近代湘学的发展，从洋务运动、维新变法到辛亥革命，出现了像曾国藩、魏源、郭嵩焘、谭嗣同、宋教仁等在中国近代历史上具有开风气之先或引领时代潮流的人物。近代湘学的意义历来为人们所关注。重实理、识时务、求革新是近代湘学的重要特点。湘学的发展既有其“无所依傍，浩然独往”、“奋然自异”的创造性的一面，近代以来，随着各种形式中外交流的不断加强，湘学的影响在波及海外的同时，近代湘学的发展也具有了国际性的视野和开放性的特征。而日本是一个重要的参照系。针对欧美列强的入侵，日本和中国一样曾经面临着同样的历史命运。魏源的《海国图志》成为幕府末期日本人了解世界的重要文献，从日本与美国、英国、俄国等欧美列强签订亲善条约的1854年之后的一、两年间，在日本公开出版的训点翻刻和翻译的《海国图志》就达20种之多，为处于邦家之急的幕末日本知识分子认识英、美等欧美各国的真相，提供了重要的参考。近代中日学术思想交流史，从互动性和交融性方面着眼，还是一个值得深入研究的课题。而近代湘学与日本的关系，充分体现了交流双方的互动性和交融性的特点。

我曾经从一个侧面探讨过叶德辉与日本学者的交流及其在日本学界的影响。[①] 而杨昌济（1871—1920）也是近代湘学的重要代表人物之

① 本文是根据2008年8月27日在湖南大学岳麓书院的讲演提纲整理而成的。刘岳兵《叶德辉的两个日本弟子》（《读书》2007年第5期）和拙著《中日近现代思想与儒学》（北京：读书·新知·生活三联书店，2007年）序言。关于这一问题，还可以参考张晶萍《叶德辉与日本学者的交往及其日本想象》（《厦门大学学报》2006年第4期）。

一。他1898年在岳麓书院读书,"为王葵园(王先谦)弟子"。[①] 1903年开始游学海外至1913年归国,其中在日本留学达六年。回国后主张学以救国,在湖南高等师范学校、湖南第一师范学校、北京大学任教。被认为是"早期新民学会的精神导师"。[②] 本文从杨昌济留学日本期间的思想状况、《达化斋日记(校订本)》(湖南人民出版社,1981年)中出现的重要日本学者与日文书刊及其译自日文的伦理学著作三个方面来探讨杨昌济的思想与日本的关系,旨在深入分析杨昌济思想形成中的相关因素及其作用,从中也可以看出近代湘学之守持传统和走向现代的开放性特征。

(一) 留日期间的思想

杨昌济留学日本期间(1903年2月到东京,就读于弘文学院,1906年结业。之后至1909年春在东京高等师范学校学习)的思想状况,王兴国所著《杨昌济的生平与思想》(湖南人民出版社,1981年)一书中有比较详细的论述。该书所根据的资料除了当时一同留学日本的友人的日记和回忆文章之外,主要是杨昌济发表在由东京的湖南籍留学生杨度、杨毓麟等人主办的刊物《游学译编》上的《达化斋日记》(1903年5月出版的《游学译编》第八册,收入王兴国编《杨昌济文集》,湖南教育出版社,1983年)。择其要者,主要可以举出以下几点:

第一,他在出国之际,改名为"怀中",表现出了忧国忧民的拳拳之心。《达化斋日记》1914年6月24日回忆道:"余前在日本东京高等师范学校听其西洋历史讲义,谓中国人与罗马人同,惟宝爱其文化;虽外人入主其国,苟不伤其文化,即亦安之。私心揣测,谓日人不怀好意,颇有继

① 李肖聃《杨怀中先生遗事》中说:"怀中居岳麓时,本为王葵园弟子。其后留学日本,吴提学庆坻请葵园为学务公所议长,留学生訾其顽固,拟电阻之,欲列怀中名,怀中不可,曰:'吾不能以弟子而攻师也'。及葵园卒,怀中挽之云:'著述晚尤勤,故国沧桑人已老;师生谊犹昔,麓山灵爽鉴兹心。'可见其用意之厚。"(见王兴国编:《杨昌济文集》,湖南人民出版社,1983年,第377—378页。)

② 王兴国:《杨昌济的生平与思想》,湖南人民出版社,1981年,第153页。

满洲人入主中国之思想，此吾国人所当深念也。”①

第二，杨昌济在日本留学之时，正是民族主义运动高涨之时。他的救国思想以教育、学问为手段。李肖聃说：杨昌济“于陈天华、黄兴交情最笃，而自言不能与革命事。日俄事起，留学生编义勇队，藉名拒俄，皆习兵操，怀中亦与焉。次日，队长宣布宗旨，怀中即谢不往，曰：‘吾自度非破坏之才，且志在学问，不能从军也。’”②这与他 1903 年发表的《达化斋日记》中的思想是一致的。曰：

> 欲强中国，当蓄力于小民，士大夫积其教化之功，小民各自积其学问、阅历、兴举、扩充之功。积累之久，民智大开，则勃然兴起莫能御之矣。……[吾]平生得力有二，一在力行，一在深思。力行者，体魄界之事也；深思者，灵魂界之事也。学思之功，不可偏废，而思为尤要。思者作圣之功也，圣无不通，无不通由于通微，通微由于思。汉学通显，宋学通微；顾亭林通显，王船山通微。通显者博物之功也，通微者深思之功也。深则能研万事微芒之几，博则能应天下之万变而不穷于用。③

> 法之变有二：有变自上者，有变自下者。变之自上者，速效而易迁；变之自下者，效迟而可久。今上者稍稍变矣，然而不可恃也，非

① 杨昌济：《达化斋日记（校订本）》，湖南人民出版社，1981 年，第 47 页。此日日记从王船山思想出发论述民族主义、国家主义及世界主义的关系，是杨昌济思想的重要反映，录于此。曰：“船山一生卓绝之处，在于主张民族主义，以汉族受制于外来之民族为深耻极痛，此是船山之大节，吾辈所当知也。今者五族一家，船山所谓狭义之民族主义不复如前日之重要；然所谓外来民族如英法俄德美日者，其压迫之甚非仅如汉族前日之所经验，故吾辈不得以五族一家，遂无须乎民族主义也。吾国圣贤之教，本取世界主义，故恒谓吾国为天下，因世界尚未交通，中国独立于亚东，环其国者不过小国及游牧之部族，文化不得比于上国，故人民无民族思想。今则万国交通，时势大变，不得不暂舍世界主义而取国家主义。康南海谓今日当以列国并立之势治天下，即为此也。”在赴日留学途中，据同行的朱德裳的日记记载：“阅《支那教育问题》，此杨度与嘉纳（嘉纳治五郎——引者）问答之词，至为透辟，怀中先生推许甚至。”由此，杨昌济被认为已经“开始接受种族革命的思想”。（1903 年 2 月 8 日，朱德裳《癸卯日记》，载《湖南历史资料》1979 年第 1 辑。见王兴国：《杨昌济的生平与思想》，湖南人民出版社，1981 年，第 46—47 页。）

② 李肖聃：《杨怀中先生遗事》，王兴国编：《杨昌济文集》，湖南人民出版社，1983 年，第 378 页。

③ 杨昌济：《达化斋日记》（《游学译编》第八册），同上《杨昌济文集》，第 24 页。

不可恃也，吾不在其位，则吾无权。夫天下惟己可为恃，此尽己分、立人道者所恃之主义也。居下位之人，自当以变之自下为己任。何以变之？则舍竭力学问、竭力教化无他道矣。①

以“居下位之人”自任，竭力于学问、教化，旨在通过扩充自己的“学思之功”，以无形的通于古今的教化来变化有形的限于时势的法制。在此日记的结尾处，他强调：“精神一到，何事不成？苟其公忠体国，百折不回，虽布衣下士，未始无转移世运之能也。有志之士可不勉哉！”②

上述思想，他留学回国后得以履行且进一步加以发挥。他说：“从政治上求变，变之自上者也；从教育上求变，变之自下者也。变之自上者，速效而易迁；变之自下者，效迟而可久。高以下为基，吾宁自教育始。”并以日本的福泽谕吉和吉田松阴来这样勉励教育者：

福泽谕吉，日本之大师也，隐居教授，不乐仕进，友朋多取高位、炳大政，而视之淡如，创办庆应义塾于东京。值西南之役起，西乡隆盛以反抗政府被戮。方事之殷也，枪声隆隆震屋瓦，而福泽氏教授如常。其定识定力，有可为吾人模范者。吉田松阴之诗曰：“松下虽孤村，誓为神国干。”吾愿为有志教育之诸君子诵之。③

在 1919 年 10 月 26 日的日记中，他还重复给友人的赠言，说：“政治旋涡中诚非吾辈所应托足，无补国事，徒有堕落人格之忧。谓宜飘然远引，别求自立之道。今日之事当从底下做起，当与大多数国民为友；凡军人官僚政客，皆不当与之为缘。不当迎合恶社会，当创造新社会；当筑室于磐石之上，不当筑室于沙土之上也。吾辈救世惟赖此一枝笔；改革思想，提倡真理，要耐清苦、耐寂寞。”④

第三，杨昌济已经掌握了一些西方自然科学的知识，并能够加以运

① 杨昌济：《达化斋日记》（《游学译编》第八册），同上《杨昌济文集》，第 28 页。
② 杨昌济：《达化斋日记》（《游学译编》第八册），同上《杨昌济文集》，第 28 页。
③《教育与政治》（1913 年），同上《杨昌济文集》，第 45 页。
④ 杨昌济：《达化斋日记（校订本）》，湖南人民出版社，1981 年，第 198 页。

用来观察和解释社会生活。简而言之，1903 年所发表的《达化斋日记》的基本思路可以说是从自然科学的力学原理出发，而最终引申出"人之力莫大于心"与"精神一到，何事不成?"的结论。这时他的所谓个性解放、以民为主的变法思想都是就上述意义而言的。

除此之外，我认为杨昌济在日本留学期间还有以下几件事值得注意。其一，据李肖聃言："怀中居东时，与友人立中国学会，入会者杨度、周大烈、方表及熊祟煦、杨树达数辈。"[①]其二，李肖聃又言："怀中居东时，暇日率其徒友讲论不辍。一日偕余入小石川植物园，坐石上从容语曰：'君好博览而不读程朱书，终为无本。日人所著《宋学概论》，君未见耶?'"[②]其三，根据杨树达回忆，1907 年 10 月，他"从杨怀中(昌济)借得王国维《静安文集》读之"。[③] 从以上三件事可以看出，留日期间的杨昌济除了学习日文、英文、普通中小学课程及教育学等专业课程之外，一直关注中国学研究的状况及其在日本和中国的新进展。《静安文集》是王国维在 1905 年汇集自己在《教育世界》杂志上所发表的文章[④]及其诗稿而刊行的一本著作。它在引进西方哲学思想以及借用西方哲学观念对中国传统哲学思想进行理论分析方面的原创性贡献已经无须在此多言。那么，《宋学概论》是一部什么样的书，其作者是谁? 杨昌济为什么要将此书推荐给朋友?

《宋学概论》，小柳司气太著，(东京)哲学书院 1894 年出版。《宋学概论》是怎样一部著作，从帝国大学汉学教授岛田重礼的评语、哲学教授井上哲次郎的序及其自序中可见一斑。

---

① 李肖聃：《杨怀中先生遗事》，同上《杨昌济文集》，第 379 页。

② 李肖聃：《本校故教授杨怀中先生事迹》，同上《杨昌济文集》，第 375 页。《杨昌济文集》中将"宋学概论"误植为"宋学概况"，王兴国所著《杨昌济的生平与思想》第 58 页的引文为"宋学概论"。

③ 杨树达：《积微翁回忆录》，北京大学出版社，2007 年，第 6 页。

④ 收入文论十二篇，为《论性》《释理》《叔本华之哲学及其教育学》《红楼梦评论》《叔本华与尼采》《国朝汉学派戴、阮二家之哲学》《书叔本华遗传说后》《论近年之学术界》《论新学说之输入》《论哲学家及美术家之天职》《教育杂感》《论平凡之教育主义》。

岛田重礼评曰:"斯篇所论虽有未精处,其于濂洛一派讨原究委、脉络分明,了如指掌。黉课繁杂中能有此著,其立志之笃而用功之勤,可以想见也。"

井上哲次郎的序中感叹:"甚哉汉学之衰也,读孔孟之书者,则尚或有之。至修宋学者,则寥寥如晓天之星。然以余观之,宋学亦一种之哲学也。虽时有不合于真理者,而又非无所西人未道破。苟有志于哲学者,岂不讲穷焉而可乎哉。属者小柳司气太君著宋学概论以示于余,余读之,凡关哲学者,蒐猎综叙,简而得要、备而不烦,历历可以征宋代思想之发达也。"

作者小柳司气太(1870—1940),1894年毕业于帝国大学文科大学汉学科选科,该书的用意他在"自序"中说得很明白:

> 古我先王采禹域之学术以润色国家之教化,尧舜之道、洙泗之统,在日东精华之邦,灿然具备,菅江之两家,以宿儒任献替之职,赫赫功勋长照汗青。当斯时,虽有儒教,未有儒学者也。其后至德川氏以不世出之睿智,知马上不可治天下。于是金革未熄,注心坟藉。林道春受业于藤惺窝,以参帷幄。一代之大典兹定焉。洛闽之学术兹起焉。岂啻我朝之叔孙通而已哉。其后中江氏之于姚江、伊藤氏父子之于古学、物氏之于古文辞,虽醇驳互出,优劣不均,学识超卓,震耀后世。若夫至白石之经济与山阳之文章,亦一代之杰也。三百年之间扶植纲纪,人以勇健、国以富强。当斯时虽有儒学,未有儒教哲学者也。明治中兴,百度更革,规仿欧米法律制度,以至文学宗教滔然杂入,使我国人左顾右视,不暇采摘。其喜新奇好雄诞者,以东洋之学为无可观者,以东洋之教为无可听者。一唱百和,邪说暴行荼毒天下,甚于洪水猛然矣。……儒学非空疏之学也,支那之文明非萎靡凋衰也,儒者之所教非消耗元气者也。……世人之诋讥无忌惮者,犹在门墙之外论宫室之丑美欤。是以今日之有志者,就支那学术之中取类于近世之所谓哲学者,而假其名,盖欲仿泰西学术之

分类，以资世人之研究也。于是儒学再变而儒教哲学之名始起焉。然则谓之儒教、谓之儒学、将谓之儒教哲学，唯由其时势之变迁而异其称呼耳。至其所基，依然不出尧舜之道、洙泗之统也。倾日余翻宋代诸儒之书，多会意者，即沿流溯源，叙述其大旨，虽略而未详，庶几使乱麻得正其绪，以知儒教哲学之美于世欤。呜呼，余悲托空名于文笔，徒向世人而说儒教哲学之名也颇切。儒岂好用哲学之称哉？抑亦不得止也。何日得明尧舜之道以复洙泗之统乎。

作者是站在儒学的立场上，力图用近代西方哲学的方法来整理传统的儒学思想遗产，使传统的儒学思想以“儒教哲学”的形式适应新时代发展的需要，以“使乱麻得正其绪”，目的在于“明尧舜之道以复洙泗之统”。因此在他看来，儒教、儒学和儒教哲学的名称虽然随着时代的不同而异，其实质都是一样的，“依然不出尧舜之道、洙泗之统”。

《宋学概论》一书出版于甲午战争即将爆发之际，在普遍认为儒学为空疏之学、中国文化已经萎靡衰落之际，作者力排众议，不仅对儒学和中国文化给予了充分的肯定，而且力图在新时代使之焕发出新的活力，这对于中国人、特别是对于“竭力学问、竭力教化”、欲通过“变学术”以“强中国”的杨昌济而言，其所引起的共鸣自不待言。而且，《宋学概论》中对新时代的儒者所应该具备的素质、应该运用什么方法来对发展传统思想都提出了具体的意见。书中说道：

我虽然说儒者的本色是政事家而非哲学家，但是今日的儒教已经非昔日的儒教，如果有要求纯然的学术思辨的人来学习的话，也就自然不能不与昔日的儒者有所不同。应该以充分的分解（即分析——引者）力和综合力将其名为空理和称为高远之处加以推论辨明，以此来阐明儒教的发达与组织从而揭示其价值如何。①

儒教经过三个时代（小柳所谓第一创始时代，第二训诂时代，第

① 小柳司气太：《宋学概论》，哲学书院，1894年，第4页。

> 三理学时代——引者)而得到两种研究法。这两种各有得失。汉学的研究法虽然着实而少失古义,其弊在流于固陋、陷入繁琐。宋学的研究法其利在于将儒教的真理融于心中而直接有所领悟,但是动辄失于空论妄驳,以至于一无所获。因此研究儒教想要求其完备的话,需两法兼用。但是现在要对儒教进行哲学的思辨,这样就要舍弃汉学的研究法而用宋学的研究法。这是因为前者作为纯粹的文学而可重视之处很多,但是研究哲学这种义理之学,就不能不靠宋学了。①

这些思想对杨昌济的启发或与他上述所言"学思之功,不可偏废,而思为尤要"的思想暗合一定令他兴奋不已。而书中言及的康德、黑格尔、笛卡儿、莱布尼兹、叔本华等这些陌生的哲学家的名字与他熟悉的朱熹、王阳明等相提并论,由此所受到的知识上和思想上的新鲜刺激也是不言而喻的。

在借用西方哲学观念对中国传统哲学思想进行理论分析方面,《宋学概论》与《静安文集》可以说是分别在日本和中国学术思想界具有开创意义的代表性著作。杨昌济所受到的影响是巨大的。② 他说:

> 今以新时代之眼光,研穷吾国之旧学,其所发明,盖有非前代之人所能梦见者。吾人处此万国交通之时代,亲睹东西洋两大文明之接触,将来浑融化合,其产生之结果,盖非吾人今日所能预知。吾人处此千载难逢之机会,对于世界人类之前途,当努力为一大贡献。王君静安尝论国学,谓战国之时,诸子并起,是为能动之发达;六朝隋唐之间,佛学大昌,是为受动之发达;宋儒受佛学之影响,反而求之六经,道学大明,是为受动而兼能动之发达。今吾国第二之佛教

---

① 同前,《宋学概论》,第 9—10 页。

② 杨昌济 1914 年 5 月 28 日日记:"余曾见静庵文集,不以文学家许之。"见《达化斋日记(校订本)》,湖南人民出版社,1981 年,第 34 页。由此可以推测他当时更加重视其哲学思想和教育思想的方面。

来矣，西学是也。乃环视国人，不特未尝能动，而且未尝受动，言之有余慨焉。吾之所望者，在吾国人能输入西洋之文明以自益，后输出吾国之文明以益天下，既广求世界之智识，复继承吾国先民自古遗传之学说，发挥而光大之。①

而输入西洋文明，日本是一个重要的中介。杨昌济说：

西洋之名著，译成日文者亦复不少。吾辈纵不能读西文所著之书，但能通晓东文，即不患无钻研之资料，所患者无求学之志耳。中国人士游学日本，通晓和文者甚多，谓宜利用其所长，间接求之东邻，以为发达文明之助。②

下面我们来具体分析他是如何来充分利用这个中介的。

（二）《达化斋日记》中的日本学者与日文书刊

据统计，《达化斋日记（校订本）》中出现的日本人 46 名、日文著作 45 部、报纸两份。著作中教育学、心理学方面占绝大多数，此外有小说 1 种、医学 1 种、政论时论 3 种、哲学 4 种。人物中除了相关著作的作者之外，还有军人、发明家，而未具体列出著作的思想家占有很大的比重。

其中有三部著作没有标明作者。下面对这三本著作及其作者来稍微加以说明。

第一，《橘英男》。1914 年 5 月 16 日的《达化斋日记》里说："阅桔英男小说。桔英男者日本陆军大尉也。水本大将要求其牺牲名誉以谋国

① 《劝学篇》（1914 年），同上《杨昌济文集》，第 202—203 页。王国维在《论近年之学术界》（刊于 1905 年《教育世界》93 号，收入《静安文集》）中说："诸子九流各创其学说，于道德、政治、文学上，灿然放万丈之光焰。此为中国思想之能动时代。自汉以后，（中略）学界稍稍停滞矣。（中略）自六朝至于唐室，而佛陀之教极千古之盛矣。此为吾国思想受动之时代。然当是时，吾国固有之思想与印度之思想，互相并行而不相化合；至宋儒出而调和之。此又由受动之时代出，而稍带能动之性质者也。自宋以后，以至本朝，思想之停滞略同于两汉，至今日而第二之佛教又见告矣，西洋之思想是也。"（见王国维《静庵文集》，新世纪万有文库，辽宁教育出版社，1997 年，第 112 页。）

② 《劝学篇》（1914 年），同上《杨昌济文集》，第 201 页。

事，乃赠资使为狭邪游。桔英男勉强为之，痛苦万状，至欲自杀。日人之重名誉、尚意气如此，此其所以能称雄于亚东也。中人几无以狎妓为可耻者，后生稍有岁入便欲纳妾，风俗之坏，实为可哀。”据考察得知，这里的“桔英男”就是侦探小说《橘英男》，作者是日本的枫村居士（即：町田柳塘），中译本由商务印书馆编译所译，1907 年 12 月作为“说部丛书十”的一种在商务印书馆出版。日文原版由读卖新闻日就社 1905 年 4 月出版。①

第二，《中国瓜分之命运》。日文名为《支那分割の運命》，作者中岛端，1912 年 10 月 15 日（东京）政教社出版发行。中译本为北洋政法学会编译，题名为《〈支那分割之命运〉驳议》，同年 12 月由（天津）北洋政法学会出版。“李大钊为北洋政法学会的编辑部长，负责统筹全书的翻译、写作和出版、发行事宜，同时也是主要翻译和撰稿人员。”②因此，此中译本被收入《李大钊全集》。如此快速地翻译出版的目的，如“译例”所言：“此书系著者有意污蔑吾国，故译文之后，每加按语，以辟其谬。因名曰：《〈支那分割之命运〉驳议》。”又曰：“译此书者，志在普及，使人人知日人对中华之感情。故书价仅取足印费，与借以牟利者不同。”③

这样一本书，杨昌济的读后感如何呢？他说：“阅日本人所著中国瓜分之命运，痛言中国人之不洁；其所言苏州上海各处习惯，实有使人愧汗者。如士人书斋中置马桶对客出恭，亦余所未闻也。长沙乡间之习惯，于寝室中置尿桶，臭不可闻，余家亦素来如此；余自海外归来乃改去此恶习。”④又在《余改良社会之意见》一文中说：

---

① 神田一三：《商務印書館版“説部叢書”の成立》，见清末小説研究会编：《清末小説》(2002)（通号 25）。

② 《李大钊全集》第一卷，河北教育出版社，1999 年，第 260 页(《〈支那分割之命运〉驳议》题注)。

③ 《李大钊全集》第一卷，第 263 页。

④ 《达化斋日记(校订本)》(1914 年 5 月 3 日)，第 38 页。《支那分割之命运》中说：“余又尝入一士人室，见其方踞溺器于室内而溲也。余背而遇之，彼乃目礼余，且操不完全之日本语曰：‘今晨安否?’余掩鼻竟去，不禁失笑，其风流脱俗，有如此者。”《李大钊全集》第一卷，第 303 页。

东西洋各国，于厕亦所力求洁净。中国人居家，于此事太不注意，往往污秽狼藉，不堪入目，而相率安之，亦因居民无爱洁之美习也。近阅日人所著《中国瓜分之命运》，痛言中国人之不洁，谓时报馆之门口任出入者之溲溺，以为进步之人所行若此，其他则更何说。其所言实有使人愧汗者。……中国乡间人家往往置便具于室隅，积之旬月始行倾弃，人日夜居室内，常受秽气之熏蒸。此乃至野蛮之习，所宜立即除去者也。①

以上两本书，他都是站在一个教育家的立场上，与日本比较而承认中国在社会风俗、习惯上存在的种种积弊，并且呼吁要立即革除。② 杨昌济对《支那分割之命运》中"用意别有所在"的"觇人国者"的"穷毁狂诟"自然不会没有识别，③但是他将这种批判作为逆耳的忠言来听取，这与他的冷静、理性的社会改革思想是一致的。如他所说："风俗以比较而优劣见，人惟自知其短乃肯舍己从人。余对于社会之改革，固取渐进主义，非盲从欧化者。然平心考察，吾国风俗，非无远逊西俗之处，舍其短而取其长，固今日之急务也。"④其忧国之情和强国之策不是通过革命的方式来表现，而是通过一点一滴的渐进的社会改良来实现。

---

① 《杨昌济文集》，第 208 页。

② 如他在《教育上当注意之点》(1913 年)中说："吾国人有一极大弊病，即不洁是也。衣服不洁，口齿不洁，体肤不洁，器具、书物不整，随地唾涕，当道便溺，浴室、厕所尤为不洁，较之西洋日本，真有自惭形秽者。无怪乎西人自以为文明，而谓吾国人为野蛮也。试观汉口、上海之洋街皆宽平洁净，而一入中国人街道，则狭隘拥挤，秽污不洁，相形之下，判若天渊。而彼处居民，终古如斯，毫不知变。此真可为叹息者矣。"见《杨昌济文集》，第 47 页。

③ 1915 年 2 月 27 日日记："午停(即柳午停——引者)信言：日本此次要求，乃大隈重信辈十年以内所倡言不忌者；吾国之人熟视无睹，或笑为吹法螺，今日乃竟现诸事实矣云云。外人之谋我者著著进步，而我之所以自卫者毫无进步，甚可忧也。"(《达化斋日记(校订本)》，第 153 页。)在 1915 年 3 月 1 日日记中说："吾国人对于强邻之压迫，常以退让为事，驯至成为顽钝无耻之国，乃塞尔维亚、比利时之不若，亦可痛矣。"(同上。)又在 1915 年 5 月 10 日写道："中日交涉以昨日了结，虽未大失主权，然损失甚巨，此国民之耻也。"(同上，第 177 页。)

④ 《杨昌济文集》，第 205 页。

第三,《哲学大观》。此书作者建部遯吾,1898 年(东京)金港堂出版。[①] 建部遯吾(1871—1945)是日本社会学的开创者。1896 年毕业于东京帝国大学哲学科,1898 年留学德国柏林大学,1901 年回国,到 1922 年一直任东京帝国大学教授,其后作为众议院、贵族院议员活跃于政界,受 19 世纪的综合社会学,特别是孔德的影响,将百科全书式的普通社会学体系化了。著作除《哲学大观》外,有《普通社会学》四卷(金港堂,1904—1918)。《哲学大观》"后序"中说:"《哲学大观》是丙申(1896 年)孟夏所撰。撰者时在帝国大学文科大学哲学科,此撰实际是为应其哲学及宗教之课程而作,是在学中最后的论文。"这时他已经将"阐明社会学体系"作为自己毕生的事业。

由目录可见这是一部纵论古今东西的哲学概说书,井上哲次郎在叙言中也说:"世之有志于哲学者,先就此书而了解其梗概,进而自行沉思冥想进行哲学上的考察的话,岂不可以多少享受精神上的兴味吗?"虽然杨昌济觉得"《哲学大观》稿颇难看",[②]但是他还是仔细地阅读并作了大量的笔记。[③] 从笔记的内容看,除了对哲学本身的理解,特别是"近世实践哲学"之外,关于东西方哲学思想的不同特性,如印度与希腊哲学之比较、中国与印度的异同以及西欧与印度、中国、日本思潮之不同,这方面抄录得比较多。[④] 也就是说,他力图以此来把握东西哲学思想的各自特

---

① 本书除了井上哲次郎的"叙"和作者自己的"后序"之外,分成序说(第一、历史哲学及哲学史,第二、人类思想的发展)、叙述(第一、希腊哲学,第二、中世的教学,第三、近世哲学,第四、婆罗门教学,第五、佛教,第六、中国的教学,第七、日本的思潮)、总览(第一、哲学思想的分类及批评,第二、最近哲学思想之大纲)和附录(第一、学问之大观,第二、明治思想的变迁,第三、思想家年表,参考书目)四个部分。

②《达化斋日记(校订本)》(1914 年 6 月 1 日),第 37 页。

③ 1914 年 7 月 5 至 10 日日记。见《达化斋日记(校订本)》,第 49—53 页。

④ 如:"西欧思潮为理论的哲学的,印度思潮为信仰的宗教的,中国思潮为学问的社会的,日本思潮为实行的国家的。"见《达化斋日记(校订本)》,第 51 页;《哲学大观》,第 284 页。值得注意的还有,杨昌济将《哲学大观》中关于王阳明学说的论述加以整理,录下:"王阳明学说之要:第一心即理,第二知行合一,第三致良知。良知之性质有四:一、良知者先天的存在,而后天的发现;二、良知者普遍于万人也;三、良知者,理也,道也,而其尤简明者也;四、良知者普遍于宇宙万有者也。"见《达化斋日记(校订本)》,第 51 页;《哲学大观》,第 236—240 页。

点及其发展的最新动向。

《哲学大观》对于杨昌济对哲学理论本身的把握最显著的影响，表现在他的《哲学上各种理论之略述》[①]一文中。这篇文章中对哲学理论的分类方法，与《哲学大观》中的“哲学思想的分类及批评”一节中基本相同。

此外，与杨昌济的思想关系比较密切的人物与著作，还有以下几点值得注意。

首先，我们来看看他对中岛半次郎的《人格的教育学之思潮》的关注。1914 年 5 月 21 日的日记中说：

> 《读卖新闻》载中岛半次郎《人格的教育学之思潮》云：德国窝伊疵肯[②]之新理想主义，乃助长此思潮者；此思潮乃对于现时纠纷之教化问题，社会问题，而努力为一大解释者也。依智力主义置重于教授，以方法为万能者，与依社会主义以人为当从社会之利益而教育者，乃此思潮之所反对也。甲为海尔巴特[③]学派，实验教育学派，乙为社会的教育学派。人格的教育学者著目人类情意之教育，觉醒潜于其内部内省直觉之力触其生命之根柢，使发现自立的精神生活，谓教育之中当自教授移于训练，此其对于甲派之意见也。其对于乙派之意见，则谓与其作被支配于社会之人，宁作支配社会之人，不以画一教育为然。[④]

中岛半次郎(1871—1926)是教育学家，生于熊本县。1894 年毕业于东京专门学校，1900 年任该校讲师。后任清朝师范学堂教督。德国留学之后，1913 年任早大教授。受倭铿的强烈影响，主张人格的教育。著作有《教育史教科书》(金港堂书籍，1902 年)、《人格的教育学の思潮》(同文馆，1914 年)、《人格的教育学と我国の教育》(同上，1915 年)、《教育の改

---

① 收入《杨昌济文集》第 274—343 页。

② 窝伊疵肯，现在多译成欧肯，或倭铿(Eucken，Rudolf 1846—1926)，德国哲学家。

③ 海尔巴特，又译成赫尔巴特 (Herbart，Johann Friedrich 1776—1841)，德国的哲学家、教育家和心理学家。

④《达化斋日记(校订本)》，第 32 页。

造》(早稻田大学出版部,1919年)。

1914年6月3日,杨昌济在日记中又提到:"阅新到教育学术界有数书为余所欲购者,记之于此。中岛半次郎《人格的教育学の思潮》;河野清丸《モンテッソリー教育法と其応用》(同文馆1914年出版——引者);小西重直《現今教育の研究》(同文馆1912年出版);森冈常藏《教育学精义》(同文馆1906年出版。森冈常藏(1871—1944)当时为东京高等师范学校教授。——引者)。"①

这里,小西重直(1875—1948)是教育学家,他1901年毕业于东京帝国大学哲学科,后留学德国,师从德国美学家伏尔盖特(Johannes Volkelt,1848—1930,与李普斯一样也是移情说美学的重要理论家。他的美学代表作有《美学体系》《悲剧美学》等),回国后任广岛高师教授,1913年任京都帝国大学教授,授予文学博士学位。1935年玉川学园出版部出版了《小西博士全集》五卷。其教育学的特色被认为是"基于体验的实践的教育学"。1933年任京都帝国大学校长。上面提到的李普斯(Theodor Lipps,1851—1914,杨昌济译为利勃斯),将在下面论述杨昌济翻译其《伦理学之根本问题》时提及。

从人格主义、人道主义或人本主义出发来关心教育和从事教育实践,可以说是杨昌济思想的一大特色。这样就不难理解他很想看倭铿的书,他从日本购买康德和倭铿的著作②也是理所当然的了。人格主义、人道主义或人本主义的特点,不用说都是重视自我意识、个人意志和人格等积极向上的精神因素的作用。这些都可以从他的日记或论著中得到印证。如:

---

①《达化斋日记(校订本)》,第38页。

②《达化斋日记》1914年6月2日记载:"阅东京朝日新闻,……内有窝伊肯(即倭铿——引者)之书,颇欲得之。"(《达化斋日记(校订本)》,第38页。)又1914年12月16日记载:"桑木严翼、天野贞祐共译"カント哲学序说"(桑木严翼、天野贞祐译,康德著:《哲学序说》,东亚堂,1914年——引者),一元五十钱,小包料十二钱;安倍能成"オイケン大思想家之人生观"(安倍能成译,倭铿著:《大思想家之人生观》,东亚堂,1914年——引者),三元五十钱,送费十六钱。"(同上,第138页。)

人生不能无体欲，然有理性，不以耳目口体之欲丧其仁义礼智之心，则大矣。宇宙内事皆吾性分内事，则自我大矣；非争权攘利之自我，乃济物利人之自我也。①

阅刘生大让修身笔记，摘录于此：道德者克己之连续，此语最精；东京高等师范伦理教授吉田静致云：人有习惯我（现在我）、理想我（将来我）；人须破除习惯我（克己），实现理想我（成己）。理想我既实现，又成为习惯我；然理想进步者也，故克己须连续。汤之盘铭曰："苟日新，日日新，又日新"；即此意也。②

道德教育在于锻炼意志。人有强固之意志，始能实现高尚之理想，养成善良之习惯，造就纯正之品性。意志之强者，对于己身，则能抑制情欲之横恣；对于社会，则能抵抗权势之压迫。道德者，克己之连续，人生者，不断之竞争。有不可夺之志，则为无不成矣。"③

昨日为生徒讲待奴婢之道，因言凌磨幼媳亦中国社会中至惨之事，所当极力防止，庶合于人道主义。④

余尝分读通鉴为三大类：一曰世界的理想，二曰国家的主义，三曰个人的精神。第一类又分为二子目：曰世运、曰礼教。究古今之变，通天人之际也。第二类又分二子目：曰立法、曰行政。第三类又分二子目：曰启天良、曰练心才。余最重个人的精神，又重行政与世运；因立法之事，今昔情势不同，船山所论多有已成明日黄花者。礼教之事，以今日眼光观之，亦有不免属于迷信者，吾人当分别观之。⑤

近世伦理学说中有三种主义，其一为自然主义……其二曰绝对主义……其三则曰人本主义，谓人生之行为有目的，而其目的乃己身自由意志之所决定。第三说则今日欧美伦理学说上新倾向也。

---

①《达化斋日记（校订本）》（1914 年 10 月 9 日），第 94 页。
②《达化斋日记（校订本）》（1915 年 3 月 27 日），第 165 页。
③ 杨昌济：《论语类钞》，见《杨昌济文集》第 69—70 页。
④《达化斋日记（校订本）》（1915 年 4 月 11 日），第 171 页。
⑤《达化斋日记（校订本）》（1915 年 4 月 12 日），第 172 页。

> 自然主义又谓之惟物论,绝对主义又谓之绝对惟心论,人本主义又谓之人格惟心论,夫子言欲仁仁至,盖实为人格惟心论,孟子、陆、王均此派也。①

等等。其所言简易明了,无须多加解释。但是,值得注意的上,上述这些只是杨昌济思想的一个方面。其思想中社会的因素和物质的因素也不可忽视。

他曾经在《教育学讲义》(1914 年)的"教育之目的"一章中,详细介绍了"海尔巴德之学说",说"海氏以作出受道德的观念之支配而服从其命令之人为教育之目的"。他批评海氏的道德观念(内心自由、完全、好意、正义、报酬)"其多数但有形式而无内容",因此适合此观念的行为未必都是善。不仅如此,杨昌济进而分析指出:"今即让一步,谓海氏之目的皆有内容,适合之之行为即为善,然造服从道德的观念之意志,不可云已尽教育之目的。盖虽道德上毫无可非难之人,若此人缺乏生活于社会必要之知识技能,则其命运果如何乎?如此之人,不赖他人之助则不能一日生存于社会之中。夫造不能独立生存于社会之人,而以为教育之目的,此大不可也。海氏[排]除社会实际之生活而说教育之目的,故有如此之偏见。教育之目的,不可不以社会实在之生活为标准而决定之。"②杨昌济在日记中也说道:

> 曾文正谓经济之学,当以能树人能立法为主。余谓改良社会之物质生活,能为百年之计者,乃是真人才。……平江昔年有一县令,福建人,始教其民种薯,开后世无穷之利,县人立庙祀之,号曰薯老爷。其称号鄙俚可笑,然其人实可敬服。③

同时,他强调"有公共心之个人主义"。他在《教育学讲义》中说:"个人不可无公共心,此社会生存发达必要之条件也。公共心盛,则社会隆

---

① 杨昌济:《论语类钞》,见《杨昌济文集》第 82 页。
② 《教育学讲义》(1914 年),见《杨昌济文集》第 114 页。
③ 《达化斋日记(校订本)》(1914 年 9 月 13 日),第 81 页。

盛;公共心薄,则社会衰微。盖公共心不仅为社会生存发达不能缺者,根本的言之,无公共心则社会不能成立。”因此,他认为“教育当养成于必要之时牺牲自己利益之精神,又不可不养成有确信、有主张之人,不可不养成有公共心之个人主义之人。”在他看来,“为社会牺牲自己之利益与维持自我,又非两不相容,故养有公共心同时有主张之人,乃可能之事。”由此,他的结论就是:“吾人必能维持自我,始得成为思想感情之上无伪且强健之人。国家必得如此之人始能强大。然不伴以公共心之个人主义,则于社会为危险。个人主义与公共心既可以相结合,故教育不可不作成有公共心之个人主义之人。”①

对社会的、物质的因素的重视,与杨昌济的“以变之自下为己任”的思想也有关联。而这方面的意识在 1919 年之后表现得尤其突出。晚年他关注社会主义思想②和“世界劳动者之趋势”③都是“今日之事当从底下做起,当与大多数国民为友”的思想的表现。1919 年 10 月 25 日在记录自己所想念的“伦理学讲义之内容”时,他将“劳动神圣、勤工俭学”列在首位。这的确是一个值得关注的大问题,但是由此得出杨昌济“对马克思学说,早有深刻之认识”④的结论恐怕未必妥当,因为他这时尽管接触到一些社会主义思想,但是他本人的思想终究是一种以人格主义为基

① 《教育学讲义》(1914 年),见《杨昌济文集》第 122、124、125、126 页。杨昌济 1914 年 3 月 18 日记说:“近闻人言,今日民国唯有一我,除我外别无他物。盖言今日唯有自私自利之可言,他可不必顾也。此诚代表社会心理之言,可哀可惧!人惟自私自利而无爱社会爱国家之心,则率兽食人,人将相食,此种议论,生心害政,真有烈于洪水猛兽者。”《达化斋日记(校订本)》,第 28 页。

② 1919 年 10 月 31 日记录:“李守常谓日本武者小路实笃是一思想大家,又谓吉野作造、界(堺之误——引者)利彦、室伏高信、河上肇,皆日本学者中之杰出者。”(《达化斋日记(校订本)》,第 201 页。)1919 年 11 月 3 日记录:“十月廿七日时事新报日本社会主义运动史,安部矶雄自社会主义研究会时代以至今日,抱社会主义之理想,始终不变。木下尚江信仰基督教社会主义。明治 34 年安部矶雄、木下尚江、河上清、幸德秋水、片山潜、西川光次郎创立社会民主党,被禁,改为社会主义协会。”(同上,第 203 页。)

③ 《达化斋日记(校订本)》(1919 年 10 月 24 日),第 195 页。又 1919 年 11 月 12 日记载:“十一月六日东京朝日新闻,纵断组合之危险性,劳动组合约有五种:一般的劳动组合、职业的劳动组合、原料的劳动组合、产业的劳动组合、佣主单位劳动组合。”(同上,第 209 页。)

④ 曹典球:《杨昌济先生传》(1958 年),见《杨昌济文集》第 386 页。

础的民主的改良主义。这从以下两段话可以得到说明：

近世教育学者之说曰，人属于一社会，则当为其社会谋利益。若己身之利益与社会之利益有冲突之时，则当以己身之利益为社会之牺牲。虽然牺牲己之利益可也，牺牲己之主义不可也。不肯抛弃自己之主义，即匹夫不可夺志之说也。吾国伦理学说，最重个人之独立。观历史之所载，经训之所传，莫不以死守善道为个人第一之义务。臣之于君、子之于父、妇之于夫，照吾国昔圣贤之理想，皆有委身以事，爱敬终生，效死勿去之义。然忠臣、孝子、贞妇之志，有非其君、其父、其夫所能夺者。……卑幼者自由之意志、独立之人格，尊长者固不可蔑视之。人有自重知耻之心，乃能以进德修业相尚，过度之压制，故非训育之所宜也。①

我们改造的目的，就是想创造一德莫克拉西的新社会——没有阶级、一切竞争的自由、平等、和平、幸福的新社会。我们改造的方法是：向下的——把大多数中下级的平民的生活、思想、习俗改造起来；渐进的——以普及教育作和平的改造运动；切实的——一面启发他们解放要求的心理，一面增加他们的知识，提高他们新道德的观念。我们改造的态度：是研究的——根据社会科学的原理，参考世界各国已往的改革经验；是彻底的——切实的述写，批评社会的病源，极力鼓吹改造的进行，不持模棱两可不彻底的态度；是慎重的——实地调查一切社会上的情况，不凭虚发论，不无的放失；是诚恳的——以博爱的精神，恳切的言论，为感化之具。②

另外，《达化斋日记(校订本)》中出现频率较高的浮田和民值得关注。1914 年 9 月 25 日的日记里写道：

日本近日新出之学者有二人：一为浮田和民，一为新渡户稻造。

① 《论语类钞》，见《杨昌济文集》第 70—71 页。
② 《达化斋日记(校订本)》(1919 年 11 月 4 日)，第 205 页。在这段文字前，日记中有“十月二十九日时事新报　新社会出版宣言”。这篇“宣言”可以代表当时杨昌济本人的思想。

有人谓新渡户乃俗学，浮田氏则真有学者之价值，其学说必为将来日本社会中之一大势力。余得其新著之书名曰‘新国民之修养’，观其题目，皆余所欲研究之事，想阅之必有所得也。①

浮田和民（1859—1946）是基督教徒，1879 年毕业于同志社英语学校，1886 年应新岛襄之请任同志社政法学校讲师，后来留学于美国耶鲁大学，任东京专门学校和后来的早稻田大学教授。1909 年任当时日本非常有影响的综合性杂志《太阳》的主干，在言论界、思想界和学术界都产生了很大的影响。他的思想中帝国主义因素与立宪主义、人格主义因素紧密相关，他所提出的“伦理的帝国主义”，既有基于生存竞争的进化论而为殖民主义辩解的一面，同时又有强调帝国主义的“自由性格”和“伦理价值”，以道德、人格、自由等文明的要素对帝国主义的野蛮的侵略性加以限制的一面。其独自性正是表现在他所强调的“自由性”与“伦理性”上，而与此相应，他的这一方面思想为他赢得了日本大正民主主义先驱的美名。也正是这一方面的思想引起了杨昌济思想上的共鸣。

杨昌济与日本的密切关系，从他的日记来看，读报是一个重要的途径。日记中出现的中文报纸主要是《时事新报》，上面有不少关于日本的报道，而且他的日记也是刊登在这份报纸的副刊“学灯”上的。他读的日文报纸有两种，即《读卖新闻》和《东京朝日新闻》。而后者出现的频率最高，几乎每天必看。他在 1915 年 2 月 22 日的日记中说：“东京朝日新闻已有十数日堆积案头，此大不可，此后报来时当立即看之。”②读报，不仅是“求世界之智识”的自觉要求，也是实践自己所倡导的一种教育理念。他在《教育上当注意之点》中专门提出“报章杂志”一项，说：

人不可一日不看报章杂志。报章杂志乃世界之活历史也，即皆自我之实现也。日日看报，则心目中时时有一社会国家之观念，而忧世爱国之心愈积而愈厚，且得有种种之常识，积累久之则深明世

---

①《达化斋日记（校订本）》，第 87 页。浮田和民：《新国民の修養》，群书堂书店 1914 年出版。

②《达化斋日记（校订本）》，第 151 页。

故,可以应无穷之变,投其所向而无不如志。此真精神知识之营养,如饭食之不可缺者矣。王船山曰:“存君亲民物于我而恒不失物,存我于君亲民物而恒不失我。”日日看报,即所以存君亲民物于我也。苏东坡曰:“良工使手习知其器,器习知其手,故不至一旦扞格而难操天下之大器也,若非常运用之,则必至一旦扞格而难操矣。”云云。此大器今虽不得运用之要,不可怠于观察,怠于观察则懵于时势,一旦有事则必至有手足无所措者,不可不加深察也。世界活历史为有机的一大团体,生生而变化,血脉贯通,日日观察之,则相互之关系、必致之因果一一显明,而此一大物者乃其为我有矣,乐莫大焉。①

可见,读报不只是与增长知识有关,而且是直接与世界观、历史观相联系的一件大事。使自己活在“生生而变化,血脉贯通”的“世界之活历史”中,大而言之,一方面可以培养世界的眼光,一方面又可以养成社会国家的观念而增进爱国之心;小而言之,积累种种常识,可以深明世故以应无穷。的确是乐莫大焉。

(三) 译自日文的伦理学著作

1926 年 8 月 10 日,周作人在编辑自己的《艺术与生活》这本“论文集”时,特别在“自序”中说:“集中三篇是翻译,但我相信翻译是半创作,也能表示译者的个性,因为真的翻译之制作动机应当完全由于译者与作者之共鸣,所以我就把译文也收入集中,不别列为附录了。”②

从语言文学上说“翻译是半创作”,说“译者与作者之共鸣”,“也能表示译者的个性”,站在译者的立场而言,这种情况自然很多。但是从思想文化上说,问题或许并不那么简单。杨昌济本人对其翻译工作的性质只

① 《教育上当注意之点》(1913 年),见《杨昌济文集》第 49—50 页。

② 周作人:《艺术与生活・自序一》,据 1999 年上海文艺出版社“故事会图书馆文库:学者讲坛丛书”本。

说是为“输入文明”、“为社会增一分精神之财产”。[①] 并没有说其他。

杨昌济译自日文的伦理学方面的著作，有三种，第一种是《各种伦理主义之略述及概评》，载于1916年《东方杂志》第13卷2、3、4号，后来收入“东方文库”，1923年由上海商务印书馆以《西洋伦理主义述评》出版，著者为深井安文。该文也收入王兴国编的《杨昌济文集》中。深井安文疑为深作安文（1874—1962）。深作安文为伦理学家，1900年东京帝国大学哲学科毕业，后为东京帝国大学教授。1916年著有《实践伦理要义》（日本学术普及会）、《伦理与国民道德》（弘道馆）。

因为未见日文原稿，译文《各种伦理主义之略述及概评》中的评语不能确认是原作者之言还是译者之言。但是从其内容看，译文中对禁欲主义、各种快乐主义（个人的、公众的、进化论的）和自我实现主义的批评与杨昌济的思想也是一致的。比如在最后评价自我实现主义时说：“从来之伦理主义，其心理学的根据概不坚固。快乐主义以感情为自我，克己主义以理性为自我，皆视吾人自我之一面为其全体。然此主义，以自我为欲望之全体系统，感情理性悉包含之，以全自我调和的活动为道德生活之要件，能脱快乐主义之弊，又不陷于克己主义之弊，较为得其中正。此乃此主义所以得多数学者之同情也。”而紧接着便言及“此主义之短处”为“其所谓自我之实现，不免有失于漠之嫌。”[②]这不能不说是一种共鸣。

另外两种译著是《西洋伦理学史》和《伦理学之根本问题》。《西洋伦理学史》为吉田静致著（原书题为《西洋伦理学史讲义》，富山房1905年出版），1918年11月北京大学出版部出版上卷，下卷1919年春出版，上、下卷1920年再版。《伦理学之根本问题》原著者是德国心理学家、哲学家和美学家特奥多尔·李普斯（Theodor Lipps），但是杨昌济的中译本是

① 1915年4月5日日记：“昨译儿童侦探，今译斯宾塞尔感情论，此为余译英文书之始。输入文明，乃通晓西文者之责任，此后当屏除他事，努力为之；多出一部书，即为社会增一分精神之财产。”见《达化斋日记（校订本）》，第170页。

② 见《杨昌济文集》第272页。

根据日本哲学家阿部次郎的同名著作(阿部次郎著《倫理学の根本問題》"哲学丛书第六编",1916 年 7 月岩波书店出版)译出的。中译本 1919 年出版,1920 年再版,其正文前有简单的序文,提到"日本阿部次郎有译本,为岩波书店所发行哲学丛书中之一种。"[①]杨昌济的这两种译著被列为毛泽东起草的"文化书社"广告(1920 年 11 月)中经营的重要图书。[②] 可见有一定的影响。

下面分别来看看这两部译著。

《西洋伦理学史》的作者吉田静致(1872—1945),是日本的伦理学家。生于长野县,1898 年毕业于东京帝国大学哲学科,第二年留学德国,1902 年回日本,任东京高等师范学校教授。1909 年东京帝国大学讲师,1919 年以《关于伦理学原理的研究》获得文学博士学位,升为东京帝国大学教授。1928 年任日本伦理学会第一任会长。在思想上主张人格的唯心论,自称人本主义,反对唯物论。主要著作除了上述《西洋伦理学史讲义》之外还有《伦理学讲义》(1903 年育成会)、《伦理学要义》(1907 年宝文馆)、《道德的理论与实践》(1929 年宝文馆)、《人格的生活与现代社会》(1934 年青年教育普及会)、《从伦理学看日本精神》(1934 年东洋图书)等。

杨昌济翻译他在日本留学时期的东京高等师范学校教授吉田静致的《西洋伦理学史讲义》,很大程度上是由于他们在思想上有共鸣与一致之处,原著在思想上也的确能够表现译者的个性。这种表现在杨昌济所

---

① 2008 年 7 月 5 日晚我给长沙王兴国先生电话,谈到杨昌济研究。他告诉我正在编辑杨昌济著作集,作为湖湘文库的一种。说到将其两种译著也收入著作集中,他提到正在为《伦理学之根本问题》是译自德文还是译自日文而拿不准。我说从《达化斋日记》中每日看一句德文——1915 年 6 月 1 日:"因近日劝人治英文,遂从昨日起复治德文;每日看一句,即作为未间断"(《达化斋日记(校订本)》,第 179 页)——推断,不可能译自德文。王兴国先生给我读了中译本目录之大概,与我手头阿部次郎的同名著作相同,便断定是译自此书。王兴国先生慷慨地答应寄给我杨译本的复印件,7 月 15 日我收到此复印件(未见版权页),非常感激。在此文发表之际,再次对王兴国先生的无私关爱表示衷心感谢。中译本初版的时间根据王兴国《杨昌济的生平及思想》所附《杨昌济年谱》。

②《毛泽东早期文稿》,湖南出版社,1990 年,第 537、542 页。

著的《西洋伦理学史之摘录》(1919 年)一文中充分展示出来。该文中介绍了卢梭的法律论、康德的人格论、孔德(Auguste Comte 1798—1857，杨昌济译为“孔特”)的人道说和施赖玛赫(Schleiermacher, Friedrich Danial Ernst 1768—1834，杨昌济译为“诗来尔马哈”)的宗教论。这些思想，他认为虽然“均为古人之旧说，并非晚出之思潮。然真理不灭，积久弥新，犹有可以供人玩索之价值，故为之类记于此。”[①]可见他是持充分肯定的态度的。现录几段如下：

> 卢梭《民约论》为法兰西大革命之原动力，……易言以明之，法律者，人民意志之发表也，无法律则不能有真自由。此皆日月经天，江河行地，不可不家喻户晓之大义也。爰标出之于此，为海内人士正告焉。[②]
>
> 康德谓人格乃有绝对之价值者也，与其他种种事物之价值大不相同。……有绝对价值者，其自身即为目的，而不为他物之方便。如斯之物，非可以他物互易者，为如斯之自己目的者即人格也，此乃真可尊敬者也，有无条件之品位价值者也。[③]
>
> 人人尊重自己之人格，又尊重他人之人格，始能有真平等、真自由，重人格而不重幸福，乃有道德之威严。此乃伦理学上正大之学说也。[④]
>
> 孔德之哲学，实人道之哲学也，人道实彼之社会学之对象也。彼谓社会之各成员，不可不相团结为一有机之组织，分配各人之适当之职分，分业而营社会之官能。人必生于人道之中，又必赖人道

① 见《杨昌济文集》第 362 页。

② 同上，第 358 页。值得注意的是，杨昌济 1914 年 5 月 13 日日记说：“严幼陵辟卢梭民约论甚有理，亦救时之言也。”(《达化斋日记(校订本)》，第 29 页。)这指的是严复发表在 1914 年 2 月《庸言报》(第 25、26 期合刊)上的《〈民约〉平议》。严复在此文最后说：“总之，卢梭之说，其所以误人者，以其动于感情，悬意虚造，而不详诸人群历史之事实。”见王栻主编：《严复集》第二册，中华书局，1986 年，第 340 页。

③《杨昌济文集》，第 358 页。

④ 同上，第 359 页。

而始能生活。孔德谓此人道为一大物。人道者实自人类相互之交涉而结成之一大精神生活也。贡献于普泛之秩序之完成过去、现在、未来一切人类之结合，即人道也。此人道有二本质之属性：结合性及永续性是也。①

人道之思想既已极乎广大矣，而宗教之思想又有其高深者焉。诗来尔马哈之宗教论，实能直触宗教之本质。邵尧夫诗云："廓然心境大天伦，尽此规模有几人，我性即天天即我，莫于微处起经伦。"东西古今之贤哲，各有会心，读之可使人意广焉。诗来尔马哈谓依存之感情，决非萎靡自己之意，与卢梭所言服从法律决非屈服，其意正同。张横渠曰："以我视物则我大，以道体物我则道大。故君子之大也大于道，大于我者，容不免狂而已。道能物身故大，不能物身而累乎身，则藐乎其卑矣。"横渠之所谓道，与诗来尔马哈之所谓绝对相似。不立我则无本，执我又失之不广。此主张人格论者之所不可不知也。②

自由、平等、人格、人道，这些观念在杨昌济看来，都是人间的大道、正道，是不灭的真理。

再来看看《伦理学之根本问题》。

在《西洋伦理学史之摘录》一文论述康德的人格论时，杨昌济谈到了《伦理学之根本问题》的作者。他甚至用了比介绍康德思想更多的篇幅来介绍利勃斯。他说："康德此论（即人格论——引者）实为其伦理学说之中坚。德国晚近有利勃斯者，亦继承其说而发挥之。利勃斯重人格之价值，反对利己主义、幸福主义、功利主义。谓吾人所有根本之动机，于利己感情之外，复有利他感情焉，更有自己之价值感情与同情之人格价值感情焉"等等。③ 也就是说，在杨昌济看来，他所翻译的《伦理学之根本

① 《杨昌济文集》，第359—360页。

② 同上，第361页。

③ 同上，第358页。

问题》一书的原作者，是继承和发挥了康德人格论伦理学说的人物。对此，中国的学术界似乎并不太注意，我们现在对李普斯的了解，与他的伦理思想相比，其审美的移情说似乎更加有影响。①

上面提到，此《伦理学之根本问题》中译本的原本是阿部次郎的著作。那么阿部次郎是何许人？他为什么要“著”一本这样的书呢？

阿部次郎（1883—1959）是美学家、哲学家、评论家，生于山形县。1907 年以《斯宾诺沙的本体论》为毕业论文毕业于东京帝国大学哲学科。1909 年成为夏目漱石的门下生。1914 年出版《三太郎的日记・第一》。1916、1917 年先后在岩波书店出版了《伦理学的根本问题》《美学》。1922 年留学欧洲，次年回日本，任东北帝国大学教授，主持美学讲座。是日本大正时代教养主义、人格主义的代表人物。1922 年岩波书店出版了其代表作《人格主义》。在日本，阿部次郎是李普斯思想的主要译介者。②

阿部次郎在《倫理学の根本問題》一书的“凡例”中，称李普斯是“现代哲学家中在思想上给予自己影响最多的人”，是“自己哲学上的‘老师’”。他翻译的目的非常明确，就是希望通过自己的翻译能够有助于日本的思想界“整理混乱的概念、唤醒昏睡的良心、驱逐物质的功利的打算、唤起对人格的威严与崇高的热情。”这本书是根据李普斯的著作 *Die ethischen Grundfragen*，*2Aufl.* 而写成的，用他在《人格主义》的序中的话说，《倫理学の根本問題》是对李普斯伦理学的“缩译”。他在“缩译本”的“凡例”中说，这个缩译本虽然不是表述自己的个人见解，但也是通过李普斯说出自己想说的东西，他说在这个意义上该书也是他自己的伦理学。但是，有一点尤其值得注意，那就是他在“凡例”中所作的特别的申明：

---

① 朱光潜的《西方美学史》第十八章“‘审美的移情说’的主要代表”中对他（译名为“立普斯”）有比较详细的介绍（《朱光潜美学文集》第四卷，上海文艺出版社，1984 年，第 641—651 页）。

② 他除了缩译其《伦理学的根本问题》之外，还在 1917 年根据其移情说著有《美学》（岩波书店），都收入“哲学丛书”中，产生了广泛的影响（仅从发行的版次上可以看出。笔者手头的《伦理学的根本问题》是 1921 年 9 月 25 日的第 26 版，《美学》是 1920 年 10 月 10 日的第 26 版）。

> 自己并不全然信奉李普斯的学说的意义上的李普斯的学生。在许多地方，因为李普斯的断定使得我自己的主张变得犹豫了。这样，在李普斯那里并不那么重要的问题，我发现了比李普斯所说的还要重大的若干问题。举一个例子来说，我对于“动机”的相互矛盾与人性的“恶”，就不能够持有李普斯那样乐观的见解。深入这个问题时，自己恐怕就不得不通过李普斯而出其外了。因此在这种意义上，李普斯和我之间在思想上有若干的距离。我的这种工作是代辩“老师”的思想的弟子的工作。

这也许是阿部次郎之所以不以“译”而以“著”的形式来给自己的“工作”定位的理由所在。

需要说明的是，阿部次郎的上述《人格主义》一书，不仅在扉页上印有“献给已故特奥多尔·李普斯先生”的题词，而且在“序”的开篇直接明了地表明写作该书的原委，是“作为对李普斯的《伦理学的根本问题》的补充说明”而写的。《人格主义》这本书，虽然是作为李普斯的伦理学的补充说明而写的，但是他特别在“序”中强调，在这里“全然没有夹杂将李普斯的学说作为一种学说来注释的动机。而主要关心的是，为了在与他的思想有共鸣之处尽可能地予以鲜活的表现，将自己所相信的东西用自己的语言来表述。”因此他说：“就这本书是在李普斯的灵感下完成的这一点——大概是说在传达李普斯的根本精神这一点上，是他的东西。但是在我自己的思索、体验与读书构成此灵感的具体内容这一点上，全然是属于我自己的。在缩译《伦理学的根本问题》时，我绝对避免了混入自己的见解，但是在这本书里我想以自己的见解贯穿始终。”

如果天假以年，杨昌济也许会同样写出属于自己的、同时也必然是中国式的“人格主义”著作来？

结语：杨昌济思想的再认识

但是，天不假年，1920年1月17日，50岁的杨昌济病逝了。一个如此“操行纯洁、笃志嗜学”的哲学家、教育家，“殁后遗族尚无以自存”而不得不以同人集资的形式来“俾其遗孤子女略有所依恃”。真是令人感慨万千。实际上，这与他的思想也是吻合的。他这样说过：

有财以分人，有力以助人，固仁爱之实事，然犹不若有道以教人之所及者远也。盖分财助力，虽与人以物质的幸福，以道教人，则与人以精神的幸福也。孟子亦曰：“分人以财谓之惠，教人以善谓之忠。”王船山曰：“天地既命我为人，寸心未死，亦必于饥不可得而食，寒不可得而衣者留吾意焉。”亦言人宜求精神的幸福。不当徒求物质的幸福也。方望溪谓“朋友之道，以德业相劝、过失相规为第一义，而患难相助、有无相通，抑为其次”，正是此意。①

因此，从这种意义说，他又是幸福的。因为这种生活方式是他的自觉选择，是他践履自己的思想信念的表现。

后世对杨昌济的思想的评价，影响最大的是其学生毛泽东。他说：

教员中给我最强烈的印象的就是一个英国留学生杨怀中，过后我和他非常友好。他教伦理学。他是一个观念主义者，同时是一个品德高尚的人。在他的影响下，我写了一篇文章，题目叫《心力》。那时我也是一个观念主义者，我的文章大受杨教授的赞赏。给我那篇文章一百分。②

---

①《达化斋日记(校订本)》(1915 年 5 月 20 日)，第 178 页。

② 斯诺录、汪衡译：《毛泽东自传》(1937 年，黎明书局)，解放军文艺出版社，2001 年影印版，第 127 页。《西行漫记》的董乐山译本(北京三联书店，1979 年)中还记有：“他对自己的伦理学有强烈的信仰，努力鼓励学生立志做有益于社会的正大光明的人。”(第 121—122 页。)李方准、梁民译的《红星照耀中国》(鹈鹕版，河北人民出版社 1992 年)中也大致相同：“他非常强烈地信奉他的伦理学，并力图鼓励他的学生立志做一个正直善良，讲道德，对社会有用的人。”(第 107 页。)后两个译本中都指出：毛泽东的《心之力》是在杨昌济的影响下，读了蔡元培所翻译的伦理学著作之后，受此启发而写的。杨昌济教授是从他的唯心主义观点出发对这篇文章大加赞赏的。而这里所说的蔡元培翻译的著作就是指他翻译的德国哲学家泡尔生的《伦理学原理》。而蔡元培翻译的《伦理学原理》，也不是直接译自德文原著，而是从日本学者蟹江义丸解说的著作翻译过来的。杨昌济曾经用此做教材。参见《毛泽东早期文稿》，湖南出版社，1990 年，第 276 页(注释[1])。

毛泽东回忆他在长沙求学期间(1912—1918年)的思想状况时说:"在这个时候,我的思想是自由主义、民主改良主义、空想社会主义等思想的大杂烩。"①在一定意义上,这或许也可以看作是"早期新民学会的精神导师"杨昌济思想的一种写照。

对此,曾经与他一同留学英国的章士钊的评价更深入一步。他说:

> 君(指杨昌济——引者)待己严而待人宽。人与之交,持态率难脱敬畏二念,其平生得力处在宋明诸子。宗旨既定,广涉欧西伦理,一例以程朱义法绳之,偶或几讥为唯心主义,而君不顾也。②

曾经与他一同留学日本的李肖聃则说:

> 怀中于三十以前既已博究儒先之书,十余年中又益求英日学者之说,固有得于时代之精神,而其心光湛然,力抗流俗,而浩然有以自得于己,则友朋皆莫及也。③

以上是与杨昌济同时代的人对他的思想的认识。毛泽东对其哲学思想和政治思想性质的界定对我们从整体上认识杨昌济的思想特征无疑是一种重要的参照。而将杨昌济的思想立足点放在儒学,特别将"宋明诸子""程朱义法"作为其思想既定的宗旨,同时也看到他"广涉欧西伦理""益求英日学者之说"这种"有得于时代之精神"的方面,应该说都是很有见地的。20世纪80年代以来,杨昌济的著作不断得以整理出版,这本身无疑就是杨昌济研究的重大成果,同时也为我们重新认识杨昌济的思想提供了很大的便利。王兴国是新时期杨昌济研究的具有代表性的学者。他的《杨昌济的生平与思想》一书至今还是我们了解杨昌济的必读著作。在哲学思想上,王兴国认为杨昌济的世界观的基本倾向是客观唯心主义的,认为"他是倾向于宋学,特别是程朱学派的客观唯心主

① 斯诺著、董乐山译:《西行漫记》,北京三联书店,1979年,第125页。
② 章士钊:《杨怀中别传》(1963年),见《杨昌济文集》,第388—389页。
③ 李肖聃:《杨怀中先生遗事》,见《杨昌济文集》,第379—380页。

义”[1];同时,在伦理思想上认为他“与宋儒分道扬镳”。[2] 将哲学思想与伦理思想分别进行深入的探讨,这对于深入推进杨昌济的思想研究也很有启发意义。

《杨昌济文集》和《达化斋日记(校订本)》出版之后,日本学界也开始注意杨昌济思想研究。[3] 日本学者的研究从总体上说更加注意研究杨昌济在思想中如何表现出东西方文明的冲突和融合的特点,而且注意研究宋明儒学中程朱和陆王在杨昌济思想中作为两个基本的轴心的不同作用,认为杨昌济的“死”具有力图周旋于东西两种思想的冲突而被“闷死”的象征意义。这样从动态的思想融和与冲突的方面来考察,也无疑为我们重新认识杨昌济提供了一个可贵的视角。而本文只不过是对其在与日本思想的“融和”过程中的相关问题进行的初步考察而已。

(原载于《船山学刊》2010 年第 2、3 期)

---

① 王兴国:《杨昌济的生平与思想》,湖南人民出版社,1981 年,第 93 页。

② 同上,第 111 页。

③ 主要论文有:近藤邦康《楊昌済と毛沢東——初期毛沢東の“土哲学”》(东京大学社会科学研究所《社会科学研究》第 33 卷第 4 号,1981 年 11 月)、近藤邦康《楊昌済の“下からの変法”の思想》(《中国学论集:伊藤漱平教授退官记念》,汲古书院,1986 年)、岩間一雄《東西文明の“融合”と衝突——最後の变法派・楊昌済》(《岡山大学法学会雜誌》第 49 卷第 3、4 号,2000 年 3 月)。

第二章 近代日本汉学家及其与湘学的关系

一 “京都支那学”的开创者狩野直喜

“京都支那学”是日本近代学术史甚至思想史上的一个重要流派，由狩野直喜(1868—1947)等奠其基，由同人杂志《支那学》而促其成。《支那学》从一九二〇年九月一日创刊到一九四七年八月停刊，共发表四百余篇学术论文。小岛祐马、青木正儿、本田成之、神田喜一郎、武内义雄等京都支那学派中坚均为狩野直喜的学生而亲炙其教，他们的代表作几乎都在这里发表。《支那学》停刊两年后，日本全国性的中国学研究组织“日本中国学会”成立了。京都支那学对科学性的严格要求，实事求是的学风对战后日本中国学的影响自不待言。

《支那学》的特点是：第一，真正从传统汉学的旧套中摆脱出来，对古典文本不仅仅局限于同情地解释，而且强调一种批判的眼光和客观的实事求是的态度。第二，《支那学》的周围多为明治十年左右以后出生的年轻学者，他们接受的是近代的学制教育，中国的学问大多是作为一种客观的知识来接受的。这样他们可以自由地选取研究的角度和方法，强调学术研究的自由是他们的共同特点。第三，力图站在客观的、学术的立场上来关注中国的历史和现实。他们眼里理想的学者形象正是狩野直喜所提出的"实事求是，义理明彻，不恃聪明而向壁虚造，不务易入俗耳以邀世誉。卓然自守，持风气而不为风气所动，斯之谓真读书人"。京都支那学的这些特点都与狩野直喜的思想具有紧密的关系。

汉学向支那学过渡最关键的一点在于对经书的态度上。狩野直喜说：

> 清朝的学问为考据学、复古学。其进路为排宋儒之说而恢复儒学的原始形态。在这一点上，江苏学派与浙东学派虽无二致，但前者对汉代经书之所立几乎缺乏批判的态度，而信仰其说，力图对包括其细枝末节都进行考证。浙东学派则反之，尝试对汉代所立之经进行极其大胆的批评，如《周官辨非》即为一例。论周官之伪古来不乏其人，但考据之精、论断之公未有出其（万斯大《周官辨非》）右者。①

从信仰的态度转变到批判的态度，对中国古典进行历史的、客观的、实事求是的研究，这种"第三者的立场"正是作为近代学问的"支那学"诞生的标志。狩野直喜明确指出"第三者的批判立场，即实事求是的学风的产生应该说是当然之事。承担此使命的即是清朝的考据学"。② 狩野直喜所说的"支那学"以及他所开创的京都支那学派在一定意义上可以说是对清朝考据学的继承和发展。

这种继承和发展的参照当然是西方近代的学术思想。对西方中国学术研究的关心可以追溯到狩野直喜在上海留学的时候甚至更早。后来他把欧洲的中国研究分为两种态度，即学问的态度与实用的态度，而推崇将中国文明"作为智的对象进行研究"的纯粹学术的态度。即便如此，他也反对完全步欧美中国研究之后尘，而主张"自主的"研究，强调

---

① 狩野直喜：《中国哲学史》，岩波书店，1953 年，第 527 页，以下凡引自狩野直喜的著作，不再注作者名。

②《读书纂馀》，みすず书房，1980 年。

"必需作为东洋人、作为日本人学术地领会中国文化"。

他憧憬着一种更加博大、更加深邃的新的中国学的诞生。他说：

> 在中国能够咀嚼西洋学术的人还很少，且偶尔有之，由于其不通旧学，因此比较东西之学而明其得失，别立一家哲学，犹如希望宋儒在从来的经学中交织以佛老之说而别起理学一样，似乎还十分困难。而且儒学在什么程度上能与西洋的哲学伦理相调和，进而中国人对儒学的信仰可否如从前那样永续，这些问题现在谁也难以明言。但从另一方面来考虑，清儒对经学的复古可以说基本上已经成功。而所谓复古只不过是削去其后来附加的东西而返回其原形。作为今后的发展阶段，必将采取一新的生命与形式，可进于更加博大更加深邃的境界。但这完全是思想家的事，为经学家所不能。"①

如同宋明理学将经学与佛老之学融和一样，将儒学与西洋的哲学伦理相调和，正是中国现代新儒学的努力方向。这种努力在中国学界已经取得了可喜的成绩，并且这方面的研究也备受瞩目，可以说已经成为一种显学。狩野直喜虽然较早地指明了儒学的这种发展方向，可谓有先觉之明，但同时对这种比较研究持谨慎的态度，认为"非学贯东西者不能为之"，"如不严加注意则将陷入轻佻之学风"。② 由于各种历史条件的限制，在近现代日本，沿着狩野直喜所指明的儒学发展的方向践履躬行而有成就者虽可谓凤毛麟角，但从先行者稀疏而坚定的足迹中我们仍然能感觉到儒学在日本现代社会的强劲的生命力。

狩野直喜追求的是从"固有的文化"中寻演学问而不受地域和时代限制的真精神，他所关注的是"学问中具有普遍性质的东西"。比如汉学与宋学，狩野直喜认为虽然由于汉代接近上古，可以说汉代的解释近于古义，可是又不尽然。各个时代都有其时代的支配思想。思想家必然会带有其时代思想的色彩。汉代谶纬之说及阴阳五行等迷信思想流行，深

---

①《中国哲学史》，第 611—612 页。原文有着重号。
② 同上。

得当时的人心。当时最优秀的学者也都相信这些。如后汉的大儒郑玄，其在训诂方面独步于古今，然其经说中谶纬的思想成分也不少。这一点需要特别注意。宋代则多受佛道思想的影响。如何才能克服思想的时代性而得孔子之真意呢？即所谓"有必要站在第三者的批判立场，以孔子的时代为背景，从文辞的形式内容两方面攻究，从而把握孔子的真意"。① 可见，狩野直喜的"第三者的立场"并非脱离儒家的立场而心寄别处。但对儒学的态度，他认为"儒学是学问而非宗教"。② 在现代社会中复兴中国古典解释学中独具的这种真精神也正是其思想的根本特征。这种第三者的批判立场，虽然得益于清朝考据学和日本的古学派甚多，但又不能够将其直接归宗于考据学和古学。得其实事求是之为学精髓，又不为其所局限而有所发展，狩野直喜在众采百家之长的同时，又主张回归到孔孟思想的原点。这就是狩野直喜为学的宗旨。当然这种回归是现代意义上的回归，如吉川幸次郎在《〈支那学文薮〉解说》中所说的，是"改革者乃至创始者"的回归，是对中国古典解释学的现代复兴。

关于思想家与文人的关系，狩野直喜认为"先秦时代所谓六经诸子，皆以思想为本，而同时文辞之精彩亦为后世之楷模。思想家与文人乃是一而不二的。汉以后章句之儒代之以思想家而出，与文人之间稍有隔阂"。③ 至后世，经学者或道学者与文学者的距离更远。中国历代正史中分儒林传与文苑传，从儒林又别立道学一门，经学者与道学者入儒林、道学，文学者则入文苑。两者立场不同，性格趣味亦不同。"道学先生"与"轻薄文人"犬猿相讥，争讼不休。狩野直喜认为文学之术虽为多方，其思想之源乃在六经。经为中国文学的基础。

然而将六经作为经学来研究和将其作为文学来研究很不相同。经学研究先明其训诂，进而就其义理致密寻绎。文学研究则惟就其文章本身领会其文格与修辞，知其之所以为后世文学之典型即足矣。其他委之

①《读书纂馀》。

②《春秋研究》，みすず书房，1994年。

③《支那文学史》，みすず书房，1970年。

于经学者可也。至明末清初，长于经学而同时诗文也出色的学者大量涌现，如顾炎武、黄宗羲、毛奇龄、朱彝尊等莫不皆然。他评价顾炎武兴考据之学，其文辞亦卓越。比较顾黄二家，他认为顾为朱子学者而善知朱子学之弊，黄为阳明学者而善知阳明学之弊。博览而有识见，气魄宏大，为二者所同。但顾文短而紧，黄文紧少而句长。顾文为理智之文，黄文为情感之文。顾文论政治学问多而碑版文章少，黄所书明末忠臣义士之墓志铭旨在寄主观的同情而非述客观的事迹。其妙处所在亦其缺点所在。狩野直喜将朱彝尊与顾黄相提并论，认为文章非以经术为根本不可，为三者之所同等等，由狩野直喜对这些人物的评价可见他认为经学与文学、思想家与文人原本不可分离。但是如以本末而论，他则认为“道德政事为本，典籍为末，文乃载道之器即此之谓也”。

狩野直喜倾心于清朝乾嘉之学，然而对其缺点也有充分的认识。即乾嘉之学与清初大儒相比，规模气概都显得狭隘局促。此后经学与文学又开始分离，经学方面考据之学兴盛，文学方面文章之形式和义法逐渐精密。然而狩野直喜努力寻绎这一时代经学家、思想家与文学家之间的关系，指出当时汉学考据之士中能文之学者多为骈体家，而尊奉程朱之学的桐城派则好古文。他解释其原因说，先秦之文虽均可称为古文，但古文之为言乃反骈体文而起。至唐代韩、柳倡导古文，不过少数门流，唐代实为骈体文流行的时代。古文乃自宋代流行，因此从一定意义上可以说古文即宋文。奉宋学而作宋文，奉汉学而作骈文，即不足为怪。针对这种偏弊，狩野直喜主张古文与辞赋骈俪相互为用。

对于桐城派古文，狩野直喜深有体会。比如姚鼐认为文之所以为文即文之生命所在，举出神、理、气、味、格、律、声、色八个字。前四者为文之精，后四者为文之粗。狩野直喜案曰：“此八者虽皆可谓附着于文之生命，如分别考虑，前四者无宁是读者阅读时各自的主观感觉。所感之本虽在文章，然而并非任何人读之都有此同感。正如同所谓禅之悟，难以说明。”姚鼐从作者的角度认为学习作文要由文之粗而入文之精。狩野直喜从读者的角度强调读者的主观感觉或所谓悟。同时狩野直喜不仅重视文之内容，也强调叙述的方法。甚至说"文之价值不由其文之内容如何而定，而应由其叙述的方法而定。"这里所谓叙述的方法当然不仅限于如何遣词造句。狩野直喜在叙述沈德潜赞同王渔洋的神韵说之后，亦同时赞叹"此诚为精彩之论。因为文字的修饰即声色而掩埋了性情，乃如同作秀，毫无诗的价值。但表现性情亦并非意味着无论使用怎样平板卑俗的语言均可。虽然文字为末，更应体会文字之外的妙味。这并非说可以胡乱使用文字。使用适当的文字，然后又不拘于其文字，能够通过文字去品味其余韵，才是美的诗"。狩野直喜在《题素川尺牍应山崎博士需》一诗中感叹曰："惟憾人生欣赏短，空余寒月照田庐。""叹息风流今散尽，空将文字证因缘。"[①]诗中所流露的不也正是这种意味吗？吉川幸次郎曾对狩野直喜的"文学的味觉"进行了详细的分析说明，并感叹"由先生开拓的方法中，能够逻辑地把握的部分可以各自传授于弟子，惟有先生的味觉无法再现"。

狩野直喜作为一"通儒"，其对经典的态度是在解释中欣赏，在欣赏中解释的。这一点，从他读书的态度上也明显地表现出来。如他在日记中这样记述自己读书的心得："夜读《大戴礼记・文王官人》篇，参以王引之《经义述闻》。高邮父子之学，精于小学。经解多用文字假借之法。而又证之于古书。如《文王官人》篇，已言某字当作某。又云，周书作某。是其明证，无更容疑义。假借之义，不必难言。至其证以经文，则非博究群书，不得而企及。故读之余，弥信其为有清儒家泰斗也。"[②]这是一种考证解释的态度。同时他以《论语》为例强调对于经典除了一字一句的解剖分析研究之外，还要综合地欣赏文章之味，对经典保持一种"无限的兴趣"和"津津的兴味"。这种态度终其一生未变。可见其对于经典既有一种理智的追求，更有一种情感的满足。

要真正了解狩野直喜的学问和思想，还有必要了解其性格特征，正如他本人所说："一般而言，经说多与人的性格有关。性格古怪的人其经

① 《君山草》，京都中村印刷株式会社，1959 年。

② 《半农书屋日记》，1925 年 2 月 5 日。

说多奇僻，笃实的人经说亦笃实。”我们从他对君臣关系的理解来看其性格的一个侧面。

在君臣关系上，狩野直喜是个君主主义者。他认为五伦之中君臣之分最为严格。“君不君臣亦不得不臣是孔孟当然的伦理法则。”不可否认孟子具有很强的民本主义思想，但是孟子的民贵君轻、汤武放伐之论以及“土芥”“寇仇”之言均乃以警告国君为目的，并非教人臣背其君。亦非意味着在伦理上容许臣对君的感情可以轻易地根据君对臣的态度如何而产生某种倾向。他赞赏孟子的“英迈”与“刚直”，同时强调“孟子的民本主义并不是民主主义”。因此他对中国的民主革命将五伦之中“君臣”这非常重要的一伦革去是持一种批判的态度的。

他在给罗振玉的信中写道：

> 兹据敝国报纸称冯玉祥迫贵国皇帝逐宫，寻废为庶人，取消优待条件。闻之愤怒欲食其肉。近数年弟于贵国政事从未议是非，以外人不知情伪，又非分所宜然也。但此一事非可同例。何者？陈恒弑君，孔子请讨。诚以干纪伦之事天下皆知恶之，而其流毒贻害不止一国。闻段祺瑞亦不以此为然，有意挽回。弟思今日之势急于焦眉，以宜遣人劝说大义，使其知束手无为，则不但害于民国又失信于外邦。未知尊意以为然否。①

对前清废帝处境的同情焦虑及其遗臣的忠义臣节的赞美，狩野直喜这种心态与表现如果将其作为儒臣来理解就丝毫也不会觉得奇怪。纲常伦纪之事无论在时间上还是空间上都具有普遍性。陈恒弑君与冯玉祥逐宣统相提并论，且人心风俗之变流毒贻害不止一国。正是基于同样的“忠愤激发”之情，他才敢于利用讲书的机会在天皇面前秉正直谏，在现代特定的历史条件下形象地再现了传统中理想的儒臣风范。

在经历了中国的九一八事变和日本的“五一五”事件等一系列野蛮

① 《与罗叔言》，《君山文》，京都中村印刷株式会社，1959 年，卷九。

暴行之后，狩野直喜在“五一五”事件发生的次月即一九三二年六月六日、十三日两天给天皇“重复”进讲“几乎同一题目”即《儒学的政治原理》（一九二七年九月二日、十月三日曾进讲过《古代支那儒学的政治理想》），强调儒学的德治主义，特别是君德的重要意义，指出以武力即使勉强支配天下，获得一时的成功，但终将因势衰力竭使得付出巨大牺牲而建立起来的大帝国分崩离析，烟消云散。儒学论政强调“政者正也”。正的标准乃是由上示下，如同一家之中家长不能树立正确的榜样则影响一家一样，一国的君王如果不能严于律己，树立正确的榜样，则影响整个国家（天下）。此乃《大学》所谓“尧舜帅天下以仁而民从之”，“桀纣帅天下以暴而民从之”。狩野直喜引经据典而又深入浅出地反复讲解“君德之启沃乃是儒学政治论中尤为重要之事”。那情形不由得使人联想起孟子。而且狩野直喜的可贵之处更在于他当时还能够清醒地站在第三者的立场上对道德问题做比较冷静的思考。他这样提醒天皇：“世界上有明知为不正的行为而固犯者，对此另当别论。即使其本人认为这是为了国家，确信其行为正当，至少在道德上是正当的，而从第三者看来则远离正道，其结果成为国家的大罪人，这样的例子也绝不少。”需要指出的是这种第三者的立场和清醒的认识在当时的历史条件和思想环境中是多么难得。

自一九二三年至一九三八年，狩野直喜担任外务省“对支文化事业调查会委员”（其间，一九三三年任“满日文化协会评议员”，一九三四年任“满日文化协会理事”），直接参与当时日本对中国的“文化工作”。一方面不得不为军国主义者献计献策，一方面又要力图保持一个文化人的良知，其间交织着的错综复杂的心理矛盾与挣扎奋斗，①或许远远不是我们所想象的那样简单。

（原载于《读书》2003 年第 7 期）

---

① 详见《关于在中国北方开展我文化工作的意见书》，狩野直喜的这份意见书刊载在一九三九年二月一日外务省文化事业部发行的封面标有“秘”字样的《支那调查报告》上。

二　狩野直喜的文人情趣——以狩野直喜与湘籍学者的交往为例

（一）

“京都支那学”的代表人物狩野直喜（1868—1947），在其弟子、后学的眼中被视为“通儒”“经师”“中国学家的典型”“文学鉴赏家”“文人”等，①学行风貌，各异其趣。后来被笼统作为“东洋学家”定格在日本的学术史中，②很少有人从更广泛的人文社会科学视角来对其进行研究。反倒是中国学术界，将其还原到近代日本的历史语境中，作为具有代表性的“中国学家”或“儒学家”，展开了系统的研究。③ 由于本人近来对“近代湘学与日本”这一课题的关注，④想重拾十年前狩野直喜研究这一课题，从近代中日文化交流史的角度，通过探讨其与“湘学”的关系，以期推进

---

① 1948年4月弘文堂刊行的《东光》第5号为“狩野直喜先生永逝纪念”特辑，参照其中小岛祐马《通儒としての狩野先生》、仓石武四郎《シノロジシトの典型》、吉川幸次郎《先師と中国文学》、宫崎市定《歴史家としての狩野博士》、铃木虎雄《君山先生との唱和》等。

② 参见江上波夫编《東洋学の系譜》（大修馆书店1992年），砺波护、藤井让治编《京大東洋学の百年》（京都大学学术出版会2002年）。

③ 参见严绍璗的《日本中国学史》（江西人民出版社，1991年）、刘岳兵的《日本近代儒学研究》（商务印书馆，2003年）的相关章节（严绍璗著作的第八章“近代日本中国学早期古典研究的学术流派”中第一节为“实证主义学派——以狩野直喜、内藤湖南与‘支那学社’为代表”，刘岳兵著作的第五章为“狩野直喜论：中国古典解释学的现代复兴”）。1912年狩野直喜游学欧洲之际，王国维有长诗《送日本狩野博士游欧洲》，开篇即有对狩野直喜之学“归宗于儒”的评价，曰：“君山博士今儒宗，亭亭崛起东海东。平生未拟媚邹鲁，肸蠁每与沂泗通。自言读书知求是，但有心印无雷同。”（王国维：《观堂集林》，见谢维杨、庄辉明、黄爱梅主编《王国维全集》第八卷，浙江教育出版社，2010年，第638页。）狩野直喜著、周先民译《中国学文薮》收入王晓平主编的“日本中国学文萃”中，2011年由中华书局出版，有利于中国学者对狩野学术思想的了解。

④ 参见近年来发表的《叶德辉的两个日本弟子》（《读书》2007年5月号）、《杨昌济的思想与日本（上、下）》（《船山学刊》2010年第2、3期，此文上、下篇合编以《近代湘学与日本——以杨昌济为例》为题刊于方克立、陈代湘主编：《湘学》第5辑，湘潭大学出版社，2010年6月）、“Naitō Konan and Hunan Studies”（*Journal of Cultural Interaction in East Asia*，Volume 4 March 2013）、《内藤湖南与“湘学”》（阎纯德主编：《汉学研究》第十五集，学苑出版社，2013年4月。）

对其学术思想的认识。具体而言，通过探讨狩野直喜与近代湘籍学者的交往、分析其对湘籍学者学术思想的评价，特别是他与皮锡瑞经学思想的关系，不仅可以窥见狩野直喜思想性格和学术特点的某些方面，而且对于重新认识湘学、全面观察中日近代学术思想交流史也可以提供一些有意义的视角。本文旨在探寻他与湘籍学者交往的一些历史事例，发掘近代中日学术交流史上的一些史实，为重新认识狩野直喜之学和湘学提供一些相关的实证基础。

"京都支那学"的两位重要奠基者狩野直喜与内藤湖南，都是近代日本的大儒，其学问、人格又各有特点，或表现仁者、文人情怀，或显示智者、志士的特色；或强调内圣，着力于为己之学，或侧重于经世、讲求外王之功；或以经师名世，或以史学见长；各有千秋。这种差异虽然是相对的，但是在重功利讲实效的现代社会，狩野直喜之所以没有得到相应的关注与重视，与他的学问特点或许不无关系。而且以往对狩野直喜的研究也主要是将其作为中国学"研究者"而去阐发他的学术贡献与地位，而很少将其作为中国文化的"鉴赏者""体验者"甚至"追慕者"，换言之，即很少有人看到其有如中国传统"读书人""文人"的一面。狩野的这一方面的特点主要表现在他对中国典籍的态度及其他的汉诗文中。

狩野直喜对中国典籍的态度，用仓石武四郎的话说，就是永远读不够、永远不满足。他解释说，狩野之所以对阅读汉籍如此执着，就是"要想知道中国人所认为的美之为美、趣之为趣之所在，因为身处中国之外，其目的并非要使中国的人吃惊"。一言以蔽之，仓石认为，对狩野而言，"中国与其说是研究的对象，不如说是灵魂的故乡"。①狩野所开创的中国学的方法，其可以逻辑地把握的部分，可以传授于其弟子与后学，但是其"味觉"，即其趣味与情怀，无法再现。② 尽管如此，通过观察他与中国知识分子的交往事迹以及欣赏他留下的汉诗文，或可得其文人情趣之一鳞

① 仓石武四郎:《シノロジシトの典型》,同前《东光》第 5 号,第 13、15 页。
② 吉川幸次郎:《先師と中国文学》,同前《东光》第 5 号,第 24 页。

半爪。其汉诗文结集分别有 1959、1960 年由"门人合钱刊"行的《君山文》《君山诗草》。1959 年 8 月吉川幸次郎发布《征刻狩野君山先生文集启》,决定在同年 12 月狩野逝世 13 周年忌时刊行其汉文六十篇,"督工校字幸次郎且服其劳,刊资 25 万元宜赖门旧合钱为之"。《君山文》九卷于 12 月如期出版。1960 年 8 月《君山诗草》亦由中村印刷株式会社印行。吉川在《君山诗草跋》中写道:"先生之业固在于经,其《君山文》犹有意问世,诗尤余事,故录之不勤,遗珠犹多也。去年 12 月 13 日先生 13 周忌辰,门人合钱刊《君山文》,今有余赀刊诗草。"①《君山文》卷九为致中国人的信函,他们分别是罗叔言、王静安(两封)、朱家宝、柯凤孙、皮名振、廉泉、江叔海、东方文化事业总委员会中国会员、黄頵士。《君山诗草》中相关的中国人有升吉甫、夏君②、王芃生、傅芸子、白坚、王静安、王逸塘(揖唐)。狩野直喜或京都支那学者与罗振玉、王国维的交往已经有不少研究成果,白坚与日本学者的关系,近年引起中日学者的关注,③而《君山诗草》中题为《庚午晚秋乐群社友会于一乘寺村之诗仙堂,时民国白山夫坚以事在洛,亦修简招之,句中远客即指山夫》的诗篇,④可以为 1930 年(庚午)白坚在日本提供确证。本文仅以《君山文》中《覆皮名振》、《君山诗草》中的《次王芃生留别韵》以及杨树达《积微翁回忆录》中有关狩野直喜的记载为中心,大体按照与狩野直喜直接交往的先后次序进行叙述分析。

---

①《吉川幸次郎全集》第 17 卷,筑摩书房,1975 年,第 269、274 页。

②《大正丙寅初夏邀饮夏王二君南禅寺天授菴,凤冈祭酒有作,夏和之,予亦用其韵》,《君山诗草》,第 7 页。"夏君"待考。该诗中有夹注曰:"夏君山东人。"接着有《赠夏君用其登天王寺诗韵》两首中,有夹注曰:"君精音律,尤好古琴。"同上《君山诗草》。

③ 狩野直喜:《君山诗草》,第 12—13 页。白坚与日本的关系,参见高田时雄的《李滂と白堅——李盛鐸舊藏敦煌寫本日本流入の背景》(高田时雄编:《敦煌写本研究年刊》创刊号,京都大学人文科学研究所,2007 年。该文"补遗""再补""三补",见该刊第 2 号 2008 年、第 6 号 2012 年、第 8 号 2014 年);钱婉约:《白坚其人其事》(《中华读书报》2013 年 12 月 4 日)。

④ 诗曰:"寒云寥廓雁呼群,盃泛黄花酒正醺。古寺有尼护遗像,空山无鹿到孤坟。诗草留得千秋业,气节传来百代文。胜会偏欣邀远客,半林枫叶对斜曛。"狩野直喜:《君山诗草》,第 13 页。其详情可参见高田时雄《李滂と白堅(補遺)》中的"《四翁乐群图》中的白坚"一节(高田时雄编:《敦煌写本研究年刊》第 2 号,京都大学人文科学研究所,2008 年,第 186—187 页)。

（二）

《君山诗草》中有《次王芃生留别韵》四首，曰：

宾鸿归雁几年年，何日重修文字缘。万里衡阳天一角，别来勿惜寄书笺。

漫将余技列诗家，满腹经纶书五车。楚国由来多俊杰，果然秋实带春华。

人经忧患情弥挚，笔挟风霜诗自妍。枵腹凭君多丽泽，如何归去不留连。

碧云西望是君家，欲别怅然漫怨嗟。须识屋梁残月色，①梦魂夜夜到天涯。②

这些留别诗，可谓情深意浓。“万里衡阳天一角”“楚国由来多俊杰”，也表现了他对湖湘学术思想的关注。这些留别诗写作的背景如何？狩野直喜与王芃生交往的具体情况如何？确切的直接材料，尚有待发掘。这里且就寡闻所及，提供一些相关的背景。

王芃生（1893—1946），湖南省醴陵人，原国民党军事委员会国际问题研究所中将主任，日本问题研究专家。1916 年、1920 年两次东渡日本留学，分别就读于日本陆军经理学校和东京帝国大学经济学部。1921 年 10 月因赴华盛顿会议，提前从东京大学毕业，毕业论文为《由社会眼经济眼论日本民法》，导师为高野岩三郎博士。1935 年任驻日本大使馆参事。著有《时局论丛》《日本古史辩证》等著作。据陈尔靖编《王芃生与台湾抗日志士》一书所载《王芃生大事年表》（株洲市政协文史资料研究委员会编），1925 年 3 月孙中山逝世之后，4 月，王芃生“东渡日本，进行日本古

① 杜甫《梦李白》诗中有“落月满屋梁，犹疑照颜色”之句。

② 狩野直喜：《君山诗草》，京都中村印刷株式会社承印，1960 年 8 月，第 8 页。

语及古文书研究，竭力搜集各种书刊，如僧圆月的《日本纪》、①石黑浪六的《天地开辟史谈》、那珂久世的《上世纪年考》等，②著有《日本古史辨证》《日本古史之伪造与山海经盖国及倭属燕之义证》等专著。这次在日本历时将近一年。”③对这段经历，王芃生本人的回忆仅有“至是予又得在日本作一年古语及其古文书之研究，以补我深究历史文化之不足，由是已得略窥其伪造历史之经纬”数语。④ 但是翻阅其 1945 年编成的词集《莫哀歌草》，⑤可以得知这一时期相关活动的一些信息，即先是“客居东京”，到 1925 年秋寓居京都，1926 年秋回国参加北伐。

王芃生 1944 年（甲申）为其 1925 年（乙丑）所作《莺啼序》的“补序”有言：“民国十四年秋，重游日本西京。”他当时在京都的悠然生活可以从其《减字木兰花 赠瀛洛寓主丙寅首夏作》窥见一斑。词曰：

幽人何许，只向绿荫深处住。翠色当窗，修竹乔松蔚作凉。
小楼闲话，煮黍浮瓜消永夏。偶为停车，共道当年是一家。

从《莫哀歌草》所存作品来看，在京都期间最值得注意的是他与吉川幸次郎之间的交流。有如下作品为证。

法曲献仙音步韵别宛亭词人丙寅首夏作

啼彻哀鹃，候迴孤雁，剩得闲愁难了。度入新声，赠来香句，才情似君多少。听谱到消魂处，心随管弦绕。　漫焚草。待商量那时怀抱。空自许，应有古人倾倒。终恐少知音，尽风流谁爱高调。早不相逢，又匆匆人共花俏。单从容酬唱，半晌客帆飘渺。

---

① 即日本五山文学的代表作家中岩圆月（1300—1375）的《日本书》，该书主张日本皇室为吴太伯的子孙。

② “那珂久世”为那珂通世（1851—1908）之误。“石黑浪六的《天地开辟史谈》”待进一步查实。

③ 陈尔靖编：《王芃生与台湾抗日志士》，台北：海峡学术出版社，2005 年，第 459 页。《山海经》中“海内北经第十二”有如下记载：“盖国在巨燕南，倭北，倭属燕。”

④ 王芃生：《一个平凡党员的回忆与自我检讨》，见陈尔靖编：《王芃生与台湾抗日志士》，第 301 页。

⑤ 以下所引自《莫哀歌草》者，均见陈尔靖编：《王芃生与台湾抗日志士》，第 409—414 页。

附吉川宛亭原作

驼陌花浅，苇塘烟湿，九十春光都了。去国情深，送春人独，知君断魂多少。向晚照休回首，山如洛中绕。叹芳草。正萋萋又添新恨，依旧布衣潦倒。候馆喜相逢，感知音曾许同调。缓拍低吟，对晴空人静风悄。凭一宵清话，怕早水天云渺。

金缕曲丙寅夏宛亭词人于一本松留作长夜之谈，怅然有感。

一枕忘长夏。陟惊心，论文约届，晚霞微赭。愤自沉时迷前路。万户灯光似画。正倒屐，开轩相迓。浴服科头饶天趣，喜诗人，风度同王谢。疏脱处，见潇洒。清茶当酒消良夜。怕明朝，匆匆别去，几时重把。细雨迎私凉未永，难得清宵共话。怅此后，谁怜风雅。剩有相思酬知，已且高歌寄意因君写。浮世事，惹牵挂。

采桑字夜话再赠宛亭词人丙寅夏作

灯前闲却还乡梦，话到芭蕉。夜雨潇潇。添段离情未易消。联吟不觉天将跷，犹说明朝。且驻兰桡。如此风声定有潮。

吉川幸次郎(1904—1980)，字善之，号宛亭。1923年考入京都帝国大学，师从狩野直喜、铃木虎雄教授。1926年夏，吉川幸次郎与王芃生之间的倾情交往与唱和，可以说是一段佳话。

王芃生还有两首留别京都诸友的作品如下：

临江仙丙寅秋将归国，京都诸友饯别，即席感赋。

一

久未休兵同是客，分明住去都难。惊魂夜夜不曾安。相逢无可慰，犹说愿加餐。我为君歌君且舞，俨然莲步姗姗。愁深莫遣强为欢。醒时饶白眼，醉后笑红颜。

二

江户春深欣邂逅，等闲复感飘蓬。重逢不易且从容。乱离分手去，风月几时同。花影酒痕都是幻，迩来犹自疏慵。聪明故意学朦胧。但嫌沽味薄，羞道旅愁瘦。

金缕曲丙寅暮秋将归国参加北伐，新雨旧交聚饮于京都福合楼，赋此留别。

海外初逢日。最关心，乡音满座，似曾相识。偶向樽前询名贯，尽是天涯倦客。且劝酒同消今夕。聊慰孤情忘尔我，纵还家有梦无痕迹。爱此意，为浮白。故园雁断烽烟隔。料残红飘零满地。倩谁怜惜。回首黄台多少恨，瓜蔓何堪再摘。况此去东西南北。休道重来容易事，怕来时不是今群屐。回望处，漫相忆。

以上列举了这许多王芃生与吉川幸次郎唱和及赠别京都诸友的作品，有了上述背景，狩野直喜的《次王芃生留别韵》，就很好理解了。除了感情上的真挚的交流，“漫将余技列诗家，满腹经纶书五车”。这是狩野对王芃生的文采和才华的称赞，我们通过狩野的诗句，也可以窥见作为“诗家”（文人）的狩野直喜的风采，“人经忧患情弥挚，笔挟风霜诗自妍”。这里的“忧患”意识和“风霜”之感，既是对王芃生其人其作品的同情与理解，也可以说隐含着对当时中国现状的一种关切，更体现了一种有深厚历史基础的人文关怀。

（三）

杨树达（1885—1956），湖南长沙人，语言文字学家，在中国语法学、修辞学、训诂学、古文字学、经学等领域均有建树，2006 年上海古籍出版社将其著作修订、增补，汇成《杨树达文集》十七种出版，其《高等国文法》等著作在日本也具有广泛的影响。[①] 他早年问学于叶德辉门下，[②]1905 年留学日本，后肄业于京都第三高等学校，“对西方文法学和语义学最有

① 日本学界研究文章，参见景慧：《楊樹達の文法学——「馬氏文通」との比較を中心に》，宇都宫大学外国文学研究会编《外国文学》(42)，1993 年 8 月；鸟井克之：《楊樹達「高等国文法」》，关西大学文学会《文学论集》第 42 卷第 1 号，1992 年 10 月。

② “树达年几志学，获侍坐隅，饫习绪论，殆逾卅载。……树达忝厕门墙，未穷涯涘，望若止于兴叹，传业邈其难期。……民国二十四年四月二十二日，长沙受业弟子杨树达敬撰。”参见杨树达：《郎园全书序》(《积微居文抄》，杨树达文集《积微翁回忆录・积微居诗文抄》，上海古籍出版社，2006 年，第 83—84 页)。

会心，自言：'我研究文学的方法，是受了欧洲文字语源学的影响的。'故其学问因融合中西学术传统而显示出自己鲜明的特色。"[①]据说其用汉英两种文字书写的留日日记现存于中国科学院图书馆。[②] 1911 年回国，先后在北京高等师范学校（北京师范大学）、清华大学、湖南大学等校任教。这里根据北京大学出版社重版的《积微翁回忆录》（以下所注页码皆出自该书），摘录其中与狩野直喜交往的文字如下：

【1925 年 5 月 25 日】"日本狩野直喜博士寄赠景印《元杂剧三十种》。"（第 17 页）

【1927 年 10 月 31 日】"访日本狩野直喜、服部宇之吉两博士于北京饭店。松崎柔甫（鹤雄）托余为狩野先生购书于长沙。余为购寄，附呈《汉书补注补正》一册于先生求教。先生复书致谢，于余书奖饰备至。前年先生来京，余以事忙未及往谒。先生嘱张少涵[③]致意于余。此次先生来京，马幼渔[④]见先生，先生又问及余。今日往见，先生誉余书不已。余昔留学京都，时先生任京都大学教授，每日过先生之门。于因言：'先生如此过奖，盖出自激励后进之意云尔。'先生曰：'此殊不然。'因言平生最喜读《汉书》，爱之不忍释手。向尝治英、法文学，文章之工，未有若《汉书》者。盖超出各国小说之上云。以此知先生确有真知灼见，非其他日本人所能望也。"（第 22—23 页）

【1928 年 4 月】"日本狩野博士（直喜）来京。廿二日余往访之，赠以《汉书札记》六卷。博士以影宋《曲礼疏》卷子报余。盖博士六十寿时，门下诸君印行为纪念者。余于《汉书》，嗜读之而已；博士赞

① 上海古籍出版社：《〈杨树达文集丛书〉出版说明》（2006 年 12 月），《积微翁回忆录·积微居诗文抄》（杨树达文集），上海古籍出版社，2006 年，第 1 页。

② 杨逢彬：《〈积微翁回忆录〉重版后记》，杨树达《积微翁回忆录》，北京大学出版社，2007 年，第 302 页。

③ 张贻惠（1886—1946），字少涵，物理学家、教育家。曾留学于日本京都帝国大学。

④ 马幼渔（1878—1945），名裕藻，字幼渔，音韵学家、文字学家。曾留学于日本早稻田大学、东京帝国大学。时任北京大学教授。

余为班氏功臣。日前柯凤荪先生称余为集《汉书》之大成。皆前辈奖掖后进之辞，非余所克当也。”（第25页）

【1928年5月10日】“余宴狩野直喜博士于宣南春饭庄。他客除日本人桥川时雄、小平总治外，为陈寅恪、陈援庵、林砺儒诸君。寅恪以晚不能返清华，宿于余寓。”（第26页）

【1930年4月23日】“日本狩野博士来书，盛称《周易古义》之美，盖前辈奖藉之意也。”（第31页）

【1930年6—7月】“日本人用庚子赔款招学界同人往其国旅行。”7月3日，“访狩野君山博士。久待不出，方怪之。既出，则易中国服马褂长衫接待中国宾，以为敬也。一见。博士极称余《周易古义》之美。旋导游京都大学图书馆，见所藏唐人写《玉篇》残叶及《白氏文集》、宋本韩柳文集及《元龟》残本。博士云《元龟》为我国所无，宫内省图书寮亦有一部云。又有日人海保元备著《尚书汉注考》稿本，皆珍籍也。旋赴花山天文台参观，晚赴博士宴，十时别归旅舍。”（第32页）

从上述杨树达的回忆来看，与狩野直喜的交往，内容涉及互赠著作、互访、互相宴请、代购图书，特别记述了狩野对杨树达的关心和对其著作《汉书补注补正》《周易古义》的称赞、对中国学者的尊敬等。狩野直喜对晚辈杨树达的关心、称重和尊敬，这一方面表现了狩野谦虚、博大的儒者风范，更重要的是对杨树达学术业绩的肯定。可以说是近代中日文人之间同气相求、同声相应的一段佳话。

就学术倾向而言，能够接受西方近代学术的影响、擅长考据而不贬性理之学，可以说是二者共同的特点。狩野直喜曾以“考证学”自许，但他不是狭隘的经学家或考证学家，而是在坚持经学的立场的同时，通晓各方面的学问，是当之无愧的“通儒”，[①]如王国维所言，是一代“儒宗”。

① 参见前述《东光》第五号中收录的小岛祐马《通儒としての狩野先生》。作为“儒学家”的狩野直喜的学问特点（对日本及中国传统儒学的继承、经学家和思想家之间、解释与欣赏之间、学术与政治之间），请参见前述拙著《日本近代儒学研究》。

杨树达在1940年代已被誉为中国“训诂小学之第一人”，他自己也表示：“余于训诂校勘之学，受高邮王氏之影响颇深，故所著书，颇有相类似处。”[①]1942年12月25日，陈寅恪(1890—1969)在《杨树达积微居小学金石论丛续稿序》中，赞曰：“先生平日熟读三代两汉之书，融会贯通，打成一片。”并在当时的乱世之中期待：“一旦忽易阴森惨酷之世界，而为清朗和平之宙合，天而不欲遂丧斯文也，则国家必将尊礼先生，以为国老儒宗，使弘宣我华夏民族之文化于京师太学。”[②]被誉为“国老儒宗”的杨树达，博通群经诸史，其心仪之学，从其好友、音韵学家曾运乾[③]去世之际，对清代以来湘学发展所作的一段评述中可以略窥一斑：

> 湘士在有清一代大抵治宋儒之学，自唐陶山(仲冕)[④]承其家学(父奂，曾有辨伪《古文》著述)，余存吾(廷燦)[⑤]游宦京师，两君颇与戴东原之学接触；陶山之子镜海(鉴)仍折归宋学。乾嘉之际，汉学之盛如日中天；湘士无闻焉。道光间，邵阳魏氏治今文学，承其流者有湘潭、长沙二王氏，善化皮氏；皮氏尤为卓绝。然今文学家，不曾由小学入；故湘籍学者承东汉许、郑之绪以小学音韵训诂入手进而治经者，数百年来星笠一人而已。[⑥]

这与从考证学入手而治经学的狩野直喜的学术志向也是一致的。他们都推崇皮锡瑞之学，又都不迷信其学。杨树达翻刻过皮锡瑞的《师

---

① 杨树达：《积微翁回忆录》，北京大学出版社，2007年，第164页。

② 陈寅恪：《金明馆丛稿二编》(陈寅恪集)，生活·读书·新知三联书店，2001年，第260、261页。

③ 曾运乾(1884—1945)，湖南益阳人，字星笠，音韵学家。有《尚书正读》《音韵学讲义》等著作。

④ 唐仲冕(1753—1827)，字六枳，号陶山，乾隆五十八年(1793)进士。陕西布政使、陕西巡抚。著有《仪礼蒙求》(钱大昕、孙星衍序)、《周礼六官表》、《陶山文录》、《陶山诗录》等。其父唐焕(字瑶章，号石岭)，乾隆六年(1741)举人，著有《尚书辨伪》(姚鼐序)、《克己斋四书》等；子唐鉴(1778—1861，字栗生，号镜海)，为曾国藩之师，学宗朱熹，著有《朱子学案》《朱子年谱考异》《唐确慎公集》《国朝学案小识》等。

⑤ 余廷灿(1735—1798)，字卿雯，号存吾，乾隆三十二年(1767)进士，任翰林院检讨，兼三通馆(清代修书馆名，乾隆三十二年开设)纂修。著有《存吾文稿》等。

⑥ 杨树达：《积微翁回忆录》(1945年1月20日条)，北京大学出版社，2007年，第155—156页。

伏堂笔记》,[1]又在 1939 年 12 月 19 日记道:"阅皮鹿门先生《春秋通论》,大体平实,而亟称刘逢禄书,似为偏见,刘书实无可取也。"[2]而狩野直喜对刘逢禄(1776—1829)"重新以何休的解释力图将公羊学贯彻到底"的为学态势,评价说:"其学力虽可嘉,其正否自当别论。"并明确表示"不能认可其说"。[3] 但是,即便如此,他在其《中国哲学史》中还是不惜重墨,以仅次于朱熹,而几乎与顾炎武、黄宗羲相当的篇幅对其做了介绍。

(四)

狩野直喜与皮锡瑞[4]的关系,值得探讨。

这种关系最早见于《君山文》卷九《覆皮名振》,全文如下:

皮君执事承教。执事为鹿门先生文孙,彼因刊行遗书,将以一本见送,谢谢。仆十年前偶得令祖所著经学数种而读之,其于今文古文之派别、经学史学之异同,讨原究委,剖析无遗,窃叹以为清末经师冠冕。以仆所闻所见今人之治今文学者,西有井研、南有南海,然远不如令祖之经学朴茂、文章尔雅。至其体大思精、囊括古今、推理明鬯、议

---

① "皮鹿门先生《师伏堂笔记》三卷止有铅印本,流播不广。余为付刻,且序之,是月刻成。"杨树达:《积微翁回忆录》(1930 年 1 月条),北京大学出版社,2007 年,第 30 页。

② 杨树达:《积微翁回忆录》,北京大学出版社,2007 年,第 109 页。

③ 狩野直喜:《中国哲学史》,岩波书店,1953 年,第 632 页。

④《中国历史大辞典》中的词条"皮锡瑞"解说如下:

皮锡瑞(1850—1908) 清湖南善化(今长沙)人,字鹿门,一字麓云。光绪举人。曾主讲湖南桂阳龙潭书院、江西南昌经训书院。中日甲午战争后,极言变法不可缓,并谓改政必先易人。光绪二十四年(1898)春,任南学会会长,讲演学术,贯穿汉、宋,融合中西,言保种保教必先开民智,论抵拒洋人通商传教之法,述孔子改制、变法兴国之事。遭顽固派肆言诋毁,遂赴江西,仍主讲经训书院。戊戌政变后被革去举人,遂回原籍,杜门著述。后出任长沙定王台图书馆纂修。博通群经,崇尚今文,慕西汉传述今文《尚书》之伏生,署所居名"师伏堂",人称"师伏先生"。著有《五经通论》、《经学历史》等。另有《师伏堂丛书》、《师伏堂笔记》、《师伏堂日记》、《皮氏八种》等。(郑天挺、吴泽、杨志玖主编:《中国历史大辞典》(音序本)上,上海辞书出版社,2007 年,第 1942 页。)

研究皮锡瑞的专著,中国大陆有吴仰湘《通经致用一代师——皮锡瑞的生平和思想研究》(岳麓书社,2002 年)。台湾近年出版有高志成《皮锡瑞〈易〉学述论》(花木兰文化出版社,2011 年)、何铭鸿《皮锡瑞〈尚书〉学研究》(花木兰文化出版社,2010 年)。

论平允，则又非刘逢禄、宋翔凤诸人所能企及也。唯仅窥一斑未见全豹，乃蒙厚贶，定慰调饥，感甚谢甚。再有请者，仆于令祖学术能言其一二而未审其出处事迹。倘有瘗幽之文能以一本惠仆乎？读其书而思其人，幸得如愿，感何可言。专覆奉谢，顺请台安。某顿首。

皮名振，字芋岩，为皮锡瑞次孙，皮嘉祐（著有《三礼郑注引汉制考》等）之子。生于光绪二十一年(1895)，著有《皮鹿门年谱》（长沙商务印书馆 1939 年铅印本，1981 年台湾商务印书馆以《清皮鹿门先生锡瑞年谱》之名，收入王云五主编的"新编中国名人年谱集成"第十六辑）。据皮锡瑞门人李肖聃①为该谱所作之序，可知 1930 年 7 月此谱初稿已成。《年谱》中《皮鹿门先生传略》中说："公平生著述刊印行世者，有《师伏堂丛书》及《皮氏八种》。"对于《皮氏八种》，解释说是："善化皮氏师伏堂近年重印《师伏堂丛书》中之经考，成《皮氏八种》一集。"狩野直喜的这封复函，写于何时，没有注明。但有以下几点可以推测：

第一，时间或在《皮氏八种》重印之后。所言"彼因刊行遗书，将以一本见送"，所"见送"或为《皮氏八种》中一本。

第二，时间或在《皮鹿门年谱》成稿之前。此复函所言"再有请者，仆于令祖学术能言其一二而未审其出处事迹。倘有瘗幽之文能以一本惠仆乎？"其所请，很可能成为皮名振完成此年谱的一种精神动力。狩野直喜的《中国哲学史》中在介绍皮锡瑞时，说："其著述稍后传来日本，我读之觉得有趣，但在当时的中国似乎并不有名。我不知其履历，仅仅听说为某师范学校的教师。"②到 1928 年狩野直喜从京都大学退休，"中国哲学史"为其主讲的科目之一。此处的"不知其履历"与上述"未审其出处

① 李肖聃(1881—1953)，早年问学于皮锡瑞。1904 年留学日本，在早稻田大学等校求学，1911 年归国。1913 年梁启超任袁世凯政府司法总长，李肖聃为其文字秘书。后任湖南大学教授，著作有《湘学略》(1946 年初版，国立湖南大学铅印本)等，后结集为《李肖聃集》，收入"湖湘文库"，岳麓书社 2008 年出版。毛泽东有一首《蝶恋花・答李淑一》("我失骄杨君失柳……")，李淑一即为李肖聃之女。

② 狩野直喜：《中国哲学史》，第 646—647 页。

事迹”意思相同。希望进一步了解皮锡瑞，也正是他给皮名振复函的重要原因。皮名振不负所望，完成了其祖父的年谱。在这种意义上，也可以说《皮鹿门年谱》是近代中日文化交流之花的一项成果。

第三，前述杨树达的回忆录中，1927 年 10 月 31 日记载“松崎柔甫（鹤雄）托余为狩野先生购书于长沙”。“将以一本见送”或为此时皮名振赠其重印的《皮氏八种》中之一本。

中国学者最早将狩野直喜与皮锡瑞联系起来的，见于李肖聃的《湘学略·鹿门学略第二十一》中。曰：

> 自先生存时，书已流传人间，及其殁后，遗著及于海外。日本博士有专治先生之学者，皆言先生治经之精，或且出二王先生之上。或者谓先生力赞维新，若逆知世变，识力高出世儒。①
>
> 日本博士狩野直喜研究先生之书，常于京都大学为诸生讲演。②

其中“日本博士有专治先生之学者”所指何人，或是否确有其人，尚待考证。③ 而所言狩野直喜研究皮锡瑞的著作，由狩野给皮名振的信函可见；“常于京都大学为诸生讲演”，由狩野的弟子整理其讲稿所成的《中国哲学史》中有专门论述皮锡瑞一节可以见证。但是，据收录在《星庐日录》中李肖聃给皮崇俭（皮名振之侄）的信函中甚至提到，皮锡瑞“声名达于寰中，遗书行于海外，狩野以兹成业，弟子诵义无穷”。④ “弟子诵义无

---

①《李肖聃集》，第 99—100 页。

② 同上，第 103 页。

③ 盐谷温在《东亚研究》（第三卷第二号，1913 年 2 月）发表的《湖南老儒とその遺著（二）》论及皮锡瑞，首先简明扼要地介绍了皮锡瑞的履历：“皮锡瑞先生，字鹿门，其读书之堂曰师伏堂。湖南善化人。同治十二年癸酉科拔贡，光绪八年壬午科举人。历任江西经训书院山长、湖南优级师范、高等学堂之主讲。光绪戊申正月身故，享年六十岁。”并指出：“其学兼通汉宋，人南学会主唱变法进取主义。其言曰：‘弟所学本兼汉宋，服膺亭林船山之书。素主变法之论，今讲已十余次，所说非一端。其大旨在发明圣教之大，开通汉宋门户之见；次者变化开智，破除守旧采挛之习。如是而已。’可以察其学风。曾著醒世歌，其中有言：若把地球来参详，中国并不在中央。地球本是浑圆物，谁居中央谁四旁？盖欲破夷夏之防而合内外之教。”又说：“皮氏学兼汉宋，其说极为平正稳健，绝无叶氏纵横武断之迹。为初学者之好指针。”

④《李肖聃集》，第 388 页。

穷”之所指，或许可以看作对狩野直喜的弟子小岛祐马标点皮锡瑞的《经学历史》在日本出版[①]之事的评价，而“狩野以兹成业”，含义有些模糊，如果此言有将皮锡瑞的著作（学术思想）视为狩野直喜学问成就的基础的意思的话，强调得似乎有些过头。虽然狩野直喜推崇皮锡瑞“于今文古文之派别、经学史学之异同，讨原究委，剖析无遗，窃叹以为清末经师冠冕”。盛赞其学问“体大思精、囊括古今、推理明鬯、议论平允”，这些称赞虽非虚言，如果将这种赞美之词理解为会心的期许，理解为“同心相见稀”的知己之言，理解为一种“同声相应，同气相求”，或许更加妥当。皮锡瑞和狩野直喜的经学思想关系究竟如何，这个问题留待今后进一步研究。

通过上述狩野与湘籍学者的诗文交往或学术交流、互访宴请等活动，我们可以看到一个情趣盎然的文人狩野直喜的形象，特别是他在迎接中国宾客时，为了表示敬意而“易中国服马褂长衫接待”的情景，颇值得回味。当然，要全面理解其人文情趣，大而言之尚需对其世界观、人生观、中国文化观作进一步的探索；小而言之，亦需对其现实生活中的交往情况，至少对其汉诗文进行全面的分析。而值得注意的是，狩野直喜作为身处近代日本社会遽变的大时代中一名“帝国大学”的教授，他的文人情趣中虽然有对陶渊明《桃花源记》中所描述的理想境界的追求，并有“不是渊明不折腰”的诗句，[②]但是《君山诗草》中也能够看到“神州男子气如虹”或“天兵百万度关河”、“天兵今已度汾河”之类体现那个时代特色的“豪迈气概”。[③] 对历史人物的思想情感需要作历史的分析，这是不言而喻的。

（原载于吴震主编:《全球化视域下的中国儒学研究国际学术研讨会论文集》，孔学堂出版社，2015 年。）

---

① 皮锡瑞著、小岛祐马点:《经学历史》，京都汇文堂，1917 年。

②《君山诗草》，第 10 页。

③《君山诗草》，第 1、13 页。

三　同时代“京都支那学者”眼中的内藤湖南——以《支那学》第七卷第三号中的《内藤湖南先生追悼录》为中心

内藤湖南(1866—1934)是“京都支那学”的奠基者之一。随着中日两国对内藤湖南研究的不断深化,内藤湖南的各个不同的侧面被不断放大,颇有“横看成岭侧成峰”之势。如果我们回到当时的“京都支那学者”中,探寻一下他们眼中的内藤湖南像,对于我们更好地理解内藤湖南,或许不无借鉴意义。而在内藤湖南 1934 年 6 月 26 日逝世后,次月发行的《支那学》(京都大学“支那学会”机关刊物)第七卷第三号中附录的《内藤湖南先生追悼录》(以下简称《追悼录》,其中之引文只注作者姓名与页码),为我们提供了很好的材料。①

(一)《内藤湖南先生追悼录》所收文章与同时代的“京都支那学者”眼中内藤湖南的总体形象

《追悼录》由 1934 年 4 月 9 日内藤湖南的遗像、其《病中读尔雅》的笔迹和序、《内藤湖南先生略历》、《内藤湖南先生著述目录》以及十七篇追悼文章组成。十七篇追悼文按照顺序分别为:

狩野直喜:《内藤君を偲んで》;

冈崎文夫:《内藤先生の思ひ出》;

青木正儿:《湖南先生逸事》;

丹羽正义:《先生を懐ふ》;

松浦嘉三郎:《志を抱いて逝かせらる》;

石滨纯太郎:《僕の憂鬱》;

新城新藏:《欽若昊天 内藤博士の思ひ出》;

---

① 据统计,内藤湖南去世后不久,除《支那学》之外,还有《旭水会志》《书艺》《怀德》《歴史と地理》等七种杂志刊出了追悼专号或追悼录。见砺波护:《内藤湖南》,砺波护、藤井让治编《京大東洋学の百年》,京都大学学术出版会,2002 年,第 63 页。

那波利贞:《内藤先生を憶ひ奉る》;

仓石武四郎:《雪屐尋碑録の跋に代へて》;

铃木虎雄:《内藤博士の近什》;

小川琢治:《内藤湖南先生の追憶》;

本田成之:《湖南先生と余》;

武内义雄:《湖南先生の追憶》;

神田喜一郎:《内藤先生を憶ふ》;

羽田亨:《史料蒐集家としての内藤博士》;

小岛祐马:《湖南先生の『燕山楚水』》;

梅原末治:《内藤先生を憶ふ》。

十七篇追悼文的作者中有十一人被收入江上波夫编的两本《東洋学の系譜》中,[①]都是日本近现代中国学研究的重镇。而其中狩野直喜与内藤湖南同为京都"支那学"的奠基者,其他均为其门下知友。在同时代的"京都支那学"者眼中内藤湖南的总体形象如何呢,这从《追悼录・序》中的一段文字可见一斑。曰:

"昭和九年六月二十六日内藤湖南先生卒。我等同人哀痛何堪。先生以绝伦之资,笃学好古,并包六艺,贯穿百家,特于乙部之书用力最深。学问之渊博、识见之高迈,盖前古匹俦者稀也。尝从事操觚之业,挥笔于东都浪华。议论压时流,文章仰山斗。后奉职于京都大学,主讲席十有七年。所说富于启迪,史眼不逊班马。平生接人宽和,未曾言人之短。尤用意于奖掖后进,耳提面命,谆谆不

① 以上作者中,江上波夫编的《東洋学の系譜》(大修馆书店 1992 年)中收入狩野直喜(1868—1947)、新城新藏(1873—1938)、铃木虎雄(1878—1963)、羽田亨(1882—1955)、武内义雄(1886—1966)、青木正儿(1887—1964),其所编《東洋学の系譜[第 2 集]》(大修馆书店 1994 年)中收入小岛祐马(1881—1966)、石滨纯太郎(1888—1968)、梅原末治(1893—1983)、仓石武四郎(1897—1975)、神田喜一郎(1899—1984)。其他六人冈崎文夫(1888—1950)、丹羽正义(? —?)、松浦嘉三郎(1896—1945)、那波利贞(1890—1970)、小川琢治(1870—1941)、本田成之(1882—1945)亦为一时之选,未列入上述著作中。

倦。是以诸生慕其德，皆以为恩已殊厚。”[①]

就学问而言，对其史学(“特于乙部之书用力最深”、“史眼不逊班马”)尤其赞佩。而松浦嘉三郎在文中提出“内藤学”的概念，而指出“支那上古史”和“支那史学史”为“内藤学的核心”。[②] “内藤史学”作为一个专有名词不知出自何时、由何人提起，寡闻所及，1956 年京都大学文学部出版的《京都大学文学部五十年史》中这样评价内藤湖南的学问：“(内藤湖南)教授的学问从古代到现代，并且在史学史、绘画史、考证学、思想史诸研究领域皆有新的开拓，而且打破了此前以王朝为单位的所谓断代史研究，以发展的眼光来把握复杂的中国史，其学风创造了内藤史学的一个体系，在今天仍然绽放着不灭的光辉。”[③]把内藤史学作为一个独特的学问体系来看待，并充分肯定其在学术史上的地位，这在《追悼录》中已经初见端倪。

(二)“京都支那学者”眼中的内藤湖南

1. 狩野直喜眼中的内藤湖南

从《追悼录》中狩野直喜的纪念文章来看，首先，狩野是把内藤作为值得敬佩的知己来看的。他说：

> “京都文科大学成立于明治三十九年。此前不久，君于《朝日新闻》社论栏目在《朴学论》[④]的标题下，强调学问的研究必须讲求科学、实事求是。京都大学如果设立文科，希望其学问的研究以此为

---

① 《追悼录》，第 1 页。

② 《追悼录》，第 50—51 页。

③ 京都大学文学部：《京都大学文学部五十年史》，1956 年，第 159 页。

④ 1901 年内藤湖南在《大阪朝日新闻》上发表《京都大学与朴学之士》(8 月 14、15 日，《内藤湖南全集》第 3 卷，第 271—275 页)，他认为在新时代，培养朴学之士是京都大学的天职。他希望京都大学的教授“保持朴学钻研之风，摆脱考证烦琐之弊，自文明之批评、社会之改造起见，如果能够发扬古来关西学者所特有的宁固勿杂、宁峻勿泛的学风，那么世人所期待的新思想，或将出自此间，亦未可知。”甚至将“京都大学学风的倾向”提高到“关系我邦学者品味问题”的高度。

方针推进。我视此为知己之言,非常敬服。”①

其次,狩野在评价其学问时,将内藤比作宋代的王应麟一样的人物,对其学问给予了充分的肯定:

“为非常博闻强记、透彻明敏之人,不仅在专业的史学领域,还是在经学、词章、书画鉴赏方面,而且还擅长书法,众所周知,在中国来说的话,可以说是如宋代王伯厚②那样的人物。而且,其学问不单单局限于明白事物。而且其中有一贯的主张。决非杂学者。种种知识皆为专门之史学所活用,闻君晚年讲中国之史学史,此等如往昔所谓汉学者流仅读史类之书,以此为基础而研究中国史者所不能为。如君之有博大学问之人方有可能。此乃他们所难以企及,亦不易模仿之处也。”③

而对于内藤湖南成就学问之途径,狩野认为内藤虽然不是出自正统的官学之途,但也正是其新闻记者的特殊经历,成就了他“博大的学问”,为他增加了光彩,而这也正是常人难以模仿的所在。他这样写道:

“内藤君曾对我说:‘自己自年轻时开始做新闻记者,未走普通官学之途。因此读了些没用的闲书,这些在今天看来似乎也发挥了某些作用。’普通学历者,从学生时开始就没有机会读闲书,很快成了专家,更没有空去读闲书了。内藤君长期在新闻界,没有很快成为职业的专家,有读闲书的自由。这样读闲书而积累各方面的知识,等到进入大学,这些知识为君史学上活用。当然此活用也只有内藤君这样的人才可能。像内藤君这样的人,对像我们这样走官学之途的人而言,也是了不起的学者。从另一面来看,经历这种不规

①《追悼录》,第30页。

② 王伯厚(1223—1296)即王应麟,字伯厚、号深宁。学术上“私淑东莱”(《宋元学案》卷十八),兼绍朱、陆,旁逮永嘉之学。对天文地理、经史百家均有研究考证,开清初考据学之先河。著作有《困学纪闻》《玉海》《论语孟子考异》《汉制考》《六经天文编》《通鉴地理通释》《深宁集》等三十余种。——据《中国历史大辞典》“王应麟”条目。

③《追悼录》,第31页。

> 则的途径，更是给了他增加光彩的机会。这只有内藤君能够做到，常人到底模仿不来。”①

狩野直喜与内藤湖南同为“京都支那学”的奠基者，他们学问的相通、相似之处，如文史哲的贯通、重视考证而强调实事求是、对中国传统文化充满同情的理解等方面，早已经为其后学所道破。② 而他们为人为学的各自特色，则有待进一步研究。

2. 生活中的内藤湖南

因为《追悼录》中的作者都是与内藤湖南有亲密接触的知友门下，因此，他们所看到的内藤湖南的各个侧面，特别是日常生活中的一些相关细节，对于我们重新认识这样一位历史人物，可以增加许多鲜活的感性材料。

比如，从体态特征看，内藤在学生的眼里“短躯肥满”“疏髯”，走路稍微低头。③ 在作息时间方面，内藤湖南常常是彻夜读书、鸡叫了才睡觉，起床晚。上课一般安排在 10 点钟开始。这样也常常迟到。特别喜欢泡澡，而且泡的时间很长，也不搓洗，只是泡着不时地拨弄池中的热水，这样来给自己解乏。④

作为教师，与学生交流是日常生活中的重要一环，内藤湖南也是如此。因为其名声与社会地位，日常各种访客不断，可以想见。为了与学生交流，他一周专门抽出一天时间(星期五)闭门谢客，只接待学生。而且是在晚上，话题从具体的解惑答疑，到各种书籍的解说，甚至历史观、人生观，经常谈到深夜十一二点，使学生感到“学问的无限乐趣”。⑤ 即便在平时，在与学生交流时，往往也是不愿为访客打断而任其在门外久等。

---

①《追悼录》，第 32 页。

② 参见小岛祐马：《開設当時の支那学の教授たち》，载京都大学文学部：《京都大学文学部五十年史》，1956 年，第 435—437 页。

③《追悼录》，冈崎文夫，第 33 页。

④《追悼录》，青木正儿，第 39 页。

⑤《追悼录》，松浦嘉三郎，第 46 页。

其来访的客人中往往有商贾名流，穿着粗布服装的学生，想要给穿着华丽的来客让座，也多被制止，因此使学生感叹这样的先生真是“爱学士胜于爱商人”。①

内藤湖南对佛学的兴趣，曾经因为富永仲基的《出定后语》而在学问上大受启发。到晚年，又对佛学感兴趣了，发现了神会大师的著作，劝学生阅读。而且对《观无量寿经》有一大创见，但最终未见发表。② 内藤晚年对佛教的兴趣，是学问上的关心，还是信仰上的关心，尚有待研究。

内藤湖南不仅对书画颇有研究，著有《中国绘画史》，而且自身的书法造诣也有相当高的水平。他不喜欢当时流行的北碑而喜好王羲之等南帖，其书画鉴赏水平也很出色。③ 这些对他而言，均为一种文人的修养。他并不崇尚职业的书家或画工，因此尽管富冈铁斋和狩野直喜都劝本田成之以画技作为立身之本，内藤湖南却并不赞成。④

在日常的待人接物中，前文提到内藤“平生接人宽和，未曾言人之短”。他遇事沉着而不慌乱，不纠结于他人的瑕疵而是看到其长处并加以提携帮助，甚至被说成“清浊并吞”。据松浦嘉三郎说，他听过内藤湖南骂人时用的最狠的话是：“那是毫不讲理的蠢物。”所谓蠢物并不是说人愚钝，而是指“没有自知之明而自命不凡的人。”⑤

3. 书痴

内藤湖南的恭仁山庄现在还挂着林则徐的“拓室因添善本书”的字幅。恭仁山庄所藏善本，由杏雨书屋编的《新修恭仁山庄善本书影》（武田科学振兴财团 1985 年发行）可见一斑。

内藤湖南与书（古籍）的故事，是《追悼录》中反复出现的一个话题。

①《追悼录》，冈崎文夫，第 35 页。

②《追悼录》，本田成之，第 72 页。

③ 参见陶德民编著：《内藤湖南と清人書画—関西大学図書館内藤文庫所蔵品集—》，大阪：関西大学出版部，2009 年。陶德民编：《大正癸丑蘭亭会への懐古と継承—関西大学図書館内藤文庫所蔵品を中心に—》，大阪：関西大学出版部，2013 年。

④《追悼录》，本田成之，第 72 页。

⑤《追悼录》，松浦嘉三郎，第 47—48 页。

除了羽田亨撰文专门谈“作为史料搜集家的内藤湖南”之外，那波利贞、小川琢治、武内义雄、青木正儿、神田喜一郎、仓石武四郎等，所谈皆无不与书籍、史料有关。

内藤的学生那波利贞是那波活所(1595—1648，江户初期儒者)第十世孙，他与内藤直接相识，是在 1909 年 8 月中旬。当时刚任京都大学讲师的内藤，到德岛出席加藤清正三百年祭的纪念讲演会，听说那波家族藏有活所以来所搜集的许多汉籍，便特意到那波家里探访。那一年那波利贞 19 岁，后来考入京都大学随内藤学东洋史，的确是缘分不浅。① 神田喜一郎初识内藤也是内藤到神田家来借印其祖父神田香岩(1853—1918)所藏的唐抄本《翰林学士集》断简。② 而小川琢治所述内藤来访，灯下展读宋人《辋川图》(王维晚年居辋川时所画)摹本的情景很有意思，从晚上 9 点观赏到 11 点，从“皇姊图书”的藏书印研究该书收藏的经纬，从岩石的描法考察宋代皴法发明之前古法之遗存，等等，意犹未尽，还借回去观看。③

以书会友，不仅书在哪里便访到哪里，知友门下来了，也常常以共享最近获得的图书为乐，一一说明其价值所在，这对学生而言，不仅可以培养古籍的知识，而且对文献的选定鉴别，也是历史研究的一项基本功。④

平时内藤湖南在家里或讲台上，慢条斯理或不修边幅，看上去无精打采的样子，如在家里袜子的纽扣也懒得扣，就任其耷拉着。但是一到搜集史料的时候，便聚精会神、不辞辛苦，像是换了一个人。羽田亨的文章这样开篇，专门讲述了 1912 年 4 月初奉命协助内藤在奉天拍摄《满文老档》及《五体清文鉴》的情况，其中的一些细节可以补内藤自身所述该事件的不足。⑤ 如一天羽田感冒了，内藤就亲自接替其暗室冲洗胶片的

---

①《追悼录》，那波利贞，第 58—60 页。

②《追悼录》，神田喜一郎，第 78—79 页。

③《追悼录》，小川琢治，第 70 页。

④《追悼录》，武内义雄，第 75 页。

⑤ 参见内藤湖南等著，钱婉约、宋炎辑译：《日本学人中国访书记》，中华书局，2006 年。钱婉约：《内藤湖南奉天访书及其学术意义》，《沈阳故宫博物院院刊》第六辑，中华书局，2008 年。

工作,累得腰酸背痛。一天要拍摄四五百来张,这样持续了两旬多,当时天寒地冻,其劳动强度与辛苦可想而知。拍摄结束时,一位陆军军官说:"这样的事让别人去做,自己在宿舍里休息好了。这好像不是学者要亲自去做的工作。"内藤湖南为什么要自己亲自去做,羽田经历了之后才领会到其重要性。他谈到以下几点:

> 第一,考虑到争取到允许摄影的过程,必须对此谨慎从事。第二,考虑到如果万一有遗漏,几乎不可能弥补。而且这样一页一页地本人亲自翻阅过后,可以留下鲜明的记忆,可以保留只是通过照片而得不到的史料原件的印象。进而还有要附加说明的是,当时为此事能够支出的经费实际上很少,与今天的情况——尽管今天也不是很宽裕——无法相比。①

对于珍贵的史料,一定要设法与第一手的原始资料接触。对于像《满文老档》《五体清文鉴》这样的无价之宝,无法得到原本,那么无论如何也要复制到手。这种精神不能不令人感动。而对于有价的图书,内藤的态度,如小岛祐马所言:"湖南购书不论价,只要一见如意,不惜倾囊也要购得。"②

关于购书之事,青木正儿《湖南先生逸事》中记载有这样一件事趣事。1914、15年间,内藤湖南购宋本《史记》,一时成为议论的话题。据汇文堂说,该书最初只花十几圆从古董商那里买来,典当到神田香岩翁那里也只有三四十圆。后来香岩翁想购入,不肯而赎当,拿到东京,龟田某(据说是鹏斋之子)以百圆买下。后经十数年,文求堂以六百圆得手,而标价一千五百圆出售。北京的董康(1867—1947,法学家、法制史家、藏书家)知道之后托人向汇文堂商量购买此书。在已经商量要卖出的时候,碰巧内藤湖南来到汇文堂,听到此事,说:"此事非同小可。该书如落入中国人之手,那太可惜了。请稍候。"便与大阪某某氏商量,最终自己

---

①《追悼录》,羽田亨,第84页。

②《追悼录》,小岛祐马,第89页。

买下。但此前内藤湖南在文求堂看见此书时，店主说："如果先生要，愿以千圆奉上。"据说此时内藤湖南应该是以此价拿到该书。对此，青木正儿评价说："我曾听说先生求此书之事，只不过认为那是爱书成癖。知道了其中原委，才深为其侠气所感动。至此，才可谓真正的爱书家，实乃不逊于古人之美谈。"[①]宋本《史记》当然是中国的书，中国的书被中国人买回去，他觉得太可惜了，毅然插手此事，抢购此书。而此举在当时一些京都支那学者眼中被视为富于"侠气"之举，传为"美谈"。要是董康本人知道此事，不知作何感想。如果此事属实，那么，"董康与内藤湖南的书缘情谊"恐怕也不仅仅只有"相互信赖、彼此倚重"的"惺惺相惜"的一面；而且内藤湖南戏称董康为"文化侵略大将"，看来内藤也不只是"大力帮助他日本访书的书友"，[②]在关键的时候，也是抵制和破坏他在日本访书的急先锋。或许，在那个时代，这对于一个具有强烈的"经世意识"的"志士"型的爱书家来说，也是无可厚非的。如果说当时的"侠气"今天来看变成了一种"狭隘之气"，而当时的"美谈"今天来看变成了"笑谈"的话，这是历史开的玩笑，大概也正是历史变迁的兴味所在。

4. 经世家

作为具有强烈的经世意识和志士热情的内藤湖南的形象，在《追悼录》中也展示无遗。只要读一读松浦嘉三郎的如下这段文字就可以一目了然。

> 三十岁前后时，占领台湾后只身赴台，为台湾统治献言献策；日露战争之际，率先倡导开战论；寺内内阁[③]时，参与外交调查会的机密，先生决非只是冷静的有批判精神的读书人。像先生这样知识欲旺盛的人，无论以什么途径，最终都会成为学者。但是在其胸底常常热心地关心国家之事，具有一股志士的热情。他考虑的不只是眼

① 《追悼录》，青木正儿，第38—39页。

② 钱婉约：《董康与内藤湖南的书缘情谊》，《中华读书报》2012年4月18日。

③ 寺内正毅（1852—1919）于1916年10月—1918年9月任日本内阁总理大臣。

> 前的政策，而是东洋的将来、民族的兴亡这些富于启发性的问题。《支那论》《新支那论》这些与教室里的先生几乎无缘的著述，其意图也是这种热情迸发的结果。满洲事变发生之后，他加倍地担心满洲的将来。去年十月，他不顾以主治医为首的所有医师的反对，到满洲为日满文化协会的成立而尽力，也是出于最后的奉公之一念。回到山庄之后也事无巨细地加以指导，对满洲国的问题，甚至感到就像青年一样激动。①

学生经常向内藤请教时事问题和经世论，而他对时事问题的分析和经世论的展开，使学生认识到，对时事问题的兴趣，“如果不最终落实到充分了解中国的人文生活，并与之联系起来，那么对时事的理解都没有意义。”②这一方向的指点应该也是很有意义的。只是如果这种志士的豪情甘愿为军国主义者所御用，那么一个历史学家的良识就容易被时代的烟幕所蒙蔽。关于这一点，中国学者的论述已经很多了。③

5. 大学教授

作为一个大学教授，能够在每一个领域具有奠基之功并与同道开创出一个具有国际影响力的学派，这可以说是一个非常成功并令人羡慕的大学教授了。内藤湖南应该说是一个非常优秀的大学教授。

教授的最本质工作，应该是在课堂上授课。内藤湖南因为不是正统的官学出生，而是京都大学不拘一格将其从新闻记者的岗位调进大学的，因此为了适应授课的新岗位，内藤湖南还是非常用心学习和探索的。

---

①《追悼录》，松浦嘉三郎，第 51 页。

②《追悼录》，冈崎文夫，第 35—36 页。

③ 参见杨栋梁：《民国初期内藤湖南的“支那论”辨析》，《南开学报》2012 年第 1 期。实际上，1960 年宫崎市定在谈到其师内藤湖南时就已经指出：“到最后还对现实的政治抱有兴趣，这恐怕也是利害参半的事。”他特别强调：“这一点对我们这些不及先生（内藤）才识的后生而言，是必须认真反省的。”（《京大学园新闻》1960 年 5 月 9 日“师”栏，引自《宫崎市定全集》第 24 卷，岩波书店，1994 年，第 233 页。）明确批评“过深介入政治”是内藤学问的局限性之一。（同上，《宫崎市定全集》第 24 卷，第 248 页。）

据西田直二郎[①]回忆，内藤1907年刚刚进入京都大学不久，开始讲授“清朝建国史”时，因为课上用了很多难懂的满洲语，引起了一些学生的议论。西田这样说道：

> 有一次国史专业的学生M君半开玩笑地说：“听先生讲课，如坠五里雾中。”这与其说是其讲义难懂，不如说是听到的一切都是新鲜的，如某种神韵飘渺。即便如此，先生也可能是在意这句话了，后来问到：“哪位教授上课讲得好?”此后不久，哲学科的大教室中，有谷本富[②]教授的“教育学及教授法”的课时，内藤先生突然开门进来，在教室中靠近火炉的地方坐下来，听教育学的讲义。谷本教授这时以雄辩天下第一自任，自称其教育学的讲义本身就是其教授法的体现。内藤教授即为观摩而来。讲台上的谷本教授越来越得意，声音也更大，就这样讲授了示教授法之范的教育学。讲义期间，不时地从高高的教坛上往下看，还问道：“怎么样？谷本的讲义不错吧?”而内藤教授，一边将手伸向火炉，一边童颜绽放，满面笑容地仰视着讲台。[③]

谷本教授的讲授固然精彩，而谷本教授课上内藤教授的单纯的笑容，对于学生而言，岂不是一种更好的启示心智、愉悦心性、丰富心灵的滋养？一种饱满的人性光辉，绽放在内藤的脸中，映照在学生的心里。

正如丹羽正义所言：“对于浅学不才的我而言，与其说先生是稀有的

---

① 西田直二郎(1886—1964)，文化史学家。1910年毕业于京都帝国大学文科大学国史学科，1919年任该校副教授，1924—1946年任教授。主要著作有《日本文化史序说》(1932年)、《京都史迹之研究》(1961年)、《日本文化史论考》(1963年)等。

② 谷本富(1867—1946)，日本近代的教育家。时任京都帝国大学教育学教授法讲座教授。明治20年代介绍德国的赫尔巴特(Johann Friedrich Herbart，1776—1841)学派的教育学，著有《科学的教育学讲义》《实用教育学及教授法》。后来主张新教育，即强调个别教育，且重视道德教育、宗教教育。到1913年因京都大学的“泽柳事件”辞职，在京大任教九年间，其主要研究成果结集为《大学讲义全集》出版。参见京都大学文学部：《京都大学文学部五十年史》，1956年，第268—269页。

③ 西田直二郎：《史学科創設のころの歴史学を思う》，京都大学文学部：《京都大学文学部五十年史》，1956年，第462—463页。

海内硕学，不如说先生就是作为人的先生。他交给我读书的方法、思考问题的方法，教给我所谓人生和世界。（中略）关于司马迁、杜佑、章学诚，多次听先生谈到。其人之亡，同时也成绝学。这些人的学问与先生的学问一脉相传。其点点滴滴不时地通过口传恍惚记住了。正是这一滴半滴，对我而言乃生命之粮。”①其学问与人性、人格，作为一个大学教授，他在哺育后学上的确师德可嘉。

在教室里，内藤的风采如何呢？可以说是非常严谨而循循善诱，朴实无华而富于启发。松浦嘉三郎这样回忆：

> 在教室里，先生实际上是一个很特别的存在。恐怕听讲的人谁都会有深刻的印象。一般是穿着带有家徽的和服，平时的和颜悦色，到教室里变得十分谨严。上课跑题，或情绪激昂之类，一概没有。也不是那种读教案式的照本宣科，而是与平时谈话的调子无异。学生时代聆听过古代史，后来又听了特别讲义的史学史。先生将包袱皮中的一抱参考书一一打开并排放在桌子上，以极为缓慢的语调，很有顺序地给我们讲解，不知道时间是怎么过的，经常是一点钟才吃午饭。……讲到得意之处，会从椅子上站起身来，脱离参考书，静静地面向一旁，进行构想，同时极为有序且平易地给我们讲述从其巨大的头脑中流出的如同山泉一样滚滚不尽的思绪。②

武内义雄亦曰：

> 先生的讲义不是章节分明的照本宣科，总是带着许多书到讲台上，一边翻着这些书籍，一边一点一点地讲解。虽是很质朴的讲义，但充分显露了该博的学问与深渊的见识。认为是非常致密的考证吧，又有透彻的概观；不时地还会暗示：这在学界尚未有充分的研究，如果以如此手段加以研究必定可以得出有意思的结果。授业门

---

①《追悼录》，丹羽正义，第 40 页。

②《追悼录》，松浦嘉三郎，第 46—47 页。

生的研究出自这种暗示的,我认为不少。①

当然作为教师,课下与学生的交流也是其生活中的重要一环,这方面已经在前面论及,不再重复了。

(三)《内藤湖南先生追悼录》对理解内藤湖南的意义

在《追悼录》中就已经有人提出:"后来的研究内藤湖南的人,还需要从其既刊的著作论文之外去寻求先生之伟大。"②所谓"既刊的著作论文之外",不仅包括内藤湖南的生平与学术背景,也包括他广泛的交友与社会、学术活动,还有当时的时代氛围以及他的个性等等。《追悼录》为我们进一步理解内藤湖南提供了"其既刊的著作论文之外"的丰富、鲜活的感性材料,具有重要的史料价值。当然,像所有的史料都需要甄别辨析一样,这些感性材料,也不例外。

作为大学教授、作为"人师"的内藤湖南的典范意义,在《追悼录》中得到了充分的彰显,即便在今天,也同样值得我们学习。"《支那论》《新支那论》这些与教室里的先生几乎无缘的著述",既是内藤湖南"代中国人为中国思考",也是他代日本官方为日本的将来思考的结晶,都是作为"国师"的内藤湖南的经世意识的表现。经过一个世纪的历史变迁,其时代意义也逐渐明显。内藤湖南曾对武内义雄说:要"把思想看成发展的东西。在思考文献不足胜的古代文化时,一定要对思想的发展找出一个规范。加上的法则即是其规范。"并强调:"做考证学,也需要读朱子的语类。朱子虽尚未能进行充分的考证,在应对古书时,尚未读古书,已经具备了力彻纸背的眼光。考证家如果能够很好地利用这一点的话,确乎可以凌驾前人。"③作为一个历史学家,在学问的方法和实践中,既重视史料、考证的重要性,同时也能够注意到其局限性,以力透纸背的眼光发现

①《追悼录》,武内义雄,第 73—74 页。
②《追悼录》,松浦嘉三郎,第 52 页。
③《追悼录》,武内义雄,第 77 页。

“在考证之上，比考证更高的东西”，即力图找出历史发展的“规范”，这不仅是“内藤史学”的宝贵精神遗产，也是具有普遍借鉴意义的学问之道。

当时还是燕京大学历史系本科生的周一良，在读了刊有此《追悼录》的 1934 年 7 月号《支那学》之后，随即写了一篇《日本内藤湖南先生在中国史学上之贡献——〈研几小录〉及〈读史丛录〉提要》，该文刊登在两个月后，即 9 月份出版的燕京大学历史学会编《史学年报》第 2 卷第 1 号上。十年前王国维在给内藤湖南的信中说：“先生大著多以贵邦文字书之，若能将重要者译成汉文，都为一集，尤所盼祷也。”①周一良的文章是比较全面地向中国学界评介内藤湖南中国史研究成果之开始。他将《研几小录》与《读史丛录》中的相关文章分为“中国古代史”“清初史地”“其他时代”“史料之介绍”四个方面，择其要者加以评介，并将《追悼录》中所载《内藤湖南先生著述目录》“附于篇末，以供稽考探索”。② 该文将内藤湖南的时事之论与史学研究分开，指出“其初期著述偏重于论列中国时事，富有宣传性质。如《清朝衰亡论》《支那论》《新支那论》诸书，固不无针砭得当处；然究其用意，则在导谕日本人士以常识，作来华之基础，迴不足与言学术。”而对其中国史学的学术研究中，他认为内藤湖南“最致力于中国上古史及清初史地”，在上古史方面，“虽罕积极之结论，然所持治古史之态度方法至为周密合理，与我国近年学风颇有不谋而合者。”③而“考其所以致意清初史地之由来，仍不外日人经营我东三省政策之一面”，周一良联系内藤服膺杜佑（735—812，字君卿）并为天皇进讲过《通典》章节，接着对内藤湖南的这种“用意”，不无揶揄而又意味深长地感叹：“探讨我东北史地，不遗余力者，斯又君卿述作之征诸人事，施于有政，以经

① 王国维：《致内藤虎次郎 一九二四年一月三十日》，谢维扬、房鑫亮主编：《王国维全集》第十五卷，浙江教育出版社，2010 年，第 88 页。

② 周一良：《日本内藤湖南先生在中国史学上之贡献——〈研几小录〉及〈读史丛录〉提要》（燕京大学历史学会编《史学年报》第 2 卷第 1 号，1934 年 9 月），《周一良集》第 4 卷，辽宁教育出版社，1998 年，第 470 页。

③ 同上，《周一良集》第 4 卷，第 476 页。又说：“诸篇结论，自今观之，容有待商榷者，然先生治学之途径与态度，这永足为吾人楷模也。”同上，第 470 页。

邦致用为根柢之意欤。”[①]周一良在评介内藤史学时所表现出的这种大气与包容，当然源于其学养与自信，而这种学养与自信的养成，除了其家学渊源之外，也得益于他身边邓之诚、洪业、顾颉刚、钱穆这些名师和“风义平生师友间”的谭其骧等学风的熏陶。

内藤湖南去世已经八十年了，随着国内对内藤著作翻译和研究的不断推进，有鉴于眼下世风学风，为了避免对内藤其人其学理解的片面化，重读此《追悼录》和周一良先生当时的评介，不胜感慨系之。

（原载于南开大学世界近现代史研究中心编：《世界近现代史研究》第 11 辑，社会科学文献出版社，2014 年。）

四　内藤湖南与“湘学”

中国学界对内藤湖南的研究在 20 世纪还只是局限于个别学者的“断片心得”，[②]进入 21 世纪以来，以钱婉约所著《内藤湖南研究》（中华书局，2004 年）的出版为标志，[③]此后，内藤湖南的主要著作陆续被翻译为中文出版，[④]各种研究论文也逐渐增多，而且日本学界的最新研究成果也很快被翻译介绍到中国。[⑤]

---

① 《周一良集》第 4 卷，第 468 页。

② 严绍璗为钱婉约《内藤湖南研究》所写的序言。

③ 严绍璗为钱婉约《内藤湖南研究》所写的序言中对该书的意义给予了充分的肯定，说：“在日本‘中国学’领域中，本书是首次由一个中国学者全面审视一个具有相当权威意义的日本学者的学术，并几乎在相等的学术层面上表述中国研究者对这一份文化遗产的既言之有物又言之公允的学术判断。”

④ 如《中国绘画史》（栾殿武译，中华书局 2005 年出版）、《燕山楚水》（吴卫峰译，中华书局 2007 年出版）、《中国史学史》（马彪译，上海古籍出版社 2008 年出版）、《日本历史与日本文化》（刘克申译，商务印书馆 2012 年出版）。还有印晓峰点校的《内藤湖南汉诗文集》（广西师范大学出版社，2009 年）。

⑤ 如西安的三秦出版社在 2005 年出版了马彪、胡宝华、张学锋、李济沧翻译的《内藤湖南的世界》（内藤湖南研究会编著：《内藤湖南の世界》，河合文化教育研究所，2001 年）。

近年来中国学界对内藤湖南的研究，有两种明显的倾向值得注意。其一，随着中日学术交流的发展，一些学者在日本留学并学成回国，其学术思想与研究方法都深受日本学界的影响，对研究对象和日本学界的观点表现出极力推崇和全面认同。在内藤湖南研究上，《内藤湖南的世界》中译本就是一个典型的代表。该书作者都是"对内藤先生的学问怀有深厚的敬意"的"内藤湖南研究会"成员，而该书的翻译者，如谷川道雄在该书的《中文版序》中所言，"都是内藤湖南始创之京都学派影响下的研究者"。翻译者之一的胡宝华撰文介绍该书，特别对战后日本学界批判内藤湖南"支那论"以及该书中的谷川道雄对这些批判的反批判即《关于战后的内藤湖南批判》一文作了详细介绍，在特别指出谷川认为战后对内藤湖南的批评多"是一种偏颇的皮相之谈"，指出"谷川认为把内藤看作是日本侵略中国的代言人是不恰当的"这些观点之后，强调该书的出版是"'叫真儿'的学术环境下的必然产物"、"内藤史学的方法论对于 21 世纪的史学研究仍然具有积极的作用"等。[①] 而谷川道雄特意为该书的中译本写有《中文版序》，强调内藤湖南中国史论的独创性源于其对中国文化的高度评价，指出因为"出于这种立场，他的建议有时也会成为对中国的某种忠告，按今天的眼光来看甚至被认为是一种对中国不利的言论。"[②]极力为内藤湖南当时的"不利的言论"进行"辩护"。

与此相对应，另一种倾向是将内藤湖南的中国观作为日本法西斯主义侵华"罪恶的思想种子"进行严厉的批判，杨栋梁的《民国初期内藤湖南的"支那论"辨析》一文可以说是其代表。该文认为"民族分裂""国际管理""放弃国防"以及由"异族刺激""文化中心移动""经济开发"等论点支撑的日本对华使命论，构成了内藤湖南"支那论"的核心框架。强调不仅蔑视中国，而且从整体上低估中华民族能力和潜力、为日本等列强的殖民政策张目，是内藤"支那论"的显著特点和致命缺陷。该文的结尾写

① 胡宝华：《〈内藤湖南の世界〉简介》，载《中国社会历史评论》第 7 卷，天津古籍出版社，2006 年。

② 马彪、胡宝华、张学锋、李济沧译：《内藤湖南的世界》，三秦出版社，2005 年，第 4 页。

道:"内藤湖南本是造诣深厚的汉学家,但是当他堕落为战前日本侵华'国策'的'智囊'后,其学者应有的良知已为狭隘的民族私利所吞噬,丰富的'知识'则变成了对华扩张有理的诠释。作为战前日本的'大学者',内藤的对华认识和主张对日本政府及民众产生的'大影响'是负面的,其深刻教训值得思考。"[①]这种批判无疑击中了内藤湖南相关言论的软肋,但是如果能够理清内藤湖南的这些"负面的"言论与"内藤史学"整体的内在关联,批评也许会更有说服力。而在这方面,增渊龙夫以及陶德民的相关论述[②]对于我们今天思考这一问题,显然具有重要的参考价值。

选择《内藤湖南与"湘学"》这一题目,不仅出于本人对"近代湘学与日本"这一研究领域的关心,[③]也是考虑到作为"湘学"之本的"湖湘学"是宋明理学中的一个派别,但是随着时代的变化其内涵也有所不同,宽泛地说,可以包括湘中之学与湘人之学。它既是湖南这一地方的乡土之学,也包括出生在湖南、受到湖南乡土之学影响而成就的学问。[④] 而内藤湖南虽然是日本"京都支那学"的奠基者,同时也可以将其学问置于日本传统汉学中的折衷学派的系谱中。[⑤] 因此,我想研究内藤湖南与湘学的关系,不仅可以深化对内藤湖南的认识,包括他的交往及其对学问形成的影响;也对我们重新认识湘学具有启发意义。

(一) 内藤湖南对湘学的关心与热心求购"湘中学者"的著作

关于内藤湖南与中国文人的交往,陶德民、钱婉约等学者已经作了

① 杨栋梁:《民国初期内藤湖南的"支那论"辨析》,载《南开学报》2012 年第 1 期。后收入杨栋梁的《近代以来日本的中国观》第一卷总论,江苏人民出版社,2012 年。

② 增渊龙夫:《歴史家の同時代史的考察について》,岩波书店,1983 年。陶德民:《明治の漢学者と中国—安繹・天囚・湖南の外交論策》,日本关西大学出版部,2007 年。关于此书,钱婉约在《中国图书评论》2008 年第 4 期发表了题为《当代日本汉学研究的启示》的书评,以"反哺与反噬""钩沉与补缺""阶段与流派"等小标题对该书的主要论点和史料贡献作了分析。

③ 参见刘岳兵:《近代湘学与日本:以杨昌济为例》,收入方克立、陈代湘主编《湘学》第五辑,湘潭大学出版社,2010 年。

④ 参见方克立、陈代湘主编的《湘学史》(共两册),湖南人民出版社(湖湘文库乙编),2007 年。

⑤ 青江舜二郎:《竜の星座:内藤湖南のアジア的生涯》,朝日新闻社,1966 年,第 339、340 页。

许多调查研究。陶德民编著的《内藤湖南与清人书画——关西大学图书馆内藤文库藏品集》为研究内藤湖南与中国文人的交往，提供了许多重要的线索。其中收录了王闿运和叶德辉为内藤湖南写的诗翰和条幅，并对此作了详细的注解。其中提到：

> 内藤（湖南）在辛亥革命前后，一时对“湖南的朴学”，特别是王闿运、叶德辉的学问非常关心。对王闿运的《湘军志》，盛赞“其文之妙，可以说五百年无此手笔”（1908 年 12 月 11 日致稻叶岩吉书简，《内藤湖南全集》第 14 卷，第 457 页）。“王闿运的文集也阅览了，自选体入西汉者，兼得贾谊与司马迁之神貌。规模亦大于汪中等，确乎为清朝第一”（1909 年 6 月 2 日致稻叶岩吉书简，《内藤湖南全集》第 14 卷，第 462 页）。“最近京都流行王闿运的诗文集，其文集俨然与西汉无异”（1909 年 7 月 10 日致稻叶岩吉书简，《内藤湖南全集》第 14 卷，第 463—464 页）。因而在 1910 年通过叶德辉的门人、在长沙的松崎鹤雄，购买了王、叶两人的书籍（7 月 25 日、11 月 21 日，1911 年 7 月 27 日、8 月 1 日致松崎鹤雄书简，《内藤湖南全集》第 14 卷，第 474、480、483、484 页）。而且从水野梅晓那里得到“王闿运、王先谦等的照片”（1911 年 7 月 1 日致稻叶岩吉书简，《内藤湖南全集》第 14 卷，第 482 页）。内藤湖南与王闿运、叶德辉均未曾见过面，其交流都是通过水野梅晓、松崎鹤雄等进行的。①

详细查看当时内藤湖南给松崎鹤雄的书信，可以看到他对购读湘学者著作的热心。在 1911 年 7 月 27 日的信中，他说：“此前寄来的王氏《盐铁论校勘记》已经收到。皮鹿门的著作一共有多少还不清楚，且寄上金拾元，请全部购入。如果钱不够的话，请找新领事大河平君帮忙。王闿运的《离骚注》、叶德辉的各种刻书，也无论如何请帮我想办法买到。”②8 月 1 日的信中又说：“收到三个小包，叶氏丛书六十二册及皮鹿门著作十

---

① 陶德民编著：《内藤湖南と清人書画——関西大学図書館内藤文庫所蔵品集》，第 84—85 页。
②《内藤湖南全集》第 14 卷，第 483 页。

九册到手了，非常感谢，无以言表。皮鹿门的公羊学非常有意思，可谓此学之最新派。其残本也全部购入。……再寄上金拾元，其残部各书即：《今文尚书疏证》《汉碑徵经》《孝经郑注疏》《春秋讲义》《师伏堂骈文诗》。此外王壬秋的《离骚注》等得再麻烦您，如果钱不够的话，如前所述，请先找大河平领事帮忙。……湖南朴学之考究，最近非常感兴趣，想尽力进行彻底的研究。”①1913 年 2 月 25 日致稻叶岩吉书简中说：“自文求堂得到的《圣武记》的确是第一版，这样，一二三版（第三版有两种）总算收齐了，每一版都有不同之点，初版也不能放弃。”②到 1917 年 10 月 20 日，又在致松崎鹤雄书简中说：“曾请久原氏探检员吉村平造氏物色皮鹿门诗文集，很快即蒙惠赠，此后又惠赠叶焕彬《六书古微》。每承厚意，感激不尽。……想游览湖南，通过您的介绍而交接名流，此愿未成，非常遗憾。”③可见内藤湖南在 1910 年代对魏源、王闿运、叶德辉、皮锡瑞等湘学者的著作一直都保持着浓厚的兴趣。

这时，内藤湖南对湘学即湖南学派的总体特征也发表了自己的意见。1911 年 8 月 8 日他在广岛所作的演讲《支那学问的近况》中，对中国近三百年来学问的迅速发展表示肯定，认为当时日本的汉学要比中国相差一百年。④ 他列了一张表，将中国的学问分为以下几个学派：浙西学派（其中有吴派、皖派之别）、浙东学派、常州学派（公羊学）、颜李学派、湖南学派。湖南学派列有王夫之、曾国藩的名字，而将魏源、王闿运、皮锡瑞的名字列在常州学派中。对湖南学派，他评价说：“它虽然没有整然成为学派的形式，但是在湖南长沙，自明末至清初，有王夫之这一学者在。此人之学问虽一时失传而没有流行，但在曾国藩平定长发贼之乱、湖南的人物建成大业以来，此前就有兴隆之兆的湖南的学问，得到很大的发展。湖南人的思想中自然融入了乡贤王夫之的学风。曾国藩之后，湖南学者

---

①《内藤湖南全集》第 14 卷，第 484 页。

②《内藤湖南全集》第 14 卷，第 499 页。

③《内藤湖南全集》第 14 卷，第 516 页。

④《支那学問の近状》，《内藤湖南全集》第 6 卷，第 53 页。

中有王闿运、王先谦等非常有名的人物，他们都没有不尊重王夫之的。因而王夫之的学派有望渐渐成为一个有力的学派。”[1]

《内藤湖南全集》第 14 卷收录有他代大谷光瑞写给瞿鸿禨[2]的一封信《与善化瞿尚书 代大谷伯光瑞》，在关西大学的内藤文库中可以找到此书信的第一稿❶、第二稿❷、第三稿❸和最终稿❹四种材料。其中提到：“某（❶—❹“瑞”）闻湖南之地，山川绮（❶—❹“纷”）错，土厚民健，近年以来，曾左诸公文武全才既振于前，纫秋益吾（❶—❹“益吾”之后皆有“奂彬”）[3]数子鹰扬联驪以迄于今，而阁下亦复居之，高视超举，声疾闻远，曷恤其人之弗兴起？异日重建鸿业而集大功（❶❷为“集大功而建鸿业”），接踵咸同者，果复在湘中子弟，则（❶—❹为“安知不复在湘中子弟哉，其亦”）阁下诸人之流泽深矣。”[4]从一定意义上也可以看出内藤湖南对湘学发展的期待。

（二）内藤湖南何以关心“湘学”

内藤湖南之所以对湘学著作感兴趣而且想要进行彻底研究，如前所述，是因为湘学所具有的“朴学”特性。而“朴学”也正是内藤湖南本人早就提倡的学风。

从内藤湖南的家学渊源来看，如前所述，可以将其放在日本传统汉学的折衷学派的系谱中，这种“折衷学”被解释为“不偏于朱子、阳明或古文辞学，对汉唐注疏、宋明诸家之学加以折衷取舍，闻先哲之遗训而匡先学之未及者”。[5] 内藤湖南本人自觉将朴学作为一种学术理想且将其视

---

① 《内藤湖南全集》第 6 卷，第 63 页。

② 瞿鸿禨（1850—1918），湖南善化（今长沙）人，字子玖，号止盦。同治进士。历任侍讲学士、内阁学士、豫、浙、川、苏学政等职。1900 年八国联军之役随帝后逃往西安，颇得宠信，任工部尚书、军机大臣等，曾参与筹备预备立宪。辛亥革命之后任袁世凯议会参议院参政。著有《使豫日记》《止盦诗文集》。

③ 王闿运（1832—1916），字壬秋。王先谦（1842—1917），字益吾。叶德辉（1864—1927），字奂彬。全集本中为何删去叶德辉之名，未可知。

④ 《与善化瞿尚书 代大谷伯光瑞》，《内藤湖南全集》第 14 卷，第 256 页。

⑤ 青江舜二郎：《竜の星座：内藤湖南のアジア的生涯》，第 339 页。

为关系国家学术品位的重大问题，始于京都帝国大学创建之初。1901年他在《大阪朝日新闻》上发表《京都大学与朴学之士》，①将学者等同于“朴学之徒”，强调“所谓学者皆为朴学之徒”，以与政治家或行政官吏相区分。他首先以自己所崇尚的清朝学术为例，指出“清朝二百余年，朴学之士辈出，为历代所罕见。自昆山的顾宁人、余姚的黄梨洲，以前朝遗民自居不仕而高尚其事，至太原的阎百诗、吴县的惠定宇、婺源的江慎修、休宁的戴东原、江都的汪中以及近时番禺的陈兰甫，研经家法之守、小学训诂之学，极其空前之盛者，实为此等朴学之徒之力也。若夫至西洋诸国，近世学术之进运，须各专家之钻研，终究为世上之野心家所不能兼备。故所谓学者即朴学之徒也。”他认为在新时代，培养朴学之士是京都大学的天职。他希望京都大学的教授“保持朴学钻研之风，摆脱考证烦琐之弊，自文明之批评、社会之改造起见，如果能够发扬古来关西学者所特有的宁固勿杂、宁峻勿泛的学风，那么世人所期待的新思想，或将出自此间，亦未可知。”甚至将“京都大学学风的倾向”提高到“关系我邦学者品味的问题”的高度。

校勘学是“朴学”中一门最为基础性的学问，内藤湖南对此十分重视。他说：“日本的校勘学一般认为德川时代之后就不盛行了，自此为豪杰流行的世界，非大丈夫所为，实际上决非如此。清朝有何焯、钱曾、卢文昭、黄丕烈、秦恩复、顾广圻等以校勘而成专家。如钱大昕等大家，也是将其一生精力过半用于校勘而获得成功。日本也有三井鼎、吉田汉官、狩谷棭斋、市野迷庵、松崎谦堂等的学风，成为现代大学等汉学的渊源，其功不可没。欧洲的学问也是如此。梵文以下的语言研究，多半以上是校勘学之力。”从方法论上，他充分肯定日本国学者的贡献，也是从“朴学”校勘的意义出发。他认为“我邦国学，自贺茂真渊以来仅百余年，其研究方法，几乎与欧洲近世科学的方法同样发达，其重要原因之一不

① 《京都大学と朴学の士》(1901年8月14、15日《大阪朝日新闻》)，《内藤湖南全集》第3卷，第271—275页。

能不说归之于真渊开创古语研究，而宣长以下可谓尽力于校勘。其中百年来的国学发展，多得力于宣长伟大的智慧。”此外，他强调富永仲基的“破天荒”的思想的形成，实际上也是得益于校勘之力，是因为富永仲基“校订过了一切经，其结果才有《出定后语》这一空前的著作。”①

对为学与为官、学术与政治的关系，虽然内藤湖南一直对“清朝的朴学者，以学术为生命，不屑为官者甚多”的现象表示钦羡，以为学者“在民间而为实事求是之学问，没有浮华之想，极为质朴地研究经史”，“在民间讲学传道以维持道统，以此而为万世开太平”是一种“高尚的理想”，②同时，他也绝对不是不关心世界大势的纯书斋式的学者，尤其是对现实的中国问题一直非常关注。服部宇之吉受聘为“北京大学教头”一事，他发表评论，希望他“以永住清国的觉悟去赴任”，因为“北京大学教头之职，为几乎掌握整个清国教育之中枢者，所培养的学生为他日所用，其感化所及无限，其潜力之大，非为掌握一部分财政所可比。”因此一定要“坚忍耐久”，“有埋骨清国的觉悟，以此完成此大任。这样日本人的待遇与势力，一扫步其他外国人后尘之患，便指日可待。这是我对承担支那人心感化重任的服部氏的最大希望所在。希望其他应聘者也是如此。听说清国还希望招聘外交顾问，在外交问题上指导最为此苦恼的清国当局，可以说不仅是日本学者的天职，而且作为学者而委此重任于一身，也是非常荣誉的。”③其经世致用的激情，溢于言表。

到 1924 年，内藤湖南在《新支那论》中，明确区分“朴学”中“高级的学问”和“低级的学问”，所谓“高级的学问，就是在方法上具有哲学的规范，以严密的考证而促进学术的伟大进步，由此而阐明模糊不清的古代文化的内容。”而低级的朴学，是指服从某种权威规范，而“单纯以琐屑的

---

①《百衲语》(1901 年 10 月 23 日《大阪朝日新闻》)，《内藤湖南全集》第 4 卷，第 291 页。

②《支那国是の根本義》(1916 年 3 月《中央公论》)，《内藤湖南全集》第 4 卷，第 532 页。《支那将来の統治》(1916 年 2 月 28 日—3 月 3 日《大阪朝日新闻》)，《内藤湖南全集》第 4 卷，第 544 页。

③《北京大学教頭の応聘》(1902 年 8 月 25 日《大阪朝日新闻》)，《内藤湖南全集》第 3 卷，第 469、470 页。

考证为能事”。①

内藤湖南也是以上述朴学倾向和经世意识，来评价“湘中学者”的。

（三）内藤湖南对“湘中学者”的评价

内藤湖南对湘学的评价，主要集中在王夫之以后。在《中国史学史》中论述宋代史学时，对胡安国胡寅父子评价说：“史论中较苛酷的是胡寅的《读史管见》。他是个任何事都要从道德上予以论述的人，这一缺点受到了人们的非难。这是因为当时史论受到来自《春秋》影响的缘故。此人的父亲是胡安国，他排斥《春秋》的‘三传’，亲自根据《经》撰写了《春秋胡氏传》，朱子派学者取此《胡氏传》而不用‘三传’。这种观点亦波及到《读史管见》，这是根据《通鉴》所载事实而论史的著作。与此有着同一方针，但多少变得稳健了的著作是朱子的《通鉴纲目》。”②由此可见内藤湖南对道德史观的批判以及对胡氏父子之学与朱子学的关系的评说。下面我们介绍内藤对王夫之、魏源、曾国藩以及清末民初其他“湘中学者”的相关论述。

1. 王夫之(1619—1692)

内藤湖南认为王夫之之所以能够作为湖南学者的崇拜对象，是由于其至诚的人格和卓越的学识。其至诚的人格，内藤湖南举出在明末张献忠之乱时，王夫之拒绝张献忠的招聘而导致其父被捕，王夫之为此自残身体而请求豁免父亲，内藤认为正是这种“至诚”使其父子皆得到豁免。

王夫之的学识，内藤湖南在《中国史学史》中有专门的论述，③主要关注以下几个方面。第一，他的史论即时势论。第二，反对“正统论”的通达之论。他首先肯定“王夫之是明末清初学者中对历史特别有见解的人

① 《内藤湖南全集》第5卷，第536页。

② 内藤湖南著、马彪译：《中国史学史》，上海古籍出版社，2008年，第167页。原文见《内藤湖南全集》第11卷，第215页。

③ 《中国史学史》第十二章“清朝的史学”中的第四节为“王夫之与胡承诺”。马彪译：《中国史学史》，第240—243页。原文见《内藤湖南全集》第11卷，第306—310页。

物。在这方面有着著名而有系统的著作，即《读通鉴论》《宋论》。”内藤湖南认为王夫之之所以在史论上能有许多卓见，是由于能够贯彻实事求是的精神。在论述王夫之时，还经常将他与顾炎武、黄宗羲相提并论，认为王夫之的一些见解“因为是对明亡抱有深刻的感慨，而借过去的历史来议论当时时局的。当时的学者，如顾、黄、王诸氏都是出于对时局的深刻感慨而著书立说的，可以说他们的史论即时势论。”又提到“王夫之还另著有《黄书》《噩梦》，都是与黄宗羲《明夷待访录》一样，论述经世之策的，因而很有些特别的见识。黄宗羲论明之亡于君主权力过于强大，王夫之也从土地、人民乃国家之根本的角度，阐述了与黄宗羲主旨相同的意见。这应该是当时学者共同的意见。”关于“正统论”，内藤湖南指出王夫之的不论正统、认为正统论之争是无谓的争论，也是出于明朝亡于夷狄的感慨所致。“不论正统，是因为他认为正统至宋代已经断绝了，在这里言宋朝实际是在说明朝。由于公开地讲明朝会触怒清廷，所以仅仅说到宋朝。言正统至宋中绝，意即明亡于夷狄之清朝乃中国正统之中绝。”此外，他还在《中国史学史》第九章“宋代史学的进展”中专论“正统论”的一节中，以王夫之的思想来作为总结，对王夫之将正统论视为亡国之臣在情义上的所谓不屈守节而人为制作的“私事”，不是天下的公论，内藤湖南赞扬说：“作为中国学者这是很罕见的通达之论，可惜在中国人中并不太通行。像正统论那样的观点虽说有嫌多余，但是在中国人即便今日仍然为其所束缚，这是了解中国人思想时最应当引起注意的。”①

2. 魏源（1794—1857）

内藤湖南在其《中国史学史》中“清朝的史学”所设“西北地理之学（一）”这一节目中，对作为历史学家的魏源的学术思想作比较综合性的论述。他评价说：“此人非常具有研究的兴趣，他的史学并未局限于单纯的事实考证，而能够注意世间大势的变化推移，他是抱着对国家兴衰的

① 马彪译：《中国史学史》，第177页。原文见《内藤湖南全集》第11卷，第227页。

兴趣而撰写地理著作，以及历史著作的。”他认为魏源的《海国图志》“不仅是地理书，一方面是他对世界所作出思考的经世之策，一方面又是具有丰富研究兴趣的历史书籍。”而对“可以称为清代现代史的《圣武记》”，也是“魏源认识到从乾隆的全盛时期至嘉庆道光之间清朝在逐渐转向衰运，注意到兵制、财政的逐渐恶化，对此抱以极大的历史研究兴趣予以撰述而成的。虽然有些地方在事实考证上有嫌粗略，这一点上不如祁韵士的《皇朝藩部要略》精确。但是《皇朝藩部要略》并不是能够唤起任何兴趣的读物，而《圣武记》则是足以唤起读者一种莫大的历史兴趣的著作。”在考证方面的粗疏虽然影响了魏源著作的学术质量，但是他“代表了当时一种旨在别开生面进行独具一格研究的倾向。”魏源在经学上作为公羊学家，“他的著作特别以总括性史论见长，像《圣武记》的“余记”那样，鲜明地写出了清朝盛衰的变迁。收入他文集中的有关明代的议论中进行总括性论述的部分是很精彩的，将明代与清代相互比较也是相当的卓见。”他强调魏源“不仅是学者，同时也是经世家”。内藤湖南看到，在道光末年，中国南方的公羊学兴盛，考证学风衰退，“西北地理之学亦藉此机会发展，不再满足于历史地理的考证，开始注目世界大势，意在研究前人尚未着手的学问领域。学问虽变得粗杂，风气确实可观。”①对魏源的关注世界大势、宏观把握历史发展脉络、在学问上敢于开风气之先的气度，内藤湖南给予了很高的评价。

内藤湖南对魏源的关注还不止这些。他在 1911 年 12 月 30 日对即将出版的演讲稿作了如下一段补记：“龚定庵的友人中有一位叫魏源、字默深的人，是《圣武记》的作者，有名的历史学家。此人与定庵有深交，是最得力的公羊学家。但是他晚年皈依了佛教。金陵刻经处有杨文会版的《净土四经》，即将净土的三部经与华严的《普贤行愿品》一起校刻而成。此校录者就是魏源，写有自称菩萨戒弟子魏承贯的序文(此序文未

① 马彪译：《中国史学史》，第 320—322 页。原文见《内藤湖南全集》第 11 卷，第 408—410 页。

收入魏源的集子)。”[①]由此看出中国当时学界比较常见的公羊学家与佛教的关系,魏源的影响是一个重要的因素。内藤湖南觉得“公羊学派在极端尊重孔子的同时,其信仰却渐渐离开了孔子”这种现象“不可思议”。[②] 魏源这样一位经世家到晚年“避世逃禅”,皈依佛教,一般解释为是出于对现实的不满和绝望而寻求精神上的自我麻醉。[③] 但魏源在《净土四经总叙》中申言:“夫王道经世,佛道出世,滞迹者见为异,圆机者见为同。”“西方圣人之教”可“得东方圣人而表彰”。[④] 可见,儒佛会通之理,自有“圆机者”可以了悟。

3. 曾国藩(1811—1872)

内藤湖南对曾国藩的评价,可以从以下几个方面看。首先,如增渊龙夫所言,清朝士大夫的学问,是内藤湖南学问形成的重要基础。[⑤] 在思想感情和道义上,对以曾国藩为代表的晚清士大夫自然会有一种认同感。这在内藤湖南游历中国时发表的言论表现得十分明显。1917 年,他与稻叶岩吉、高桥本吉两人游历中国。11 月 23 日见湖北督军王占元,谈及武昌黄鹤楼附近的曾文正公和胡文忠公合祀的祠堂被毁的遗迹,就此质问,王占元回答说,革命党的年轻一辈认为曾胡诸公为了辅佐清朝而讨伐长发贼,延缓了中国革命的进程,对其怀恨而将其祠堂破坏了。内藤湖南说:“不管是帮助了哪一方,对于救济了当时这块土地和人民而有功之人,这么轻易地就忘记其恩情,支那人的道德心真是不可靠。”[⑥]几天之后,28 日到长沙,见到曾国藩祠堂变成了湖南烈士之祠堂,感叹“湖南人忘记了 50 年前救乡土于水火的曾文正的鸿业,进而痛恨他,而变成崇拜黄兴、蔡锷,真是令人意外吃惊。”[⑦]

---

①《清朝衰亡论》,《内藤湖南全集》第 5 卷,第 245 页。

②《清朝衰亡论》,第 244 页。

③ 李瑚:《魏源研究》,北京:朝华出版社,2002 年,第 82、218 页。

④《魏源全集》第二十册,岳麓书社,2004 年,第 315 页。

⑤ 增渊龙夫:《歴史家の同時代史的考察について》,岩波书店,1983 年,第 162 页。

⑥《内藤湖南全集》第 6 卷,第 464 页。

⑦《内藤湖南全集》第 6 卷,第 466 页。

作为政治家的曾国藩,也被内藤湖南誉为"天才式的人物",认为中国的政治改革可以从曾国藩的思想中找到出路。他认为曾国藩的思想中有一种平等主义、民主主义思想的因素。在有名的《支那论》中,内藤湖南探讨了曾国藩幕僚的日常生活,指出曾国藩"与军中的幕友过着同等的生活。这是军队间平等主义发挥效力的证据。当时与曾国藩齐名的,有湖北巡抚胡林翼,就其度量而言,比曾国藩更胜一筹,总是舍己敬人,不居功,只受过,协助曾国藩完成了平定长发贼的大业。从一个方面而言,平定长发贼的大业,不是依靠官宪之力,可以说是民主思想、平等主义的发展所致。中国人的这种思想,我认为可以成为立宪政治的一大要素。"①内藤湖南进而分析这种"民主思想、平等主义"的实质,说湘军中有"曾国藩、胡林翼这样的名人,他们虽说使用自己的部下,但不是像日本陆军那样,以上级和下级的将校关系来使用,而是以师友关系相激励。因此,虽然不像以上官的命令那样行事机敏,最终因恩义感化而奋战,平定了长发贼大乱。"②内藤湖南 1924 年在《新支那论》中,对此进一步阐发,强调处理好乡团组织和家族师生关系,可以以此进行创造性的政治活动。他说:"即便像中国这样兵备颓废的国家,以乡团组织为基础也可以组织出真正有力的军队;即便像中国这样浸透官场臭味的国家,如果以乡团或家族师生关系来构建,也可以施行创造性的政治。曾国藩在中国发现了这两个事实,我认为这在中国将来的社会组织方面可以给予很大的教训。"并期待着中国再"出现曾国藩那样的天才,不模仿外国的政治,创造出本国必要的、最适合于本国的新政治。"且相信在当时"内政外交方面,如果具有曾国藩、李鸿章式的精神的人物出现的话,中国的政治可以从此得到改善。"③也许正因为如此,内藤湖南将《曾文正公大事记四卷》(王定安 刊本)、《求阙斋弟子记三十二卷》(王定安 刊本)、《曾文正公手书日记》(曾国藩 石印本)等曾国藩的相关著作列在了《书目问答(史

① 《支那论》,《内藤湖南全集》第 5 卷,第 428—429 页。

② 《清朝衰亡论》,《内藤湖南全集》第 5 卷,第 211 页。

③ 《新支那论》,《内藤湖南全集》第 5 卷,第 517—518、519、520 页。

部)补正》中。[①]

内藤湖南对作为政治家、文章家的曾国藩多有肯定,如果说对他还有什么不满足,那么就是曾国藩的宋学风格,[②]而不重视校勘学。内藤湖南说:"大体而言,在太平军之乱以后即便是江南地方,学问也多少呈现后退的倾向。此时像建有军功的曾国藩虽有志恢复学问,但因为本是湖南出身的一介乡下汉,而且又是持宋学学风的人物,所以不曾考虑校勘学这种学问中最为奢侈又需要注重细微之处的学问,而只是致力于一般性读物的出版,所以同治、光绪年间在南方的官书局,出版的多是些普通书籍。"[③]

4. 其他湘中学者

上文介绍内藤湖南求购湘中学者的著作时已经谈到王闿运、王先谦、叶德辉、皮锡瑞等人。以下作一些简单的补充。

对王闿运的文章和诗歌,他都极尽赞美之能事。在1915年讲述《清朝史通论》时,内藤湖南谈到:"现在还活着的王闿运,此人今年八十几岁,在湖南,乃文章的天才,是天生就会写文章的人。融合骈体文和散文,写出了不胶着于任何一方的文章。""王闿运在诗歌方面,也是从选体中出来的天才。"[④]历史方面,他对王闿运的《湘军志》,无论是就其史实的准确程度还是文章的写作都给予了充分的肯定。[⑤]

对王先谦,则颇有些微词。如其《汉书补注》,内藤湖南认为"仅仅限于对他人研究成果的利用";对其《合校水经注》,内藤湖南评价说,该书"汇集当时可见到的所有版本进行了合校。虽说对书的取舍和对书的认

---

① 《内藤湖南全集》第12卷,第535、538页。

② 1915年内藤湖南在《清朝史通论》中论述道光年间湖南人唐鉴和蒙古旗人倭仁在北方复兴宋学,说"来自湖南的曾国藩闻之欣然。这一派认为汉学家只是像看显微镜似的研究琐细之事,而不研究学问之大义。研究学问大义,就必须根据宋学,即程朱的学问。受其影响的人,即曾国藩、罗泽南等,虽然他们也进行了研究,但适逢咸丰年间长发贼之乱兴起,曾国藩、罗泽南等与其说将宋学应用在学问上,不如说应用在人格上,作为学问并未兴盛起来。"见《内藤湖南全集》第8卷,372—373页。

③ 马彪译:《中国史学史》,第342页。原文见《内藤湖南全集》第11卷,第434页。

④ 《内藤湖南全集》第8卷,403、410页。

⑤ 马彪译:《中国史学史》,第346页。《内藤湖南全集》第11卷,第439页。

真校对都是其长处，但是没有自己的研究。”还有《东华录》，继蒋良骐的《东华录》之后，王先谦“撰著此书以后的部分，对蒋本的内容亦有所增补，比前者更为详细了，成为可以替代《实录》的著作。不过，作为代价它失去了别史所具有的趣味性。”①等等。

皮锡瑞，则被内藤湖南尊为“《尚书》研究的大师”。在《尚书》研究领域，内藤湖南在1914年撰文《关于尧典的歌永言声依永二句》，“皮王二家”并称，说：“近日皮锡瑞的《今文尚书考证》、王先谦的《尚书孔传参正》，实际上是以对《尚书》的真古文说、今文说的比较研究为主。（中略）皮王二家的著述，对此等今古文及今文异派之说法，作了颇为详密的剖析。但值得注意的是，近来的今文学派，即公羊学派，自其祖庄存与开始，已经形成了一种不排斥伪古文的倾向，如最近尚书研究的大师皮锡瑞，也在承认阐明伪孔经传为伪的同时，（中略）认为如果古文今文兼通，可以证明伪孔传中含有今文说最旧派的欧阳尚书的主张。”②

叶德辉，如上所述，在内藤湖南代大谷光瑞写给瞿鸿禨的信中，为何“内藤湖南文库”中所存四份资料中皆有叶德辉之名“奂彬”二字，而独全集所收该件将此二字删去了，此事尚待考证。还有，如上所述，他1917年10月20日致松崎鹤雄书简中还表示“想游览湖南，通过您的介绍而交接名流，此愿未成，非常遗憾。”而紧接着11月，他就到湖南游历，那时王闿运、王先谦都已经去世，只有叶德辉还健在。此次游历虽然留有访问岳麓书院的记载，却没有看到他与叶德辉有直接交流的资料。

简单的结语

周一良在内藤湖南去世后不久即撰文介绍其学术成就，论述其在中国史学上的贡献，指出内藤湖南“于中国史学家最服膺唐之杜君卿及清

① 马彪译：《中国史学史》，第276、290、344页。《内藤湖南全集》第11卷，第353、372、437页。

②《堯典の歌永言声依永二句に就きて》（1914年9月《芸文》），《内藤湖南全集》第7卷，第463页。

之钱竹汀、章实斋。窃谓先生趣味之博大，成就之精深似竹汀；其注意于修史方法及中国史学史乃承受实斋衣钵；而探讨我东北史地，不遗余力者，斯又君卿述作之征诸人事，施于有政，以经邦致用为根柢之意欤。"①这在一定意义上揭示了"内藤史学"的思想脉络与特征。内藤湖南对湘中学者著作的热心购读不用说是其好学精神的体现，也从一个侧面可以看出同时代中国优秀学者的成果对其学问基础形成的影响。他对湘中学者的评价也折射出他本人学问特征的一些方面，比如，他评价魏源"不仅是学者，同时也是经世家"，可以说也是他本人的写照。而他对曾国藩民主思想的发掘，既表现了他对中国历史的一种理解，也是他对中国未来发展的一种寄托。而他对有些学者的直言不讳的批评，对于我们重新认识湘学的得失，无疑也具有重要的借鉴意义。至于像魏源、皮锡瑞等人的经学与古史研究，或者晚清公羊学对内藤湖南学术思想的具体影响如何，则是今后需要进一步探讨的课题。

（原载于阎纯德主编：《汉学研究》第十五集，学苑出版社，2013 年）

附论　日本近代汉学的几个特点

一、从学术上而言，对清代学术非常重视。

这与帝国大学教授岛田篁村的学术倾向（以汉学和乾嘉考据学折中

① 周一良：《日本内藤湖南先生在中国史学上之贡献——〈研几小录〉及〈读史丛录〉提要》（燕京大学历史学会编：《史学年报》第 2 卷第 1 号，1934 年 9 月），《周一良集》第 4 卷，辽宁教育出版社，1998 年，第 468 页。杜佑（735—812），字君卿，所著《通典》开创史书中"政书"体裁。内藤湖南于 1931 年 1 月 26 日给天皇进讲《通典》中的一节。（《研几小录》中收录有《昭和六年一月廿六日御讲书始汉书进讲案》，见《内藤湖南全集》第 7 卷。）钱大昕（1728—1804），号竹汀，博览群书，学识宏富，尤长于史。内藤湖南曾说："钱大昕以来，中国史向东方史发展的基础研究，尚未出现能将其继承并予以扩大发展的学者。"（马彪译：《中国史学史》，第 327 页。《内藤湖南全集》第 11 卷，第 416 页。）章学诚（1738—1801），字实斋，代表作有《文史通义》。内藤湖南撰有《章实斋先生年谱》，并在所撰《章学诚之史学》一文中赞扬其"学风在今天也仍然是有生命力的。"（马彪译：《中国史学史》，第 379 页。《内藤湖南全集》第 11 卷，第 483 页。）

百家)有关,也与日本的现实关心有关。如服部宇之吉、狩野直喜、内藤湖南等都非常重视研究清朝的历史、法律、政治或文学。

清代的考据学,有实事求是之风,与西方近代的科学精神有相通之处。而且明治时代之后的许多著名的汉学家,都有留学中国和留学西方两方面的经历。

服部宇之吉非常重视对礼学的研究,《仪礼郑注补正》虽然因为其晚年的眼疾没有完成,但是可以看出他的学术志向。狩野直喜则干脆对自己的学生讲自己的学问就是考据学。他的经学研究、文学研究、制度法律研究,都是以实事求是的考据学为基础的。内藤湖南强调"朴学",强调一种汇通古今的"高级的朴学",实际上是以考据学为基础的传统"宋学"与"汉学"的融合,这也是狩野直喜、内藤湖南开创的"京都支那学"的特色。

科学的精神,实际上就是敢于打破禁忌、敢于怀疑的精神。这也是一些日本近代汉学家的一种值得学习的品质。比如日本史学会的首任会长、有"抹煞博士"之称的重野安绎(1827—1910),就是以清代考据学作为历史学的方法论,敢于怀疑甚至否定作为常识的历史人物的事迹;后来,1891 年历史学家久米邦武(1839—1931)在《史学杂志》上发表《神道乃祭天的古俗》,1892 年转载到田口卯吉主办的杂志《史海》,敢于将"神道"这 种"国家信仰"作为研究的对象,指出它不是宗教,引起了神道家的不满,酿成所谓"久米邦武笔祸事件",虽然久米邦武和受此影响的重野安绎都辞去了东京帝国大学教授的职务,但是他们的主张并未因此改变。

白鸟库吉的"尧舜禹抹煞论"的背后或者有他对中国文化的态度问题,但是这种批判精神、怀疑精神,在今天仍然是有意义的。

二、日本近代汉学首先是日本近代学术史、思想史的一部分,与近代日本社会历史的发展是紧密相关、不可分割的。

美国汉学、德国汉学、法国汉学等其他国家的汉学情况如何我不是很了解,是不是也可以这么说。我想,如果我们只是将世界各国的汉学看成是中国学问的一种"域外形态"甚至是中国学问的"海外延伸"，以他们对中国学问理解的"正确与否"来作为评价标准的话，我们看到的可能还只是其表象。要真正理解海外汉学，还需要我们切切实实地钻到日本、美国、德国、法国等各国的学术传统、文化传统和社会历史中去，弄清他们是如果接受、理解、传播或利用中国学问的。而且比如在日本近代汉学中还有不同的学派、有成就的汉学家、中国学家都有自己的志趣和风格，这都是需要我们深入研究的。

日本近代汉学，众所周知有"京都支那学"和东京学派，东京学派中有以历史为中心的东洋史学派，以教化为中心的"孔子教"宣扬派。白鸟库吉和服部宇之吉可以说是其各自学派的重要代表。他们都是 1890 年毕业于东京大学文科大学（相当于人文学院），一个是史学科，一个是哲学科。"京都支那学"中狩野直喜、内藤湖南的学风也各有特点。

鉴于以上两点，我们研究日本近代汉学，既要加强学理的研究，也要注意它与日本近代社会历史的关系。一些日本学者只注重前者而不愿意多提后者，而一些中国学者特别注意后者而对前者研究不够，都不能说是健全的历史的态度。在近代日本社会，学术自由与政治的关系，1892 年"久米邦武笔祸事件"是一个标志性的事件，这种关系并没有因此事件解决，而是随着时代的变化，越来越复杂，政治的干预越来越强烈、意识形态的色彩越来越浓厚。处在不断膨胀的近代日本社会中，每一个学者都不得不面临这个问题。

服部宇之吉可以说是一个典型。而他对孔子"天命观"的理解和发挥又可以说是体现学术上的"具体问题"与政治上的"主义"之间关系的一个标本。

> 他认为孔子的根本思想在于"知天命"，孔子之教在今天仍然具有生命力，其根本也在以"知天命"作为其活动的根本这一点上。具体而言，知天命之所以重要，因为它是贯通儒家内圣与外王，修己与治人之间的中介和桥梁。他认为在《大学》中从修身到平天下之间

未发现任何自信或动机之类的东西，不过罗列修身等八条目，轻描淡写地将修身作为治国平天下的前提或预备条件，从这一点上看他认为《大学》并未原原本本地表述孔子之意。因为孔子在修己与治人之间增加了一个非常重要的项目，即孔子在修身这一阶段，其心中已经自觉到仁之实现的极致，并由此获得一种伟大的自信，伟大的自觉由此一转而朝着使道明于天下使人皆尽其性的方向。这种大自觉就是孔子所谓"知天命"三个字。孔子的知天命是在完善修己之事中获得的一种信念，这种信念是自觉的明道以救生民的使命。（刘岳兵：《日本近代儒学研究》，第206—207页。）

他分析孔子的天命论，认为有两个层次，即第一义的天命与第二义的天命。"五十而知天命"、"天生德于予"、"天之未丧斯文也"，都表示的是一种自觉与自信，是第一义的天命观的表现。在论生死夭寿、富贵贫贱的时候，或者论不怨天不尤人、道之不行、安之若命时，是随顺的、豁达的，是第二义的天命。第一义的天命是从人进步发展努力的人自身的根源处生发出来的，第二义的天命是说面对尽人事时的遇与不遇，强调不求外在而尽己性。告诫当时的青年要在第一义的天命的自信自觉和第二义的安命之处下功夫。到这里应该说是很有见地的，即便在今天也很有启发意义。

但是问题在于，他的解释不止于此。他由此而引申出自己对日本帝国所肩负的一种特殊的天命的自信。他认为日本帝国的天命就是要让由东西文明融会而形成的一种日本的新文明以风靡东洋、风靡世界，使世界人类均沐浴日本新文明的"恩泽"。他认为这决非空言，因为日本的新文明不仅在朝鲜，而且在中国已经显示了伟大的效力，收到了伟大的结果，确信由这种新文明的力量将东洋的天地打成一片将指日可待。服部主张的这种新文明当然是以日本固有的文化为根本精神，以之同化融会中国和西洋的思想文化，而排除那些与日本国体不相容的渣滓。孔子之教于是成了醇化皇道、维护国体的教化工具。孔子一以贯之的仁在他看来与教育勅语的精神是一致的。从民族文化的弘扬到为军国主义辩护直至鼓吹军事扩张，文化从目的兑变为手段，孔子教的意义也随之发生了变化。

服部宇之吉在世时就被称为“现代的孔夫子”，他本人也以孔子之徒自认，他担任当时具有政治色彩的弘道会副会长、(1918 年成立的)斯文会教化部长(1921 年任该会“总务”)，这些社会团体，就是要借儒学以阐明日本国体的精华、皇祖皇宗的遗训。这些工作，应该说也是当时日本国家发展所急需的，有意无意地跟着走了，走偏了，自己也不觉得。这样的经验教训也是我们值得吸取的。

三、近代日本汉学还有一个特点值得注意，那就是离不开近代中日文化交流史。

无论是东京还是京都学派，其发展都与当时中日学术交流史有关。京都方面罗振玉、王国维的交流已经研究得很多了，东京方面，盐谷温向叶德辉学习可以说是一个典型。1909 年－1912 年盐谷温来长沙，求学(元曲)于叶德辉。盐谷自言“余以短才而得通南北曲，实为先师教导所致。”叶德辉也评价他说:“君之笃嗜经典过于及门诸人，知其成就之早，必出及门诸人之右。”1919 年日本雄辩会(现在讲谈社的前身)出版其《支那文学概论讲话》，首次将戏曲、小说纳入中国文学史研究中。1983 年讲谈社学术文库以《中国文学概论》重新出版。作者在该书的序言(1918 年)中明确地记述自己“从焕彬叶先生而叩元曲之底蕴”的事实。但是在 1937 年 9 月 24 日，盐谷温写了一首《皇军保定入城之日》的诗，曰:“谁能螳斧抗神兵，赫赫皇威振两京。奋武修文宣德化，复兴孔教致升平。”近代日本汉学的多面性及其与近代日本“社会发展急需”之间的关系，可见一斑。

(本文为 2013 年 11 月 28 日接受中央电视台系列电视纪录片《纽带》节目组采访准备的材料。)

第三章　日本近代思想中的中国因素

一　近代日本的立宪思想与中国——以加藤弘之的《邻草》为例

加藤弘之(1836—1916)于 1861 年 12 月完成的《邻草》,是日本"解说立宪政体的最初的著作",被誉为日本"立宪思想发展史上值得永久纪念的文献"。其书名的由来,如加藤弘之所言,因为那时不能明目张胆地主张日本要采取西洋的立宪政体,而当时中国的危机迫在眉睫,就只好取替邻居担忧的意思而起名为"邻草"。① 该书的确对如何认识中国以及中国应该向何处去等问题进行了意味深长的论述。《邻草》这部日本近代主张立宪政体的发轫之作竟然是以通过探讨中国的形势及对策为内容而完成的,由此也足见近代中日关系的紧密性非同一般。本文旨在分析《邻草》的立宪思想并通过与同时代中国立宪思想萌芽状况的比较来探讨中日两国近代化进程不同的原因。②

① 《明治文化全集》第三卷・政治篇,日本评论社 1967 年,第 3 页。

② 对《邻草》的相关研究,看参见区建英的论文《「隣艸」と「西洋事情」——西洋理解の思考様式の角度から》,北海道大学法学部《北大法学論集》41(1),1990 年 11 月。

(一)《邻草》中的立宪思想

《邻草》完成之时,正值中国洋务运动兴起。但是加藤弘之认为"武备的外形"乃"末事",而强调"武备的精神"在于"人和"。[①] 在他看来,"无论有怎样的兵法器械,如果没有人和也决不能取得胜利。……因为人和是武备的精神,所以真正地整顿武备,必须先得人和。"[②]对此,被誉为"日本近代哲学之父"的西周给予了高度的评价,指出以"人和"来阐述西方的政治制度,"这是以孔门的源流转而为西哲之浩荡。尤为具有说服舆论的力量"。[③] "人和"可以说既是《邻草》中立宪思想的出发点,也是其目的。

《邻草》在分析当时清朝的状况时,将天下治乱的责任归结于"天子""人君"。就是说,圣主贤君之治,能使上下之情和合如父子,能使四海万民亲睦如兄弟,即能得人和,所以天下泰平。清朝为外邦所轻侮且屡屡为其侵略所困,加藤断言"其咎独在天子(人君)"。不得人和,就会最终失去仁义之政。因此其结论就是"胜败之大本实际上就在于得不得人和"。[④]

正是为了此人和,他强调并详细地论述了设置"公会"的必要。他认为清朝之所以发展到现在可悲的局势,就是因为没有开设"公会","如果设置公会,虽然是暗君也要常听下说、通下情,因此有可能自然地变得英明;而且即便奸臣想要盗权,因为在公会之下民之不从,也决不能遂其志。因此设立公会,远比尧之作敢谏鼓、舜之立诽谤木还要优越,实可谓治国之大本。如果无此公会,不管有怎样的法律也没有益处。"[⑤]就是说,他将设立"公会"作为"治国之大本",进而强调"欲立万世安全之策,必先

---

①《明治文化全集》第三卷・政治篇,第 4 页。

②《明治文化全集》第三卷・政治篇,第 5 页。

③《宪法构想》日本近代思想大系 9,岩波书店 1989 年,第 6 页。

④《明治文化全集》第三卷・政治篇,第 7 页。

⑤《明治文化全集》第三卷・政治篇,第 9—10 页。

设此公会不可”。[①]

值得注意的是，如果从上述“公会”的机能来看，虽然他也言及其有牵制王权的一面，但终究不过是使“仁政易施且人和易得之一术”，大而言之也不过是“治理天下不可少的良术”。[②] 也就是说，对加藤而言，“公会”终究不过是为君主治国平天下的工具。我们从加藤所谓“无论设立怎样好的政体，如果其君不用的话，也没有如何用处”的说法可以看出，[③]在政治这一全盘的视野中，就君主是绝对的这一点而言，“公会”明显地不是独立的而只是附属的。而且，他还将立宪政体或者作为其核心的“公会”制度比喻为“规矩”。[④] 就是说，“公会”这一“规矩”对政治上的良工，即圣贤之君而言，“几乎是无用的”，而是被拿来专门辅助昏暗之君治理国家的工具。“公会”作为有用的“必不可少”的“良术”或者作为“规矩”，在其政治的具体机能方面，它具有绝对性意义，不能不承认其作为“治国之大本”的独立性。

这里，我们可以将西周的评语“以孔门的源流转而为西哲之浩荡”，理解为是以“仁义”“仁政”等儒学的传统观念来包容和接受“公会”这种西方政治体制中“治天下不可缺少的良术”。从加藤的这种力图将儒家的“道”与西方的治国之“术”结合起来的思想中，我们可以窥见日本最初接受立宪思想的基本状况。

加藤在《邻草》中将世界万国的政体分为“君主政治”和“官宰政治”两大类。进而又详细地将君主政治分为“君主握权”与“上下分权”，将“官宰政治”分为“豪族专权”与“万民同权”，即一共为四种政体。他认为其中“君主握权”与“豪族专权”两种政体是不公平的，而“上下分权”与“万民同权”是“公明正大而最协天意合舆情”。[⑤] 判断其差异的标准，他

---

①《明治文化全集》第三卷 · 政治篇，第 12 页。
②《明治文化全集》第三卷 · 政治篇，第 5 页。
③《明治文化全集》第三卷 · 政治篇，第 12 页。
④《明治文化全集》第三卷 · 政治篇，第 6 页。
⑤《明治文化全集》第三卷 · 政治篇，第 9 页。

是根据各种政体与“人和”的关系所表现出来的政治机能。比如“君主握权”与“上下分权”的差异，他认为就在于“君主握权的国家万事为王室朝廷谋，而上下分权的国家万事为国家万民谋。仅以此差异可知此二政体之公私如何”，①由此作出了明确的区分。以此标准，他预测了将来世界政治发展的大趋势，即“世界万国的政体都逐渐地将变成公明正大而协天意合舆情的上下分权与万民同权两种政体，这是自然之势，决非人力所能够阻挡”。②

而且《邻草》还就政治制度与运用此制度的人之间的关系以及制度的建立方式、制度的制约力等进行了反复的论述。制度与人的关系，总而言之，他认为“政体是死物，而人是活物”，强调了运用制度的人的主体性。由于运用制度的人（这里他强调的是天子、人君）的存在，制度的机能就表现出了相对性与局限性。他在强调“无论如何至良至善的政体，如果作为活物的人不去用它，死物的政体也没有任何益处”的同时，进而将“并非只要政体公明而不管人君的贤愚明暗，国家都可以治理得安宁”作为“当然之理”来强调。就是说，在这里加藤否定了“制度万能论”。由此来看，上述所谓“君主握权”与“上下分权”的差异，其相对性的侧面就表现出来了。他解释说：“君主握权与上下分权两种政体的差别，只是表现在出现暴君暗主时其政治是容易忽衰还是难以忽衰上，决没有如果是上下分权政治就不衰之理。”③

然而对为迫在眉睫的现实问题所困的清朝而言，应该如何改革呢？《邻草》指出，清朝要克服现实危机必须“迅速改革为上下分权的政体”，这才是“清朝的一大急务”。④ 而且将上下分权的政体作为“良术”进行了详细的介绍。加藤说：“尽管用此一术，如上有暗君而下有佞臣的话，什么用处都没有，但是此良术，是可以使暗愚之君自然变得贤明、佞邪之臣

① 《明治文化全集》第三卷·政治篇，第13页。
② 《明治文化全集》第三卷·政治篇，第11页。
③ 《明治文化全集》第三卷·政治篇，第12页。
④ 《明治文化全集》第三卷·政治篇，第9页。

自然失去时机的良术。"[①]《邻草》的结尾之处还十分恳切地展望:"清主回到北京后立即建立上下分权的政体,设置公会,施以公明正大的政治,那么下民皆怀其仁德,而视朝廷如父母,万民相亲如兄弟,无疑可以完全政通人和。到那时因为武备中完全具备了其精神,坚船利炮才变成真正有用之物,教练操阅也才变得实用。所以,纵然有外患内贼也不足为患,这样无疑可以国家永远泰平、王室永远安全。"[②]就是说最终还是回到了政治的核心内容"人和""精神"上来了。

加藤在这里同时也告诫我们在运用作为政治之"术"的上下分权政体和"公会"时照搬西方的危险性。他强调"要充分调查研究各国的法律制度及公会等情况,在此基础上进行取舍损益,以力求至善。因为公会的设置方式不善,反而可能给国家带来大害,这必须首先注意。"[③]这实际上也是提示人们在引进西方的政治制度时考虑潜在于政治制度背后的地域的、文化的要素。

(二) 与《邻草》同时代的中国立宪思想的萌芽

以上我们简要地分析了《邻草》的立宪思想。但是这些思想的来源何在?尾佐竹猛在《日本宪政史大纲》中指出,当时日本国民中仅有极少数一部分可以得到"来自荷兰语的外国知识",因为有识之士全都是汉学者,他们是通过阅读汉文著作或者其日文翻译来了解欧美议会制度的。[④]的确,魏源的《海国图志》和徐继畬的《瀛寰志略》甚至在日本作为地方学馆的教材来使用,可以说流布极广。尾佐竹猛在介绍《瀛寰志略》时就提到"加藤弘之所著《邻草》借助于此书的译语很多"。[⑤] 比如在论及英国的议会制度时,《瀛寰志略》有"爵房"和"乡绅房"的译语,[⑥]分别表示其上、

---

① 《明治文化全集》第三卷·政治篇,第5页。
② 《明治文化全集》第三卷·政治篇,第14页。
③ 《明治文化全集》第三卷·政治篇,第10页。
④ 尾佐竹猛:《日本宪政史大纲》上卷,第15页。
⑤ 尾佐竹猛:《日本宪政史大纲》上卷,第27页。
⑥ 徐继畬:《瀛寰志略》,上海书店出版社,2001年,第235页。

下议院。而《邻草》中就原原本本地借用了“爵房”这一用语，同时将“乡绅房”改为了“荐绅房”。①

作为一个重要的知识源泉，中国人的著作对当时日本人的新的世界认识的形成起到了很大的作用。源了圆也认为“直至庆应二年(1866 年)出版福泽谕吉著的《西洋事情》的初编时为止，当时的大部分知识人主要是通过汉文书籍来认识世界的。”②《邻草》这部作品，从这个意义上说，是以从中国获得的世界知识而在国际性的视野里劝说中国实行政治改革，由此却成为在日本“解说立宪政体的最初的著作”。津田真道在《邻草》的初稿本《最新论》中写下了一个综合性的评语。对其“清英胜败之故”和“清国恢复之策”，不惜用“最妙”来加以赞扬。同时将其所论置于同时代的东西方思想状况中，认为“以西洋人的眼光来看虽然不足为奇，而满清的一万万人，恐怕没有一个人着眼于此。可惜清主不能听到此论。盖爱新觉罗氏，一家之存亡可以任天意，但关系到清民一亿之祸福呀。余也到于此而悲于清国无其人焉”。③ 这或许是在这个问题上的最早的一种比较思想论了。

那么，同时代中国的思想状况究竟如何呢？中国果真如“悲于清国无其人焉”之说那样可悲吗？

鸦片战争前后，西方的传教士虽然也将欧美的民主政治制度介绍到中国，但第一个系统介绍并热情称赞西方民主制度的，是魏源。他的《海国图志》，对中国和欧美的政治制度的差异已经有了明确的认识。“与《海国图志》一样，《瀛寰志略》不但是近代中国人最早系统介绍世界史地知识的名著，同时也是近代中国人热情称颂欧美民主制度，不满君主专制的最早记录。”④幕府儒官盐谷宕阴(1809—1867)在《翻刊海国图志序》(1854 年 6 月)中说：“记以省我，图志以知彼。英主硕辅，能斟其意择其

① 《明治文化全集》第三卷・政治篇，第 6 页。

② 严绍璗、源了圆主编：《中日文化交流史大系 思想卷》，浙江人民出版社，1996 年，第 370 页。

③ 《宪法构想》日本近代思想大系 9，岩波书店，1989 年，第 18—19 页。

④ 熊月之：《中国近代民主思想史》(修订本)，上海社会科学院出版社，2002 年，第 79、81 页。

策，举而施诸政事，则转祸为福、变凶为吉无难也。”盛赞该书“原欧人之撰，采实传信。而精华所萃，乃在筹海、筹夷、战舰、火攻诸篇，夫地理既详，夷情既悉，器备既足，可以守则守焉，可以战则战焉，可以款则款焉。左之右之，惟其所资。名为地志，其实武经大典。”他感叹：“忠智之士，忧国著书，不为其君之用，而反被琛于他邦。吾不独为默深悲焉，而并为清主悲之。”①

如上述加藤弘之所言，武备的根本在人和。魏源的思想中也非常重视“人和”及人的价值与尊严，在“人者，天地之仁”及“天地之性人为贵”的意义上，他认为“天子者，众人所积而成，而侮慢人者，非侮慢天乎？”因此他批评天子脱离大众而高高在上，甚至蔑视群众的倾向，而主张“天子自视为众人中之一人，斯视天下为天下之天下”，②就是说，天子只有把自己当成普通百姓中的一员，体会民众的喜怒哀乐，才是将天下视为天下人的天下。但是同时他也对“上下相知”“上下情通”的难度有充分的认识。他说：“人材之高下，下知上易，上知下难；政治之得失，上达下易，下达上难。君之知相也不如大夫，相之知大夫也不如士，大夫之知士也不如民，诚使上之知下同于下之知上，则天下无不当之人材矣；政治之疾苦，民间不能尽达之守令，达之守令者不能尽达之诸侯，达之诸侯者不能尽达之天子，诚能使壅情之人皆为达情之人，则天下无不起之疾苦矣。”③只有“公议无不上达，斯私议息，夫是之谓‘天下有道，庶人不议’也。”④

与《邻草》几乎同时完成的冯桂芬(1809—1874)的《校邠庐抗议》(1860—1861)也是中国近代民主思想史上的名作。其中最为引人注目的是他对作为世界第一大国的中国为何在当时却受制于小夷，即所谓“彼何以小而强？我何以大而弱？”的思考。他对西方的长处和本国的弊端进行对比，作了深刻的分析，指出有以下四个方面“不如夷”，即“人无

① 盐谷宕阴：《宕陰存稿》，(东京)山城屋政吉 1870 年刻，卷四。
②《魏源全集》第十二册，岳麓书社，2004 年，第 45 页。
③《魏源全集》第十二册，第 65 页。
④《魏源全集》第十二册，第 67 页。

弃材不如夷，地无遗利不如夷，君民不隔不如夷，名实必符不如夷。”[①]这四个方面可以说囊括了政治、经济、文化的方方面面。其中“君民不隔不如夷”明显是对西方政治制度的肯定。他对于优秀的制度的态度是：“法苟不善，虽古先吾弃之。法苟善，虽蛮貊吾师之。”[②]即他是要舍弃传统的“华夷”标准，而以现实的“法”的善恶作为新标准。

在政治制度方面他提出了一系列的民主化建议。比如在官吏的考核和提拔上强调“博采舆论”“公举”“公论”的重要性。他强调“各官考绩，宜首以所举得人与否为功罪，以重其事。所谓取才、取德、取千百人之公论者如此。”[③]特别是他提出的“荐举之权，宜用众不宜用独，宜用下不宜用上”的主张，[④]被后来顽固的保守者看成是“民权说”而加以反对。但是同时也有开明官吏认为“用人凭公论，固是古法，而西人议院亦是此意。此法行，而徇情纳贿之弊可除”。[⑤] 无论是赞成还是反对，民权、议院这些概念虽然在《校邠庐抗议》中没有提及，但是这样的思想因素，已经呼之欲出。

除了在人才选拔上提倡要尽可能重视大多人的意见和地位低的人的意见外，在管理制度方面，他也详细地提出了“公举”的方法和“公所”的设置方式。例如，他“酌古斟今，折中周、汉之法”而设计了一套地方民主管理体制。[⑥] 冯桂芬也十分重视作为体现“人和”的“通上下之情”。他说《校邠庐抗议》中所强调的“重儒官、复乡职、公选举”都是为了“通上下之情”。[⑦]

冯桂芬小心翼翼地将其民主思想包裹起来，使之“不畔于三代圣人之法”，这正表现了其思想的根本特征，那就是所谓的“以中国之伦常名

① 冯桂芬：《校邠庐抗议》，上海书店出版社，2002 年，第 49 页。
② 冯桂芬：《校邠庐抗议》，第 75 页。
③ 冯桂芬：《校邠庐抗议》，第 2 页。
④ 冯桂芬：《校邠庐抗议》，第 41 页。
⑤ 李侃：《中国近代史散论》，人民出版社，1982 年，第 124、126 页。
⑥ 冯桂芬：《校邠庐抗议》，第 12—13 页。
⑦ 冯桂芬：《校邠庐抗议》，第 35 页。

教为原本，辅以诸国富强之术”，[①]而此命题成为在近代中国流行了几十年的“中体西用”这一文化方针的滥觞。

（三）近代中日两国近代化进程不同的原因

同样是面对西洋列强，同样是想学习西方，中日两国近代化的脚步为什么会有这样的不同？要回答这个问题，当时中日两国的社会状况的不同当然也是需要考虑的因素，但是历史传统的不同，则更为根本。其中儒学在中日两国启蒙思想中所发挥的不同功能就是比较明显的表现。

曾经师事过朱子学者佐久间象山的加藤弘之在《邻草》中以对“仁政”“仁义”“圣君贤士”“人和”等理念的尊崇而表现出了浓厚的儒者意识。但是与此同时，“道”（先王的政体）与“良术”（公会）在各自的层面上都分别被赋予了独立性。他指出先王在政体建立方式上的不完备之处，而且将一种治国之“术”的“公会”的设立强调为“治国之大本”，这在他看来没有什么不自然的。就是说，一方面他可以将“汉土”作为“往古圣主贤君代代出现的国家”，认为其优越性“决非其他君主握权之国可以同日而论”，那是由于其法律制度等所根据的都是“先王的遗法”。[②] 而“先王的遗法”完全是以仁义为宗旨的公明正大的政治或政体，即所谓“仁义之政”或“仁政”，加藤思想中同样具有先王的政治是理想的、完美的这种传统的儒学政治理念，因此“先王的政治决不可能产生弊端”。[③] 但是，另一方面，加藤弘之在充分肯定“先王的政体”的优越性的同时，明确地指出：“先王的政体在建立方式上也不是没有未至之处”。[④] 那么此“未至之处”是什么？他说：“实际上可以说是汉土的缺典的就是所谓公会。由于自唐虞三代之时以来未设此公会，以至后世出现暗君暴主，或政权为奸臣

① 冯桂芬：《校邠庐抗议》，第57页。

②《明治文化全集》第三卷·政治篇，日本评论社，1967年，第9页。

③《明治文化全集》第三卷·政治篇，第5页。

④《明治文化全集》第三卷·政治篇，第5页。

贪吏所盗，或君主独专其权，遂使天下国家易失。”①这里所谓的“公会”就是立宪思想里的议会。儒学在日本的有识之士那里，这时作为体系的道统并不重要，也并不受其束缚，他们更加重视其有用的具体的德目。在加藤弘之看来，议会政治不仅不与仁政矛盾，毋宁说议会早就应该纳入到仁政之中。

而冯桂芬在《校邠庐抗议》中虽然也提出了各种各样的民主化方案，但是其所论几乎都没有超出封建制度的实用性层次，其提案也并不具有超出中国古典或先例的独创性。佐藤慎一认为冯桂芬等中国知识分子从古典或先例中寻求探索危机的对策，就“如同试图在没有出口的迷途中寻找出路。他们越是尽其所能、倾其所学地去摸索正确答案，就越是浪费时间、加深危机。”因为他们的努力在方向上出现了偏差，“在这种意义上，甚至可以说甲午战争的败北所象征的中国近代化的挫折正是由于士大夫的有能力而引起的。”②这种对中国士大夫“有能力”的“夸奖”，无非是对其“儒教中毒”太深的一种“体面的”解说而已。在儒学的道统下，中国知识分子如魏源所说，“君子不轻为变法之议，而惟去法外之弊，弊去而法仍复其初矣。不汲汲求立法，而惟求用法之人，得其人自能立法矣。”③所谓变法，在观念上是一种非常困难的事情。像《邻草》中那样，将“公会”在不同的场合作为“治国之大本”或者治国之“术”来自由对待，这对同时代一般的中国知识分子而言是几乎不可能的事。这种不可能不只是说个人能力的不及，而是那种文化背景、那种强大的道统意识不允许这种意识存在。

对洋学的不同认识和应对也是影响中日两国近代化进程的重要因素。日本幕末的洋学与清末的洋务派之间有很多相似之处，比如其政治立场开始都是维持封建体制的改良派，因此都一度得到统治者的支持。加藤弘之写作《邻草》时所供职的蕃书调所，是江户幕府于1856年设立的一个洋学研究和教育机构。其执笔的意图是站在幕府的立场，如田畑

---

①《明治文化全集》第三卷・政治篇，第9页。

② 佐藤慎一：《近代中国的知识分子与文明》（刘岳兵译），江苏人民出版社，2008年，第13、14页。

③《魏源全集》第十二册，第46页。

忍所解释的那样，是“在德川幕府统治下的封建制中吸取立宪政体、力图维持幕府体制的现状维持的改良主张”。[①]

但是，像蕃书调所所代表的官方的洋学，在整个幕末洋学中只是冰山一角。当时社会上的洋学塾遍布各地，据统计有上万人受过洋学教育，其影响已经深入到社会基层。[②] 普通知识分子在洋学家中占有很大比例，而且他们所涉及的领域，从实用技术到政治制度，以至哲学思想，无所不至。洋学的兴起，不可避免地会引起人们探求西洋的社会结构和思想文化的兴趣，从而使封建意识形态相对化，也自然地萌生了一种对中华意识乃至封建体制的批判。但是，对中华意识的批判并不意味着他们对儒学本身的否定，他们中一些人更加希望并致力于以“西洋穷理”来附会和订正“程朱之意”，如佐久间象山在 1854 年就提出“东洋道德、西洋艺术”，[③]作为一种东西思想文化结合的模式，在后来的历史发展中产生了重要的影响。洋学对封建体制的批判，引人注目的是关于人的平等观念。“人和”与“议会”都与这种平等观念密切相关。洋学之于日本的近代化，可以说是未雨绸缪。

在中国，与蕃书调所相当的机构是同文馆（1861 年恭亲王等所奏，1862 年奏准）。从设立的目的与机构性质以及作为教育机构最终都或者纳入帝国大学或者成为京师大学堂的一部分的归宿来看，两者都有许多相似之处。但是对西方科学的了解，在时间的先行性、内容的系统性与深入性、队伍的广泛性和人数上，日本的洋学都超出了中国的洋务派。1862 年，福泽谕吉在伦敦与中国游学生唐学埙交谈，唐氏问福泽谕吉现在在日本能够读洋书而解其意者有几人，福泽回答说估计该有五百人。福泽反问中国如何。唐氏屈指而叹息，脸红地回答：仅有十一人。福泽

① 田畑忍：《加藤弘之》，吉川弘文馆，1976 年，第 20 页。

② 赵德宇：《西学东渐与中日两国的对应——中日西学比较研究》，世界知识出版社，2001 年，第 249 页。

③《渡边华山 高野长英 佐久间象山 横井小楠 桥本左内》日本思想大系 55，岩波书店，1971 年，第 413 页。

谕吉因此在当时就认为中国“没有进步的希望”而对中国感到“绝望了”。[①] 而且在中国的洋务派中，像李鸿章那样认为只是学习西方的军事、工商业就足够了的人占绝大多数，洋务派的努力之于中国的近代化，不过是临时抱佛脚而已。

（此文以《〈邻草〉对近代中国立宪思想发展的借鉴意义》为题发表在《东疆学刊》2010年第1期，发表时对原文做了较大的删节和修改。）

二　夏目漱石晚年汉诗中的求“道”意识

晚年夏目漱石（1867—1916）有着浓厚的求“道”意识，这一点他自己也常常提及。比如他1913年10月5日给和辻哲郎的信中就明确言及“我现在决心入道”。[②] 而且在其最后的作品《明暗》时代，他一面写汉诗，一面反复地表明“决心修道”、[③]“我真笨，到五十岁才意识到开始志于道，以为什么时候可以掌握道了，实际上却还有相当的距离，真是令人吃惊”等意思。[④] 但是对其所求之“道”究竟是什么，他却并未明言。1916年10月6日，他写下了“非耶非佛亦非儒，穷巷买文聊自娱”的诗句。[⑤] 有意思的是，人们对漱石与基督教、佛教和儒教之关系的研究很充分，而对其所

---

① 《福泽谕吉全集》第16卷，岩波书店，1961年，第209—210页。

② 见《漱石全集》第十七卷，岩波书店，1937年，第295页。江藤淳认为从《心》（1914年4月至8月连载于《朝日新闻》）到《道草》（1915年6月至9月连载于《朝日新闻》）的飞跃是“从荀子向老子的飞跃”。见江藤淳：《漱石と中国思想——〈心〉〈道草〉と荀子、老子》，《新潮》，1978年4月。而实际上，早在1911年的《思ひ出す事など》中，其道家意识就已经很浓厚了。如其中第六节就专门提到对《列仙传》的兴趣。

③ 1916年11月10日给鬼村元成的信。见《漱石全集》第十七卷，岩波书店，1937年，第613页。

④ 1916年11月15日给富泽敬道的信。见《漱石全集》第十七卷，岩波书店，1937年，第615页。

⑤ 本文所参考的夏目漱石的汉诗注释本有吉川幸次郎《漱石诗注》（《吉川幸次郎全集》第十八卷，筑摩书房，1970年）、中村宏《漱石漢詩の世界》（第一书房，1983年）、一海知义《〈漱石全集〉第十八卷汉诗文译注》（《漱石全集》第十八卷，岩波书店，1995年）。本文所引用漱石的汉诗，只注明写作的日期。南开大学外国语学院刘雨珍教授在资料上给予了无私的帮助，特此致谢。

表现的道家意识的研究反而比较少见。实际上，漱石在《明暗》时代所写的晚年的汉诗，是从思想上和文学上解释他力图一直追求的“道”究竟是什么的珍贵资料。当然这一汉诗群中所表现的漱石的思想十分复杂，但道家意识无疑是其中重要的组成部分。

本文以漱石晚年，即 1916 年 8 月 14 日至 11 月 20 日（下文所引诗句只注月日）所写的七十六首汉诗为中心，[①]通过对其中所出现的“道”字的用法进行分类整理，旨在抛砖引玉，希望学界重视夏目漱石思想中的道家意识并能客观地评价道家因素在其思想中的意义。

（一）

在漱石的作品中，“道”字从来没有像在其晚年汉诗中如此频繁而集中地出现过。七十六首诗中，“道”字出现过二十九次。这也印证了上述他的求“道”意识之强烈。

首先是作为动词使用，表示言说的道，共记有五处，且均以“谁道……”的句式出现。其分别是“谁道文章千古事”（8 月 30 日）、“人间谁道别离难”（9 月 4 日）、“谁道蓬莱隔万涛”（10 月 1 日）、“谁道闲庭秋索寞”（10 月 4 日）、“谁道眼前好恶同”（10 月 9 日）。

> 经来世故漫为忧，胸次欲摅不自由。谁道文章千古事，曾思质素百年谋。
>
> 小才几度行新境，大悟何时卧故丘。昨夜闲庭风雨恶，芭蕉叶上复知秋。

这是抒发自己对回归质朴、自由、自然生活的向往之情。这里的“曾思质素”，可参见刘向《说苑 · 反质》：“吾思夫质素，白当正白，黑当正黑。”回顾自己的人生历程，以文为生，也几度创新，虽然饱经忧患但还是不能彻悟人间的风雨世故、黑白真相，以自由地坦抒胸怀。这使他不得

① 其中七言律诗六十六首（包括未定稿一首）、五言绝句七首、七言绝句二首、七言古诗一首。

不反思“文章”的意义，而渴望回归“故丘”“闲庭”，甚至在无言的“芭蕉叶上”领悟历史的奥秘。

人间谁道别离难，百岁光阴指一弹。只为桃红订旧好，莫令李白醉长安。

风吹远树南枝暖，浪撼高楼北斗寒。天地有情春合识，今年今日由成欢。

这是感叹人生的短暂，有及时行乐的意思。（明）何景明《大复集》卷十二“除夕醉歌”中说：“今年今日不可留，明日明年更可愁。山中纵有如渑酒，春花烂熳与谁游。”当然这里的“欢”不是肉体上或物质性的欢娱，而是与“有情”天地的合契。这样，人间的别离、岁月的风浪，便都可以化为当下“成欢”的由绪。

谁道蓬莱隔万涛，于今仙境在春醪。风吹鞑鞨虏尘尽，雨洗沧溟天日高。

大岳无云辉积雪，碧空有影映红桃。拟将好谑消佳节，直下长竿钓巨鳌。

这是否定将理想之乡置于千里之外，而提醒人们它就在直下的自然生活中。“好谑”，《诗·淇奥》曰：“善戏谑兮，不为虐兮。”而李白《将进酒》有“斗酒十千恣欢谑”之句。“钓巨鳌”，见《列子·汤问》。神话传说谓天帝让十五只巨鳌分三组轮流顶住蓬莱等五座仙山，“而龙伯之国有大人，举足不盈数步而暨五山之所，一钓而连六鳌，合负而趣归其国，灼其骨以数焉。”从诗人“拟将好谑消佳节，直下长竿钓巨鳌”之句，可以看出这里的“好谑”是一种自娱、消闲，作者以笔为竿，将自己的豪迈和理想都寄托在这种自得的逍遥游戏之中。而这里无论是从出典还是意义上看，都透着浓郁的道家气息。8 月 20 日的诗句“两鬓衰来白几茎，年华始识一朝倾。薰莸臭里求何物，蝴蝶梦中寄此生。”也能说明这一点。

百年功过有吾知，百杀百愁亡了期。作意西风吹短发，无端北斗落长眉。

室中仰毒真人死，门外追仇贼子饥。谁道闲庭秋索寞，忙看黄叶自离枝。

这里充分展现了作者内心中有为和无为之间的矛盾(这种矛盾在其早年的《老子的哲学》中就已经存在)，闲庭之秋非等闲，只好以看“黄叶自离枝”来掩饰自己心中的“忙”。这里的“忙”与“闲”“索寞”也正好是一个对照。这里的“真人死”，可以理解为诗人对佛、道意识的超越，而且这里的“死”，是在对“百年功过”的扪心自问中感悟到“百杀百愁亡了期”之后，以“仰毒”自尽的方式实现的。这种“死”是一种力图超越“有知”和“无心”的“心死”，而结果只好无奈地把生的希望寄托在“黄叶离枝”的瑟瑟秋风中。

诗人面目不嫌工，谁道眼前好恶同。岸树倒枝皆入水，野花倾萼尽迎风。

霜燃烂叶寒晖外，客送残鸦夕照中。古寺寻来无古佛，倚筇独立断桥东。

这里仍然是描写有为和无为、有心和无心之间的矛盾，是作者超越世俗生活中的各种主义而不得不在自然世界寻找自由、独立的心灵写照。

由以上的分析可以看出，诗人是用“谁道……”这种反问的句式来回拒各种世俗见地及思想上的单边主义，而从种种质疑与否定中，其所求之道也初露端倪。

(二)

诗中更多的是将道作名词使用，从正面描述道的状态。我们又可以将其细分为以下几种情况。

第一是作动宾结构中的宾语用。有这样八句：“幽居乐道狐裘古”(8

月 15 日)、“淡月微云鱼乐道”(8 月 23 日)、“人间有道挺身之”(9 月 13 日)、“秃头买道欲何求”(9 月 23 日)、“会天行道是吾禅”(10 月 12 日)、“今日山中观道人”(10 月 15 日)、“吾今会道道离吾”(10 月 21 日)、“观道无言只入静”(11 月 19 日)。

双鬓有丝无限情，春秋几度读还耕。风吹弱柳枝枝动，雨打高桐叶叶鸣。

遥见半峰吐月色，长听一水落云声。幽居乐道狐裘古，欲购緼袍时入城。

寂寞光阴五十年，萧条老去逐尘缘。无他爱竹三更韵，与众载松百丈禅。

淡月微云鱼乐道，落花芳草鸟思天。春城日日东风好，欲赋归来未买田。

这两首“乐道”之诗，颇如(唐)贯休的《禅月集》卷十一“寄赤松舒道士”中所唱的:“子爱寒山子，歌惟乐道歌”。在另一首 8 月 15 日的诗中，他就吐露了“殷勤寄语寒山子，饶舌松风独待君”的心声。作者对这一禅僧给道士的寄语是心领神会的。其所乐之道、鱼所乐之道以至万物所乐之道，在这里就有了丰富而具体的内容。

挂剑微思不自知，误为季子愧无期。秋风破尽芭蕉梦，寒雨打成流落诗。

天下何狂投笔起，人间有道挺身之。吾当死处吾当死，一日原来十二时。

可见他对人间之道的关注，并非完全是“出世”的。为了人间之道，可以随时于当死之处死之。值得注意的是，如果将这里的“吾当死”与前述的“真人死”联系起来，就可以看出，如果“真人死”是出于某种无奈，那么“吾当死”则是具有一种主动的为道献身的悲壮色彩。

漫行棒喝喜纵横，胡乱衲僧不值生。长舌谈禅无所得，秃头买道欲何求。

春花发处正邪绝，秋月照边善恶明。王者有令争赦罪，如云斩贼血还清。

这里夏目漱石对那些“胡乱衲僧”和“长舌谈禅”的“秃头”进行了批判。正邪、善恶，自有其道，也决非“王者”所能任意赦免。这样看来，的确是“非佛亦非儒”了。

途逢啐啄了机缘，壳外壳中孰后先。一样风幡相契处，同时水月结交边。

空明打出英灵汉，闲暗踢翻金玉篇。胆小休言遗大事，会天行道是吾禅。

这里的“英灵汉”，可参考(宋)阮阅《诗话总龟・后集》卷四十六中所谓“世间多少英灵汉，终是迷人唤人唤。可怜眼底黑漫漫，不见骊珠光灿烂。”该偈是有感于由儒入佛的体验而作，这与夏目漱石思想的某些方面也有相契之处。但是他大胆地倡导的“会天行道是吾禅”，则有会通儒佛的意韵。无论这里的“天”是什么意思，“会天行道”可以说都是一种积极入世的态度，而漱石明言这就是我的禅。这种禅不能不说是经历了传统的“风幡相契”和“水月”“空明”之后而达到的一种新境界。那么这里的儒佛(禅)是以什么为中介来相通的呢？(宋)晁迥《法藏碎金录》卷八曰：“儒家燕居，闲暇和舒显放怀之容止；禅家宴坐，澄心空寂晦入道之指归；理有浅深，说难穷尽。”道家意识无疑是其重要的媒介。可见以道来会通儒佛也不是漱石的发明，而是因为从究极的意义上说三者具有可以会通的因素。

吾面难亲向镜亲，吾心不见独嗟贫。明朝市上屠牛客，今日山中观道人。

行尽逶迤天始阔，踏残峆嶝地犹新。纵横曲折高还下，总是虚无总是真。

这里如果联系到上一首，便觉有“镜花水月”之意。明儒刘蕺山在谈论“慎独”时说：“学者大要，只是慎独。慎独即是致中和，致中和则天地位、万物育。此是仁者以天地万物为一体实落处，不是悬空识想也。近世一辈学者亦肯用心于内，多犯悬空识想，将道理镜花水月看，以为妙悟，其弊与支离向外者等。”（《刘蕺山集》卷六《答秦履思二》）夏目漱石的“总是虚无总是真”也是一种“悬空识想”么？自己的真实面目如镜中之影，镜中之影自然是无心的，这里的“独嗟贫”与8月15日诗中的“贫如道”一样，“贫”与诗中常出现的“愚”，都是悟道的一种状态。而“明朝”“今日”的身份变换，似乎是在强调悟道的当下性，即顿悟。但是“行尽逶迤天始阔，踏残峆嶒地犹新”两句，则说明悟道的艰难和求道的乐趣。高与下、真与幻，已经不分彼此、道通为一。这与儒者之道显然大异其趣。

大愚难到志难成，五十春秋瞬息程。观道无言只入静，拈诗有句独求清。

迢迢天外去云影，籁籁风中落叶声。忽见闲窗虚白上，东山月出半江明。

这里告诉我们“观道无言只入静”的道理，但是“无言”与“入静”都是主体性的，这与“大愚难到”的渴望形成了一种矛盾。而且“大愚难到”本身就是一种矛盾，难在这是一种有为的无为、有心的无心、大智的超越。无言或入静只是悟道的方便途径，到了“大愚”[①]的境界，便无所谓有无、真幻了。这里的“大愚”“观道”“无言”“入静”“求清”“虚白”的确都是一种悟道的境界或心情，具有浓郁的道家色彩。但是如果由此得出结论说，夏目漱石“终生以老庄作为理想来追求，到了晚年终于超越障碍，得以心入澄明之境”，[②]这就有些言过其实了。因为即便不论这里“心入澄

① 研究者多引证以“大愚”为号的良宽（1758—1831）的诗来比较：“愚者膠其柱，何之不参差。有知达其源，逍遥且过时。知愚两不取，始称有道儿。”认为漱石追求的“大愚”就是这种“知愚两不取”的境界。参见祝振媛：《夏目漱石の漢詩と中国文化思想》，中国书籍出版社，2003年，第380页。

② 谷学谦：《夏目漱石と荘子》，载《日本学论坛》2002年第3—4期。

明之境”的意义以及晚年漱石是否真的“心入澄明之境”，可以肯定的是，在漱石的“大智大愚”中老庄只是其中的一种因素。

> 吾失天时并失愚，吾今会道道离吾。人间忽尽聪明死，魔界犹存正义臞。
>
> 掷地铿锵金错剑，碎空灿烂夜光珠。独吞涕泪长踌躇，怙恃两亡立广衢。

这里“道”作为宾格和主格同时出现。“吾今会道道离吾”与1916年11月15日给富泽敬道的信中所说的自己“到五十岁才意识到开始志于道，以为什么时候可以掌握道了，实际上还有相当的距离”可以相互参照。作为“自为”的道和作为“自在”的道，二者之间的矛盾依然在晚年夏目漱石的心灵中激荡着。或许这里的所会之道（“会天行道”）与“离吾”之道，不是一个意义上的道。只有超越局限于具体的宗旨、主义的小我之私，才能够欣赏到“碎空灿烂夜光珠”的美景。然而俯瞰人间、魔界，高处不胜寒，不得不忍受“独吞涕泪长踌躇，怙恃两亡立广衢”的寂寞苦楚。这或许有助于我们更深入地理解他的“贫”与“愚”。

其次，我们来看看主谓结构中作为主格的“道”的意义。除了上面一首之外还有如下三处：“道到无心天自合”（9月3日）、“道到虚明长语绝”（9月9日）、“不依文字道初清”（9月10日）。

> 独往孤来俗不齐，山居悠久没东西。岩头昼尽桂花落，槛外月明涧鸟啼。
>
> 道到无心天自合，时如有意节将迷。空山寂寂人闲处，幽草芊芊满古溪。

这是从正面描述道的特征。道、天、心，三者在这里统一起来，其中只有心是可感的，而无心，则是不要去有意感觉，就是一任其愚，一任其自然、闲适、寂寥。这样就可以体味到大化流行、生生不息而参天地之化育的道的境界。“道到无心天自合”可以理解为是《庄子·达生》所谓的通过“齐（气）以静心”而达到“以天合天”的意思。这里，《庄子》所说的

"齐(气)以静心"也是不容易的。曰:"齐三日,而不敢怀庆赏爵禄;齐五日,不敢怀非誉巧拙;齐七日,辄然忘吾有四肢形体也。"这样才能出神入化"以天合天"。不齐则不济。

曾见人间今见天,醍醐上味色空边。白莲晓破诗僧梦,翠柳常吹精舍缘。

道到虚明长语绝,烟归暧曃妙香传。入门还爱无他事,手折幽花供佛前。

这是描述道的另一个方面的特征。中村宏解释"色空边"说:"空(平等性)于色(差别相)的圆融无碍,确立了差别即平等、平等即差别的世界观。"①这里的"见天"与前面出现的"会道"表现的是同一意义,只是用词的不同而已。"长语"与"饶舌"、"长舌"一样都是与"无言"相对而言的。"虚明"比清净、闲寂似更进一步,既超以象外,又得其环中。他还有"虚明如道"(9 月 6 日)之句可以印证:

虚明如道夜如霜,迢递证来天地藏。月向空阶多作意,风从兰渚远吹香。

幽灯一点高人梦,茅屋三间处士乡。弹罢素琴孤影白,还令鹤唳半宵长。

这里的"幽灯一点高人梦""弹罢素琴孤影白"似乎已成仙风道骨,然而,风声鹤唳,长夜如霜。如何才能接近"迢递证""天地藏"的"虚明"之道呢?这就如下面一首诗所说的,只有以"直下"应无穷了。

绢黄妇幼鬼神惊,饶舌何知遂八成。欲证无言观妙谛,休将作意促诗情。

孤云白处遥秋色,芳草绿边多雨声。风月只须看直下,不依文字道初清。

① 中村宏:《漱石漢詩の世界》,第一书房,1983 年,第 213 页。

“绢黄妇幼”出自《世说新语》，原本是“妇幼绢黄”，指好文章。“无言”和“饶舌”之间、“作意”与“直下”之间取舍十分清楚。

但是我们必须注意的是，这与庄子《齐物论》所说的“道枢”又有很大的不同。因为他的“道”虽然有如空中音相中色或镜花水月的趋向，但毕竟不是羚羊挂角无迹可寻的那种。他所追求的“大道”并非“高踏离群”（8月15日有“五十年来处士分，岂期高踏自离群”之句）、超绝于“圣凡”之外（9月26日的诗中有“大道谁言绝圣凡”之句），而就在平常的“数卷好书”（8月28日的诗中有“数卷好书吾道存”之句）中、日常的“饤饾焚时”（9月18日有“饤饾焚时大道安”之句）、“红尘堆里”（9月30日有“红尘堆里圣贤道”之句）。

上面我们论及的是被修饰的“道”，而在漱石的诗中，作为修饰语的“道”也随处可见。属于这种用法的有：“道书谁点窟前烛”（8月16日）、“住在人间足道情”（8月21日）、“曷知穷里道情闲”（9月22日）、“香烟一柱道心浓”（8月22日）、“託心云水道机尽”（9月1日）、“墨滴幽香道气多”（9月29日）。

> 无心礼佛见灵台，山寺对僧诗趣催。松柏百年回壁去，薜萝一日上墙来。
>
> 道书谁点窟前烛，法偈难磨石面苔。借问参禅寒衲子，翠岚何处着尘埃。

（元）释念常《佛祖历代通载》卷十五：“时禅者无着，入五台山求见文殊大士，至金刚窟前，炷香作礼，瞑坐少顷……”《栖隐寺碑》：“铭施柱侧，记法窟前，孰云千载，余迹方传……”总之，这里的“道书”无非是如前所述的“吾道存”的“好书”。“窟前”，如上所述，也是象征性地表示接近于道或道之所在。寺、僧、禅、佛，时、空、自然等等，都是悟道的一种方便法门。如果不点燃心灵的烛光，也终究是明暗难辨、到不了“最上乘”。① 而

① 9月25日的诗有“礼佛只言最上乘”之句。（宋）晁逈撰《法藏碎金録》卷八曰：“道书言真人、至人，佛书言大乘、最上乘者，其理大同小异。若执所说，则难为和会。”

这里的心灵之光，又决非作意而成的，无心是其前提。

对诗中出现的“道情”，吉川幸次郎都解释为“哲学的心情、宗教的心情”，还有“超越的心情”。[①] “道心”也解释为“宗教的心情”。[②] “道机”[③]则是“哲学的或宗教的机缘”。[④] “道气”[⑤]就是“哲学的或宗教的气氛”。[⑥]而在专门论述汉诗中所表现的漱石的“道”的文章中，也只不过是说到夏目漱石所追求的“道”，“超越了单纯的伦理道德，可以说是宗教性的实存的世界”，是“天然自然之道”。[⑦] 可见要说清楚这种哲学或宗教的确不易。

(三)

尽管如此，可以肯定的是，在漱石的哲学或宗教中，道家意识有着不容忽视的位置。他甚至在现代社会重新演绎了一幅老子出关图。

> 闻说人生活计艰，曷知穷里道情闲。空看白发如惊梦，独役黄牛谁出关。
>
> 去路无痕何处到，来时有影几朝还。当年瞎汉今安在，长啸前村后郭间。

这里的“瞎汉”可参见1910年所谓“修善寺大患”之后9月22日的诗：“圆觉曾参棒喝禅，瞎儿何处触机缘。青山不拒庸人骨，回首九原月在天。”这里以老子出关相比况，当年与道无缘的瞎儿，经历了许多艰难

---

① 《吉川幸次郎全集》第十八卷，筑摩书房，1970年，第230页。

② 《吉川幸次郎全集》第十八卷，第261页。

③ 诗曰：“不入青山亦故乡，春秋几作好文章。讬心云水道机尽，结梦风尘世未长。……”这里的“讬心云水道机尽”一句中的“道机”，最初是作“禅机”(《漱石全集》第十八卷汉诗文，一海知义译注，岩波书店，1995年，第367页)，是否这也可以作为说明其“道”是超越某一种具体宗教或主义的证据。

④ 《吉川幸次郎全集》第十八卷，第232页。

⑤ 诗曰：“……兴来题句春琴上，墨滴幽香道气多。”其中的“道气多”三字，是由初稿“惹蝶过”修改过来的。见《漱石全集》第十八卷汉诗文(一海知义译注)，岩波书店，1995年，第425页。

⑥ 《吉川幸次郎全集》第十八卷，第239页。

⑦ 佐古纯一郎：《夏目漱石论》，审美社，1978年，第134页。

的人生活计之后，悟出了道就弥漫在穷乡僻里之间。但是，闲适和无奈在这里依然相互交织，这里的长啸，是发自内心深处的嘶鸣。而这种长啸终究归于无声无息，令人更觉寂寞。甚至有形的肉体都在自然中消失得无影无踪。如他在 11 月 20 日夜所作的绝命诗中所说：

真踪寂寞杳难寻，欲抱虚怀步古今。碧水碧山何有我，盖天盖地是无心。

依稀暮色月离草，错落风声秋在林。眼耳双忘身亦失，空中独唱白云吟。

这里的“何有我”确有《庄子·齐物论》中“吾丧我”的意味。（晋）郭象注曰：“吾丧我，我自忘矣。我自忘矣，天下有何物足识哉？故都忘外内然后超然俱得。”（宋）林希逸《庄子口义》中解释曰：“吾即我也。不曰我丧我，而曰吾丧我，言人身中才有一毫私心未化，则吾我之间亦有分别矣。”这里“（小）我”已经与天地、山水、白云融为一体了。而“无心”与“无为”也是可以相通的。[①] 如果说禅的无心是以“离”的作用而去妄想为契机，而老庄的无心是以“忘”的形式表现出来的话，[②]那么在这里，“离”与“忘”已经很难区分开了。

下面是一海知义发掘的一首未定稿，很能说明漱石的哲学或宗教的特色。

无心却是最神通，只眼须知天地公。日照苍茫千古大，风吹碧落万秋雄。

生生流转谁呼梦，念念追求真似空。欲破龙眠勿匆卒，白云深处跃金龙。[③]

这里儒、道、佛三者融为一体，与“则天去私”的“天”一样，很难用一

① 比如 8 月 22 日的诗句“终日无为云出岫”中的“无为”，其订正稿就曾改为了“无心”。见《漱石全集》第十八卷汉诗文（一海知义译注），岩波书店，1995 年，第 350 页。

② 村上嘉实：《老荘の自然と禅》，久松真一、西谷启治编《禅の本質と人間の真理》，创文社，1969 年，第 700 页。

③ 收入《漱石全集》第十八卷汉诗文，岩波书店，1995 年，第 90 页。一海知义的译注见该书第 579—581 页。

种思想或一家的“宗旨”来加以说明，而是一种新的创造。这也正如他在10月17日的诗中所说：

> 古往今来我独新，今来古往众为邻。横吹鼻孔逢乡友，竖拂眉头失老亲。
>
> 合浦珠还谁主客，鸿门玦举孰君臣。分明一一似他处，却是空前绝后人。

在这种“空前绝后”的“独新”哲学中，道家意识或许只是起到一种调和剂、凝聚剂或催化剂的作用。其“真”性[①]如何，无疑还有待于进一步的研究。有人将漱石晚年的汉诗写作看成是以另一种形式向早年《草枕》的浪漫主义的回归，[②]或认为其晚年汉诗是对其未完成世界的完成。[③]但是，从我们上面的分析看，漱石的世界本身可以说就是一个复杂的充满矛盾的世界，这种矛盾不是杂然的，而是深刻的；其世界不是已经完成的澄明，而是仍然在生成之中的混沌。其世界也正是因为这种生成性而具有多义性。尽管从其思想的走向上看，大致可以描述出一条从人到天、从世间到自然的轨迹，[④]但是我们对他的“天”“道”“自然”等概念都不能作简单的理解。因为如他自己所说，他“只是以与自己相应的方针和用心来修道的”。[⑤] 而究竟什么是与他自己相应的方针和用心，这无疑是夏目漱石研究中一个弥久而常新的问题。

（原载于《日本研究》2006年第3期）

---

① 比如11月13日的诗就颇有深意。曰：“自笑壶中大梦人，云寰飘渺忽忘神。三竿旭日红桃峡，一丈珊瑚碧海春。鹤上晴空仙翮静，风吹灵草药根新。长生未向蓬莱去，不老只当养一真。”

② 藤山健治：《漱石　その軌跡と系譜》，纪伊国屋书店，1991年，第153页。

③ 藤山健治：《漱石　その軌跡と系譜》，第157页。

④ 比如9月9日有“曾见人间今见天”之句。8月23日的诗句“淡月微云鱼乐道”中的“鱼乐道”曾作“人思道”“人求道”“春乐道”，最后定稿为“鱼乐道”。见《漱石全集》第十八卷汉诗文（一海知义译注），岩波书店，1995年，第353页。

⑤《漱石全集》第十七卷，岩波书店，1937年，第613页。

三 《论语兵话》及其他

我手头有一本日本学者编的《关于孔子〈论语〉的文献目录(单行本篇)》(濑尾邦雄编,2000年明治书院出版)。该书收录了自明治初年(1868)到2000年刊行的关于孔子、《论语》的著作,包括初版、改订、改版等。领域不限于学术研究,还涉及文学、戏曲。尽管这本目录还不全面,但是其所附录的著者索引中所列索引项目达900余项。

《论语》是被日本儒者奉为"最上至极"的"宇宙第一书"。由于其广泛的影响力,近代以来,《论语》一方面为引进西方近代学术方法作为文献批评材料被置之俎上,另一方面也仍然为儒学复兴者视为至宝。但是更多的是,日本人根据时代的需要而随意地将《论语》与政治、经济、宗教、军事、文艺等各个领域的现实状况结合起来,而读出各种五花八门的"心得"、作出甚至出人意外的"现代解释",以此来对抗,但更多的是服务于当时的社会意识形态。从这个意义上说,探讨《论语》与日本近代化的关系,并非是一个没有意义的课题。

今年5月份,我曾向日本某大学中国学专业的一二年级新生介绍了《论语兵话》这本书。之所以选择这本未列入上述目录中的不起眼的著作为例,当时是觉得在日本的中国学界预感有"地盘下沉"的危机之际,有必要告诉青年一代弄清在某一历史时期,中国的古典与现实的结合可以到多么令人不可思议的程度。这对于中国学的健康发展或有参考意义。因为这不是那次讲演的主题,所以没有对该书作过多的论述。

鉴于眼下国内各种《论语》心得流行,便不由得又翻开了这本七十多年前出版的《论语兵话》。一个日本军人根据自己的切身经验而作成的这本《论语》"心得",也曾经在日本的现役军人中"流行一时"且被奉为"精神修养的宝器",可是到现在似乎已经被历史无情地遗忘了。除了在日本的国会图书馆之外,别的地方都已经很难找到了。我因为近年来一直关注与《论语》相关的历史资料,也是在东京神保町的旧书展上偶然才碰到这本书的。

在历史研究者看来，各种远近"流行"或者并不怎么流行之事，即便如昙花一现，既然开放出来，其中就一定有不仅属于它个体成长，同时也折射着社会历史一隅的"美丽价值"；即便如同昨日打湿过大地的雨点，或稀疏，或密集，也一定可以从它们所留下的印迹里寻演出与明天的风云变幻之间的某种关系。

《论语兵话》(1930年军事学指针社、菊地屋书店出版)的作者西川虎次郎(1867—1944)，是日本的陆军中将，俄国十月革命之后，曾率师于1920年1月"出征"西伯利亚，任第十三师团长，其活动在他所著的《西伯利出征私史》(1925年)中有详细记录。据作者在军营中所写的《论语兵话》的序言(1920年3月，序二)记载，在起稿后一个半月仅仅完成其四分之一的时候，奉命派遣到西伯利亚，是在战场上利用公务之余暇完成的。他说当时没有任何参考资料，只不过是记述自己浅薄的经验而已。

对于写作《论语兵话》的起因，作者在执笔之初的1919年12月所写的序(序一)中说，当时是为了消遣而一时兴起，想将《论语》作军事方面的解释。对这种想法，他并不是没有顾虑。他说，《论语》不用说是为了修身、齐家、治国、平天下，而记述孔子教导其门人之事。附之以军事上的解释，明显地不是孔子的本意。比如魏灵公向孔子问战法时，孔子就不对而去。这样的话，将《论语》作军事上的解释，他一方面很有成了孔子的罪人之感；同时他又为自己辩解说，著书立言，有必要考虑到时间、处所和地位，孔子生于战国，所以希望社会安宁、天下和平，反对军事是理所当然的。如果孔子生于武王的时代，可能会随着武王去伐纣。他的理由是《论语》"述而篇"有这样的记载："子路曰：子行三军，则谁与？子曰：暴虎冯河，死而无悔者，吾不与也。必也临事而惧，好谋而成者也。"说明孔子并不否认"三军之武事"。还有在"子路篇"中孔子有"以不教民战，是谓弃之"的言论。此外，还以王阳明于战阵之中讲授孔学并不违反孔子之意为由，认为"将《论语》作军事上的解释、使军事道德化，毋宁可以说是将儒学的宣传作多方面的扩展。"

该书的内容,是作者摘出《论语》中的部分言论,加以训读,然后根据自己的经验来加以注解。他觉得对这本主要在战场上执笔而成的书稿,原原本本地不加任何修改而出版,更有意义(序三)。如果说《论语》中的一些教导,在人之所以为人的根本原则上还具有一定的普遍意义的话,那么将孔子教导门人的言论运用到军队教育、士兵教育上,自然也不失为一种活用。如果由此而培养出一批"儒将"或"仁义之师"来,不仅无可厚非,甚至应该说是功德无量的事。

《论语兵话》的重点的确是在论述作者对军队教育、士兵教育方面的意见。如他所指出的那样,他对《论语》的解释也不外乎是以自己当时的程度来推测、解释圣人。他是以武士,甚至强调"以国士自任"来实施其教育的。具体而言,他当时是作为日本派遣去干涉俄国革命的帝国主义军队的高级指挥官,即第十三师团长。书稿完成之后曾经复写若干部颁发给部下,强调"军队就是家庭组织"、"生死与共就是最亲的兄弟",以此磨砺和稳定军心,最终目的在于希望"克敌制胜"以"酬皇国之鸿恩于一端"。

"学而篇"中有"道千乘之国,敬事而信,节用而爱人,使民以时。"对此他解释说,千乘之国为大诸侯,大概相当于现在的师团长。师团长统帅师团,第一要慎己,以敬和信来处理一切事务。处理内务要以真爱来对待部下,不可陷于姑息之爱。而使用部下之道,平时与战时要有所不同。在平时要由易到难,无论遇到什么样的困难,都要锻炼能够忍耐的心性。而到战场上,则要尽可能爱惜他们,注意让他们生活愉快。若一旦有必要极度使用,如使其不吃不眠,也要加以鞭挞。这实际上是将来致胜之本。如果此时在使用上犹豫的话,则会导致攻而不拔、追而不及。

除了这样以身作则之外,他极力批判个人主义思想,认为这与军人所崇尚的武士道是背道而驰的,所以特别强调在军队中尽力于"义心教育",这是最重要的精神教育。而生死观是精神教育中的一项重要内容。他反复说明在战场上,生死实际上是想象之外,不是人力所可以左右的。因此为了安心地从事战斗,必须要超然于生死之外。如他借"先进篇"中孔子之言“未能事人，焉能事鬼？”“未知生，焉知死？”加以发挥，来举例说明对于军人来说生死观之最为重要。他说，扇子在夏天有很大作用，但是扇子的本来面目是竹子和纸，但是拿一束竹子和一张纸来，谁也不会将其称为扇子。只有将其按照扇子的形式组合张贴才叫扇子，从而可以发挥扇子的作用。既然是组合张贴而成，那么什么时候回到原来的竹子和纸的形态也是当然之理。其理，天下万物都一样。生物是由木火金土水组合而成，根据其配合而成为狗、成为猫，继而成为人，如果一旦解体，都又归于木火金土水。如果明白这个道理，扇子在秋天被舍弃也不应该生气；弄坏了成为零散的竹子和纸，也不该有怨气。只要在是扇子的形状的时候，尽到扇子的本分而送来清风便可以了。以上不过道理上是如此，即便明白其道理，也不等于达到了其境界。为了达到其境界需要不断地修养。这恐怕是我们终生一日不可废的大学问。只要能够有这种修养，就可以超越于生死之外，一旦开赴战场就能够充分地发挥作用。

他还现身说法，用忍耐来解释“仁”。如对“君子无终食之间违仁，造次必于是，颠沛必于是。”他说，军人在战场上不能不立于枪林弹雨之下，此时如果“气海丹田之力”松弛的话，就决不能战斗。战争不是好玩的事，谁都会觉得害怕。勇敢与怯弱的区别就在于能否忍耐。他直言自己虽然军旅生涯三十余年，但是也做不到若无其事地往返于战场。因此他的经验是只能锻炼自己的忍耐力，即所谓气海丹田之力。而且强调这种实验和锻炼仅仅在战场是不行的，平素不进行修养的话，弹丸之音飕飕而过的话，“脐下之力”就会在不知不觉间遗漏无余。

《论语兵话》不仅仅是讲个人修养问题，也论及国家政策及战争名义。如“颜渊篇”中有“子贡问政。子曰：足食、足兵，民信之矣。”他就联系到当时食物不足的问题，认为要奖励新开垦、新移民，鼓励人们到满蒙、西伯利亚去，到北海道、桦太去。关于军费的问题，他说要根据与邻国的关系，而必须将国费的大部分用于军事费，而且要研究以尽量少的经费进行多的兵备。他举例说，为了战时征用而使之制造枪炮弹药，平时就要给予这样的工厂以补助，在经济上可以一举两得。万事以此主义来实施，他称之为军国主义，即在经济上作军备，使国家的各种设施给军事提供方便。这样有必要从各个方面研究使兵备充足，使国家的防卫完备。“子路篇”中有“正名”之说，对此他解释说，关系到一国兴废的战争，其名不正，决不能得到良好的结果。如果名正，则敌国的国民也会同情我方，因此敌忾心变得薄弱。甲午战争、日俄战争的名义皆为正者，所以议会一致确定预算是理所当然的。日德战争其名也并非不正，履行了日英同盟的义务。如果不在正确的名义下开战就得不到天下亿兆的同情。他的军国主义的国策论当然主要是就操作层面而论，而他力图为甲午战争、日俄战争正名，也并不从普遍的道义上来论其正邪，这些都不过是出于其自卖自夸的“使军事道德化”的先入之见。

当然该书中也有完全脱离修养论而专从军事即破敌而言者。如对“述而篇”中的“亡而为有，虚而为盈”的借题发挥便是。他认为这在军事上是“最必要的事”。众所周知，化学武器已经在第一次世界大战中被使用。他认为将理化学大大地利用到对敌行动上，其研究的范围很广泛。而且将来的战争中这样的设施会越来越多。他对于这种将最新的科学研究成果“巧妙地实施应用到战争中”的做法是持肯定态度的。也就是说只要达到制胜的目的，是可以不择手段的。可见其所谓“道德化”的“伪善性”。

《论语兵话》的出版得到了当时军界要人的大力支持。白川义则(1868—1932)，陆军大将，曾任关东军司令官，1927 年田中义一内阁时任陆军大臣，因为对关东军阴谋炸死张作霖事件处理不力，而导致田中内阁总辞职。后来于 1932 年任上海派遣军司令官，停战之后被朝鲜人炸伤而死。为该书题字“其致一也”。武藤信义(1868—1933)，陆军大将，曾任关东军司令官，1927 年任教育总监。后来，为《日满议定书》的缔结、“满洲国”的建立煞费苦心，被授予“元帅”称号后不久去世。为该书题字“文武一如”。当然其所“致”与所“如”，在他们都是心照不宣的。

这样的《论语》心得，在近代以来的日本并不是多么新鲜的事。1935年北村佳逸出版了《孔子教的战争理论》（南郊社）一书，将“孔子”完全打扮成了一个军事理论家，无非也都是为了适应那个时代的需要。此外，在经济方面，涩泽荣一的“右手拿算盘、左手拿《论语》”以发展实业的“论语算盘说”早已经众所周知，由此而衍生出来的关于经营与《论语》、人生与《论语》的心得读本不胜枚举。文学家、法学家、企业家、记者、学者、政客等等，借《论语》以抒怀、叹世而留下“心得”者，数不胜数。如在《论语兵话》出版的同时，曾任警视总监的赤池浓（1879—1945）所著的《从政教看论语新解释》也由早稻田大学出版社出版。而1993年现役警察清水熙康所著的《论语与警察》（展转社）也抱着“想将《论语》在警察中复活”的想法。

《论语》还是那本《论语》，但是时代不一样了，同样是军人、警察，其心得自然也会不一样了。而问题是，我们应该如何来阅读这些心得。这些心得，虽然很难进入学院派的经典解释史的视野，但是，哪怕它们是对古典的“滥用”，在社会思想史领域也都是非常有用的素材。如果以《论语》为例，研究中国的古典是如何融入日本社会的各行各业中去的，在各个时代有什么不同的特征，那么如此种种“滥用”，不仅是日本社会思想的写照，也是研究中国学或中国的古典如何被“日本化”的珍贵资料。这样看来，对于所谓“滥用”与“中国学的健康发展”还不宜做过于简单化的理解。而相对于日本学者所感到的其“中国学地盘下沉”的危机，在中国学的故乡，我们的“国学”则似乎呈现一片日趋繁盛并有延及海外之势。我们如何来看待自己的“滥用”与“健康发展”，无疑也是一个值得思考的问题。

（原载于《读书》2008年第9期）

四　近代日本的汉籍翻译及其意义——以田冈岭云的"和译汉文丛书"为例

(一) 问题的提起:"训读"论所开拓的新世界

2005 年日本文部科学省通过了大型跨学科研究项目"东亚海域交流与日本传统文化的形成:以宁波为焦点的跨学科创新"。其研究成果已经以"东亚海域丛书"(汲古书院 2010 年开始出版,已出版 12 卷)和"划向东亚海域"丛书(东京大学出版会 2013—2014 年,共 6 卷)面世。这个项目(成果、初衷)有许多闪光之点,比如,力图克服所谓"一国史"观,将原来的以陆地为"国界"的纵向的历史叙述扭转为以"东亚海域"为平台的横向联系的历史知识发掘。这的确如是一次"崭新、果敢的挑战"。课题的设计者和一些参与者,当然不以发掘新的历史知识为满足,而是企图通过这个项目来改变读者的"世界观"。他们以什么方式、力图创造出一个怎样的世界呢? 其手法或许很多,在我看来最引人注目,而且已经影响到国内学界的,莫过于所谓"训读"论所开拓的世界。

重新反思日本传统文化中"训读"这种接受中国典籍的手段或方式,近代以来,随着日本"国民国家"建设的需要,其得失利弊时常被论及。但是将训读论提升到"世界观"的层次来加以讨论,是上述项目的成果《训读论:东亚汉文世界与日本语》(2008 年)及《续训读论:东亚汉文世界的形成》(2010 年)两本论文集,①以及在此基础上面向一般读者改写而成的论集《以训读的眼光重新认识东亚》的目标所在。② 2011 年 10 月北京师范大学外文学院主办的"东亚中的日本文学:训读、翻案与翻译"国

① 中村春作、市来津由彦、田尻祐一郎、前田勉编:『訓読論——東アジア漢文世界と日本語』(東京:勉誠出版,2008 年),同编:『続訓読論——東アジア漢文世界の形成』(勉誠出版,2010 年)。

② 小島毅監修、中村春作编:『訓読から見なおす東アジア』(東アジア海域に漕ぎだす5),東京:東京大学出版会,2014 年。

际研讨会，[1]或许可以视为日本学界的这种努力在中国的反响。而《日语学习与研究》2012 年第 2 期推出的专栏“训读与东亚汉字文化圈”则为这种反响提供了可以广泛阅读的学术文本。中村春作和金文京两位上述“训读论”的代表人物都在此专栏亮相，分别发表了《“训读”论开拓的世界》和《东洋汉文训读起源与佛经汉译之关系——兼谈其相关语言观及世界观》，这两篇文章都是其各自相关代表作的浓缩或提要。[2]

简而言之，他们的主要观点可以概括为，并不是一开始就存在一个什么“东亚世界”，“东亚世界”是随着汉文文化世界的展开而形成的。以作为文化翻译的“训读”为方法，旨在打破“汉字＝中国这种自明的前提”，而通过对汉字文化的重新理解来将“东亚的国家相对化”。进而指出由于中国本身也存在多种语言，常常为异民族所统治，因此汉文训读问题在中国自身也存在，中国本身也是由汉字来统一那些曾经使用不同语言的国家而产生的。[3] 以“训读”论为方法在使东亚国家相对化、特别是将中国相对化的同时，赋予“训读”论以普遍意义，即强调“训读”论不单是“日本独自的”技法，在东亚汉文世界的形成中具有普遍的意义，甚至不惜将中国人以现代汉语翻译古文也视为一种“训读现象”。这样“东亚世界”就由“汉字文化圈”变成了“训读文化圈”。上述项目负责人特别点出从 894 年遣唐使的废止到 1894 年甲午中日开战这 1000 年间，“尽管几乎没有正式的国交，但是进行了丰富多彩的交流活动，这些对于在日

① “本次会议以汉文基础上形成的训读现象为切入口，探讨东亚地区的翻译和翻案活动的独特性，以及这些翻译实践与该地区‘文化、文学’的关系，希望以此推进‘比较文化、比较文学研究’的发展。”见《日语学习与研究》2011 年第 6 期，第 88 页。

② 中村春作发表的文章为日文《「訓読」論が拓く世界》，文末注明本稿为根据上述《训读论》和《续训读论》中作者所写的序论整理而成。金文京的文章为中文，文末注明“本稿为拙著『漢文と東アジア—訓読の文化圏』(岩波新書，2010)的提纲。”见《日语学习与研究》2012 年第 2 期，第 8、24 页。

③ 以上参见上述『訓読論——東アジア漢文世界と日本語』第 10 頁、『訓読から見なおす東アジア』第 8 頁。

本创造所谓'传统文化'发挥了决定性的作用。"①在这一历史过程中,"训读"从产生到普遍化、制度化,甚至"身体化"而成为日本的"知识体系"和"教养"的基础。"训读"对于日本"传统文化"形成的意义,或者说"训读"本身的思想文化意义,在"训读"论者眼里,很明显,已经不单单是一个纯粹的学术世界中的问题,他们所力图开拓的世界,即"训读的文化圈"实际上是要重新强调汉字、汉文不仅是日语、日本文化的内在构成要素,而且在东亚各国语言文化中莫不如此。这样由"汉字直接或间接派生的各种各样的固有文字所成的文章,进而这些固有文字与汉文的混用文",形成了作为"东亚文化圈的核心的汉文的多样性",这种多样性已经不是"汉字文化圈"所能够涵盖,因此有必要以"汉文文化圈"或"训读文化圈"来打破"中国人提到汉字文化圈就总是容易认为周边民族使用自己的文字这种中国中心的认识"。② 从思想史的深处发现汉文训读的背后隐藏着其作为日语的一种独立文体具有与汉文本文对等的地位的国家意识,可谓慧眼独具。进而强调甚至到现在日本学界中还依然存在着"亲中国革新派的直读"和"反中国保守派的训读"论者,③或许在无意之间已经给自己的研究涂上了一抹或明或暗的民族主义的色彩。对此我们也应该有清醒的认识。④

当然,"训读"论者提出了一些颇有启发性的问题,比如,中村春作提

---

① 小島毅:「刊行にあたって」,中村春作編:『訓読から見なおす東アジア』(東アジア海域に漕ぎだす5),東京:東京大学出版会、2014 年。

② 金文京:『漢文と東アジア—訓読の文化圏』,第 229、232 頁。

③ 金文京:『漢文と東アジア—訓読の文化圏』,第 41、88—89 頁。

④ 国内学者对日本的"训读"论者的评价,参见潘钧:《训读的起源与汉文文化圈的形成———评金文京著〈汉文与东亚———训读文化圈〉》(《日语教育与日本学》第 3 辑,华东理工大学出版社,2013 年)、潘钧:《为什么是"汉文文化圈"? —试论训读在东亚一体化进程中的作用》("中国日本学研究的历史、现状与未来"学术研讨会会议论文。会议时间:2013 年 11 月 16 日。会议地点:洛阳。主办单位:河南省高校日语教学研究会、中国日语教学研究会、解放军外国语学院。收入何建军、李军主编:《日本学论丛(第一辑)——纪念王铁桥教授从教 40 周年专集》,南开大学出版社,2015 年)。另有台湾大学日本语文学系徐兴庆教授为上述金文京著作所写的书评,见台北"中研院"中国文哲研究所的《中国文哲研究集刊》第 40 期,2012 年 3 月。

出“所谓‘汉文’获得公民权，而被广泛地学习，是在江户时代后半期以后，准确地说是明治时代之后的事。汉文的世界作为大众化的‘知识’而被身体化（即血肉化——引者）实际上是在19世纪。‘训读’就是与这种知识体制分不开的。”[①]明治时代，尽管出现了不少新制的汉字词汇，[②]但同时围绕汉字的兴废也展开了论争。明治时代的日本人是如何阅读汉籍的？汉学、汉籍的翻译在当时具有什么意义？这当然也不仅仅是个语言学的问题。[③]

（二）明治后期汉籍翻译管窥

明治儒学对于明治时代乃至近代日本思想文化的作用，早就有人提出它一方面为接受西方思想提供了基础，同时也为阻止欧化主义极端化，起到了调和的作用。[④] 但是一些明治时代的儒学家（汉学家）对当时汉学界的状况并不满意，1879年6月15日，后来成为东京大学教授（1883）和史学会创始会长（1889年）的重野安绎（1827—1910）在东京学士会院发表《汉学宜设正则一科，应选少年秀才留学清国论说》的讲演。讲演开篇即指出：“今之汉学者，皆由普通变则而成，决不可称之为正规

① 中村春作：《「訓読」論が拓く世界》，《日语学习与研究》2012年第2期，第2页。中村春作：「「訓読」の思想史——〈文化の翻訳〉の課題として」、「訓読論——東アジア漢文世界と日本語」，第22頁。

② 参见沈国威的《近代中日词汇交流研究——汉字新词的创制、容受与共享》（中华书局，2010年）。

③ 严绍璗对“国际中国学（汉学）”、王晓平对“亚洲汉文学”的倡导、理解与反思值得关注。参见严绍璗的《比较文学与文化“变异体”研究》（复旦大学出版社，2011年）、王晓平的《东亚文学经典的对话与重读》（同上）。此外，“域外汉籍”“世界汉学”“海外中国学”等各种杂志、丛书的出版也方兴未艾。新进学者或力图以某种哲学理论来阐发海外汉学的意义（如李雪涛的《论汉学研究的阐释学意义》，张西平主编：《国际汉学》第26辑，大象出版社2014年），或从学科史反思中国学者或学界对域外汉学的认识和受到的影响（如李孝迁的《域外汉学与中国现代史学》，上海古籍出版社，2014年；叶隽的《域外之学与本土眼光——以中国现代学者对德国汉学的论考为中心》，阎纯德主编《汉学研究》总第20集，2016年春夏卷，学苑出版社，2016年），也颇有启发意义。

④ 高田真治：『日本儒学史』，東京：地人書館，1943年，第254—255頁。参见刘岳兵主编：《明治儒学与近代日本》，上海古籍出版社，2005年，第4页。

途径培养(正则)的专家。因为不是正规的专家,在教学上就有种种弊端,本来有用的却成了无用之物。汉学之实用,于我国终无尽期,此后必然更加迫切需要。"表示其讲演的目的就在于想补其缺而救其弊。① 这里说的"变则""正则"是指不同的汉籍阅读方法,变则是日本的读法,称为"国读"或"译读",即"训读"。正则是直接用中国的读法,即"音读",或叫"直读"。他认为"欲精究汉学而收其实益,非从其读法用其正音而不足以究其堂奥。"②进而他说:

> 凡学艺,以学习语言文字为首。专修一国之学者,哪有不通其国之语言文字之理?我邦之汉学者,以讲其义理为主,文字语言为次,以至于全不讲其语言。故论说常失于高尚而乏于实用。何谓实用?达意辨事是也。今不能充分述其文意,且迟缓而不能应事,与汉人对晤而不能说一句话办一件事,抗颜而称汉学者,如此可乎?纵然经义通达、文章工巧,亦不过是脚下暗的学问。何况其经义文章亦非由正则而入,不能探其堂奥。予欲设正则一科由此之故。③

重野回顾了汉文字与日本国体共开的历史,并感叹遣唐使的废止使得学制衰颓、汉音消失,而不得不偏于"和训回环"的"国读"这种变则之中。长此以往,不仅影响对文意的理解,而且作文时也"措辞甚艰",且"难免颠倒错置"。因此,他非常赞同德川时代荻生徂徕(1666—1728)的主张,说:"物茂卿有感于此,一变读法,诵则以汉音,译则以俚语,欲绝和训回环之读法。"盛赞此"实为古今之卓识"。④ 重野安绎心目中理想的汉学专家是什么样子呢?他一方面有感于荻生徂徕请"崎阳之人"组织翻

① 重野安繹:「漢学宜く正則一科を設け少年秀才を選み清国に留学せしむべき論説」,『増訂重野博士史学論文集』下巻,東京:名著普及会,1989年,第345頁。

② 重野安繹:「漢学宜く正則一科を設け秀才を選み清国に留学せしむべき議」,『増訂重野博士史学論文集』下巻,第354頁。

③ 重野安繹:「漢学宜く正則一科を設け少年秀才を選み清国に留学せしむべき論説」,『増訂重野博士史学論文集』下巻,第349頁。

④ 重野安繹:「漢学宜く正則一科を設け少年秀才を選み清国に留学せしむべき論説」,『増訂重野博士史学論文集』下巻,第348頁。

译社，即其《译文筌蹄初编・题言十则》中所言"先为崎阳之学"，[①]这里的"崎阳之学"，也就是重野所说的"长崎译官"之学。仅此，重野也不满足。他说："用长崎译官，虽可使从事于通辩，而译官之学习，止于寻常通辩，不能处事应变通彼此之情。故予所期望的，是今之汉学者与译官能合并为一人。使之结合，方可称专门汉学者。"[②]这与我们今天强调的"世界史学者必须首先是一个造诣高深的翻译家"[③]的觉悟是同样的道理。

重野理想中被选派去中国留学的学生学成回国之后，"入官校以正则教授中学以上的学生，和解汉文，以便变则以下者读诵，这样数十年之后，海内汉籍最终只有原本、和解这两种，所谓添髭加尾之书就可以绝迹了。"[④]重野的理想是否如愿实现了呢？从历史的发展来看，他讲演 10 年之后的 1889 年，东京大学成立了汉学科，以培养"新汉学者"为目标。再过了 10 年，即 1899 年，日本开始陆续往清朝派遣以汉学研究为目的的留学生，服部宇之吉（1867—1939）、狩野直喜（1868—1947）等均为一时之选。具有象征意义的是，他们一到北京，不久便遭遇了所谓的"北京笼城"之痛（"八国联军"入侵北京）。[⑤] 时间又过了 10 年，期间，日本在日俄战争中获胜，不仅成为西洋列强中的一员，而且以东洋盟主自认。到 1909 年，《先哲遗著 汉籍国字解全书》和《汉文大系》先后开始由早稻田大学出版部和富山房发行，这两套"汉籍"丛书可以说是重野理想中的汉

---

① 『荻生徂徠全集』第二卷，すずみ書房，1974 年，第 9 頁。荻生徂徕在这里说："予尝为蒙生定学问之法，先为崎阳之学，教以俗语，诵以华音，译以此方俚语，绝不作和训回环之读。始以零细者二字三字为句，后使读成书者。崎阳之学既成，乃使得为中华人，而后稍稍读经史子集四部书，势如破竹，是最上乘也。"

② 重野安繹：「漢学宜く正則一科を設け少年秀才を選み清国に留学せしむべき論説」，『増訂重野博士史学論文集』下卷，第 350 页。

③ 李剑鸣：《学术规范建设与世界史研究》，《史学集刊》，2014 年第 3 期。

④ 重野安繹：「漢学宜く正則一科を設け少年秀才を選み清国に留学せしむべき論説」，『増訂重野博士史学論文集』下卷，第 351 页。

⑤ 参见拙著《日本近代儒学研究》，商务印书馆，2003 年。

籍和解和原本的代表。①

服部宇之吉主持的《汉文大系》中的《十八史略》和《史记列传》都是重野写的解题。而且就是重野去世前的一个月，即1910年11月，他还为收入的《史记列传》编写了《史记年表》。町田三郎这样评价《汉文大系》意义：

> 《汉文大系》的出版标志着一个时代的结束。同一时期，有《汉籍国字解全书》（早稻田大学出版部）、《校注汉文丛书》（博文馆）、《汉文丛书》（有朋堂）、《和译汉文丛书》（玄黄社）、《汉文大成》（国民文库）等陆续出版，都是应时代需要的产物，其中即便有施以训点的，但是始终贯彻原注主义的，只有《汉文大系》。而且此后也没有《汉文大系》这种形式的丛书出版。②

《汉文大系》虽然贯彻"原注主义"，但是也不得不"添髭加尾"施以训点，以示"和训回环之读法"，可见训读已经无法与日本的汉学教育和研究相分离了。以重野对这套书的积极参与态度，可以推测他也对此无可奈何。根据服部宇之吉的回忆，他是"以培养汉文的常识为目的而编纂"这套《汉文大系》的，因为"日本过去虽然有《经典余师》，但过于浅显且选材范围狭小。而近期虽然有早稻田大学出版部的《汉籍国字解》，但以国字解作为教材使用则不合适。因此这里从经史子集中选择汉文注释书，以丛书的形式刊行，名之为《汉文大系》。应选书目的确定、句读、训点、栏外注等的负责人的选定都是我负责。"③就是说，《汉文大系》可以看作是作为一套重野心目中的"正则"汉文教育的教材来编纂的。或许是担

---

① 町田三郎：「「漢文大系」について」，『九州大学文学部九州文化史研究所紀要』34，1989年；同氏：「「漢籍国字解全書」について」，『東洋の思想と宗教』9，1992年。收入其著作『明治の漢学者たち』（研文出版，1998年。该书由连清吉翻译成中文，即《明治的汉学家》，2002年由台湾的学生书局刊行。）

② 町田三郎：『明治の漢学者たち』，第206頁。其中所言《校注汉文丛书》1913—1914年刊行，《汉文丛书》为1919年开始刊行，《和译汉文丛书》下文将论及，《汉文大成》1920年开始刊行。

③ 服部宇之吉：「富山房五十年記念に際して」（1936年『富山房五十年史』収録），町田三郎：『明治の漢学者たち』，第186頁。

心这样的教材曲高和寡，服部几乎同时参与监修一套《校注汉文丛书》，以供初学者使用，而且内容都是日本前代硕学苦心劳作而成的平易周详的国字解，当代知名学者对其加以缜密订正而成。书目除了增加一本《蒙求》外，经部的“四书”、《诗经》，子部的《七书》《近思录》，集部的《唐诗选》《三体诗》《古文真宝》，也都是《汉文大系》中的书目。

重野所提出的汉籍和解的代表性丛书，无论从规模和影响都要算早稻田大学出版部的《汉籍国字解全书》最大。当时对汉籍国字解的定位是在“高等学术的普及”上，将其当做“校外教育”的“讲义录”，①即课外辅导读物看待的。为何要重视汉学教育呢？他们认为“汉学教育之于日本不可或缺，不仅好比西洋之于希腊罗马，而且由于千余年来其文字用语，已经成为我们的日常的语言文字，其思想好尚已经牢牢地与我国国民性结合起来，形成了我国特有的文化。”而且汉文甚至成为日本的“第二国文”。② 那么与各种汉文注释书相比有什么特点，其主眼何在呢？曰：

> 中国古典的长处在于活跃于富丽庄严的文辞间的伦理信念的高尚伟大。因此修汉文者，在可以娴熟于文辞以构筑各种学问的基础的同时，也可以使人格高洁。这岂不是在维持一世风教上、在矫正物质文明的余弊上，汉籍教育之所以切要之所在吗？
>
> 然而要发挥高尚伟大的伦理信念，使读者能够感化，著者自身不能没有热烈的信念。且不论文辞的解释，至于信念发挥这一点上，不能不说如今陆续出版的各类注释书甚为拙劣。而在汉学精神旺盛的时代，为燃烧的信念所感动而执笔的国字解著作，不能没有其热诚耀动于字里行间而给读者以魄力的气概。这就是当今不断出现的冷冷淡淡的注释书，远远不及过去国字解著作的原因。③

---

① 早稲田大学出版部:「先哲遺著　漢籍国字解全書緒言」(1909 年 10 月),『先哲遺著　漢籍国字解全書』第 1 巻(『孝経』『大学』『中庸』『論語』),東京:早稲田大学出版部,1926 年再版,第 1 頁。

② 『先哲遺著　漢籍国字解全書』第 1 巻(『孝経』『大学』『中庸』『論語』),第 8 頁。

③ 『先哲遺著　漢籍国字解全書』第 1 巻(『孝経』『大学』『中庸』『論語』),第 9—10 頁。

这种“复活古典教育”的“热情”，正是发行这套“先哲遗著 汉籍国字解全书”的主旨所在。该“全书”刊行后，重野对“国字解式的汉籍”在汉学日本化历史过程中的积极作用给予了充分的肯定。他说：

> 在过去的五山时代及其前后的名僧皆佛书汉籍兼修，授之徒弟则以口义体的解释，作成一种国字解式的汉籍，汉学愈益同化于我国民之间。到德川时代，林罗山的《贞观政要谚解》自不待言，其山崎暗斋、浅见䌹斋、三宅尚斋、佐藤直方等，皆承此风，使得所谓笔记学得以流行，以其他各种俚谚抄等，使汉学更加在民间普及，以至于平民也可以品味汉学之妙趣。而至元禄、享保时代的汉学者，兼修汉籍与国学而不怠，有不少长于国文之汉学者。如徂徕之《政谈》、白石之《藩翰谱》《折柴记》，其妙不单单作为汉学者的国文而言，比之于国学专家的国文亦可称为名文妙文。如此，汉学者而亦通国学，实于汉学之日本化功莫大焉。①

而该《全书》中所收“先哲遗著”也多为元禄(1688—1704)、享保(1716—1736)时代的作品，如收录作品最多的中村惕斋(1629—1702)，以及熊泽蕃山(1619—1691)、荻生徂徕(1666—1728)、服部南郭(1683—1795)、三轮执斋(1669—1744)、浅见䌹斋(1652—1711)、毛利贞斋(元禄时期人，生卒年不详)等，皆为当时知识界名流。因此《全书》可谓在新的时代对历史上汉籍普及化作品的系统整理与活用。

(三) 田冈岭云及其汉学观

日本近代的文艺评论家、思想家田冈岭云(1870—1912)以一己之力，在晚年译注《老子·庄子》、《韩非子》、《战国策》、《荀子》、《史记列传》(上下)、《七书(孙子、吴子、司马法、尉缭子、三略、六韬、唐太宗李卫公问对)·鬼谷子》、《淮南子》、《墨子·列子》、《春秋左传》(上下)、《东莱博

---

① 重野安繹:「日本的漢学に就て」(1910年5月『漢学』第1編第1号),『增訂　重野博士史学論文集』上卷,東京:名著普及会,1989年,第399頁。

议》，成“和译汉文丛书”12册（还译有《维摩经·般若心经》，未列入此丛书），1910—1912年由玄黄社出版，被誉为“和译汉文书中之魁”，[①]其“译文注释皆绽放岭云氏独特的异彩”。[②]

与《汉文大系》和《汉籍国字解全书》等其他相关丛书相比，“和译汉文丛书”的最大特色是由田冈岭云一个人翻译完成，而且是在田冈岭云生命的最后两年完成的。他为什么要做这项工作？这套书有什么特色和意义？

田冈岭云的名字，熟悉近代中日学术文化交流史的人不会陌生，首先想到的大概就是他和王国维的关系。[③] 赵万里的《王静安先生年谱》“二十五年己亥（1899）二十三岁”条记载：“是岁先生始从日人田冈佐代治君读欧文。”[④]王国维在其《自序》一文中言：“盖余之学于东文学社也，二年有半，而其学英文亦一年有半。”此年谱该条又录王国维该文佐证：“是时社（东文学社）中教师为日本文学士藤田丰八、田冈佐代治二君。二君故治哲学，余一日见田冈君之文集中有引汗德、叔本华之哲学者，心甚喜之，顾文字睽隔，自以为终身无读二氏之书之日矣。”[⑤]这里的“田冈佐代治”就是田冈岭云，“田冈君之文集”应该就是1899年3月出版的《岭云摇曳》。但是如果由此认为他的专业是西方哲学，那就错了。

先来看一下他的简历。1870年（明治三年），生于土佐高知市（与植

---

① 『日本及日本人』，1911年8月1日。参见田岡佐代治『和訳韓非子』（三版，東京：玄黄社，1912年5月）所附录的「和訳漢文叢書に対する諸批評文中の寸言抜粋」。

② 『報知新聞』，1911年10月28日。

③ 须川照一：《王国维与田冈岭云》，吴泽主编、袁英光选编：《王国维学术研究论集》第三辑，华东师大出版社，1990年。（須川照一：「王国維と田岡嶺雲」，『東方』第45—47号，1984年12月— 1985年2月。）收入此论文集的相关论文还有岸阳子的《也谈王国维与田冈岭云》，分析了王国维的“境界说”之形成所受田冈岭云影响的可能性。

④ 赵万里：《王静安先生年谱》，收入谢维扬、房鑫亮主编《王国维全集》第20卷（房鑫亮、胡逢祥分卷主编），浙江教育出版社，2010年，第408页。

⑤《自序》（作于1907年5月，载《教育世界》第148号，后收入《海宁王静安先生遗书·静安文集续编》），见谢维扬、房鑫亮主编《王国维全集》第14卷（胡逢祥分卷主编），浙江教育出版社，2010年，第119页。

木枝盛同乡)。1891年,入帝国大学文科大学汉学科(选科)。1893年,处女作《苏东坡》刊于《史海》。1894年毕业。1895年,创刊《青年文》;发表《新汉学者》。1896年,发表《汉学复兴之机》《汉学复兴》,赴津山中学任教。1897年任《万朝报》记者,发表《东亚之大同盟》。1898年,赴水户任《茨城》报主笔。1899年,《岭云摇曳》出版。5月赴上海任东文学堂教师。次年回国。1900年,6月作为《九州日报》的从军记者到天津报道(《战袍余尘》)"北清事变"(义和团运动)。赴冈山任《中国民报》主笔。1901年因揭露教科书受贿事件入狱,《下狱记》出版。1904年,9月,先后发表《清国之善后策》《清国之前途》。1905年,8月,发表《东亚文献之钻研》短论。9月,赴任江苏师范学堂日本教习。1907年回国。1909年,10月,发表《汉学之复活》。《明治叛臣传》刊行。1910年(41岁),4月,和译汉文丛书第一册《和译老子·和译庄子》出版。1912年5月,自传《数奇传》出版。9月7日,在日光逝世。

田冈岭云的思想变化,他在自传《数奇传》中表示1899年的中国之行意义重大。《马关条约》签订的时候,正好他刚刚从帝国大学汉学科毕业。对此他毫不隐晦地表示:"吾等窃喜有了自己的活动舞台。"即"向大陆飞跃!相信对于以汉学作为专业的吾等而言,大陆是唯一的大好舞台。"①对于上海之行及其思想变化,他说:

> 在上海的一年不是没有意义的。教中国人学日语虽然引不起什么兴趣,但是我思想上发生的变化,对我而言是一件大事。
>
> 我过去被一种偏狭的国粹主义所感染。我的思想是从风靡一时的反对明治20年前后的欧化主义的空气中成长起来的。加上自己的专业是汉学这种古典的动辄容易陷入顽固陋劣之中,不知不觉就被导向了一种只承认本国的长处、妄想本国为世界唯一的国柄的偏见。②

① 「田岡嶺雲全集」第5巻,東京:法政大学出版局,1969年,第605頁。
② 「田岡嶺雲全集」第5巻,第607頁。

我在上海，不独观得了中国，也朦胧地观得了世界。我感到自己走出了溪谷而豁然接触到了广大的景色。

最终，自己以前的思想不过是井底之蛙的陋见，通过实实在在的事物得到了领教。我领教了世界之大、领教了世界之广、领教了人除了作为国民之外，还应该为世界之人类、为天下之人道而竭力。①

尽管如此，他的思想中也有一些不变的东西，如家永三郎所言，“他的民族主义使他能够充分正视欧美帝国主义对亚洲侵略的事实，但是却妨碍了他看破日本的大陆进出不是为了解放亚洲诸民族，而是搭乘欧美帝国主义的便车以侵略朝鲜和中国。”②这表现在他的汉学观上，更有代表性，特色也更加鲜明。他的汉学观，如上述其简历中所见，“复兴汉学”是他毕业于帝国大学汉学科之后，作为一个“以汉学为专业”自认的“新汉学者”常常论及的话题。在“和译汉文丛书”出版之前，其中最能够从整体上代表其汉学观的是《汉学复兴之机》(1896 年)和《汉学之复活》(1909 年)。简而言之，其汉学观可以概括为以下两点：

第一，汉学与日本思想文化的历史联系。如前所述，《汉籍国字解全书绪言》中将汉学教育在日本的重要性比喻为欧洲与希腊罗马的关系，田冈岭云早在《汉学复兴之机》中就说过：“汉学在吾国思想上的关系，犹如拉丁希腊之古学之于西欧诸国。吾国民之思想文物等，如果追溯其渊源滥觞，无不归本于此，斯学之灭即吾国民思想文物之源流枯竭。欲培养根基使枝叶繁盛，吾国民最先应修汉学自不待言。”③这一点在《汉学的复活》中没有变，他说：“汉学虽非我邦所固有，然其传来甚远，且其浸透

① 『田岡嶺雲全集』第 5 巻，第 608 頁。

② 家永三郎：『数奇なる思想家の生涯—岡田嶺雲の人と思想—』，東京：岩波書店(岩波新書 190)，1955 年，第 76 頁。『家永三郎集』第 5 巻(思想家論Ⅰ)，岩波書店，1998 年，第 59 頁。

③ 『田岡嶺雲全集』第 1 巻，東京：法政大学出版局，1973 年，第 556 頁。

人心甚深，殆成我国民性情之血肉，政治、文艺、语言、思想、风俗、习惯等我邦从来一切的文化，其基础之大半无不在此。故我邦如全然舍弃汉学，几乎与自弃其历史相当，其妄自不待言。”①而这方面说得最传神、最直率的，还是在他的“和译汉文丛书”第一册《和译老子・和译庄子》的序言《关于老庄的和译》这篇相当于该丛书总序的文章中。该文开篇便单刀直入地说：

> 看看你所住的家、所穿的衣服、所使用的的茶碗、器皿、筷子，看看你桌子上的笔墨纸砚、所读所写的文字，能说哪一样不是受中国文明影响的吗？
>
> 你不戴卷发，头发剪短，然而不可忘记头发下所掩盖的头脑的细胞中，遗传而潜在着祖祖辈辈千年相传而浸透到骨髓的汉学思想。如同在你的皮肉之间，即便你不曾自觉，也流淌着先辈的血液一样，你思想的根基中也继承着祖先的思想。如同你的眉目与祖先相像一样，你思想的底流也传承着祖先的思想。而祖先的思想不就是受中国文明陶冶而成的吗？
>
> 排除中国的文明，日本过去的文明乃真空也。除去中国的思想，日本过去的思想乃一无所有。在当今的明治时代，之所以能够急促地消化吸收西洋的文明思想，是因为我们已经有中国的文明思想的知识上的素质。现在人们不得不急趋于西洋的学术，也可谓有其必然之处。然西学之新输入，在其大要已备之今日，反顾我国文明之根底、追溯我国思想的渊源，对汉学进行温故的研究，对我国人而言也终究是不可废之事。②

上面所摘引的这些关于汉学在日本思想文化史上的基础性地位的长篇论说，对作为以汉学为志业者而言，可以说是其立身之本。他对汉

---

① 『田岡嶺雲全集』第 4 巻，東京：法政大学出版局，2014 年，第 574 頁。

② 田岡嶺雲：「老荘の和訳に就きて」，田岡嶺雲訳注：『和訳老子　和訳荘子』，玄黄社，1910 年，第 1—2 頁。

学所代表的中国传统文明的“敬意”,实际上是基于其对日本文化的形成和未来发展的功能与需要之理解上的。

第二,复兴汉学目的在于使日本成为“世界文明的大成者”。在《汉学复兴之机》中,田冈岭云也清醒地认识到日本文化的主体性问题,研究吸收中国文化当然是为了能够将之化为日本的养料而使自身壮大,是为了挺立日本文化的主体性。他说:“本来我们之所以学习其他的思想文化,在于以此壮大自我,而不是将自己转化成学习的对象,而只是在于将他转化而为我所用。因此先要挺立我之所以为我者,我既立,才能取他山之石以补我所需。”[①]这虽然是针对西欧文物而言,汉学似乎已经被视为日本文化的一部分,但是仔细琢磨,汉学毕竟非日本所固有,因此严格地说,汉学对日本文化而言也终究不过是“他者”。从世界发展的大势看,他认为东西洋文明各有长短,只有打成一片,一同“投入同化的洪炉,加以熔铸,才能完成世界文明”。[②] 谁能担此大任呢?“中国为东洋文明的代表,但其自身泥古不化、墨守成规,难以担此大任。而今日世界最能同化中国的思想的,莫如我日本;且在东洋最能同化西欧之思想的,亦莫若我日本。既然如此,担当此世界文明大成之任的,除了吾国民还有谁能为之?”[③]田冈岭云不仅看到中国文明中形而上学方面蔚然可观,而且在天文历数、医学算数等实验科学领域,也有许多闪光之处。他认为“中国文明是学界之沧海”而“现在此宝库的密钥掌握在吾邦人之手”,对于日本的前途,他豪迈地展望:“在即将来临的20世纪,在政治上成为世界列国的盟主的同时,在学界也不可不成为世界文明的大成者。”[④]通过甲午战争,他说:“吾帝国实际上已经占据了东洋列国的盟主地位,既然是东洋的盟主,发挥东洋文化的光彩岂非其责任?”[⑤]日俄战争之后,他认为

① 『田岡嶺雲全集』第1卷,第556—557頁。
② 『田岡嶺雲全集』第1卷,第557頁。
③ 『田岡嶺雲全集』第1卷,第558頁。
④ 『田岡嶺雲全集』第1卷,第561頁。
⑤ 『田岡嶺雲全集』第1卷,第558頁。

日本进入"发展时代","不单在武上发展,在文上也必须发展。而我邦以文事作人道上的贡献,首先在于钻研东亚的文献,向世界宣布东亚文明的独特意义和趣味。"①就是说,日本成为世界上东亚文明的代言人。

沿着这一思路,到 1909 年他看到《汉文大系》和《汉籍国字解全书》的出版之后,他自己的"复兴汉学"的视角与方向也逐渐明确了。他在《汉学之复活》中指出:

> 我国如今在政治上已经发展到满洲之地,不仅与中国的关系愈益紧密,交涉愈益频繁,而且文化上站在作为西洋文化的先导者,由我将其传入善邻之彼邦的地位,而关于这一点,最大的方便在于彼我同文这件事上。进而我日本作为东西文明的中介者,不仅将西洋文明传入中国,将东洋文明传入西洋,进而之所以足以为东西两种文明的浑融者、统一者,也是因为日本有汉学一事。汉学之具有价值对我国民而言不仅仅因为它是古典,小而言之为了国家的发展、大而言之也是为了世界文明的进步,汉学皆有其用。
>
> 吾人在此意义上,欢迎汉学之复活。②

而这种不仅仅作为古典,更作为有利于国家发展、有利于世界文明的进步,即放在国家利益的视野、世界文明的视野中的"汉学之复活"的努力,体现在了他的"和译汉文丛书"中了。

(四) 田冈岭云译注"和译汉文丛书"的特点

田冈的自传《数奇传》的最后一个小标题,直译的话即为"褥子的坟墓中横卧着还活着的尸体"。开篇一小段为:"发病以来已经五年,幸而(或者不幸)还活着,彷徨于生死之境,将'活着的尸体'横卧在'褥子的坟墓',仅仅保留着没有意义的生命。就这样我究竟还要再送走多少日子

---

① 田岡嶺雲:「東亜文献の研究」(1905 年 8 月 5 日),『田岡嶺雲全集』第 4 卷,第 224 頁。

② 『田岡嶺雲全集』第 4 卷,第 575 頁。

呢。”[1]《数奇传》从1911年6月开始在《中央公论》上连载，这一篇刊登在1912年的三月号上。“发病以来已经五年”，是指1908年初开始，其脊髓病恶化而逐渐失去行走的自由，就是在与病痛的斗争中，在辗转养病的途中，他的笔始终没有停过。除了《数奇传》，《明治叛臣传》、12册“和译汉文丛书”是这一时期的代表作。这一期间，与“和译汉文丛书”相关的文章，除了上述的《汉学的复活》之外，还有一篇1909年12月发表的《应排除训点与注释》，直接关系到该丛书书目的选择与翻译的旨趣。

从1910年4月出版《和译老子·和译庄子》开始，到1912年4月《和译春秋左传》(上下册)、《和译东莱博议》出版标志“和译汉文丛书”的完成，两年之中出版了十几册译注著作(1911年12月还出版一本《和译维摩经·般若心经》)，这对一个健康的人来说也是一项艰巨的任务。[2]“和译汉文丛书”是从什么时候开始着手翻译的，准确的时间尚不清楚，我所看到的资料，是登张竹风为《数奇传》写的序文中提到，1909年9月30日他到日光看望在养病的田冈，“他提倡汉文和译为当今之最急务，他说要以病躯而亲为之，意气甚壮。”“其汉文和译的素志稳步地成为现实。《和译庄子》之后，一篇一篇陆续出版，现在和译丛书竟出到超过十卷，不能不说是一大盛举。”[3]10月13日田冈岭云在《东京每日新闻》“论坛”栏目中发表了上述《汉学之复活》一文，是直接针对《汉文大系》和《汉籍国字解全书》而论的。

首先，田冈岭云对这两套丛书是持肯定态度的，认为这是“汉学复活的征兆日益显著”的证明。他认为“古典是学问的根底，排斥古典而追求

---

① 『田岡嶺雲全集』第5卷，第708頁。

② 据《田冈岭云全集》的编者西田胜说，“和译汉文丛书”12册中，“序文和序论另当别论，岭云实际上读解、作注的是其中的第一(《和译老子·和译庄子》——引者)、三(《和译战国策》——引者)、九编(《和译墨子·和译列子》——引者)三编，其他由公田连太郎、田中贡太郎、鹤田久作等担当。”见『田岡嶺雲全集』第4卷(《解题》)，第861頁。另外，在最后出版的『和訳春秋左伝』的卷头文「春秋左伝につきて」的末尾空白处有如下说明：“编辑此章之际因旧病缠绵，富山师范学校教谕石场健夫与公田连太郎多有协助，谨此致谢。田冈生”(《和译春秋左传》第5页)。

③ 『田岡嶺雲全集』第5卷，第425頁。

所谓新知识，如无根之萍，近来学校教育在伦理上不可谓不用力，但是其收效甚微，国民竞相趋于轻佻浮华之风而无法阻挡者，其理由虽然很多，古典熏陶的缺如无疑也是其原因之一。”①在这里，田冈批评当时“被偏狭的国家自大主义和轻燥、时尚的实用主义的奇异的思想联盟所排斥，汉学在学界成了一种后娘养的孩子，其价值、功勋、势力，几乎被人遗忘了”的情况，转而评论说：“然而就像那些游历西洋的人厌倦了肉食而想起了腌咸菜一样，已经疲于摄取物质方面知识的我国国民，感到了精神上的空虚，想起了无关紧要的汉学，先从一些好事者的旧书搜索的古董方面开始，进而在有识之士中盛行对儒教进行学究性研究，到今天终于波及全体国民，以至于要产生出一种可以更加普及的倾向来，前面提到的出版物就是这种倾向所促成，无外乎就是应这种要求而出现了。”他表示：“我们在欢迎这种倾向作为古典的复兴的同时，还看到有更大的值得欢迎的理由之所在。”②这个更大的理由就是他所奋斗的目标，即如前所述，不仅仅是满足于古典的复兴，而是要与国家的发展和世界文明的进步结合起来。

正是在这一指导思想下，他的这套“和译汉文丛书”显示了如下不同的特点。

第一，选题上，以培养青年的汉文素养为目标，定位为学校的初等汉文学教育读物。为了激发青年的学习兴趣，注意选择不太常见而有趣味，或者与时代思潮比较相近的书目。他说：“没有必要重新出版常见的、谁家都备有的《论语》《孟子》。以注释不同为理由出版，也只是对专家有利。对青年而言，太过疏远或太接近，都不好，因为他们的思想确实发展了，《小学》《论语》之类即便入选也没有什么趣味。既然是汉文学的研究，从被认为是名文或名作中选择一些不太常见的汉籍出版会比较有意思吧。选择这些出版，对汉学的复兴也大有意义。《孟子》也很好，但

---

①『田岡嶺雲全集』第 4 卷，第 573—574 頁。
②『田岡嶺雲全集』第 4 卷，第 574 页。

是对今天的青年而言或许更喜欢《荀子》吧。还有，自然主义的思想好像与《庄子》等比较接近吧。无论如何，这样有选择地出版，青年就会渐渐地接近汉文学。"[①]这样一种选择标准，当然与田冈岭云自己的思想倾向直接相关。

他虽然以复兴汉学为己任，但是他不同于传统的汉学家，他对现实的社会和世界有深切的关怀，对西方的新知识、新思想有自己的喜好与取舍。他大学时的同学小柳司气太（小柳柳柳子，1870—1940）的《回想录》（1908年9月）中说：

> 岭云在大学汉学科，素来非研究马郑的训话、寻绎程朱之性理者，如此烦琐的问题恐怕非其所堪。他喜读叔本华氏，枕籍庄子，研究印度哲学，涉猎精神的物理学上的典籍及有关神秘主义、精神主义的著作。最终将东西思想熔铸打成一片，而欲构筑其所谓的神秘哲学。[②]

德田秋声（1871—1943）在《数奇传》的序文中也提到："作为汉文科出身的人，很少有像他这样具有新知识与新思想的人，同时也是不轻易被大陆文明感染的人。"[③]这里所说的"大陆文明"，如果以"作为汉学科出身的人"而论，自然会立即想到"四书五经"，《汉文大系》和《汉籍国字解全书》当然都一一收入了，对此，"和译汉文丛书"中只选了一本《春秋左传》。他之所以选《春秋左传》，从他的解说中看，有三个目的。其一，有利于了解当今中国。他认为"中国的国民性今犹如古。人情不容易因时间而变易。"[④]其二，有利于了解当今世界。他认为"春秋列国之状态即今

① 田岡嶺雲：「訓点と注釈とを排すべし」，『田岡嶺雲全集』第4卷，第625頁。

② 大町桂月、笹川臨風、白川鯉洋、樋口龍峡編：『叢雲』，東京：松本商会印刷部，1918年，第383頁。

③ 『田岡嶺雲全集』第5卷，第423頁。

④ 他接着说："汉人种重形式，即便在兵马倥偬之际犹拘泥于辞让，是其一。爱财喜钱，一旦有事每以贿赂解决，是其二。此等性情在今日中国人也很显著，今日之革命军，与满清朝廷讲和谈判，要求清帝退位，或者给袁世凯送去一百万元，让他当大总统之风传，这些都可以看作是中国人固有性情之表现。"田岡嶺雲：「春秋左伝につきて」，田岡嶺雲：『和訳春秋左伝』上卷，玄黄社，1912年，第3頁。仅以中国人重利的一面，是否能够全面反映"中国的国民性"或"中国人的固有性情"，由此可以窥见其中国观之一斑。

日世界列国之状态。今日之英法俄德犹如春秋之齐晋秦楚。而列国之间有同盟、有国际公法,亦犹如今日之世界列国。”①其三,有利于重新解释历史的道德价值。他批判那种“历史之目的在记载史实,与道德不相关”的论调,强调“所有学问皆出自人。其究极目的不能不为人生。”而“其所谓为人生者,即广义上的为道德也。春秋作为鲁国的一篇史记,其道德上的价值即在于此。”②对历史或学术的道德意义,田冈岭云当然已经不仅仅局限于传统的春秋笔法、劝善惩恶,而是有更广阔的视野。这一点他在《和译史记列传》的解说《史记作为史书的价值》中有详细的论述。③

第二,意义的阐释方面,他在每一个译本的前面都对该书有一个或长或短的解说。这套丛书有一个明显的特点,就是将中国的古典与西方思想联系起来进行对比。比如对老子的复古思想,他说:

> 老子之所谓德在于顺道之自然而处于消极,以为无为、事无事、去甚去奢为旨。去甚去奢所以矫文也,以矫之反质为理想者在复古。夫反对时弊者常欲复古。路易十四世之华耀之世,乃有卢梭之民约论。其欲复古之自然,与老子相似。读老子不可不先体认此,不然将失其正解。④

比如对韩非子,他说:“韩子之法术论立即使人联想到马基雅维利主

---

① 田岡嶺雲:『和訳春秋左伝』上卷,第 3—4 頁。

② 田岡嶺雲:『和訳春秋左伝』上卷,第 4、5 頁。

③ 如他说:“历史研究也是从许多史实中选择出其所谓真实,即主观自然要发挥作用。‘有此’无论怎样尊重纯客观的态度,全然无主观干预,不可能找出其所谓纯客观的真实。其归根到底,最后还得待主观发挥作用。即其作为客观的真也毕竟不过是主观的真。”又说:“凡是学问都不可没有某种道德的意义。所谓道德的意义,未必拘泥于劝善惩恶的性质,而在于广义上的不可没有某种人道上的贡献。所有的学问都是为了人,因此以人为目的的学问,若在为了人这一点上没有丝毫贡献,那么其研究无论如何殚精钩玄,总归是无用的学问。”见田岡嶺雲:「史記の史書としての価値」,『和訳史記列伝』上卷,玄黄社,1912 年,第 10—11、11—12 頁。『田岡嶺雲全集』第 4 卷,第 744、744—745 頁。

④ 田岡嶺雲:「如何か老子を読むべき」,田岡嶺雲訳注:『和訳老子　和訳荘子』,玄黄社,1910 年,第 2 頁。

义"(17 页),进而分析两人境遇之类似、学说多相符合,从而指出"马基雅维利与韩非子,可谓异地时隔,不期然而抱有同一思想者。"并欲以马基雅维利为韩非子正名,"马基雅维利著《君主论》,有人责其曰:是教君主以暴虐之道者也。彼答之曰:余同时以此教人民以打倒暴君之道也。韩非子亦复如是。"①再比如对荀子,他认为:"从荀子来看,则人心自然之发现只有欲和利,所以节制人的利欲的礼义不过是后天圣人制作出来的。既然礼义是圣人之制作,因此必非千古不易者,而是随时宜而变化。换言之,道德的形式为人的作为,应该随着时势而推移,这一点与近来西洋伦理学者所说,如出一辙,韩非子亦传承其意而排斥当时固陋的尚古思想。"又说:"荀子既反对老庄那样的无政府主义,也排斥墨子那样的共产主义,而是以王者推行一种万能的社会政策作为理想。"②等等。

第三,翻译和注释上,如他的文章《应排除训点与注释》标题所示,他的翻译,完全排除了训点,注释也是限制保留到最小的程度。关于训点,他强调"要尽量避免依赖训点阅读。即便在中学,从短句开始逐渐到长句子,动词等的位置如何摆放可能稍微困难一点,看惯了的话,不过分依赖训点也没有问题。"对注释,他认为除了难解的文字之外,尽量不要注释,因为"多余的注释,使得本来简单明白的原文的意义变得非常混乱了。"他认为"读没有训点和注释的原文,最能够培养阅读能力。"所以,他强调:"如果单纯为了了解中国的思想、文物而进行研究的话,脱离汉文,而将汉文流畅地写成日文来阅读,恐怕是捷径。这当然必须要真正有能力的人认真去做才行。如果作为文学去研究,还是需要原原本本地读原文,并对不常见的作品进行选择。"③将汉文流畅地翻译为日文,这正是"和译汉文丛书"努力的目标。

这一想法,他在该丛书第一本《和译老子·和译庄子》出版之际,作了更加明确的说明。他说:

---

① 田岡嶺雲:「韓非子評論」,田岡嶺雲訳注:『和訳韓非子』,玄黄社,1910 年,第 17、19 頁。

② 田岡嶺雲:「荀子の鳥瞰的評論」,田岡嶺雲訳注:『和訳荀子』,第 23—24、31 頁。

③ 田岡嶺雲:「訓点と注釈とを排すべし」,『田岡嶺雲全集』第 4 卷,第 623、624 頁。

> 欲在今日普及汉学之研究，当务之急在使诵读容易。欲使易读，莫若将其翻译为近于时文者。如过去那样将汉文视为一种公文样式，原原本本按照汉文体来学习汉文固然有其必要。然而今日所要，不在汉文之形式而在其内容，不在其文体而在其思想。故翻译之亦决非汉学研究之累。且如昔日自幼即受四书五经之素读，翻译虽可谓徒劳，而在渐渐疏远汉文之今天，汉籍之翻译决非无用。
>
> 或有谓汉文一经翻译便失其妙味者，西文之翻译或如此，在汉文则未必然。邦人之读汉文，即为翻译后而读。只不过没有将与假名相混的文句写在纸上而已。既然同为翻译，口头诵读与写成文字，在观原文之妙上，没有任何差别。且所谓翻译不得原文之妙，主要怕不能在语气语调上原原本本传达原文的措辞，而在汉文之翻译中，其措辞可以原原本本保留其原字，因此无损于其语气语调。所以我相信，就汉文而言，虽然将其翻译出来，也几乎无害于我们品味其妙趣。①

这里，第一层意思，是说为了便于阅读以了解汉文的内容与思想，最好的办法是将其翻译为现代日文。第二层意思，强调将汉文翻译为现代日语也不妨碍品味原文的妙趣。值得注意的是，他在这里提出的“邦人之读汉文，即为翻译后而读。只不过没有将与假名相混的文句写在纸上而已。”实际上是指出传统的训读中已经包含了翻译，只不过仅仅是以在原文上“添髭加尾”的形式表示，如果顺着读下来将汉文改写成与假名交织的文章，就是翻译。因此他认为，既然都是翻译，那么作为“素读”的口头诵读与将所诵读的句子记录下来写成文章，都无损于品味原文的妙趣，因为在措辞时可以保留汉文中的原字。“和译汉文丛书”不录汉文原文，也省去了对汉文的训点，直接将汉文译成接近于当时文体的日语，只是在必要的地方加上简单的注释，这就是其“和译”的基本特点。

---

① 田岡嶺雲:「老荘の和訳に就きて」,田岡嶺雲訳注:『和訳老子　和訳荘子』,玄黄社,1910 年,第 4—5 頁。

值得留意的是，在《和译荀子》一书译文正文的前面有一篇《中国古书为何难读》的短论，从两个方面说明其难处所在，一是同音假借的识别问题，一是对误脱错简的校订问题。对此译者都做了相应的处理。在该文的最后，他说："此译本本来不是给专家参考的，而是给普通的读者阅读用的，因此未必在每一处都说明其理由，只是以能够平易地读下来，得到一种畅通的理解为主旨。如此，虽有负罪于原著者，又有获咎于笃学之学者之处，而译者亦非必欲妄自割裂，只是为了将古典时代化，此亦不得已而为之。"[①]类似的情况当然不仅仅限于这本《和译荀子》，也由此可以再次感受到他对此丛书的读者群为普通读者的定位以及其"将古典时代化"所作出的努力。

简短的结语

日本人对应该如何阅读汉籍这个问题，近代以来直至当今还在研究者中讨论。[②] 当代学者关于训读也有各种各样的解释，东洋史专家宫崎市定的说法值得参考。他说："原文是汉文古典的情况下，日本古来有训读这种读法。这种训读实际上是一种逐字逐句的翻译，这种所谓的读法也有严密的方法，包含某种程度的分析的文法解释。但是由于将这种训读原原本本地写下来，即所谓的解读文，还不是真正的日语，如果不是相当熟练的话，读起来听起来通常都不能理解。这样，就需要有称为口语译或现代语译的翻译。"[③]这种逐字逐句的直译，看上去像是最忠实的翻译，因为其不好理解，宫崎也认为"实际上不能说是翻译"，他以为《论语》的现代语翻译努力的方向，"不是单方面地原原本本地接受从古代流传来的思想，也要将现代的思想投影到过去。不单单是用现代语来解释古

---

① 田岡嶺雲：「支那の古書は何が故に読み難き」，田岡嶺雲訳注：『和訳荀子』，玄黄社，1910 年，第 42—43 頁。

② 陶徳民：「近代における「漢文直読」論の由緒と行方—重野・青木・倉石をめぐる思想状況—」，小島毅：「日本の漢文の訓読とその将来」，皆收入前述『訓読論——東アジア漢文世界と日本語』一书。

③ 宮崎市定：『論語の新研究』（1974 年），『宮崎市定全集』4，岩波書店，1993 年，第 175 頁。

代的语言，也要将现代语翻译成古代的语言，力图以这种心情来进行现代语翻译。”[①]这实际上也就是现代的语言、思想寻找传统的根基的过程，也是如何使传统的语言、思想得以新生的过程。严格意义上的训读，作为日本历史上一种学习、吸收和消化外来文化（严格意义上讲是中国文化）的历史现象，其意义和研究价值不容忽视。

田冈岭云为了提高青年的汉文素养，他一方面排斥训读，主张脱离汉文，直接以流畅的日语来阅读，一方面为了强调日语的汉籍翻译并不失其原味，又不惜将抄录训读的解读文（口头诵读）直接等同于翻译。这显然降低了他力图将汉文翻译为流畅的现代（他所处的时代）日语的标准。要想通过翻译的“捷径”去了解中国的思想文化，如他自己所说，“必须要真正有能力的人认真去做才行”。他应该是尽到了自己的努力。而且如《汉籍国字解全书绪言》中说的那样，他也是“为燃烧的信念所感动而执笔的”。比如他的“和译汉文丛书”之所以从老庄开始，是因为老庄的哲学曾经是他本人思想的根底，[②]即如他所言，“是因为我多年沉潜于此，其所说超越方外，对于今之世人迷惑于名利、烦闷于生死、囚于小利害小是非之拘拘汲汲者，我相信是对症治之良药。”[③]当然我们也要注意，他的老庄注解如他所言，或“多以私见解之”，而且他还理直气壮地反问：“诸注家亦各以私见解之而已。而吾独不可以私见解之乎？”[④]他的“私见”是如何表现在译本中的，也是值得研读的问题。

日本在日俄战争之后跻身于世界列强之中，而知识、出版界面对维新以来热衷于输入西洋新学术而置日本与中国古典于不顾的倾向，一些“有识之士”提出汉文作为日本的“第二国文”，认为汉籍对于加强“伦理的信念”、培养“高尚的人格”具有重要的感化作用，而田冈岭云更是将“汉学复兴”与日本的国家利益和世界文明的大势结合起来，通过与病魔

---

① 『宮崎市定全集』4，第175—176、178頁。

② 『田岡嶺雲全集』第5巻，第670頁。

③ 田岡嶺雲：「老荘の和訳に就きて」，『和訳老子　和訳荘子』，第5頁。

④ 田岡嶺雲：「如何か荘子を読むべき」，『和訳老子　和訳荘子』（「和訳荘子」），第8頁。

的斗争，以顽强的毅力和高昂的热忱完成的这套“和译汉文丛书”，可以看作是日本近代的新知识、新思想寻找传统的根基和东方的传统语言、思想吸收融合现代知识文化而力图焕发新生命的一个值得研究的典型例证。汉籍翻译在近代以来日本的知识建构中所发挥的重要作用，尚有待于我们从多个侧面进行深入的研究。

（原载于《南开学报》2017 年第 4 期）

第四章　日本近代思想与儒学

一　近代日本的“超国家主义”

(一)

“超国家主义”这个用语，日本大正时代的国家社会主义者高畠素之曾经在《超国家主义之迷妄》一文中论及，但他主要是批判“超国家的社会主义者”的“四海同胞的理想社会”及“万国主义”(既国际主义)的“空理空论”，而强调现实社会的结合是不同人种的、国家的结合。[①] 这里的“超国家主义”显然是“超国家・主义”。不用说，这与“通常与日本法西斯主义同义地使用”的超国家主义不是同一个概念。我们这里要说的这个概念缘起于《投降后美国的初期对日方针》[②](1945 年 9 月 22 日)，英文为 ultra—nationalism，是“超・国家主义”。因为这里所提到的超国家主义常常与军国主义并列使用，或者常常使用 militant nationalism 即“好战的国家主义”的说法，的确是与日本法西斯主义没有什么区别。把

① 发表于《解放》1922 年 1 月号。见《大正思想集Ⅱ》近代日本思想大系 34，筑摩书房，1977 年。
② 见中村尚美、君岛和彦、平田哲男编：《史料日本近现代史Ⅲ》，三省堂，1985 年，第 5—8 页。

这个概念放到日本现代思想史中来分析，始作俑者是丸山真男。他在ultra—nationalism这个概念出现半年后，发表了《超国家主义的逻辑与心理》，①这篇文章也成为日本现代思想的经典之作。后来久野收、鹤见俊辅的著作《现代日本的思想》②以及桥川文三编辑《超国家主义》③一书并写有解说《昭和超国家主义之诸相》，都是研究这一问题的重要文献。

丸山真男重视日本超国家主义的渐进的性格，同时提出：

> 如近代国家被称为国民国家那样，国家主义毋宁说成为其本质属性。那么，如何大体区别近代国家共通的国家主义与“极端的”国家主义呢？人们马上就会举出帝国主义乃至军国主义的倾向吧。但是如果仅仅这样的话，从国民国家形成初期的绝对主义国家开始都进行过露骨的对外侵略战争，即便不等到所谓十九世纪末的帝国主义时代，武力膨胀的倾向也可以说不断地在国家主义内部冲动着。既然说我国的国家主义单纯是这种冲动更加强烈、表现的方式更加露骨，那么只有找出其对外膨胀乃至对内压制的精神上的发动力中的本质上的不同，才真正带有ultra的性格。④

桥川文三并不满足于这种“笼统的”分析，他进一步从具体人物的性格和思想分析着手，指出日本的超国家主义是以朝日平吾、中冈良一、小沼正等青年为原初形态，在北一辉那里达到正统的完成形态，而将井上日召、橘孝三郎等看作一种中间形态。

朝日平吾(1892—1921)于1921年9月28日在大财阀安田善次郎的家里刺杀了安田善次郎之后，当场自杀了。受朝日平吾所留下的遗书《死之叫声》的影响，同年11月4日，首相原敬在东京车站被19岁的青年中冈良一在“国贼！国贼!”的尖叫声中杀害了。朝日的遗书《死之叫

① 《世界》，岩波书店，1946年5月号。

② 岩波新书，1956年，该书第四章为“日本的超国家主义”。

③ 现代日本思想大系31，筑摩书房，1964年。

④ 丸山真男：《超国家主義の論理と心理》(1946年)，《丸山真男集》第3卷，岩波书店，1995年，第19页。

声》,具有区别日本的超国家主义与传统的国家主义的标志性意义。在这里,如久野收所言,元老、重臣、新旧华族、军阀、财阀、政党首脑这些明治以来传统的国家主义的代表无差别地被一律断为罪恶的元凶,主张挨个地杀掉,以此表明与明治以来传统的国家主义的断裂。这种裂痕最充分地表现在不是将天皇作为传统的象征,而是开始作为变革的象征来看待。而且这里,对外来思想的排斥、直接的恐怖行动、志士意识或天皇的赤子观这些昭和超国家主义的特色一应俱全,还没有表现出来的只有将国内改革与对外国策结合起来的正式的超国家主义的主张而已。① 这种"正式的超国家主义的主张"如下面将要论及的,在北一辉的《日本改造法案大纲》中充分体现出来。井上日召(1886—1967)是血盟团事件②的策划者和精神领袖。橘孝三郎(1893—1974)是农本法西斯主义的指导者,参与策划了"五一五"事件。

桥川文三不仅分析了大正、昭和时代超国家主义与明治时代国家主义在思想性格上的不同,而且指出明治以来的个人主义、人格主义的思潮对于形成超国家主义的思想底色的潜在影响,甚至有气脉相通的一面。实际上,以各种思想杂交的怪胎形式出现的超国家主义,无论是对传统思想还是现代思想都极具吸附性与粘连性,这是使它同时显出前近代与后现代面孔的原因。这里我们分别从人生观、国家观和宗教观来看看超国家主义的思想特性。

(二)

虽然超国家主义者的家庭出身及生活状况不尽相同,但是都是自觉地将个人与国家联系起来的"有志之士"。如朝日平吾在《死之叫声》里说:

---

①《现代日本的思想》,第123页。

② 1932年2月9日小沼正暗杀了大藏大臣井上准之助,同年3月5日菱沼五郎杀害了三井财阀理事长团琢磨。

> 我们是人，同时希望成为真正的日本人。真正的日本人都是陛下的赤子，有得到保持与身份相称的荣誉与幸福的权利。①

这种"志士意识"因为其处境等不同也有不同的具体表现。朝日平吾在上述遗书中表示：

> 我所支配的只是未满 20 岁的青年，他们不像今日之有识青年会算计，也不是小才子，其特征为愚直、不言实干、莽撞，立于信念、不为名利而动故坚强沉默，所望不在瓦全而在玉碎，所期在决死的真实。强烈鼓吹天下之事皆为赌博的人生观与病死不如诛灭奸人而死这种男子汉的豪爽之气。加上没有父母没有家庭没有教养，因此有咒骂世道之眼光与反贵族的深怨，因为愚钝才可靠。②

而二·二六事件皇道派（与下文提到的"统制派"相对立）青年将校的代表西田税则有一种革命的英雄主义与理想主义的气概。他在《无眼私论》中说：

> 把持真理、翼赞皇谟以圣光拥抱国家民族的志士应该起来。
>
> 志士必须是圣人，古来的革命者都是圣人——真理之把持及其现实只有圣者能够担当。③

他一方面有"多感多泪的本性"，喊出"'真诚地活出哲理的合理的美的人生'是我衷心的呼声。"追求"求道、探寻哲理、想念诗意的人生、希望可以归天"。④ 对感情的重视还可以从井上日召对马克思主义理论的认识上得到说明。他虽然认为在理论上被高畠素之说服了，反驳不过他，但是在感情上不服输。认为"马克思主义单单是在理智上观察宇宙人生而得出结论，但是在另外伟大的方面，即人间美好的温暖的感情方面则全然不顾，因此人决不能以此为满足。即便退一百步，就算其理论是正

① 《现代史资料》第 4 卷，みすず书房，1963 年，第 480 页。
② 同上，第 481 页。
③ 《现代史资料》第 5 卷，みすず书房，1964 年，第 296 页。以下只注页码者皆引自此书。
④ 同上，第 288、289 页。

确的，但显然也不能忍受根据其理论而出现的社会那种沙漠一样的生活。总之，马克思主义是伟大的空论。”①

人生观中，生死观无疑是他们的思想中最具特色的部分。一方面，他们赋予死以诗意的理想价值。西田税说：

> 死者诗也。
>
> ……
>
> 我们不能不让我们的死真正地美。
>
> 我想使死美丽是人生生存的真意义。
>
> ……美丽的死是人生究竟的理想。
>
> 短暂的生因为美丽的死而具有无穷的价值。即便长寿，因为丑死而价值全无。总之，殉于哲理追求人生去美地死的殉道者的生命，不单单以其年龄——灵肉俱在的——论长短，所有殉道者的生命都是同一的——在永远的未来延续而不朽，其存在与哲理的永劫不朽共不朽。②

与这种对死的礼赞形成对照的是将暗杀视为一种去道德化的手段或方便。对于为什么要采取暗杀这种过激的手段，井上日召回答说“那是无是非的方便。”“什么能够促使他们自觉？有什么方法？一想马上就应该明白。对他们的铜墙铁壁而言，出版物和志士的诚意都没有用，那么剩下来的只有在他们所珍惜的最重要的生命上的危险感才能够开导他们自觉了。”“对我来说我相信是佛行，不觉得是善也不觉得是恶，一切都是这个国家发展过程中的必然。”这里涉及佛教，特别是日莲宗的法华信仰。如杀害井上准之助的小沼正说：

> 井上日召与我因为顺缘成了师生，与井上准之助，因为逆缘成了杀害的对象。但是，如实地凝视此本体，准之助是我的心中的准

---

①《现代史资料》第5卷，第329页。

②《现代史资料》第5卷，第291页。

之助。我的心？那是伟大的如来的心。自我……不可得，不可得的自我……这是如来。所谓“对理为平等，约事有因果”之类。

顺逆的佛道都是法华的教理。我杀掉井上准之助，朦朦胧胧地觉得能够掌握佛教的某种东西了。成为杀人犯在拘禁中我更加热情地阅读了佛教经典。这都是托准之助的福。这样，对我来说杀人是如来的方便。

对我来说，准之助才是如来、大善知识、师匠。逆缘的师匠。①

将杀人作为一种“方便”，其目的在于国家改造、在于“清君侧”。同时也是排除天皇与其赤子之间的屏障，使有限的个人融入天皇这一万世不朽的绝对生命之中。

井上日召说：“天皇具现了三种神器所表现的民族精神，是绝对的元首，国民是其赤子。其关系是与分离、对立者全然不同的亲子、一体的关系。我国原原本本地以宇宙的法则为国体，国民与国家是同魂一体，国民的本体与国家是同一的，同时现实的样态中是其部分。国民在国家危急之际，牺牲一身，是归一于本体、回归到永远的生命。”②青年将校一般都认为天皇陛下即日本国，我们赤子是陛下的分身、分灵。立于这种信仰之上，去充实发展每一天的生活，就是维新、就是改造。但是，具体而言，天皇的命令通过上级军官来表现，这作为实际问题来认识还是相当困难的。青年将校认为：

在日本军队，上到元帅、大将，下至二等兵，都是陛下的军人这种信念必须统一。这必然是所谓国军的所谓统制。将其用制度用规则来统一的思想是统制派的思想。当然，人不是神，因此作为实际问题不能说理想当下就能够实行。至少我们努力在朝着理想的境界前进。因此在某一时期，上官有根据自己的信念来强行要求部下的情况。那时必须认识到如果我们的信念错误就要切腹向陛下

---

①《现代史资料》第5卷，第489页。

②《现代史资料》第4卷，第109页。

谢罪。自己在发布命令时，因为下级是作为陛下的命令确信而动的，所以自己的一言一句作出确实的信念。到战场上虽然认为此部下去了必死，但是必须达到含泪命令他去这种信念的境界。不是请求，而是命令。“去”这一言辞中必须要有非常的信念。①

其法西斯主义的恐怖暗杀活动，有所谓“一人一杀”与“一杀多生”的分别。一人一杀，朝日平吾是典型的代表，他留给盟友的遗言是：“卿等体会我平素的主义，不声张、不外露，只是默默地刺杀、冲击、斩伐、投放，不需要同志间的往来、结集，唯有埋葬一个，这即是尽自己个人的方法与手段。”②而井上日召则告诫其同志说：“我们的暗杀，不是以杀人为目的，而是忧国青年为了促使其觉醒而不得已所诉诸的唯一手段。”还特别提到：“无论是否达到目的，不要自杀。既然自己是信善行事，就必须明确活下去的态度。”③所谓“美丽地死”，实际上也就是“美丽地生”。小沼正强调：“我们今天活着进而明天活着的这种大欲望，此外没有什么革命的本体。活着？如何活着？人就像人一样地活着。人除了作为人而活着，别无他途。人作为人而活着这是绝对的大道。”④

他们的人生观和生死观，在某种意义上的确带有“求道者”追求“自我实现”的意味。日本的超国家主义是在国家主义烟幕下日本人自我意识的大爆发和大幻灭。

(三)

国家观应该说是超国家主义者思想中最具本质意义的部分。而这一部分，也直接与天皇密切相关。在这一点上西田税表述得很干脆利索：“天皇为国民的天皇，民族为天皇的民族。”将明治维新的理想发扬光大而进行大正维新，必须以剑、以神圣的血来洗濯此污浊的国家而在此

---

①《现代史资料》第 5 卷，第 784 页。
②《现代史资料》第 4 卷，第 482 页。
③《现代史资料》第 5 卷，第 402 页。
④《现代史资料》第 5 卷，第 495 页。

之上建设新的真正的日本。他强调“以日本为主体的世界革命”,“以彻底的国家主义代替近世的资本主义。”“我的素志是大日本主义、大亚细亚主义,是使日本成为世界的宗主国,是复神代之古。”井上日召从宇宙观来认识个人与国家的关系,他强调“我们的国家生活是个人生活自然而然地发展生长而来的,所以说到国家,社会和个人被综合统一在其中。而且就一个人来看,其中甲这个人是作为整个国家的一个组织体的甲,没有与全体分离对立的个人。”人与宇宙的关系,单独从唯物的层面看,一个人也是由宇宙全体成立的。内在的知识、感情也是由于与宇宙间一切感应交融而形成一个独立的人。“因此从宇宙的真体而言,森罗万象都是同魂一体,没有任何一个是独立分离的。”这样,日本形成了绝对的国家而诸外国形成了相对的国家,这无非是民族发展的过程中状况的不同所致,不应该是由于人的根本的本来面目的不同。他认为日本是世界上唯一按照宇宙自然的大法则而成立的国家。“无论是个人生活还是国家经纶,一切要以绝对为基础来处理差别情况。”①

国家改造的思想基础,井上日召认为在于觉悟到“日本这个国家是以与其他诸外国不同的宇宙法则(也可叫做理想、意思)为国体而成立的国家”。这个法则是什么呢?就是:

> 我是宇宙全一体,同时又是其部分。因此,我只是以我个人为基础而生活,这本来就是违反本体的。然而从来的教育及社会的制度组织等都只是以欧美式的差别观为基础的,因此是违反宇宙的本来面目的。……在字句上,皇室中心主义、国家主义、资本主义、社会民主主义、共产主义等等,似乎有各种变化,根本上都是个人主义,因此全是反逆主义。是灭亡之道。
>
> 因此我从全世界的视野排斥差别相待的指导原理,主张应该建立基于绝对平等的指导原理、排斥差别相用的教育与社会制度。②

---

①《现代史资料》第5卷,第354、358页。

②《现代史资料》第5卷,第395页。

但是“现在日本的政治，只有天皇政治的名目，而事实上为政党政治。而且这一事实被公然宣称。所谓政党政治，根据他们的说明，似乎是多数党政治。因为政党的意志只是政党首领及少数干部的意志，所以政党政治意味着政党首领的专制政治和少数干部的寡头政治，决不是天皇的政治，也不是能反映国民大众意志的代议政治。”①

也有对天皇本身表示不满而进行忠义直谏的。矶部浅一说：“日本不是天皇的独裁国家，也断然不允许是重臣元老贵族的独裁国。明治以后的日本，是以天皇为中心的一君与万民一体的立宪国。更简易地说，就是以天皇为政治的中心的近代民主国。因为必须是这样的国体，谁的独裁也不允许。但是今天的日本是什么样子呢？难道不是以天皇为中心的元老、重臣、贵族、军阀、政党、财阀独裁的独裁国吗？不仅如此，如果仔细观察，这些特权阶级的独裁政治甚至都不把天皇放在眼里。”他敢于直谏天皇陛下的“失政”，质问为什么不远离奸臣而召回忠烈无双之士？认为“真正的忠道是忠义直谏”。② 既然现实世界中天皇都无能为力，那么他只好作另一番憧憬了。他说：

> 我们另外有一个灵的国家，日本国以其国权国法枪杀我们尚且不够，将骨肉化作微尘远远地抛弃到国家之外，最终无可奈何的是灵，我们另外有一个灵的国家。
>
> 我们另外有一个信念的天地，虽然日本国朝野都将我们视为国贼叛徒而容不下我们，我们别有信念的天地、真大日本。
>
> 我们有灵的国家、有信念的天地，现状的日本对我来说无所谓，我们的真国家神日本一定要膺惩这不义不信堕落的国家。
>
> 大义不明之时，即便有国土也非真日本。国体亡时，即便有国家，神日本也亡。③

---

①《现代史资料》第5卷，第373页。

②《超国家主义》，第174、178页。

③ 同上，第170—171页。

谈论超国家主义者的国家观,当然不能忽视日本军国主义的思想代表北一辉。从1906年他自费出版《国体论及纯正社会主义》,到1919年被奉为日本超国家主义圣典[①]的《日本改造法案大纲》的作成,典型地展示了社会主义、革命思想等近代思想如何日本化、军国主义化的历程。北一辉的《日本改造法案大纲》是在日本法西斯主义运动中发挥了最具指导性作用的理论,[②]是贯穿国内改造与国际侵略的最具理论形态的法西斯主义的典型。

在"大纲"的绪言中,他指出在面临史无前例的内忧外患的国难之际,"确立如何改造大日本帝国的大本,制定举国无一人非议的国论,最后以全日本国民的大同团结奏请天皇大权的发动,必须奉戴天皇迅速完成国家改造的根基。"如同希腊是欧洲文明的中心,日本是"亚洲文明的希腊,在率先构筑自己的精神完成国家改造的同时,高扬亚洲联盟的义旗而执将真正到来的世界联邦的牛耳,这样就可以向四海同胞宣布佛子的天道而垂范于东西。"

在国内改造上他提出一系列措施,比如"天皇为了与全日本国民一同奠定国家改造的根基,由天皇大权的发动开始,停止三年宪法,解散两院,在全国发布戒严令。""天皇是国民的总代表","废除华族,撤消阻隔天皇与国民之间的藩屏以彰现明治维新的精神。""废除贵族院而设置审议院,审议众议院的决议。""25岁以上的男子在大日本国民的权利中通

---

① 负责检举右翼思想的检查官说:"在二·二六事件中,众所周知他们所信奉的思想的中心是北一辉的所谓日本改造法案。……以此改造法案为他们的国家改造的神圣的经典,或者称之为在日本改造中必须实践的神圣的经典。"佐野茂树:《最近の右翼思想運動について》(1938),见《现代史资料》第23卷,みすず书房,1974年,第183页。二·二六事件的主事者之一矶部浅一在狱中日记中写道:"我相信日本改造法大纲丝毫也不要修正,完全地实现它。""如果不精通大乘佛教,就不能信法案的真理。""日本的前途除了日本改造法案之外绝对别无他途。日本如果沿着法案以外的道路前进,那就是日本的没落之时。""日本改造法案,一点一角一字一句都是真理,是历史哲学的真理,是日本国体的真表现,是大乘佛教在政治上的展开。我为了法案虽然天子传唤也不下船。"见《超国家主义》现代日本思想大系31,第169页。

② 今井清一:《〈日本改造法案大綱〉について》,《北一辉著作集》第2卷(解说),みすず书房,1959年。

常拥有平等的众议院议员的被选举权与选举权。”“日本国民一家可以拥有的财产限度,为一百万圆。”“日本国民一家可以拥有的私有地限度,为时价十万圆。”“私有财产超过限度的都无偿地交给国家。”“天皇在戒严令实施中,以在乡军人团为直属于改造内阁的机关,来维持国家改造中的秩序,同时调查并征集各地私有财产超限度者。”“私人生产业的限度为资本一千万圆。……超过限度者都集中于国家,由国家统一经营。”

在国际方面,他认为日本“在国际上处于无产者地位”,主张以所谓“正义的名义”来打破“不正义的现状”的战争的正当性。“应该无条件地承认作为国际上无产者的日本充实显示力量的有组织的结合的陆海军,进而诉诸战争以匡正国际上划定线的不正义。如果这是侵略主义军国主义的话,那么日本在全世界无产阶级的欢呼声里应该将黄金之冠戴在头上。合理化了的民主社会主义本身也认为日本要求澳洲与远东西伯利亚。无论如何丰收,数年之后日本也将没有可以养人的土地。与国内的分配相比,如果不决定国际间的分配,日本的社会问题永远无穷地得不到解决。”

其最终目标是:

日本为了确保日本海、朝鲜、中国的安全,也就是为了日俄战争的结论,对于决意领有远东西伯利亚的俄国不可缺少大陆军队。而印度独立的援助、中国保全之确保及日本应该取得南方领土的决定命运的三大国是中,由于与英国绝对不可两立,实际上以大海军为急务。如果这次大战有西乡在、明治大帝在的话,与德国的陆军东西呼应而一举使俄国屈服,海军也东西相分将英国舰队两分为本国与印度澳洲的防备,具有充分的优势来各个击破。构筑起北到俄国南到澳洲的大帝国应该早已指日可待。

这可以说是发动对太平洋战争的预言。进而他指出:

当务之急是由天皇指挥全日本国民以超法律的运动,首先割除当今的政治经济上的特权阶级,内忧外患的烦恼痛苦的所有祸根都是源自这一大毒瘤。目前整个日本都立于断崖，国家改造的急迫甚于维新革命。前途只是在于天宠于这一切除手术而还日本以健康之体。

这可以视为后来国民总动员的先声。

与“绪言”相呼应，在“结言”中，他认为《日本改造法案大纲》，是“日本民族的社会革命论”，要远远优越于克鲁泡特金的共产主义和马克思的社会主义思想，他相信“东西文明的融合就在于以日本化世界化了的亚洲思想来启蒙现在低级的所谓文明国民。”并且大言不惭地说：“日本民族在国际上复活主权的原始意义、统治权上的最高统治权，应该觉悟‘统治各国的最高国家’的出现。”①

值得注意的是，《日本改造法案大纲》也对“劳动者的权利”（卷五）及“国民的生活权利”（卷六）提出了明确的改造方案。比如对罢工，在某种程度上作为“国民的自卫权”的认可、“劳动工资以自由契约为原则”、八小时工作制、“妇女的劳动与男子一样自由、平等”、“保障日本国民平等、自由的国民的人权”等等。特别是其中对社会主义带有肯定性的论述，比如“真理非一个社会主义所专有，自由主义经济学的理想亦有不可犯者。”“在社会主义的原理进入实行时代的今天，应该抛弃其所附带的一切空想的糟粕。”②因此右翼与左翼被认为几乎只有一纸之隔。直接处理右翼思想的检察官也注意到“此日本改造法案中所包藏的思想，其社会主义色调极为浓厚，甚至可以极端地说是赤色思想。……而且不论是在二·二六事件之外的右翼系统中，还是在左倾方面，以这种思想在右翼的伪装下进行国家改造的不少，如果对这些思想进行仔细审查，对右翼也要格外小心。”③这也从一个侧面说明了超国家主义的特点。

① 以上所引见《日本改造法案大纲》绪言、卷一 国民的天皇、卷二 私有财产限度、卷三 土地处分三则、卷四 大资本的国家统一、卷八 国家的权利及结言。参照《现代史资料》第5卷，第10—18、34—39页。

②《现代史资料》第5卷，第21页。

③《现代史资料》第23卷，みすず书房，1974年，第183页。

(四)

日本超国家主义的革命行动，由于不是靠大众的力量来完成，而且其理论大多不成体系，更没有足够的力量来大规模地指导或改造社会实践。这样，就不可避免地要借助于宗教的力量来达到其目的。井上日召选择同志的方针之一就是“尽可能有宗教信仰或经过宗教上的锻炼，至少对改造运动具有宗教式的热情。”还要“能够满足于为改造运动不惜生命的坚定信念，而不看重其所把持的理论。”①而佛教的日莲主义，特别是《法华经》信仰与超国家主义者有着比较普遍的联系。

井上日召自述其通过诵读法华经，感到“全身沐浴着灵光，四面八方所见之物都大放光明，与佛教经典所描述的那种庄严世界毫无二致。”不仅如此，而且明显地听到有一个声音对自己说“你就是救世主!”他在研究日莲的教理以及与日莲门下的僧俗交流中发现其言行与自己的信念并不一致。他觉得他们虽然自称日莲主义，但是实际上违反了日莲上人的意志，都是日莲上人所破弃的镰仓时代的智者学匠之类，局限于其思想或字句的细枝末节，进行无用的理论斗争。而忽视了当务之急不是理论问题，而是改造实行。② 后来又沉醉于亲鸾的教化，也忽而觉得自己与真宗教团的人格格不入，尽管如此，念佛一直不断。同时他也欣赏神道，认为“神道不是作为宗教的存在，而只不过是作为祖先崇拜的一种形式的神社而已。”③他说：“神道的伟大之处，在于在看上去好像是空虚的地方，可以根据很好的形式而产生重要的优秀的内容，即以宇宙的真理为本体。”④

从来传入我国的对我国文化有贡献的各种宗教，都是使大日本神道确立的脚手架和临时道场。

① 《现代史资料》第5卷，第405页。
② 《现代史资料》第5卷，第335—339页。
③ 《现代史资料》第5卷，第375页。
④ 《现代史资料》第5卷，第376页。

只有以此神道为生命的日本才有指导世界的资格。

其旨在强调“牢固地把持国体的绝对性”。而最终在井上日召那里宗教已经被生活化了。他说:“现在的我认为,我这样去生活就是宗教。对这样的生活再稍加说明(也许不作说明为好)的话,就是觉证体得宇宙的真理的生活。”甚至他说“我的国家改造运动就是我的宗教。”①

而小沼正则试图对“法华经与革命”的关系来进行论述,最终将革命归结为内在的觉醒。他说:“觉醒不是从外在的概念意识到的东西,而是内在的觉醒。将革命作为概念的人不知道革命为何物。内在的觉醒才是真正的革命。”他进而说,概念与觉醒的区别在于概念是模仿而觉醒是创造。概念是不自由而觉醒是自由。总之,他的用意就在于要将革命与自己的生命融为一体。“所谓革命就是觉醒自己的生命、去创造与自己的本性同一的世界,欲望就赤裸裸地、人就作为人的性情去生活。革命就是活着。而活着绝对不是因为外在的原因,而是自己自身自然地活着。”②唱念《法华经》就是为了获得这种“觉醒”的力量。

西田税的家庭属于曹洞宗,但是他自己信仰《法华经》。而北一辉的宗教观,他说自己的“信仰不限于哪一宗,但是从 1916 年 1 月(34 岁时)以来,专心诵读法华经,此后只是将此作为自己的生命,年复一年地修业,二十年间没有间断。因而不用说每天的祈祷的生活,神社佛阁等的参拜是我认真的生活。”③他在 1937 年 8 月 19 日被处死的那天早晨留下绝笔:“狱里诵读《妙法莲华经》,或拜谢加护,或血泪哭泣,迷界之凡夫古人亦如斯乎。”④而在前一天给他儿子北大辉的信中,⑤对《法华经》的推崇更加情深意切。他说:

大辉哟,此经典如你所知是为父直到被处死刑前一直在诵读

①《现代史资料》第 5 卷,第 381 页。

②《现代史资料》第 5 卷,第 496 页。

③《现代史资料》第 5 卷,第 733 页。

④《北一辉著作集》第 3 卷,みすず书房,1972 年,第 531 页。

⑤ 同上,第 530 页。

的。……从你出生之后到为父临终所诵读的至重至尊的经典。为父只有此法华经留给你。

想起父亲时、眷恋父亲时、你行路中悲痛时、迷惑时、怨恨、愤怒、烦恼之时,或者快乐、高兴之时,在此经典之前唱念南无妙法莲华经吧。这样,神灵之父为你祈求诸神诸佛,可满足你之所求。

从诵读经典而得解脱,为父用了二十余年时间。以诵读三味为生活之根本义吧。则不问其生涯如何,便可见为父与为父共同活着,在诸神之保护指导下。为父没有留下其他任何东西给你,只留下这无上最尊之珠宝。

这里的北大辉实际上并非是北一辉的亲生子,而是中国的革命家谭人凤的孙子(谭二式的儿子)。朝日平吾、井上日召、北一辉等都有长期在中国从事各种活动(作为马贼、浪人或革命者)的生活经历,这种经历对他们的思想形成有什么影响,也是一个值得探讨的课题。

(原载于《读书》2009 年第 6 期,发表时作了大幅删节)

二　德富苏峰《玩苏梦物语》里的战争责任问题

(一) 战争责任依然是一个问题

关于东京审判对被告的"取舍选择方法",首席检察官季南在始讼词中说到,被起诉的 28 人中有并不重要的,或者处于权力最高地位的被遗漏了的情况,这是因为"在某一场合或多种场合,日本政府中宪法上认可的占最高地位的,即便是法律上的指导者,却不是事实上的指导者。"①这可以说是在为昭和天皇裕仁开脱责任。不起诉天皇,除了日本方面和以

① 朝日新闻法庭记者团:《东京裁判》上卷,东京裁判刊行会,1962 年,第 251 页。

麦克阿瑟为首的盟军占领总指挥部之间的秘密媾和与强行推进之外，也被认为是“基于各同盟国的共同利益”，据说季南说得更直白，他表示“作为联合国，完全是从政治的理由决定不起诉天皇，这件事情虽然不是心甘情愿，但是连斯大林都答应了。”而日本的辩护人之一泷川政次郎感叹说：“联合国惩罚的铁锤，没有打中日本的要害之处，这不仅是日本人之大幸，也是联合国民之幸。我们不能离开天皇问题来谈东京审判。这就如同离开皇室来谈日本历史一样。因为无论如何，东京审判史，是日本历史的最悲惨、最痛苦的一节。”[①]没有追究天皇的战争责任，是福是祸，且另当别论，特别是加上麦克阿瑟后来对东京审判的意义和日本侵略战争的性质的认识都有很大的变化，[②]以及很多日本人将印度法官帕尔(Radhabinod Pal，1886—1967)所提出的判决书[③]误解为“日本无罪论”，[④]甚至利用他来为肯定军国主义者做宣传，这些都使得对战争责任问题的认识更加复杂化了。

的确，在帕尔判决书的最后，他强烈主张“对各个被告的所有诉状中的各项起诉事实应该全部定为无罪，而且应该全部免除这些起诉事实。”[⑤]这除了与他的“反共意识形态”的政治立场及其历史观有关之外，主要是出于从国际法的理论上对规定什么是“侵略战争”的困难而得出

① 泷川政次郎：《新版 東京裁判をさばく》上，创拓社，1978年，第218—219页。

② 1950年麦克阿瑟表示过“东京裁判没有起到警告的效果”的意思。1951年他在美国议会上院发言指出日本加入战争很大程度上是出于防卫。见东京裁判资料刊行会编：《東京裁判却下未提出弁護側資料》第8卷，国书刊行会(东京)，1995年，第138、139页。

③ 对帕尔及其判决书的研究，可参考东京裁判研究会编：《共同研究 パル判決書》(上、下)，讲谈社学术文库，1984年；中岛岳志：《パール判事：東京裁判批判と絶対平和主義》，白水社，2007年。

④《帕尔判决书》曾经被占领当局禁止公开出版。1952年《旧金山讲和条约》生效之际，田中正明以《日本無罪論：眞理の裁き》为书名在太平洋出版社(东京)将《帕尔判决书》的内容编译出版。后来在此基础上增补成的《パール博士の日本無罪論》(1963年慧文社)不断重印，到2001年小学馆出版了该书的文库本《パール判事の日本無罪論》。

⑤ 朝日新闻法庭记者团：《东京裁判》下卷，东京裁判刊行会，1963年，第931页。

的结论，[1]决不表示他认为“日本无罪”或“肯定大东亚战争”。相反，他对日军在战争中所犯的残酷行为的“无比邪恶性”、“如同鬼兽一样的性格”表示了极大的愤慨和道德上的谴责。[2] 而且明确指出不能将日本在某一特定时期所采取的政策或由此政策所采取的行动“正当化”，因为“日本的为政者、外交官及政治家们，很可能是错了。而且很可能是亲自犯了错误。”[3]而法庭在大量的事实的基础上，最终宣判“实现侵略战争的共同策划是最高的犯罪”。为了实现侵略战争的那些广泛的各种计划、进行长期的侵略战争的各种复杂的准备以及侵略战争的具体实行，不可能是哪一个人的工作，只能是众多的指导者相互谋划配合的结果，法庭宣判“这种共同谋划威胁了世界人民的安全，其实行破坏了这种安全。”[4]对战争罪犯进行了制裁。

在进入21世纪之后，“日本无罪论”仍然被一些日本人作为最能够反映“帕尔法官和东京审判的真实”来加以推崇；[5]而另一方面，如《朝日新闻》社论所言，“在回到战后的原点时，无论如何也不可避免的是围绕昭和天皇的战争责任问题。”并直率地指出“从统帅陆海军、一切都是以天皇的名义向‘皇军’下达命令来看，天皇的战争责任是一定不能避免的。”[6]战争责任问题不论是在战后日本的政治家还是学术界中也都仍然是一个争论不休的敏感话题。那些全面否定东京审判，

---

① 这里牵涉到法学理论的问题，无法深入探讨。他的通俗易懂的结论就是：“恐怕在现在这样的国际社会中，‘侵略者’这个用语在本质上具有‘变色龙的性质’，可能只是意味着‘失败一方的指导者’。”朝日新闻法庭记者团：《东京裁判》下卷，东京裁判刊行会，1963年，第463页。

② 朝日新闻法庭记者团：《东京裁判》下卷，东京裁判刊行会，1963年，第862、871页。

③ 同上，第819页。

④ 同上，第124页。

⑤ 小林よしのり为文库本《パール判事の日本無罪論》写的推荐。田中正明：《パール判事の日本無罪論》，小学馆，2006年第八次印刷，第3页。

⑥《朝日新闻》2001年8月15日社论。

或批判“东京审判史观”[①]为一种“自虐史观”，[②]而主张一种“自由主义史观”[③]的企图归根结底是要求重新总结“大东亚战争”。[④] 他们的思想和言论，可以说与明治时代以来连绵不断的国家主义、皇国思想具有密切的关系。

(二) 德富苏峰的战后日记

从2006年7月到2007年8月，日本讲谈社分四册陆续出版了德富苏峰的战后日记《玩苏梦物语》十四卷（1945年8月18日—1947年7月2日），这四册的书名分别为《德富苏峰 终战后日记——〈玩苏梦物语〉》（1—5卷）、《德富苏峰 终战后日记Ⅱ——〈玩苏梦物语〉续篇》（6—8卷）、《德富苏峰 终战后日记Ⅲ——〈玩苏梦物语〉历史篇》（9—11卷）、《德富苏峰 终战后日记Ⅳ——〈玩苏梦物语〉完结篇》（12—14卷）。这里，我们以这些日记为素材来看看其中与战争责任有关的思想。[⑤]

---

① 伊藤隆、中曾根康弘、藤冈信胜等人所提出或批判的概念。荒井信一指出：“东京审判史观”这一用语已经成为“在以追求日本在政治上、军事上自立的复古主义的国家主义为志向的基础上，将其认为应该排除的历史观不分青红皂白地放在一起而提出的意识形态上的标语。”见荒井信一：《戦争責任論：現代史からの問い》，岩波书店，1995年，第174页。粟屋宪太郎则警告说：“‘东京审判史观’批判论者无非是审判的全面否定论者，将他们的意见追究到底的话，实际上就应该会走到破坏旧金山条约、日本退出联合国的地步。这是20世纪30年代日本在国际上孤立的再现。”见藤原彰、森田俊男编：《近現代史の真実は何か》，大月书店，1996年，第166页。

② 藤冈信胜说：“将本国国民装扮成人类史无前例的残虐无道的人的集团、将本国史描写成恶魔似的行径的连续。对本国进行鞭挞、诅咒、谩骂、谴责。将这种历史的见解、精神的态度称为‘自虐史观’。‘自虐史观’是缠绕在战后的日本社会，特别是宣传媒体和教育界的疾病、宿疴，是增殖的癌细胞。不排除这一疾病，日本就不能新生为健全的国家。”见藤冈信胜：《“自虐史観”の病理》（前言），文艺春秋刊，1997年，第2页。高桥哲哉评价说：“‘自虐史观’这一用语是用来丑化和非难直视亚洲侵略或殖民地统治的过去、力图承担责任的日本人的态度这种意义上来使用的。因为率领‘自由主义史观研究会’的教育学者、藤冈信胜东京大学教授的出现，这一用语不像以前那样只属于一部分右翼保守派政治家、空想家们的专利，而成为扩展到一般学生或市民中作为最新的流行语来使用。”见高桥哲哉：《战后责任论》，讲谈社，1999年，第112页。

③ 参见步平：《关于日本的自由主义史观》，《抗日战争研究》1998年第4期。

④ 参见历史研究委员会编、东英译：《大东亚战争的总结》，新华出版社，1997年。

⑤ 以下引文凡出自上述日记，注引形式为：“Ⅰ—35”表示第一册的第35页，以此类推。

1886年10月，德富苏峰年仅24岁，田口卯吉的经济杂志社刊出了其《将来之日本》，成为论坛之翘楚。此后，他创刊《国民之友》高举“平民主义”的旗帜，提倡精神上的欧化主义，满怀“新日本”的主人这种责任意识。甲午战争之后，他的思想发生了巨大的变化，成了“力的福音的信奉者”，作为近代日本帝国主义思想的“最有力的鼓吹者”而一直活跃在思想言论界。在1945年8月15日洗耳恭听完天皇的“玉音放送”之后，83岁的德富苏峰马上指示其家人说：“承诏必谨乃臣道之常。此后对和、战问题决不要插嘴。”就在当天他自己主动辞去了作为每日新闻社的“社宾”及大日本言论报国会、大日本文学报国会的会长职务，结束了自己六十余年来的新闻记者、公众言论人的“操觚者”生涯。在1946年8月15日，德富苏峰回顾自己的一生，说：“我的一生与日本国相始终。日本是我的偶像、我的爱人，是我的一切。换言之，离开日本，在此天地之间就没有一个德富苏峰。”“在过去84年的生涯中，无论是有意还是无意之中，除了为使此日本冠绝于世界而效力之外，一无所有。……萨长藩阀的打破、立宪政体的树立、帝国议会的开设、甲午战争、日俄战争、军备充实、皇室中心主义的倡导、东亚的解放、世界人种的水平运动等，逐一想来，我的微不足道的公众生涯，在日本兴隆史的几页中，即便不到大写特写的程度，自己融入其中也不禁心中欣慰。但是在我的公众生涯接近尾声的去年8月15日，恭听圣上的播音，认识到我毕生的辛苦，一切都化为泡影。即我在此作为公众方面完全死去了。”尽管如此，他对皇室中心主义仍然衷情不改，他解释说：“我等的皇室中心主义，不是受本居宣长或平田笃胤等国学者流的影响而提倡的。而是通览古今东西的历史、比较研究各种政治政体之后才提出皇室中心主义的词句，由此在日本建立冠绝世界即无与类比的家族性政府，而使伦理的政治行于中外；或者有人以此嘲笑我等为白日做梦、空中楼阁等，但我等确实是以全部身心投入其中。而这些形迹全无，连根除去了，我等的理想完全化为了泡影。”而且表示“我在今天仍然确信皇室中心主义是日本唯一的或最善的，没有比它更好的东西。”①

① Ⅲ—222、327、299。

对于战争责任问题，他在日记中屡屡论及，可以归纳为以下几个方面：

1. 关于天皇或皇室的责任问题

他认为“天皇神圣不可侵犯这个事实”不论宪法中有没有，都不失为信条。“因此，我等以臣下的身份不能对天皇提起关于这次战争责任的问题等，而且对提起此问题者也不能表示同意。一切的责任，当然应该是天皇辅弼者所负，而不应该为天皇所负。”紧接着他指出，“以上是作为纯理论问题而言。作为事实问题，必须要另外考虑。”他说，日本的皇位不是天皇一个人的事，而关系到万世一系的皇统。“因此，为了保持此皇统，使此皇位能够永续，无论多么难忍的事情都要忍耐。但是为此最重要的事情是将战争责任与皇室割断开。”他也承认：“无论怎样辩护说天皇与战争没有关系，因为宣战诏书上天皇的署名和盖章俨然存在，到底不能没有关系。”“应该迅速将皇室与战争问题完全分离开。……但是……以天皇不好战或者反对战争之类的话来克服此难关，这对于我等臣民而言，毋宁说是亵渎皇室。无论结果如何，宣战的大诏书都皎如白日。”[①]后来他进一步说道：“世间有人说宣战的诏书歪曲了天皇的意思。这样说的人才是歪曲了圣虑。就像我们信奉休战的广播确实是休战的意思一样，我们相信开战也如诏书中所说的，是陛下的尊意。”[②]因此，“皇族也不能说完全没有责任。”[③]他认为在战争责任问题上“根本的错误是将皇室、国家、国民三者分离开来考虑。”“从不能将日本国土与国民分开而只考虑皇室的前提来看，这次战争是皇室自身的战争，天皇自身的战争。所谓累及或不累及，是将皇室作为与日本国家之外的另外一样东西来考虑，既然是不能分开的，也就不应该用累及与否的说法。”“投降而开万世之太平之类，是荒唐的错误。投降之道是堕落之道、屈从之道，也就

① Ⅱ—258、259、260、263—264。
② Ⅲ—370。
③ Ⅲ—244。

如同乘上了通向地狱的急行列车。”①

2. 如果追究责任，他认为整个日本国民都有责任

他在为东京审判提供的口供中说道：“作为日本人是自作自受，谁也不能怪，如果说要归咎于谁的话，只能归咎于我们自己。日本人中虽然也有人将之归咎于军阀什么的，将其责任推诿给一部分人而装作若无其事的样子。但所有的行动，依我看来，要负责任的是整个日本国民。其中虽然有浓淡轻重的差别，但到了今天，说自己不知情，试图只把自己当作好人，这不能不说是完全忘记了日本精神为何物。”②“在战争顺利时说是主战论者，在战争不顺利的时候说是非战论者，这不能不说是太无节操、轻薄之极。……说战争本身是区区东条（东条英机）之辈造成的，这从一个方面来说是对东条之辈的过高评价，从另一方面不得不说是过于将一切责任转嫁给东条之辈。总之，上下全体日本国民为此时代精神所驱动而投身到战争的旋涡中，导致事情达到这样的局面的，完全是军事外交两方面的误入歧途，总揽国势的当局者辜负了天皇的信任。”③战败之后，一般都认为“日本国民是受害者而军部是加害者”。德富苏峰表示：“我对现在国民的一般想法在根本上持反对意见。我对甲午战争、日俄战争及大东亚战争都具有亲身经验。我认为大东亚战争，在其意义、目的上与甲午战争、日俄战争都没有任何不同。所不同的仅仅是，前面两次战争我国胜利了，而最后这次战争我国失败了而已。而且其失败是在战争中期和结束时，在开战时，与甲午、日俄两战的开战相比，有更伟大的战功。”他说在开战时的胜利的欢呼中，当时谁也不会认为这次战争不是国民的战争而是军部的战争，谁也不会说自己从心里反对战争，只是力所不及而被卷入进来。“在胜利的时候作为国民的胜利来欢迎，而

① Ⅰ—35、38—39、40。

②《德富猪一郎 宣誓供述书》，东京裁判资料刊行会编：《東京裁判却下未提出弁護側資料》第1卷，国书刊行会（东京），1995年，第606页。

③ Ⅲ—370。

在失败了的时候，则作为军部的私斗来攻击，这完全是不负责任的说法。”①他认为军部虽然有很多不是之处，但是不能只将责任归之于军部。

对于日本所犯罪行，他也在一定程度上给予承认。他说：“我等毅然自觉日本的过失。不仅仅是过失。更进一步，甚至是犯下了罪恶，在今天虽然遗憾也不得不承认。但同时，将所有的罪恶归向败了的日本，而将所有的善德归于胜利的美国，这不能不说是过于滥用胜利者的权利。”他进一步说道：“近来日本人的所谓战争罪犯者，不仅是对各盟国犯下了罪行，而且对日本国民也是犯罪者。即使日本国民的父母失去其子、妻子失去其夫、子女失去其父，蒙上了如同日本人杀害日本人一样的罪行。但是这次战争既不是军阀或财阀平地起波澜的战争，也不是他们随其所好而制造出来的战争。即便不去精读从十九世纪下半期到二十世纪上半期百年间的世界史，特别是日美两国的交涉史，从其概略中也一定会得出这次战争是出于不得已的结论。这不仅仅是日本方面的历史观，在美国方面的历史观本来也是如此。”②

3. 从其历史观出发，他认为日本的战争责任是次要的，欧美各国要负首要责任

他以“一个历史学家”的“学问的良心”来判断：“最近三、四十年的日本，不是人控制局势，而是局势硬来拉人。也就是说，不是人去骑马，而是马来让人骑。而来分析这种局势的话，就会问，这种局势是谁造成的呢？其肇事者是被审判的日本人吗？还是审判的欧美人？如果不研究到这一步，问题的真相就不会明白。不用说，市谷法庭（东京审判的法庭设在市谷——引者）所卷入的氛围是以将日本人作为一切的罪魁祸首来制定标准去推断一切事情。但是在我们看来，这是次要的。这次大东亚战争的鼻祖，直率地说，不是被审判的日本人，而是欧美各国人。从国家上讲，不是日本，而是美、英、苏联等国。……为什么日本国民做出了这

① Ⅳ—350。
② Ⅰ—418、419。

样的举动？是谁使得日本人做了这些？对此加以研究的话，自己就不会去审判别人的罪行，而是去审判自身的罪行了。”他直白地强调：“大东亚战争不是日本人平地起波澜。……是他们（欧美人——引者）刺激日本人、教唆日本人、诱导日本人、挑衅日本人而导致的。日本人是被逼到不得已在走投无路的绝境，而最后进行的冒险。受制者当然是傻瓜，而使得日本人到此境地的、以标榜所谓人道主义、文明的伟大先驱而自任的欧美人等，就问心无愧了吗？”①对此德富苏峰用了两个形象的比喻来说明日本与欧美老牌帝国主义的关系。他说：“就像盂兰盆会舞，吹笛子敲鼓伴奏，围成一个圈来跳舞，落后了的日本人张望着，既羡慕，有觉得有意思，各种各样的无以名状的心理之下，闯进了舞蹈圈中。而那些同伙跳过了很多场很熟练了，而日本人因为刚刚加入其中，其举止做派杂乱无章，现在将这些杂乱无章的举止添油加醋，成了日本人的罪案。跳得蹩脚，这虽然没错，但是说只有日本人在跳，这是毫无道理的冤枉。”②又说：“日本人只是乌鸦模仿鹈鹕而已。乌鸦模仿鸬鹚必然会溺水。而且，鹈鹕还会说你为什么要模仿我们，加以叱责，还马上揪下乌鸦的羽毛，甚至使它不能在空中飞，这在鹈鹕方面且不论，乌鸦是不会知道的。溺水已经够受的了，还要对溺水者进行惩罚，这不能不说太过分了。”③总之，他说：“若问把帝国主义带到日本来的是谁，直率地讲出事实的话，无非就是今天审判日本人的各国。”④因此，他的结论是：“大东亚战争的责任者，首先应该举出的是罗斯福、丘吉尔、蒋介石，最后是斯大林。”⑤

德富苏峰认为：“日本现代史从陪理来访以来，从尊王攘夷到开国进取，从开国进取到八纮一宇，其间具有一贯的脉络。这决非人为地蓄意而成，完全是这种氛围在国民中发酵而来的结果。……无论是尊王攘

① Ⅲ—349、364—365。
② Ⅲ—361。
③ Ⅲ—364。
④ Ⅲ—363。
⑤ Ⅳ—351。

夷，还是八纮一宇，其精神、目的，都的确是同样的。如果问那是什么，那就归结为要使日本立于世界强国大国之林，而出色地发挥应有的作用。尊王攘夷是消极的用语，开国进取是积极的用语。就是说，前者是盾牌的里面而后者是盾牌的表面。八纮一宇是指点开国进取的最终目的，无非是将所谓的我们的皇道宣扬于世界的意思。本来这不是武力上的事，根本就是明摆着的。其意思无非就像盎格鲁-撒克逊人以盎格鲁-撒克逊文化贡献于世界、法国人以法国文化、德国人以德国文化贡献于世界一样，日本人也想以日本文化贡献于世界。”他分析指出：“明治天皇是开国进取的化身，是时代精神的象征，小笠原岛、琉球、千岛、整个蝦夷（北海道——引者）、桦太（库页岛——引者）的一半，进而台湾朝鲜等在明治天皇的时代作为我们的领土也还是暧昧的、不确定的或者是一半的属性，以至于像台湾朝鲜则完全是他国所有的，都归为我国的领土了。我们在这时，且不说世界的历史学家，就我们日本的历史学家而言，想问一问能否断言这些都是日本人违反人道主义、违反文明主义、滥用兵戈而掠夺邻国的结果，即明治天皇的御宇史是大和民族的罪恶史？如果他们能够对至今的历史这样彻底地断言的话，那么对大东亚战争无论给以怎样的恶评都可以随他们的便。但是，承认明治时代的开国进取，而不承认大正昭和时代的事，在道理上实在不通。”①

德富苏峰以比自己血气方刚的壮年时代投身于甲午战争和日俄战争更大的热情，“为大东亚战争绞尽了最后一滴血，因此，我对于没有充分地尽到自己的责任之事，决无丝毫悔悟。但是，所谓力之不足，自觉惭愧。同时不可避免地断以无能之罪，自觉悔恨。”从他自以为是“科学的历史眼光”来判断，他觉得“对这场战争，从心里相信是义战，现在这种信仰也还没有改变。”②

① Ⅲ—366、367。

② Ⅲ—233、372。

4. 对东京审判的评价以及日本将来的走向

德富苏峰批判地指出:“市谷审判(即东京审判——引者)也可以说是日本罪恶史编纂无限责任公司,其专一的目的就在于出色地作成此罪恶史而向世界公布,来设法证明日本如何是所有罪恶的化身以及美英等国如何是优秀的文明人道的典型的国民。”他说:“即便日本人是如他们所说的恶党,他们则是有过之而无不及的大恶党。”①

既然他还坚持认为这场战争是“义战”,那么他反省自己也只有从力量方面来进行,只能把失败归结为力量不足所致。他觉得,错就错在将日本国民作为过于伟大的国民,给予了过高的估计。“令我失望的是,我国国民终究没有完成象八纮一宇这种布皇道于世界的大任务。”他说,“这次战争,至少将现代日本及日本人在风月宝鉴上照出了其最丑陋的姿态。由此得出的结论是,将来姑且不论,到现在为止,日本终究既不具有作为东亚盟主的实力,也没有这种能力。到底没有与盎格鲁-撒克逊或苏联等角逐而成为争雄世界的选手的资格。而且说,是过于爱日本人,就高估他,盲目地将一些不能完成的工作强迫给日本人做,这对我等来说,的确是大错误。人的工作必须与力量相当。而且不论如何说是为了国家,进行与力量不相称的工作,都完全是错误的。比如,猫抓老鼠,虽然不错,但是让猫去抓狸或狐的话,就会导致反而被狐狸所抓住。无论如何,自不量力的事,即便无论如何是由他们挑起的战争,因而我等的无能的责任都是不轻的。”他表示:“我等决不说盎格鲁-撒克逊是正确的,而斯拉夫是不正的。问题既不是正邪的问题,也不是是非的问题。关键仅仅是强弱的问题。”②

至于日本的将来,德富苏峰依然具有雄心壮志,他说:“今天的日本不能永远这样生存。是往北伸展,还是往南伸展,或者南北同时伸展。否则的话,日本完全就像田螺或海螺一样,就最终不能在世界上作为一

① Ⅲ—346、347。

② Ⅲ—244、245—246、297。

个国家的存在而被认可。”为了达到此目的，他明确提出：“我等曾经为了对付俄国而主张日英同盟。现在为了对付苏联，不得不主张日美同盟。说到美国，英国也可以说包含在其中。”认为“作为日本复兴的大策，为了利用美国，来与它交往”，为此要最大限度地忍耐，因为小不忍则乱大谋。“如果我等与美国结合，决心利用美国的力量来谋求日本的恢复的话，为了达到此目的，就要不顾任何牺牲地付出。因为日本的恢复是比任何东西都重要的重大事件。”①指出了战后日本发展的基本方向。

(三) 简单的结语

由上述介绍可见，虽然德富苏峰的战后日记到最近才公开出版，从战后六十年的历史来看，他的思想与帕尔的判决书一样，在日本社会各界都还拥有不少的赞同者。2007 年 8 月 22 日，当时日本首相安倍晋三访问印度在印度国会发表讲演时就说到：“在东京审判中表现出高度勇气的帕尔法官，至今还一直受到许多日本人的尊敬。”而在 2007 年 8 月出版的德富苏峰战后日记的最后一卷中，“东京裁判史观”概念的始作俑者伊藤隆在该书解说中呼吁并指出，在解决现在日本各种问题时，德富苏峰的思想具有“启发”意义。②

东京审判对日本主要战犯所作的判决与帕尔法官等少数法官提出的异议以及甲级战犯嫌疑者德富苏峰的思想，为我们思考什么是正义以及道德正义与政治正义之间的关系这些思想史上具有普遍意义的问题，提供了一份比较典型的历史素材。历史学家永原庆二说：“在民族、国家的责任即便在法律上解决了的阶段，作为道德(moral)的问题还继续存在。所谓道德，不是反复地谢罪就完了的。将不可抹杀的事实作为历史而不断地确认，不断地保持不使错误再发生的姿态，这难道不正是今天

① Ⅲ—300、301、303、304。
② Ⅳ—431。

活生生的道德吗?”①

（原载于《读书》2010 年第 7 期）

三　西田哲学中矛盾的现代性:与时局的对抗和屈服②

对于西田哲学,本文不是深入到“绝对经验”、“绝对矛盾的自己同一”以及“无的逻辑”、“场所”等具体范畴中去对其纯粹的哲学思想进行分析,而主要是想通过分析西田几多郎在思想上的抵抗与服从的痛苦挣扎的经历,揭示在特殊的历史时期思想家的复杂风貌。我们在客观效果上重视后期西田哲学及京都学派思想对日本法西斯主义战争的协助,但是简单的否定,不仅无益于更加深入地认识历史,也难以作出有深度的建设性的批评。西田哲学思想中“对天皇制意识形态的对抗的侧面”与其“屈服于天皇制意识形态的侧面”两者是如何表现在西田的思想中的?探讨其思想中充满矛盾的现代性才是认识昭和初期西田哲学的思想史意义的核心所在。③

(一)

西田后期思想之所以被视为“反动”“帮凶”,其中备受争议的是西田几多郎 1943 年 5 月应国策研究会所写的《世界新秩序之原理》一文,这篇与“大东亚共荣圈宣言草案”有关的文章甚至背负着“可耻”和“发狂”的骂名。但是值得注意的是,在此前后,如 1943 年 7 月 13 日他给友人的信中说:“我等也成了偏狭的日本主义者攻击的焦点”。④ 要弄清这种夹缝中的

---

① 永原庆二:《“自由主义史观”批判》,岩波ブックレットNO. 50,2000 年,第 52 页。

② 文中西田几多郎的引文引自岩波书店 1965—1966 年出版的《西田几多郎全集》,第 1 卷第 4、5 页表示为 1—4、5,第 19 卷第 401—402 页表示为 19—401—402,以此类推。

③ 山田宗睦:《日本型思想的原型》,三一书房,1961 年,第 234 页。

④ 19—247。

处境，当然主要还是应该来看看这篇文章的来龙去脉①和主要内容。

1935 年 10 月 13 日，西田几多郎在给日高第四郎的信中说："现在是法西斯主义的时代。真正站在自身之外深刻地长远地思考我国将来的人，与其徒然从一开始就性急地、洁癖地与其冲突、战斗，我认为应该设法忍受而努力使之逐渐恢复中正。"②这种容忍中的抵抗，可以说是后期西田对时局的基本态度。

西田与当时的政府或与政府关系紧密的团体之间，有两件事值得注意。一是任文部省教学局参赞一职，一是任昭和塾（近卫文麿的智囊团"昭和研究会"的关联团体）的顾问。从他在处理这些关系的心绪上可以看出其思想倾向。首先，关于昭和塾的顾问，他明知那是将自己"捧上去做招牌"，"被强迫地挂了个顾问之名"。③ 与顾问不同，教学局参赞是见之于文部省职员录中的政务官，他更加慎重也更加能够表现其思想倾向。1938 年 11 月 19 日，他在给和辻哲郎的信中写道，首先对政府的再三邀请表示推辞，其理由是自己从来就采取反对文部省的态度。如果文部省能够真正考虑自己的议论并表现出诚意的话，可以考虑接受。为此他提了两个条件，第一是和辻哲郎和田边元同意参加，第二是要看选择的是什么样的人做参赞。文部省都一一答应。他还是想尽可能地使自己的言论受到重视，但也知道这很难。"总觉得好象有一股巨大的底流强力地流淌着。总归将被冲走吧。虽说从一开始就不知道这些倒是贤明的，不管怎样，去战场到失败为止，我想这也是义务吧。"④这种无可奈何的矛盾心情可见一斑。

这种矛盾越到后来表现得越突出。在 1943 年 3 月 5 日，国策研究会的矢次一夫去西田家为大东亚宣言的事请求协助，为秘密筹划中的"大

① 参照上山春平：《西田几多郎的哲学思想》（收入其《日本的思想》，サイマル出版会，1971 年），其中有一节为"西田几多郎与大东亚战争"。

② 18—545。

③ 19—51。

④ 19—54—55。

东亚会议”做准备。没想到年届74岁的西田突然对矢次大发雷霆，气愤地拍桌子，一个劲地骂军部、官僚的战争指导，数落他们将学者当作工具来利用，就像向工匠定购物品一样，这样那样地使唤，简直太无理了！这种满脸青筋的怒骂，无疑是在倾泻他发自内心的不满。但是，过两天之后他又写信为自己的失礼表示歉意，并主动约矢次再来谈时势问题。过了三个来月，《世界新秩序之原理》辗转到了矢次一夫的手里，他将这篇“虽然与所期待的‘大东亚宣言’草案有些不同，但是可以成为写作此案的指导精神”的文章，装订二十份，分别发送给首相、陆海军大臣、次官、军务局长、参谋本部及军令部首长、外务大臣、情报局总裁、书记长官等各路重镇要员。在战后这篇文章最早也是由矢次一夫公开发表出来。① 但是矢次一夫发表出来的文章与收入《西田几多郎全集》中的文章在文字上有很大的出入。最大的不同是矢次发表出来的文章分为“要旨”和“解说”两部分。而简短的“要旨”，的确具有“宣言”形式，其全文如下：

> 真正的世界和平必须涉及全人类。然而这种和平，只有通过自觉到世界史的使命的诸国家诸民族，首先根据其地域与传统形成一个特殊的世界即共荣圈，进而共荣圈相互协助而实现真正的世界，即世界的世界，才能达到。而由这种共荣圈的确立及各共荣圈的协助的世界的世界的实现，正是现代所承担的世界史的课题。
>
> 大东亚战争，是东亚诸民族努力实现这种世界史的使命的圣战。如历史所炳示的那样，贪得无厌的英美帝国主义，长期将东亚各民族蹂躏于足下而阻止其发展。摆脱这些英美帝国主义的桎梏，将东亚恢复到东亚各民族之手中，除了东亚各民族各自起来消灭、根绝共同之敌英美帝国主义之外别无他途。即完成大东亚战争来保全东亚，确立东亚共荣圈以偕共荣之乐，是现代东亚各民族的首要历史课题。

---

① 矢次一夫：《西田几多郎博士与大东亚战争》，收入矢次一夫：《昭和动乱史》下，经济往来社，1973年。

> 如今志同道合的德、意及其他各国，正在为欧洲的天地建设新秩序而勇敢地斗争。在亚欧两洲完成这两大事业之时，就可以迎来真正的世界和平而实现世界的世界。通过东亚共荣圈而努力实现世界的世界，这是东亚各民族的第二位的历史课题。①

虽然这份"要旨"是否直接出自西田本人之手，还有怀疑，特别是其中的"圣战"之类的言辞，据说西田非常讨厌。但是矢次所发表出来的文章除了几处字句上的遗漏与不同之外，基本上有原本可以对证。② 因为西田的文章写出来之后，几经讨论修改，即便收录到全集中的，可以确定也已经不是其初稿。种种迹象表明，矢次所发表出来的文章即便不是完全出自西田的手笔，但是作为这篇文章初稿的一种形态，③也是得到西田认可的。这从他随后的书信中可以看出来。西田在给和辻哲郎的信中就这篇文章说：那"是因为意外的关系应陆军方面的请求而写的。这不过是金井章次、田边寿利二人（为了给陆军看）根据我写的东西所写的。这如果世人知道了的话，我知道将会成为各种各样的人攻击的种子。拜托请注意各方面的情况。我想要针对偏狭的日本主义者而主张日本精神具有世界性，没有什么好的想法和材料吗？"在同一天给堀维孝的信中也同样提到"攻击的种子"及"日本精神具有世界性"，并问他手头是否有

---

① 矢次一夫：《昭和动乱史》下，第 366—367 页。

② 上田久：《续 祖父 西田几多郎》，南窗社，1983 年，第 232 页正文及第 242—243 页注释 23、注释 25。

③ 1943 年 5 月 25 日起稿，28 日将写好的《世界新秩序之原理》交给田边寿利。6 月 9 日，田边将文章做成小册子，带给西田二十册（以上见西田日记，17—665—666）。6 月 12 日、14 日西田将此小册子寄给堀维孝、和辻哲郎。7 月 8 日给西谷启治的信中说想花三四大时间埋头修正新秩序论，11 日又致信西谷告诉已改完，请他来谈（19—243、246、247）。也给田边寿利去信说："就《世界新秩序之原理》与京都的年轻人一同商量，写了约二十四、五页"（上田久：《续 祖父 西田几多郎》，第 243 页注释 25）。7 月 21 日，田边寿利来访，交给他原稿。27 日催促田边誊写。8 月 1 日给田边发明信片要求归还原稿（以上见西田日记，17—669）。这里的原稿大概是修改后的《世界新秩序之原理》。

“西晋一郎的我国的‘世界开辟即肇国’”这本小册子，如果有，请他寄来。[①] 文章交上去之后，他一直关注着是否能够产生影响，6 月 15 日，东条英机发表大东亚共荣圈的构想，令西田感到非常失望，因为自己的理念一点也没有被理解，自己所写的一点也没有被采纳。他说“且不论表现，我重视的是根本理念的确立”。[②] 或许正是想利用“陆军也来征求我等的意见”这种很“珍贵”的进言的机会，正是“为了给陆军看”，只要能够将自己的“根本理念”表述出来，具体字句的表现也就不太计较了。即便这样，也不被接纳，其失望也就可想而知了。矢次也写道：“我将西田博士的论稿发送给各有关阁僚时，大家都高兴地表示了感谢，但仅此而已。没有一个人具有让这盖世的学识发挥作用的力量和见识。在战争中我为了处理各种问题白费了好多力气，与西田的这场交涉也是大大的徒劳之一。”[③]

(二)

那么，西田所谓的“根本理念”是什么呢？对此，首先可以从他的包括所谓皇道、国体观念在内的日本文化论以及关于东亚共荣圈构成的原理来说明。

从世界史的立场来认识日本的处境和使命，这是京都学派的一致立场。西田对日本文化的认识可以说是形成这一立场的原点。他说：现在的日本“既不是北条氏的日本，也不是足利氏的日本了。日本已经不是一个历史的主体。”而是“世界的日本、面向世界而立的日本。日本形成的原理即必须成为世界形成的原理。”在这样的历史时期，他认为“最应该警惕的是那种认为必须将日本主体化的想法。这不过是皇道的霸道

① (19—243)金井章次曾经参与筹划满州建国，后为“蒙古联合自治政府”最高顾问。田边寿利为东京帝国大学选科毕业的社会学家，推崇西田并素有交往。后来应金井章次之邀到张家口创设蒙疆学院。田边寿利就是西田与陆军建立联系的所谓“意外的关系”。田边寿利有讲演《晚年的西田幾多郎先生与日本的命运》(西田几多郎先生颂德记念会，1962 年)。

② 19—244、245。

③ 矢次一夫：《昭和动乱史》下，第 377 页。

化，无非是将皇道帝国主义化。”“我们必须在我们历史发展的根基上找出矛盾的自己同一的世界本身的自己形成的原理来贡献于世界。这就是所谓皇道的发挥、八纮一宇的真正意义。”①他在这里所反对的“将日本主体化”实际上是就上述提到的“针对偏狭的日本主义者”而言。

他反对人们将日本精神看作神秘的、非理性的东西，认为这种想法反而远离了真正的日本精神。他说：“矛盾的自己同一的我国国体自身不能不含有法的概念。皇室作为个物的多与全体的一的矛盾的自我同一，是所谓从被创造者到创造者，这就无论如何必须承认个物的独自性。这里，作为各个独自性的东西的自己同一，也不能不具有目的的王国的一面，也必须包含实践理性的东西。作为从被创造者到创造者的我们是历史的身体的，因为在物中有自己，无论在哪里都是法律的。我们国家被认为是家族性的，……但是并不能认为国家就是家族的延长。皇室在如同所谓作为纵向世界的矛盾的自我同一的家族中，必须是超越的。我们必须将天皇作为历史的世界的客观的表现来面对。这里不能不含有作为名分国家的律法。”②

西田早就意识到反动思想势力利用皇室可能造成的危害。他说：“没有比我国的皇室与反动的思想势力结合起来更加危险的事情。”“文部省所谓的精神文化，那是非常糟糕的。我只要今后力所能及，在自己写作的同时，汇集周围优秀的青年学生，与他们进行辩论研究，想使他们哪怕能够得到一点点思想上的陶冶。万一如果能够因此而在思想上学术上留下些许结果，我也觉得满足了。”③

西田在与国家主义者妥协的同时，试图以自己独特的辩证法扭转偏狭的日本精神论者的思想。他一方面表明“我所说的那种世界性的世界形成主义，并不反对国家主义或民族主义。”④因此他也承认国体中存在

① 12—341。
② 12—350—351。
③ 18—464、465。
④ 12—433。

的宗教性。他说:“在我国,如祭政一致所说,主权即具有宗教的性质。……我国体以肇国的神话开始,尽管经过几多社会变迁,其作为根底一直发展到今天。在我国国体中,宗教性的东西是开始也是终结。这里可以说我国体是真正的主体即世界。历史的世界创造是我国体的本义。因此,在内,万民辅翼;在外,八纮一宇。基于此国体而积极从事世界形成,不能不是我国民的使命。”①但是他反对将这种宗教性作抽象的理解,认为“日本精神的真髓,无论在哪里都是在于超越即内在、内在即超越。八纮一宇这种世界的世界形成的原理,其内部是君臣一体、万民翼赞的原理。即便将我国体叫作家族国家,也不能单单认为是家族主义的。无论在哪里都是内者即外、外者即内,这是国体的精华。”②又说:“所谓国民的精神,无非是主体与环境相互限定而形成的一个历史的身体的形成力。……国民的精神不是抽象的精神。无论在哪里都必定是具体的、身体的,是内在即超越、超越即内在地成立的。因此我认为在国家成立的根底中具有宗教的性质。”③

针对穷兵黩武的法西斯主义的国家政策,他呼吁“单单物力强大的国家,不是真正的国家。真正的国家必须是有个性的。这样的国家才是真正的强大。丧失个性的精神,单单只是物力强大时,是国家反而进入灭亡之时。”④他强调必须看到国家与文化的本质关系,认为这两者“必定是矛盾自我同一的一体”。而且“文化在一定意义上具有普遍性。文化在万国史中从一个时代到另一时代推移,它作为绝对现在的自己限定的内容,各自具有永远的意义。文化在国家中被形成。国家灭亡时,其文化也已经失去了其发生力。但是文化不会这样单纯地灭亡。它在形式上作为限定形式本身的绝对现在的内容,又成为其他国家的生命。希腊或印度的国家虽然在几千年前就灭亡了,但是其文化至今还活着。作为

① 10—333、334。

② 12—434。

③ 12—420。

④ 12—422。

国家，只有包容无限的文化而形成的国家，才是永远具有生命力的世界史的国家。”①这正如他所批评的那样，当时所理解的日本精神等日本主义的传统是“全体主义上的传统”，而“全体主义上的传统毕竟不是真正发展的传统，这种东西只不过是架空的东西。全体要成为活的东西，那么全体就要使个人发挥活力。”②

西田对总力战的反对和对日本的现状及国家指导者的愤慨、遗憾，在他的书信中表现得非常明确。如他说：“这样搞总力战完全不行。……无论如何，我们的民族无论遇到什么事情，都不能失掉精神的自信。即便诉诸武力，无论如何惟独不能在道义上文化上失去我们国体的历史的世界性、世界史上的世界形成性的立场上的自信。必须牢固地把握此立场而能够维持将来民族发展的自信”。③ 1945 年 3 月 14 日在给长与善郎的信中他表示对国家的现状“愤慨之至”，指出时至今日在总理以下都不过是“呼号空虚的信念”，以此将国民推向深渊，使国民完全失去自信。他认为：“将国体与武力联结起来、将民族的自信置于武力之下是根本性的错误。自古以来就没有仅仅靠武力来繁荣的国家，武力马上就会行不通。永远繁荣的国家必须有优秀的道德与文化为根底。实际上我们的国民现在是必须从此根底上进行大转换的时候。”“失去自信的国民实际上是亡国之民。纵令国家在武力上稍微衰弱一点，在远大的立场上国民具有自尊心的话，还可以东山再起。我相信日本国民是相当优秀的国民。只是指导者不行。遗憾之至！而学者和文学家也不深思，只不过是见风使舵地追随而已。我从来没有像现在这样感叹国家的思想贫弱”。④ 1945 年 4 月 8 日给高坂正显的信中也提到国体与武力的关系，说如果对原理性的东西不进行深入的研究，那么对现实的各种问题

① 12—423、424。

② 1940 年 3 月 7 日西田几多郎与山本良吉的对话《创造》。见《西田几多郎全集》第 15 卷“附录”岩波书店，1966 年，第 7 页。

③ 19—398。

④ 19—401—402。

也只能看到皮相而不能深入地把握其真实。他接着说:“我国的政策由于观念性和自以为是,而陷入当今的困境,原因之一就是我们的国民和政治家没有深刻的思想”。①

批评将“国体与军部作同一观的态度”,强调“从文化上找出国体的世界性意义”,②是西田几多郎在国家观与文化观上的根本理念。

关于东亚共荣圈构成的原理,他也是从世界史的角度来论述的。他说:“十八世纪是个人自觉的个人主义的时代。十九世纪的国家自觉的国家主义的时代,即帝国主义的时代。而今天进入了世界自觉的世界主义的时代。如何构成新世界是今天的世界性课题。”他强调“今天必须以某个民族为中心,必须从世界的一角开始来构成新世界”。③“必须根据各个国家自觉各自世界史的使命而构成一个世界史的世界,即世界的世界。这是今天的历史性课题。”他认为“各个国家民族要在既为自己的同时又超越自己而建构一个世界的世界,就必须各自超越自己,根据各自的地域传统,首先构成一个特殊的世界。这样,由这种历史地盘所构成的特殊世界结合起来,全世界就构成一个世界的世界。在这个世界的世界中,各个国家民族在保持各自的有个性的历史生命的同时,以各自的世界史的使命而结合为一个世界的世界。这是人类历史发展的终极理念。也必定是现在的世界大战所要求的世界新秩序的原理。”因此,他认为“东亚共荣圈的原理也必定自然是由此而来。从来东亚民族受欧洲帝国主义的压迫,被视为殖民地,各自的世界史的使命被剥夺了。现在,东亚各民族自觉东亚民族的世界史的使命,必定超越自己而构成一个特殊的世界,来实现东亚民族的世界史的使命。这就是东亚共荣圈构成的原理。”当然他认为只有日本能够成为东亚共荣圈构成的中心。而对于眼下的战争的意义,他说“就像过去在波斯战争中希腊胜利决定了到今天

① 19—412。
② 19—418。
③ 10—337。

为止的欧洲世界的文化发展方向一样,今天的东亚战争也将在后世的世界史上决定一个方向。”①

因此,上述《世界新秩序之原理》一文中的“要旨”部分,即便不是出自西田本人之手笔,他所提倡的这种大东亚共荣圈的思想实际上也不可避免地成为美化太平洋战争的“圣战意识形态”的一种表现。

(三)

西田几多郎把自己的“东亚共荣圈构成的原理”的“根本理念”定名为“世界性的世界形成主义”,②这种“世界新秩序之原理”中充分体现了西田哲学中的矛盾的现代性。这种思想的根本特征,如上山春平所说,表现在西田对个人主义与全体主义的关系的独特的把握上,而且他把其独特性“归结到个人主义与全体主义的同时否定与同时肯定的两立上”。③ 西田认为全体主义和个人主义都是一种思想方向,只是主张个人,这样的世界在历史上不曾有过,也不可能有;而全体主义只承认全体而否认个人,也就是否认人的创造,与动物无异。因此问题是“个人主义与全体主义两者如何相互结合”。④ 关于这一点,西田在为 1942 年 1 月给天皇进讲历史哲学的草案中有明确的记述。他说:

> 如果问一个国家具有世界史的性质意味着什么的话,那就是说,无论如何是全体主义的同时,不是单纯地否定个人,无论如何要以个人的创造为媒介。如同今天虽然认为个人主义与全体主义好象是相反的,但是,个人主义虽然不用说已经落后于时代了,而否认

① 12—247、248、249。

② 12—433。

③ 上山春平:《自由的精神——西田哲学的一个侧面》,下村寅次郎编:《西田几多郎——同时代的记录》,岩波书店,1971 年,第 69 页。

④ 1940 年 3 月 7 日西田几多郎与山本良吉的对话《创造》。见《西田几多郎全集》第 15 卷“附录”岩波书店,1966 年,第 8 页。

个人的单纯的全体主义,也不过是过去了的东西。个人是从历史的社会中产生的,而历史的社会只有以个人的创造为媒介,才具有作为世界史意义上的永恒的生命。就像生物的生命是以细胞作用为媒介而去生存一样。①

而如前所述,他就是将皇室"作为个物的多与全体的一的矛盾的自我同一"来认识的。

在全体主义(法西斯主义)盛行而压制个人自由的时代,他在天皇面前敢于将全体主义与个人主义(自由主义)相立并论,这已经表现出了对全体主义的抵抗和争取个人自由的积极姿态。如上山春平所说,"自由的精神"正是支撑西田的难解的"个体的逻辑"的感情上的基础。② 对自由的向往与苦闷,贯穿在他的思想中实际上就是对无限本身的思慕与眺望。他的这种对自由的向往与苦闷、对"神秘的无限"所满怀的深情,"通过内出于外而又外入于内的更高层次(higher dimension)"的独特的辨证方式,构筑起了一个难解的且赋有象征意义的西田哲学体系。这是个"内外合一"、"在感觉以上"的"入水不濡、入火不灼"的"超形(形以上)的象征的世界"。③ 他在自己的绝笔中甚至都在感叹自己的逻辑没有被学界理解。他说:"不是没有批评。但是那是从不同的立场曲解我之所云,不过是将其作为对象的批评。不是从我的立场来理解我之所云的批评。而来自不同的立场的无理解的批评,不是真正的批评。我首先要求从我的立场出发理解我之所云"。④ 同情地理解固然重要,但是入于内也要能出于外,想要没有不同立场的批评,既不现实也不可能。而所谓"入水不濡、入火不灼"的象征世界,很大程度上也无非是想借助幻想中的古之至人真人或五色文锦,来超脱现实的苦闷罢了。

---

① 12—271。
② 下村寅次郎编:《西田几多郎——同时代的记录》,岩波书店,1971 年,第 68 页。
③ 16—539。
④ 12—265—266。

（原载于《世界哲学》2010年第1期，为本人主持的“反思日本学界在二战时期的现代性讨论”专栏中的一篇。）

四　儒学与日本近代思想序论——以西晋一郎为例

（一）为何选择西晋一郎？

日本儒学发展的状况、儒学在近代日本的发展形态及其与日本现代化的关系，对这些问题的研究，学界已经取得了许多成果，[①]而王家骅先生（1941—2000）的思考可以说最具代表性。[②] 2014年12月人民出版社出版的王家骅文集——《中日儒学：传统与现代》对上述问题作了系统的回答，可以说是重现20世纪九十年代我国以“现代化范式”[③]研究日本思想文化，特别是中日儒学研究的经典之作。

儒学作为近代日本学术思想史中的一个“流派”，以往我们的一些研究由于着眼于从“日本汉学”或“中国学”的角度来观察，将其视为中国儒

---

① 如朱谦之的《日本的朱子学》（1958年三联书店初版，2000年人民出版社出版）、《日本古学及阳明学》（1962年上海人民出版社初版，2000年人民出版社出版）、《日本哲学史》（1964年三联书店初版，2002年人民出版社出版）、严绍璗的《日本中国学史稿》（学苑出版社，2009年）、韩东育的《日本近世新法家研究》（中华书局，2003年）、《道学的病理》（商务印书馆，2007年）和《从“脱儒”到“脱亚”——日本近世以来“去中心化”之思想过程》（台湾大学出版中心，2009年）、刘岳兵的《日本近代儒学研究》（商务印书馆，2003年）及其主编的《明治儒学与近代日本》（上海古籍出版社，2005年）等。

② 王家骅的著作有『日中儒学の比較』（東京：六興出版，1988年）、《儒家思想与日本文化》（浙江人民出版社，1990年）、《儒家思想与日本的现代化》（浙江人民出版社，1995年）、『日本の近代化と儒学』（東京：農山漁村文化協会，1998年）等。

③ 王新生、崔金柱的《中国日本近代史研究30年综述》一文中回顾、分析了日本近代史研究中马克思主义史观、现代化范式、民族国家范式三种研究范式，将“现代化范式”的研究成果概括为“对日本现代化动因探寻以及现代化历史进程的叙述”两个方面。见李薇主编：《当代中国的日本研究（1981—2011）》，中国社会科学出版社，2012年，第430页。王家骅的研究方法，本人在《中国日本思想史研究的方法论问题》一文中进行了论述，参见拙著：《“中国式”日本研究的实像与虚像——重建中国日本研究相关学术传统的初步考察》，中国社会科学出版社，2015年，第82—86页。日本学者的相关评价，参见上书第138—139页。

学的一种“域外形态”，这样看到的自然多半是“中国儒学在日本近代的‘变异’”。如此评价和分析近代日本儒学的“变异”，不仅有自投“中华本位学术史观”罗网之嫌，而且由于阻断了探寻日本近代儒学在日本自身的“源文本”发展中的历史脉络，就难免使其所谓的“文化语境”论有陷入文化相对主义之虞。① 这样，对儒学与日本近代思想史的关系的研究，或强调其受制于“官学学派”，②或重视通过“功能的考察”来将其进行“解构”，③或者即便认识到其“在整体上是日本近代思想史的前提性和基础性存在”而“作为涌动在各种思潮深处的潜流”④的意义，也难以对此进行更加深入具体的剖析。

如何才能推进日本近代儒学研究？我想这首先要在观念上有一个转变，即日本儒学，当然包括日本近代儒学，首先应该将其视为日本思想文化的一个组成部分，与日本的社会历史发展密不可分。如果只是将其作为中国儒学的一种“域外形态”甚至认为是中国学问的“海外延伸”，而且以其对中国学问的理解“正确与否”作为评价标准的话，那我们看到的可能只是其表面现象。其次，在对日本近代儒学代表性思想家的发掘上，我们是不是对注意研究日本儒学历史、阐释日本儒学精神和特质并从日本的传统文化中吸取思想资源的那些思想家关注不够？王家骅的《抗日战争时期中日两国儒学研究之比较》一文，概观了从九一八事变到日本战败这一时期中日两国儒学研究的状况。这一期间，如该文所言，当时在中国虽然“罕见日本儒学研究”方面的成果，但日本方面的日本儒学研究，被分为“日本精神论”、“实证性研究”(以足利衍述、岩桥尊成、山崎正董、大江文城为代表)、“马克思主义学者的研究”(以永田广志为代表)和“近代主义的研究”(以

① 参见严绍璗的论文《中国儒学在日本近代“变异”的考察——追踪井上哲次郎、服部宇之吉、宇野哲人的“儒学观”:“源文化”在异质文化中传递的“不正确理解”的个案解析》，收入严绍璗的文集《比较文学与文化“变异体”研究》，复旦大学出版社，2011 年。

② 严绍璗:《比较文学与文化“变异体”研究》，复旦大学出版社，2011 年，第 242、252 页。

③ 王家骅:《中日儒学:传统与现代》，人民出版社，2014 年，第 173 页。

④ 刘岳兵:《日本近代儒学研究》，商务印书馆，2003 年，第 6 页。

丸山真男为代表)四种类型，特别是将日本精神论又分为“制造并利用战争气氛的一伙”(以井上哲次郎、安冈正笃、清原贞雄等为代表)、“从‘人伦国家’论走向肯定战争”(以和辻哲郎为代表)和“未迎合国粹主义而立足于实证的日本精神论”(以村冈典嗣为代表)三种形态，① 很有启发意义。当然，儒学研究者未必都能作为儒学思想家的代表，但近代日本儒学思想家的代表，恐怕都与“日本精神论”有千丝万缕的联系。最后，也是最重要的一点，要推进日本近代儒学研究，不仅要注意儒家思想对日本现代化的影响，也就是说不仅要像王家骅那样关注儒家思想的因素在日本近现代思想中所起的作用，更要注意发掘那些既对西方近现代思想有深刻领会又对儒学深有感悟甚至在思想上归宗于儒或有其倾向的那些思想家。儒学只有与近代思想相融合且不失其主体，这样的思想家才可以说是典型的近代日本的儒学家。在日本，近代儒学家的主体往往是与日本的“国体”融为一体的。

本文选择这位如今已经很少有人提及的西晋一郎(1873—1943)作为研究对象，来探讨日本近代儒学及其与思想史的关系，正是出于以上考虑。其一，他认为儒学已经日本化了，而且将儒学视为日本文化自身的一部分。其次，他力图通过对儒学日本化的研究，阐明日本儒学的精神和特色所在，从中我们也可以窥见他自身思想的特点。而且他对西方思想，特别是西方伦理思想有深入的研究，同时其精神所归也被认为是“在东洋儒教之中”。② 以西晋一郎为个案，看看这位打着深深的时代烙

---

① 王家骅:《中日儒学:传统与现代》，人民出版社，2014 年，第 302—311 页。

② 西晋一郎广岛高师的同事福岛政雄在回忆文章中说道:“先生最为私淑程明道、景慕中江藤树、尊信水户学。西洋方面，推崇柏拉图，爱读马可・奥勒留的冥想录，当然读过奥古斯丁、康德、费希特、施莱尔马赫、赫尔巴特，此外还有一些英国派的伦理学著作等，但其精神似乎还是在东洋的儒教中。有一次我问先生:康德或费希特与程子或朱子相比谁更伟大? 其回答是:作为人物而言当然是程子和朱子要伟大得多。”福島政雄:「西晋一郎先生の追憶」，西晋一郎先生十周年忌記念事業会(同会実行委員長後藤俊瑞)編:『清風録一西晋一郎先生追憶集一』(非売品)，株式会社柳盛社印刷所，昭和 29 年，第 13 頁。

印的日本思想家是如何在文明的对话中阐释日本儒学的特点的，其某些见解即便在今天对于我们思考儒学的相关问题仍然不无启发意义；其视野广涉古今、东西，他对某些问题的思索，为我们加深对日本近代思想的认识也不无教益。

（二）西晋一郎其人

虽然在十几年前本人就想对西晋一郎的思想进行研究，[①]但是后来只是偶有提及，[②]并未深入。考虑到这可能是第一篇专门论及西晋一郎思想的中文文稿，[③]因此在进入其日本儒学论之前，需要对其生平及其在日本近代思想史上的意义作简要的介绍。

西晋一郎，姓西，名晋一郎。1873 年生于日本鸟取市，1896 年从山口高等学校考入东京帝国大学哲学科，1899 年毕业后继续读研究生深造，在中岛力造[④]的指导下研究伦理学，先后在《哲学杂志》等刊物发表论文《莱布尼兹的哲学》《洛采的伦理说》《洛采的哲学》等。1902 年出版了其翻译著作《格林氏伦理学》，同年 7 月，任广岛高等师范学校教授。1929 年

---

① 刘岳兵：《日本近代儒学研究》，商务印书馆，2003 年，第 4 页。

② 刘岳兵：《日本近现代思想史》，世界知识出版社，2010 年，第 284 页。

③ 朱谦之在 1931 年发表的《日本思想的三时期》一文中将现代日本讲坛哲学分为三派，即形而上学派、认识论派和现象学派，其中形而上学派中着重介绍了井上哲次郎、西田几多郎、西晋一郎和纪平正美四位思想家。关于西晋一郎的论述，全文如下："他的哲学，是建立于黑格儿哲学的形而上学上面，因而主张发挥民族国家的个性的。他的主著《伦理学之根本问题》（大正十二年），依他意思，实在就是意识，只要有意识，即是有实在；而意识有种种阶段，意识根本，即所谓'自意识'，自意识是自己认识自己，已达到主观客观合一的境界。认识和实在合一的纯粹意识界；于此境界，便艺术和宗教、道德，合一相通。他的思想带很浓厚的东洋色彩，以为最大的积极，只建立于消极的否定之上，唯无为才能大有为；这一点不能不说是东洋思想的一大表现了。"见《朱谦之文集》第九卷，福州：福建教育出版社，2002 年，第 10 页。

④ 中岛力造（1858—1918），生于今京都府福山市，1878—1879 年为同志社选课生，后留学美国，1889 年以 Kant's Doctrine of the "Thing—in—itself"（《康德的"物自身"理论》）获得耶鲁大学哲学博士学位。1892 年任东京帝国大学教授。他介绍格林的新理想主义伦理学被认为是转变当时日本学界密尔、斯宾塞哲学占主流的契机。主要著作有《列传体西洋哲学小史》（上下，1898）、《现今哲学之问题》（1900）、《现今伦理学之问题》（1901）、《格林氏伦理学说》（1909）等。

任广岛文理大学教授(到1940年退休),此后兼任国民精神文化研究所所员(1932)、教学刷新评议会委员(1935)日本诸学振兴委员会常务委员(1936)、文教审议会委员(1937)、教育审议会委员(1937)、教学局参与(1937)、内务省神社局参与(1939)、神祇院参与等职(1941)。1943年1月为天皇进讲汉籍,同年11月逝世。主要著作有《伦理哲学讲话》(1915)、《向普遍的复归与报谢的生活》(1920)、《伦理学的根本问题》(1923)、《实践哲学概论》(1930)、《忠孝论》(1931)、《国民道德讲话》(1932)、《东洋伦理》(1934)、《东洋道德研究》(1940)、《人间即国家之说》(1944)等。①

由上述经历与著作可以看出,西晋一郎学问的出发点是西方哲学和伦理学,大学及研究生期间对莱布尼兹、洛采②、格林③的哲学、伦理学的研究成果得到了学界的认可。而且还参加了当时由蟹江义丸(1872—1904)组织的康德《实践理性批判》读书会,其成员还有藤井健治郎(1872—1931)、深作安文(1874—1962)、友枝高彦(1876—1957)、野田义夫(1874—1950),共六人,每周一次轮流讲解。④ 康德哲学及新康德主义思想在当时的日本学界的影响不断扩大,其中也有东京大学伦理学教授中岛力造的感化之功。1902年广岛高等师范学校创设之际,应校长北条时敬(1858—1929)之请担任伦理学教授。学校创立不久,日俄战争爆发,日本获胜。高等师范学校为国家教育事业培养人才,而伦理道德教育责任之重大自不待言。1918年学校设置德育专业,西晋一郎任主干。

---

① 参见「西博士著述論文目録」(『清風録—西晋一郎先生追憶集—』に収録),「西晋一郎博士略年譜」(西晋一郎先生廿周年忌記念事業会(山本幹夫代表)編:『続清風録—西晋一郎先生追憶集—』,西博士記念事業会発行,昭和三十九年)。

② Rudolf Hermann Lotze(1817—1881),德国哲学家,被文德尔班认为是"德国哲学的继承者中最重要的人物"(文德尔班:《哲学史教程》下卷,罗达仁译,商务印书馆,1993年,第872页)。其思想,参见弗兰克·梯利的《西方哲学史》(增补修订版),贾辰阳、解本远译,光明日报出版社,2013年,第473—476页。

③ Thomas Hill Green(1836—1882),英国哲学家、伦理学家。西晋一郎翻译的是格林1883年所著《伦理学绪论》(*Prolegomena to ethics*)。

④ 西晋一郎先生廿周年忌記念事業会(山本幹夫代表)編:『続清風録—西晋一郎先生追憶集—』,第292页。

1929 年广岛文理大学创立，任伦理学科主任。1931 年九一八事变爆发，随着 1935 年“国体明征”运动的激化，1937 年文部省颁布《国体之本义》，在思想上强化日本精神、国体意识的“教学刷新”不断取得新成果，而 1939 年在广岛文理大学新设“国体学科”，西晋一郎就任主任教授，这也是他在政府相关机构就任各种“委员”“参与”职务多年努力的结果，在退休之前，“国体学”能够作为大学中的一个正式的学科得以设立，可以说是实现了他“多年的夙愿”。① 西晋一郎与他所处时代的关系，由此可见一斑。或许西晋一郎的确是幸福的，他在 1943 年去世的这一年年初，享受到了作为帝王之师的荣耀，为天皇进讲汉籍（《论语·颜渊》中的“子贡问政”章），虽然“兵”未能去，但是他的生命中也没有留下“战败”的阴影。如他的弟子所言，他以个人的生命深切地达到了日本民族生命的根底，因此他个人的悲剧即是日本民族的悲剧。②

西晋一郎在日本近代思想史上的意义，有人视之为代表日本明治时代精神的“最大、最深且最后的思想家”，并将其与西田几多郎进行比较，认为这“两位思想上的巨人”是“天授”给日本民族的“天才的孪生兄弟”③；也有人通观日本近代伦理哲学（伦理学与哲学或伦理哲学的意义）的发展，用辩证法的正反合的观点，将井上哲次郎、西田几多郎和西晋一郎三位思想家进行比较，分别将他们定位为维持传统道德思想、移植包括伦理学在内的西洋哲学和以西洋哲学为媒介发展传统思想三种类型的代表。④ 战后日本对西晋一郎哲学的研究，多局限在与其有关系的研

① 西晋一郎先生廿周年忌記念事業会（山本幹夫代表）編：『続清風録—西晋一郎先生追憶集—』，第 289 页。

② 西晋一郎先生十周年忌記念事業会（同会実行委員長後藤俊瑞）編：『清風録—西晋一郎先生追憶集—』（非売品），株式会社柳盛社印刷所，1954 年，第 93 页。

③ 西晋一郎先生廿周年忌記念事業会（山本幹夫代表）編：『続清風録—西晋一郎先生追憶集—』，西博士記念事業会発行，1964 年，第 60、46、48 页。

④ 野口恒樹：「過去一世紀のわが国倫理哲学の歩み—井上哲次郎、西田幾多郎、西晋一郎—」，『芸林』（芸林会の機関誌）第 27 巻第 6 号，1978 年 12 月。

究者中，且多抱有“复兴西哲学”的目的。①

(三) 西晋一郎的致思路向

无论如何，西晋一郎在日本近代思想史上都是一个值得关注的存在，了解他的人生与思想，对于我们深入了解日本近代的历史和思想发展与走向是一个很好的参照。通观其思想发展，虽然其前后具有一贯性，但从其思考的侧重点而言，可以以《忠孝论》一书为界分为前后两个时期。前期主要是对哲学、伦理学的根本原理与研究方法的探索，到《忠孝论》可以说已经完成了自己的学术体系。而此后主要是其理论在“东洋伦理”实践中的展开，是将自己的理论在“东洋伦理”的实践中安顿自己的归宿的过程，其中日本儒学正好为他的理论“转识成智”、为他的思想“布道传教”提供了广阔的天地。前期的理论探索，这里不可能一一深究，但是，他为自己的每一本书所写的简短的序言，连起来看，正好恰如其分地反映了他追寻与思考的轨迹。

43 岁的西晋一郎在广岛高师工作了 13 年后，出版了其处女作《伦理哲学讲话》，其《自序》(1915 年 3 月)全文如下：

> 本书以哲学起名，读者或疑其名不副实。盖我邦古来之教训，其中多藏深远的哲理，然而不特为之显露。近代哲学以逻辑严密、分解锐利见长，然其与实行之交涉疏远，不能无憾。彼之深远不可企及，而缺乏此之严密锐利之用意，遽然在二者之间而试图以今释古。是其招疑之所以。然自信此项事业愈为今日之所要，故不顾微

① 主要著作有：縄田二郎『西晋一郎の生涯と哲学』(東京：理想社，昭和二十八年)、『西晋一郎の生涯と思想』(東京：五曜書房，2003 年)；隈本忠敬『西晋一郎の哲学』(広島：渓水社，1995 年)等。吉田公平在为『西晋一郎の生涯と思想』一书写的代序中提到：“西晋一郎在世时，计划出版全集。其事务局的负责人，是西的最后门生、尤为亲近的绳田二郎先生。”(见该书“代序”，第 3 页。)隈本忠敬毕业于广岛文理大学，其著作出版时，是广岛大学的名誉教授。书中以“西先生学统后继者”自认，明言出版本书的目的是“切望能够使之成为西哲学复兴的机缘”。(见该书第 10 页。)毕业于广岛大学、时任广岛大学副教授(现为教授)的中村春作，在其著作『江戸儒教と近代の「知」』(ぺりかん社，2002 年)中也论及西晋一郎。

力，读者谅之。①

1923年11月他为其《伦理学的根本问题》一书所写的《序》(全文)为：

本书是我对伦理学上的根本问题所学所思而发表在诸杂志上的文章大体进行系统的编辑而成。期待我国人对哲学与道德的现代研究内在地接续上明治维新之前所达到的大思想，是我学界的本分。而在我而言如何能为此尽自己的贡献，是我自身的问题。②

到1930年，他有意将自己的学说与一般的伦理学区别开，而名之为"实践哲学"，其《实践哲学概论》一书的《序言》(1930年7月)这样写道(全文)：

本书并非对学术界有什么特别的贡献，希望对一般教育界能有某种作用。名之曰实践哲学，是因为虽然有论及哲学、国家及国法、修养实行和国民的自觉，但是毋宁说主要是重视这些方面，与普通称为伦理学的，涉及的范围要更广一些。同时，大凡可称为伦理学的，应该包含民族的人生观、国民的历史精神、其政治哲学、其法律经济思想以及实践躬行上的问题，对我国斯学之将来，也寄托了作者这样的希望。"③

《忠孝论》是其体系的完成之作，所写的《序说》(1931年9月)较长，我们先看开篇的一段：

《忠孝论》以下六篇，虽然是数年来所思考的东西在不同的场合以适当的题名发表在各种杂志上的，但其中有一以贯之的思想。我尊信本国固有的教诲，但是一旦要在思想的形态中来把握与阐明它

① 西晋一郎：『倫理哲学講話』，東京：育英書院(1915年初版)，1930年2月25日訂正22版，第1页。

② 西晋一郎：『倫理学の根本問題』，東京：岩波書店，1923年，第1页。

③ 西晋一郎：『実践哲学概論』，東京：岩波書店(1930年初版)，1940年10月15日第11刷，第1页。

时，当然不会直接将他人的结论作为自己的结论，而且他人到达其结论的理路也未必能够引导我到达同一地方。我沿着我自己的思路探求，在思维界与我所尊信的教诲不期而遇。[①]

由此可见，西晋一郎在其处女作《伦理哲学讲话》中就确立了要用西方近代哲学的严密的逻辑分析方法来解释日本固有的教训，使其深邃的哲理能够有条理地显现的思路，认为"以今释古"是今后的努力方向。具体而言，该书主要是论述实在，从目录上看，如实在的两种形态、实在与道德一般、实在与爱、实在与义、一元与多元、实在的发现之阶段等。其基本思想如该书《绪论》中所言，"如儒佛之学丝毫不与实行脱节，其中皆确乎具备哲学。我不否认有所谓纯然的理论兴趣存在，但是不相信究明的真理与实行方面没有关系。"又说："物皆具有独立之相与有所为之相……物的独立自适之境，我称之为仁，其作为的方面称之为义。学问的义的方面即是为何作学问，如何立为学之志是关键。……健全的学问发达，不可能不发自顺良正当的立志动机。故义又归于仁，实在可以在绝对与相对、仁与义之两相中见到，不应将此两相视为各种独立存在的二元。"[②]如果说在这里还只是表现一种重视理论的态势的话，那么到《伦理学的根本问题》中，他就自觉地将自己的思想与日本传统思想"内在地接续"起来，以"为此尽自己的贡献"作为"本分"。什么是伦理学的根本问题？他在该书《序论》中明确提出："作为道德之学的伦理学的根本问题，首先是意识与道德原理之间的关系如何的问题。此问题中包含着伦理学的根本的诸问题。但意识作为其现实的阶段的认识对象界，即作为自然界及精神界即自由界表现出来上述诸问题，就又可以论述第二道德与客观界的关系、第三道德与精神界其他发现的艺术及宗教的关系。"[③]而这里所谓的"意识"就是《伦理哲学讲话》中的"实在"。"实在即意识，

① 西晋一郎：『忠孝論』，東京：岩波書店（1931年初版），1933年10月15日第2刷，第1页。

② 西晋一郎：『倫理哲学講話』，第9、11—13页。

③ 西晋一郎：『倫理学の根本問題』，第11页。

唯有意识才是实在。这不必等到西洋近世所谓先验主义哲学诸说才明白,实际上真正的哲学,无论古今都是说明同样的真理。"①"接续"民族传统这种个人"自身的问题",既是主观的问题,同时也是民族国家所固有的"客观的哲学体系"寻找具体的文化生命进行历史传承的问题。如他所言:"文化的统一的内面具备哲学的体系,个人的哲学家的哲学体系即客观的哲学体系的个人化表现。因此作为文化的具体舞台的民族国家,具有包含其历史意义的自身固有的此客观的哲学体系。后者即成为作为国民精神的国家组织的统一原理。因此经中有史、史中有经,经与史相互映照才是真正的学问。"②这里的"经"即是"客观的哲学体系","史"就是传承这种体系的具体的民族国家的文化舞台。黑格尔的影子在这里隐约可见。

在经过长期的教学实践与理论思考之后,西晋一郎的学问体系也终于形成。为了区别于一般的伦理学,他将自己的体系称为"实践哲学"。他的实践哲学是一种广义的伦理学,既包括伦理学理论上的体("自觉中意识进展的过程""道德生活内容的演绎""道德生活的统一"为《实践哲学概论》中本论的前三章),又包括功夫上的用(《实践哲学概论》的第四章为"道德实现的方案",分恕、敬业及耻、气概、感谢四目),阐明的是一种"功夫即本体的功夫"。③ 如其所言,"伦理学可以说是指示伦理上自觉地达到的道行。以履行与他者关系之正纳入全体的行列中,由此而自觉到全体,此即自立。由伦理而言,此即一一皆'全'之意义。"④而最终他以具有东方色彩的"忠"和"孝"两个概念来作为表达自己理论体系的最高范畴,使忠、孝这种古老的德目具有了形而上学的哲学意义。如他在《忠孝论》的《序说》中所言,"我沿着我自己的思路探求,在思维界与我所尊信的教诲不期而遇。"他紧接着说:

忠孝也可以解说为天人合一之道,因此忠孝一定是范围天地会

① 西晋一郎:『倫理学の根本問題』,第1页。
② 同上,第20页。
③ 西晋一郎:『実践哲学概論』,第11页。
④ 同上,第41—42页。

通万物的。这样在思想上来阐明它就需要解决许多哲学上的问题。选择主要的问题来论述清楚的话，也可以接近其整体性的把握，这样也可以不需要注意到无限的细枝末节了。以下诸篇虽然没有穷尽主要的问题，但就我至今思考所得，认为事物的真实相可以从法则和生命两大方面来考察，法则之真至忠而至其极致，生命之实于孝而达其究竟。且二者毕竟为一，因此二者能充分尽其真实相。用语言来表现毕竟为一，古来适当的语言是用虚字。虚即忠孝为一，用伦理的语言来说就是诚。以上就是忠孝论的主旨。①

以上是他的伦理哲学或实践哲学的基本思路。以这种思路来解说“东洋伦理”的具体实践，他对中国儒学、老庄思想、日本儒学和日本神道方面都有其自己的理解。主要著作除了上面已经提及的之外还有：《教之所由生》(1930)、《天之道人之道》(1937)、《尊德・梅岩》(1938)、《太极图说・通书・西铭・正蒙》(与小丝夏次郎译注，1938)、《孝经启蒙略解》(1939)、《大学解通释》(1939)、《国家・教学・教育》(1939)、《藤树学讲话》(1941)、《文教论》(1941)、《中庸解通释》(1943)、《教育敕语衍义》(1944)等，其讲义先后出版了《老子讲义》(1938 年初版，1996 年增订版)、《易・近思录讲义》(1940 年初版，1997 年增订复刊)、《日本儒教的精神——朱子学・仁斋学・徂徕学》(1932—1933 年讲义，1998 年增补出版)等。

(四) 西晋一郎的日本儒学论与“日本精神”

九一八事变之后，日本对中国的侵略进一步推进，且无视国际舆论，于 1933 年退出了国联。这种政治形势给当时的思想界也带来了很大的影响。同年 11 月新潮社开始刊行的《日本精神讲座》(共 12 卷，到 1935 年出齐)的卷头这样写道：“日本以脱离国联为契机，完全摆脱了追随欧

---

① 西晋一郎：『忠孝論』，第 1—2 页。

美的时代。日本今后应该正确、勇敢地走自己独自的道路。这就是回归日本精神。"[①]此后"日本精神"这个国家主义的"标签"或"咒符",就像日本思想界一个巨大的黑洞,具有吞噬人心的魔力。各个领域的理论研究或文化活动都自觉不自觉地成为振兴日本精神的助力。就儒学方面而言,1934 年 1 月 27 日大东文化学院总长、贵族院议员加藤政之助倡议创立了日本儒教宣扬会。[②] 1935 年 4 月 28 日至 5 月 1 日,在日本最大的儒学团体斯文会的筹备下,国际性的儒道大会在东京召开。[③] 设立日本儒教宣扬会的目的在于用"醇化日本皇道国体的儒教"来"大力复兴日本精神"。[④] 而在东京召开儒道大会,也是要提醒人们"不要忘记日本精神对儒教的影响",井上哲次郎感叹:"儒教虽然起自中国,但到后世儒教的精神渐渐衰退。……而儒教的精神最纯粹、最高尚地传到了日本。这完全是日本精神的能动作用的结果。"因此,"离开日本精神,儒教不可能复兴。"[⑤]无论是用儒教来复兴日本精神,还是用日本精神来复兴儒教,这里所说的儒教当然都是指能够醇化日本皇道的日本的儒教。因此对日本儒教精神的探讨实际上也就是对日本精神的探讨。

西晋一郎的名字虽然没有在上述活动中出现,但他的日本儒学论也是在同样的背景下展开的。如上所述,《忠孝论》是其体系完成之作。他的思想得自于日本阳明学之祖、被誉为"近江圣人"的中江藤树(1608—1648)的教学启发颇多。中江藤树以孝行著称,解释孝道也是其思想的

---

① 「日本精神に還れ!!」,『日本精神講座』第一卷(卷頭言),東京:新潮社,1933 年 11 月。此卷头言之后是「日本精神講座刊行の趣旨」,该文列举了三个方面:(一)祖国意识的觉醒,(二)了解日本精神为现代紧要之事,(三)国难打开之道在此。其中写道:"日本的思想国难、经济国难、政治国难,这些所谓国家之癌,以日本精神的觉醒与进展来打破从而可以进行一切的改革或改造,同时进行新的建设。因此国民大众全体正确地保持日本精神的认识,无论对国家、社会还是自身都是最为关键的事情。"因此编辑这套讲座就是力图"将有关日本精神的一切学问与现代结合起来,强力地向国民大众进行呼吁"。

② 详情参见:日本儒教宣揚会『日本之儒教』(非賣品),1934 年 6 月。

③ 详情参见:財团法人斯文会『湯島聖堂復興記念儒道大会誌』(非賣品),1936 年 11 月。出席这次会议的有来自中华民国、伪满洲国、台湾地区和朝鲜的代表。

④ 日本儒教宣揚会『日本之儒教』(非賣品),第 182、185 页。

⑤『湯島聖堂復興記念儒道大会誌』(非賣品),財团法人斯文会,1936 年,第 388—389 页。

核心内容之一。如藤树的主要著作之一《孝经启蒙》，西晋一郎为该书著有《孝经启蒙略解》。西晋一郎任藤树先生颂德会首任会长，被称为“昭和的中江藤树”。西晋一郎一方面继承中江藤树从本体论意义上解释“孝”为“太虚之神明”，认为这是“孝在形而上学意义上的最高解说”。[①]同时发挥《孝经启蒙》的思想，指出：“以孝治天下的主意作为史实在我国天皇之治中得以实现了，而在中国只是停留于文字上。我国为祭政一致之国体，其祭祀就是遵循天皇皇祖皇宗的遗训而治理天下的根本仪礼。”[②]进而对忠孝一本进行简易直截的解释，说：“在我国忠孝一本附加有特别的意义。即我国从成立以来，因为君即为国民之大亲，事君之忠即为孝，无须移易。”[③]即在忠孝之间直接划上了等号。他在解释《教育敕语》时，以日本建国神话中的国土“生成”即国之“建立”为例，说明日本“‘亲子之道’与‘君臣之道’合一”的道理。[④] 只有说清楚了“克忠克孝、亿兆一心”的道理，才能够达到让日本臣民“一旦缓急则义勇奉公”即为国捐躯的效果。[⑤]

西晋一郎的日本儒学论除了上述为现实服务的层面以外，将日本儒学思想与西方思想进行比较和对日本儒学的特色的论述是最值得关注的。他选取日本儒学发展史上的朱子学、仁斋学和徂徕学三个学派作为分析的对象，认为通过分析三者在宇宙观人生观以及修己治人之道的对立可以看出儒学在日本发展的重要形态。他从国体的角度指出，日本的“朱子学虽然是中国朱子学的延伸，其中却形成了最为日本化的东西。仁斋学、徂徕学虽然是日本学者创立的，除了其学术方法之新外，反而是中国儒教本身在日本的发展，而不是其日本化；是中国的儒教在日本，附

① 寺田一清編：『人倫の道　西晋一郎語録』，東京：致知出版社，2004 年，第 117 页。

② 西晋一郎：『孝経啓蒙略解』(藤樹頌徳会編)，東京：目黒書店，1939 年，第 89 页。

③ 同上，第 142 页。

④ 西晋一郎：『教育勅語衍義』，東京：朝倉書店，1944 年，第 19、30 页。

⑤ 关于《教育敕语》的颁布与“敕语体制”的形成，参见刘岳兵：《日本近现代思想史》，第 105—116 页。

加上新的特色扩展其分店而已。"①但是不管日本化的程度如何，他首先承认中国儒学作为中国的国民道德，其中就必然具有普遍性的因素，而正是因为这种普遍性它才能够成为日本"国民之道德之资源"。② 具体而言，就上述日本儒学三派的侧重点而言，他认为"仁斋学与程朱学的对立是理性与生命、智与情意这两大方面的对立。但是二者在主观的、内在的方面是一致的。与此相对，徂徕学是客观的外在的。前两者都是揭示意义，而后者是叙述事实。换一个角度来看，可以说它们表现了事物的两大方面。这两大对立可以说穷尽了一切重大的对立。"③联系到西方思想，他分析指出：

> 宋代的性理学与西洋古今的理性学是一脉相通的。仁斋徂徕与宋学的对立，与西洋思想史上古今一贯的理性主义与实证主义的对立也是相通的。④
>
> 仁斋站在生命哲学的立场上建立了一大学派。相比之下，宋儒则始终是在理性哲学的立场。⑤
>
> 如果仁斋出生在西洋的话，则会成为一个自由意志论者。⑥
>
> 重视理性则变得很严肃，以情意为中心则变得生动。是选择理性哲学，还是采取生命哲学、实证哲学，因人品而不同。这是根据人的性分，而不是由论理、逻辑而产生的。四端之端宋儒视为端绪，康德也是如此。尊敬是活生生的，这才是本，施莱尔马赫这样说，仁斋也这样认为。……仁斋无论如何是以人为本位的。重视人为、努力、人间的作为。宋学与仁斋就像黑格尔与费尔巴哈之间的对立。费尔巴哈的神是有人性的。神就是人。所谓努力就存在，不努力就

① 西晋一郎：『東洋倫理』，東京：岩波書店，1934 年，第 289—290 页。

② 同上，第 251 页。

③ 同上，第 313—314 页。

④ 西晋一郎：『日本儒教の精神——朱子学・仁斎学・徂徠学』，野口恒樹・野木規矩雄筆記、木南卓一校合増補，広島市：渓水社，1998 年，第 50 页。

⑤ 同上，第 60 页。

⑥ 同上，第 63 页。

> 灭亡。这种对立到处都有。①
>
> 宋学与仁斋学的对立恰好同费希特与施莱尔马赫的对立相同。仁斋以爱为本，宋学以敬为本。这种在理论上稍稍的不同而在道德实际上表现出很大的差异的典型，应该在仁斋学与宋学中看到。②
>
> 内在地看仁，仁就成为康德的人性那样的东西。徂徕说"合亿万人为言"。康德与边沁正好相反，恰如朱子与徂徕正好相反。说自由或理性，有时被误解为个人主义，但仁为合亿万人的说法是不会有误的。这样，君就成为合亿万人者。
>
> 这样看来，徂徕所说的"世"，明确表示利益社会、公民社会、市民社会。不假定某种社会，人类的社会就没有根基。发挥各自的才能而从事工作，交换其利益。市民社会的实质即利益社会。合亿万人之道就是士农工商共存共荣的社会。徂徕思考的是人们具有适应共同社会生存的东西。这种性情所有的人都应该具备。由此，徂徕的功利主义渐渐显现出来。③

相关论述限于篇幅，不一一列举。总之，西晋一郎将宋学与康德哲学、仁斋学与生命哲学、徂徕学与功利主义相比照而加以解释，其理解是否妥当另当别论，与井上哲次郎运用西方学术概念梳理日本儒学史而著作的《日本阳明学派之哲学》(1900 年初版)、《日本古学派之哲学》(1902 年初版)和《日本朱子学派之哲学》(1905 年初版)相比，认识上显然是深化了。

日本的儒学源自中国，那么日本儒学的特色是怎么形成的？其特色何在？西晋一郎主要从四个方面来分析，"首先是由于国柄的不同而造成的差异，其次是由于时势之变化而造成的差异，再次是源于民族性情的差异，最后是认识到彼此的不同而根据国民的自觉所作的取舍，从而

---

① 西晋一郎:『日本儒教の精神——朱子学・仁斎学・徂徠学』,野口恒樹・野木規矩雄筆記、木南卓一校合増補,第 127—128 页。

② 同上,第 144 页。

③ 同上,第 224 页。

能够分别出由此而产生的特质。”①进而指出前面三种差异“都是不知不觉自然而产生的异样，而在自觉到国家层面或广泛的国民层面的彼此不同的基础上，产生了使彼适应于我的取舍作用，至此才可以说出现了真正可以称为日本的儒教。”②在西晋一郎看来真正可以称为日本的儒学，即“儒学其日本的特质”是幕末至明治维新时期才发展起来的，而其典型的表现就是水户学，他称水户学为“日本儒学之总决算”。③ 从圣德太子宪法中的“承诏必谨”到《神皇正统记》中君臣之大义得到明确认可，宋学中忠义的议论虽有助于日本尊皇精神的发扬，但他强调“儒学其日本特色”之形成最终是日本自身的“历史精神使然”。④ 甚至为了强调日本的优越性，他还说：“儒书之所说于中国政教之史实未有全然适当者，且天与祖在理上应该同体一气，这在中国之民族历史的状况中也不如我国父子祖孙继承之符合实际。水户的学者举出此重大的不同，阐明彼儒之意完全在我国结实之旨意，将此称为日本的儒学有何不可？以报本反始之语来说明我国国体可谓我国式的儒学。忠孝一本也可由此阐明。”⑤其所谓特色，他最终也不得不归结到国体、归结到所谓“报本反始”“忠孝一本”这些当时“日本精神”论中司空见惯的标语上来。

西晋一郎的日本儒学论是其作为近代日本儒学思想家代表最值得研究之处，这里限于篇幅不可能详细展开。其融汇东西思想、“以今释古”、力图复活其所尊信的传统教诲以为现实的国家需要服务等，这些基本思路中的许多具体问题还有待于进一步探讨。比如从西晋一郎的康德哲学与宋学的关系的论述与牟宗三的“康德是朱子与阳明之间的一个居间的形态”⑥的论述出发，我们可以将西、牟两位儒学家进行比较研究，由此或许可以发现中日近现代儒学甚至整个中日近现代思想发展的某

① 西晋一郎：『東洋道德研究』，東京：岩波書店，1940 年，第 82 页。
② 同上，第 83 页。
③ 同上，第 119 页。
④ 西晋一郎：『東洋倫理』，第 273 页。
⑤ 西晋一郎：『東洋道德研究』，第 120 页。
⑥ 牟宗三译注：《康德的道德哲学》，长春：吉林出版集团有限公司，2012 年，第 438 页。

些不同特点。[①] 再比如日本近代儒学，某种意义上也可以视为一种“思想上的民族主义”，本来无可非议。但是随着日本军国主义的大陆侵略政策成为其国策，民族自觉的要求转变成了民族侵略的强暴，国体论这种日本学者在幕末维新期所建构出来的观念，也被符号化或形骸化，儒学家的各种解释与阐发，只要以此为规矩而就自然沦为强暴逻辑的注释。作为儒学家的西晋一郎的“主体”恰好与这种“国体”融为了一体，他自身就是他所阐释的日本儒学特色的鲜活体现。

（原载于《深圳大学学报》2015 年第 6 期）

（五）近代日本思想家西晋一郎的中国儒学论

儒学只有与近代思想相融合且不失其主体，这样的思想家才可以说是典型的具有近代意义的儒学家。西晋一郎（1873—1943）正是这种具有典型意义的日本近代儒学思想家。他的经历和思想特征，特别是他的融汇西方思想对日本儒学特色的阐明，本人已经有所论述。[②] 本文主要阐述西晋一郎的中国儒学论，旨在解明中国儒学对其思想发展的影响，同时也由此可以看出他是如何看待包括宋儒义理之学在内的中国文化、如何运用西方思想来解释中国儒学的。这些不仅有利于我们认清近代日本对中国儒学的摄取方式，而且对于思考儒学的现代性问题也具有重要的启发意义。

1. 中国儒学对西晋一郎思想形成的影响

西晋一郎的致思路向，我们可以从他的汉学素养来看。他自述年幼

---

① 康德哲学研究专家邓晓芒批评说：“牟宗三作为一个深深浸润中国传统儒、释、道的哲学家，在对西方的康德哲学作出自己的解释时最深刻地表现了中国传统文化的病灶，因而也最具有批评价值。”见邓晓芒的《儒家伦理新批判》（重庆大学出版社，2010 年）一书《序言：我为什么要批判儒家伦理?》，第 4 页。该书收录了四篇《牟宗三对康德之误读举要》，可参考。

② 刘岳兵：《儒学与日本近代思想序论——以西晋一郎为例》，《深圳大学学报》（人文社会科学版）2015 年第 6 期。

时在家里接受《孝经》素读训练，后来在私塾读完四书五经，就可以读《日本外史》了。这是他最早也是最基础的汉学训练。他 1893 年 7 月从其家乡鸟取县立鸟取第一中学毕业，据调查，当时该中学第五年（1892 年 9 月至 1893 年 7 月）的学习成绩，西晋一郎的伦理得了满分 100 分，汉文 80 分，也是最高分。根据当时的课程内容安排，伦理课第一、二学年学的是《小学》外篇、内篇，第三、四学年学《论语》，第五学年学《大学》《中庸》。而汉文课，第一学年是《日本外史》、第二学年为《日本政记》、依次为《唐宋八大家文》《史记列传》和《春秋左氏传》。后来到山口高等学校，最后一年（1896 年）期末的成绩，汉文达到 95.5 分。① 日本近代学校教育重视伦理与汉文教育，汉学成为每一个接受学校教育的年轻学子的必修课，对其思想形成产生了重要的影响。1896 年西晋一郎考入东京帝国大学哲学科后对西洋伦理思想用力甚勤，掌握了西方近代哲学“逻辑严密、分解锐利”的长处。1902 年研究生毕业后，直接任广岛高等师范学校教授，师范教育的教学实践，让他感觉到日本自古以来的许多教导中也有深奥的哲理，他要用西方哲学的方法来解释和阐发日本的嘉言懿行，使其在现代显露出来并发扬光大，他认为这种“以今释古”的工作很有必要，于是有了他的处女作《伦理哲学讲话》（东京：育英书院，1915）。他的汉学素养不仅有利于他深入了解日本古来的教训，而且如他自己所言，“年轻时代所学在后来会不可思议地发挥作用。”②在他自己的思想形成中也的确发挥了重要的作用。

西晋一郎的第一篇中国儒学论文《陆象山之学》发表于 1917 年 12 月的《学校教育》第 50 号，1918 年 11 月又在《学校教育》第 63 号发表《宋代的国家精神之教养与范文正》。这两篇文章先后收入其著作《向普遍的复归与报谢的生活》（日本社，1920）和《东洋伦理研究》（岩波书店，1940）中。在《陆象山之学》一文中，他不仅主张宋儒义理之学在日本史

① 井上順理：「西先生の学業成績」，西晋一郎先生廿周年忌記念事業会（山本幹夫代表）編：『続清風録—西晋一郎先生追憶集—』，西博士記念事業会発行，1964 年。

② 縄田二郎：『西晋一郎の生涯と思想』，東京：五曜書房，2003 年，第 11 頁。

上的重要作用，而且针对当时的社会风气，强调仍然有必要倡导义理之学。以上两篇文章，实际上可以视为他在思想上认同宋儒义理之学的标志。他说："宋儒义理之学对明治维新的功业有关不容否认。然而今日儒教中也特别疏远此义理之学，提到它的人也是带着一种冷笑，甚至可以看到一种性格上的嫌疑。"①为什么会这样呢？他分析说：

> 现代一般的思想倾向，一听到这种义理之学、道学就产生一种厌恶之情，是由于所谓自由的精神已经跼蹐自己，不正是尚未真正公平坦荡而在各个方面都开放的证明吗？现代礼仪颇为混乱，礼仪虽然非本无所存，而有轻视典章法度不拘礼仪之风。（中略）现代生活之一方面虽说不是没有陷入形式的跛扈，此毋宁说恰好证明了真力的缺乏与实理之未解，其所谓敬爱法的精神也不过徒有虚名。②

西晋一郎特别批评了当时社会上以追求理想的男女关系为名，而将礼俗、国法看成无用的虚饰，认为这样的话夫妇之道已经没有任何内容而形同虚设。他说："这种思想感情在今天的所谓文学作品中难道没有吗？而此等妄见在或者美或者爱或是自由的美名之下，掩盖其丑陋而欺世盗名。"针对这种泛滥的自然主义思潮对传统伦理道德的挑战，及其所主张的万事以自我为中心而无视人伦与自我的关系，他运用自己的汉学素养，指出："宋儒所以倡义理之学，是针对当时精神界有力的佛教，特别是禅学，而不得不以孔孟之教来识破。由此看来，我国现代赏玩爱、美、自由之际，我认为讲究义理之学大有必要。"③这样旗帜鲜明地亮出自己的思想立场。由此，他批评"艺术家以感情之本然为诚。但这是感情至

---

① 西晋一郎：「陸象山の学に就いて」，『学校教育』第50号，1917年12月。后将题目改为「道德宗教関係論より見たる陸象山の学」，收入『普遍への復帰と報謝の生活』（日本社，1920年）；又改为「陸象山の学（儒佛論）」，再收入『東洋道徳研究』（岩波書店，1940年）。此处引文见『東洋道徳研究』，第57頁。

② 同上，『東洋道徳研究』，第57—58頁。

③ 同上，『東洋道徳研究』，第59、59—60頁。

上主义。忘了自他一体的根本。知有己而不知他。”[①]他在解释“诚无为”时特别强调：“草木鸟兽亦无为。这看上去像是诚之本然的表现，但是必须与圣人之诚区别开。本能、自然即便是诚，也不是精神上的，不能表现自由。世间所议论的自然主义的文艺观的错误就在这里。本然的本能与自然，比人类低级。认为自然的本然的表现为纯真，是错误的。”[②]就是说，在西晋一郎看来，所谓感情至上的自然主义所表现的并不是真正意义上的诚，也不是具有道德意义的本然之性。

当然，仅仅停留在表明思想立场上对整个社会振兴义理之学、忠义之风还不够充分。他受到南宋朱熹的“本朝忠义之风，却是自范文正公作成起来也”[③]的启发，接着分析范仲淹这一实例，旨在说明：

> 忠义之精神固然只能由忠义之精神养成，然而如果只有忠义的精神而没有学术将其加以阐明，则其精神不明，其所施不博，其不能多方面行其道。只有精神学术而不将其施行于事业上则不能真正落实。落实于事业即施行于政教，政教即具有政策组织且同时辅之以应变之策。事业除了政教上施行之外，还要能将其精神之必然彰显公示于天下，这也是大事业。仅仅有了精神学术事业，如果没有文章记载，则不能永久传之后代。且文章具有艺术力量，自有感化之别趣。大凡此等，一人或长于其一而短于其二，能兼备者稀少。因此虽有义士、有学者、有为政者、有文章家，而其感化的力量薄弱。范文正几乎兼备以上各种才能，所以他为振兴一种道义的生活作出

① 西晋一郎先生講述：『易・近思録講義』(本間日出男筆記、木南卓一校訂増補)，渓水社，1997年，第278頁。

② 同上，『易・近思録講義』，第275頁。

③ [宋]黎靖德编、王星贤点校：《朱子语类》卷四十七 论语二十九，中华书局，1994年，第1188页。

了重大贡献。[①]

他通过这样一个实例分析，同时还要想说明："一家仁可兴一国之仁，一个伟人与国家的命运关系重大。"[②]作为一个学者、一个教官（日本的教授也是文部省的官员）、一个义理之学的宣传弘扬和身体力行者，西晋一郎正是以范仲淹为榜样力图在近代日本"振兴一种道义的生活"。

2. 西晋一郎对宋学的认识

从西晋一郎的著作业绩来看，关于宋学，除了上述两篇论文之外，1930 年开始在不同场合进行《近思录》讲义、《西铭》讲义，这些讲义曾经过其本人校订以《易・近思录讲义》为题于 1940 年 1 月出版。后来经木南卓一的校订增补，又于 1997 年 8 月由溪水社出版。在讲义的同时，他对宋学的基本文献进行译注，其成果即与小丝夏次郎共同译注的《太极图说・通书・西铭・正蒙》，该书 1938 年由岩波书店（文库本）出版。

对宋学的著作，《太极图说・通书・西铭・正蒙》译注的《解题》开篇说："这里试译的周濂溪的《太极图说・通书》、张横渠的《西铭・正蒙》，是确立作为道学的宋学，占有其古典地位的重要著述。《宋史・道学传》总论中说：'孔子没，曾子独得其传，传之子思，以及孟子，孟子没而无传。……至宋中叶，周敦颐出于舂陵，乃得圣贤不传之学，作《太极图说》《通书》，推明阴阳五行之理，命于天而性于人者，了若指掌。张载作《西铭》，又极言理一分殊之旨。然后道之大原出于天者，灼然而无疑焉。'以此为基础的宋学，经程明道程伊川兄弟，至朱子而大成。"[③]对于《太极图说》，他认为虽然它"字数不过二百二十八个，但宋学的基础实际上由此确立。对中国思想中本来就有的天人相关的思想进行体系性解明的宋

① 西晋一郎：「宋代に於ける国家的精神の教養と范文正」，『学校教育』第 63 号，1918 年 11 月。后改名为「国家的精神教養の歴史的一例　宋の社稷と范文正」，收入其著作『普遍への復帰と報謝の生活』（日本社，1920 年）；又改题为「范文正（宋朝忠孝興起の原由）」，再录入『東洋道徳研究』（岩波書店，1940 年）中。引文见『東洋道徳研究』，第 45 頁。

② 同上，『東洋道徳研究』，第 45 頁。

③ 西晋一郎、小糸夏次郎訳注：『太極図説・通書・西銘・正蒙』，岩波文庫（1938 年第 1 刷），1986 年第 2 刷，第 3 頁。

代的学风,可以说已经在此成立了。”对于《西铭》他评价:“说它是表示中国伦理思想的最高峰也不为过。”而《正蒙》是“在理论性著述较少的中国思想史上具有特殊意义的哲学性著述。”①在讲解《近思录》时,他又指出,“欲知宋学,《近思录》最好。”“《太极图说》为朱子学的根本,以此可知宋学之全部。”“《近思录》可以看成是对太极图说的解说,也可以说是朱子学说的根本。中国的学问,根据解说的人的不同越来越细致繁琐,宋学就成了理学了。”②等等。

对于宋学人物的评价,据当时西晋一郎广岛高师的同事福岛政雄说:“先生最为私淑程明道、景慕中江藤树、尊信水户学。西洋方面,推崇柏拉图,爱读马可·奥勒留的冥想录,当然读过奥古斯丁、康德、费希特、施莱尔马赫、赫尔巴特,此外还有一些英国派的伦理学著作等,但其精神似乎还是在东洋的儒教中。有一次我问先生:康德或费希特与程子或朱子相比谁更伟大?其回答是,作为人物而言当然是程子和朱子要伟大得多。”③所谓“作为人物而言”,就是说他重视的不只是其理论上的创造,更包括作为社会的一份子、“人伦”中的一环的道德实践。比如,西晋一郎将自己的理论体系完成之作命名为《忠孝论》(岩波书店,1931 年),将“孝”作为自己学问的根本,他分析这种“无限的感谢之情”,在现实生活中即便“对父母的恩情无论行多少遍三拜九叩之礼也不足以表达,为了父母而负之千里之外也不觉其远,无论怎么对其亲切、怎么辛劳也不足以尽其心意。”④而且从理论上说:

感谢与慈爱的无限,在内常充周而无间隙,在外常为无限的创

① 『太極図説・通書・西銘・正蒙』,第 4、5、6 頁。

② 西晋一郎先生講述:『易・近思録講義』,第 267 頁。

③ 福島政雄:「西晋一郎先生の追憶」,西晋一郎先生十周年忌記念事業会(同会実行委員長後藤俊瑞)編:『清風録—西晋一郎先生追憶集—』(非売品),株式会社柳盛社印刷所,1954 年,第 13 頁。

④ 西晋一郎:「心情の無限」,『哲学研究』第 28 号,1918 年 7 月。后改名为「感謝の無限」,收入其著作『普遍への復帰と報謝の生活』(日本社,1920 年);又以原题再录入『東洋道德研究』(岩波書店,1940 年)中。引文见『東洋道德研究』,第 47 頁。

造的性质，故至柔。

恳切充周而无处不在的流通之情，在处世接物中必激发各种必然之感而万无一失，自备严正之条理。这种情的条理本来不是抽象的法则而是具体的，表现出来即是有德者的足迹。我们生活的千头万绪与之接应而不失其中正之处置、道德之条理而能够不紊乱，难道不是此至柔之情使之然吗？[①]

最后他引出范文正公的例子对这种感情作了升华：

宋之范文正失其母之时家贫，后升至将相，相传终身无宾客食不重肉。[②] 终身而不可夺者，是对母亲的至情之自然而必然使然。至柔之心发挥出刚性作用。在一些人看来，我们日常的心情多是多么粗杂荒凉残忍薄弱。我们粗糙的思维违背思维之法则有伤严正的理论，我们不自觉自己多么残忍无情，坦然蹂躏情之理法。由此思考，真理乃至为柔和，其致密而坚韧的理法、其如电光的机锋，已经从吾人粗暴轻骚的心情之眼中消逝。宇宙之根底有多么柔和，真是难以想象。[③]

将“孝”由“心情的无限”出发，提升为具体的情感的条理，而且揭示出这种“理法”的至柔且至刚、自然而必然、致密而坚韧的特性，并由此直觉、感悟到“宇宙之根底”的状态。西晋一郎的思想特征也由此可见一斑。这篇《心情的无限》浓缩了他思想的精华，因为作于其慈母逝世之后，[④]也是他借助范仲淹的例子来表达他本人的一片无限孝心。

---

① 『東洋道徳研究』，第 54 頁。

② 后人所记的各种《范仲淹传》中说：“仲淹事母至孝，以母在时家甚贫，及既贵，非宾客不食肉，妻孥膳服仅足而已。”（曾巩）“仲淹为人外和内刚，乐善泛爱。丧其母，时尚贫，终身非宾客食不重味。”（王偁）“丧其母时尚贫，终身非宾客食不重肉。”（范成大）“仲淹内刚外和，性至孝，以母在时方贫，其后虽贵，非宾客不重肉。妻子衣食，仅能自充。”（脱脱）见［清］范能濬编集、薛正兴点校：《范仲淹全集》下（“范文正公集续补卷第一 传”），南京：凤凰出版社，2004 年，第 1194、1204、1206、1215 页。

③ 『東洋道徳研究』，第 54—55 頁。

④ 縄田二郎：『西晋一郎の生涯と思想』，第 98 頁。

对朱陆之争的评价，西晋一郎的观点在今天对我们也仍然颇有启发意义。在《陆象山之学》一文中，他强调宋儒排佛有一个基本相同的立场，那就是都认为佛教“虽有敬以直内，缺义以方外”，其不同，如陆象山以义利之别作为儒、佛之别，而朱子以虚实二字别儒佛。对二者的关系，他评价说：

> 朱子虽指斥陆子可谓假圣人之言而语禅意，而陆子或许以论孟之文字参悟真理，如此何足病哉。其要在达实理而实行孔孟之教训。或笃实或高明、或邃密或简易、或问学或德性、或明诚或诚明、或析理或直入，此等皆由性格之相异、人品之异趣、学问方法之差别而起，二人二样、三人三色，决不相同。尤其如朱陆之俊杰，其个性显著乃为当然。欲抱定一个主义、精神，引导一世教育后代者，宜喜大同而不可厌小异。其小异上的论难反而赋予大同精神以活气和效力。朱陆互为畏友。其论难必定使得两雄更加精励而大大有利于其学问人格之提升。朱陆之所异处反而大大有利于其所同的义理之学发挥效用。①

在西晋一郎看来，孟子辟杨墨、宋儒排释老，是因为“孔孟之教即三代之遗意，实际上保存有汉民族独特的文化，是变夷为华、脱离与禽兽为伍的状态而兴起利用厚生之道的源泉。是每个时代所应该尊奉感谢、据以永保中国面目之所在。”②从而强调“中国的国民道德必须以此为据。”③当然他关注的焦点不是真正在如何建设“中国的国民道德”，而在于当时日本的国民道德建设。他批判当时以所谓“自由研究的精神”相标榜的，实际上是“一种时代偏见的表现”，④他在朱陆之间主张“宜喜大同而不可厌小异”，也是希望那些拥护建设日本国民道德这一共同的国

① 「東洋道德研究」，第 79 頁。
② 同上，第 72 頁。
③ 同上，第 74 頁。
④ 同上，第 57 頁。

家意识形态的各种势力团结起来，从不同的侧面去深入批判种种力图破坏现有礼俗和社会秩序的自由主义或自然主义思想。

3. 西晋一郎对中国文化的态度

因为西晋一郎研究宋学、提倡义理之学的目的在于建设日本的国民道德，因此他对中国文化的态度，既有同情的了解，当然也会以日本作为主体和优位来加以批判。

比如他对“礼”的解释就很有高度。他认为：“礼是中国人以人为中心，使得天地万物皆各顺其理而连贯统一，以此来保全人类生活的生活样式。”[①]他肯定“儒教道德结合礼的实践而解说，单独而言具有很大价值。以此可以详细了解中国人的道德的特色。”认为这种“生之亲爱性、严肃性，即作为亲亲及尊卑之分而体验躬行。”[②]并且他将这种特色与西方文化相对照，指出其所具有的合理性甚至优越性。他认为中国的礼的特色就在于“将被西洋文化分化了的宗教道德政治经济浑然一体地组织起来”，从而使得“文化的诸方面无矛盾冲突地、以独特的形式而发展着”。[③] 甚至他还赞叹：“中国的文化在礼上呈现出值得惊叹的丰富的特殊形态，同时以礼能够把握人生的真相尤其是最为亲切的父子祖孙的生命存续之道上长期保住民族的生命，在今天更是印象深刻。”[④]后来他在为自己对礼的意义的研究定位时，表示这篇文章的“眼目就在敬爱二字”，就在于要论证“礼仪之俗是使人之成立为人的所在。”[⑤]而在这方面，中国与日本有相通之处，但是也有不同。

关于中日在这方面的异同，他说：“君臣父子为人生之大事，这一点

① 西晋一郎：「禮の意義」，西晋一郎、小糸夏次郎：『禮の意義と構造』（国民精神文化研究所研究紀要），国民精神文化研究第二十四册，1936 年；畝傍書房 1941 年再版。期间改题为「禮記に見えたる禮の意義」，收入『東洋道德研究』（岩波書店，1940 年）。此处引自『東洋道德研究』，第 1 頁。

② 『東洋道德研究』，第 9 頁。

③ 同上，第 12 頁。

④ 同上，第 21 頁。

⑤ 『東洋道德研究』序言，第 4 頁。

我国与中国是相通的，但中国以父子为根本，君臣之道不彻底而告终，与此相比，我国以君臣为根本，为最纯美之发现，之所以如此，因为君臣之中必具父子。日本儒学的特质就在于完全彻底地贯彻君臣之道于上下古今。”①为了证明君臣之道是人伦之大本、君臣关系也是天伦，他一方面借助于《春秋公羊传》的思想而加以发挥，说：“《公羊传》有王者无外、王者无求、王者无敌的说法，实际上是非常严密的语言。在这种意义中因为有超越人伦之处所以才能确立人伦。实际上君臣才是人伦之大本。君之所以为君，就是以天下为家、万民为子，而作为天下万民之父，所以说真正的君臣之中具有父子。”②他进而指出，在公羊传中“虽说是见到了王者之真相，但是将臣与民加以分别，民仅仅作为被君所养者，这是上下感应不彻底的告白，说明天下还不是真实的天下。其一是王者也有姓，因为周室汉家有自己的家，还未达到真正以天下为家的阶段。其二是国土广大，种族杂多，真正的统一事实上是至难之事，故发现了君臣之道。由此可以证明君臣也是天伦。只有在日本君臣之道才得以保全，这是属于历史的事实。”③另一方面挖掘出日本儒学中的相关素材，即结合神儒、视君臣一体为绝对境界的山崎暗斋的垂加神道，认为这才是“能够给予具有国民历史的特殊内容以绝对归依的根据”。④ 而进一步用现代的语言强调了君臣是人伦的根本，即认为“君臣之人伦才是一切人伦的统体”：

从人伦的内容看，父子夫妇等很难说充分体现了人伦的意义。只有在君臣的人伦中才能尽显人的生活的全部内容，具有可以呈现完全统一的性质。即在此统一中也可以具足父子之人伦。君臣之人伦才是一切人伦的统体。此理在我国作为历史性的国家而得以

---

① 『東洋道德研究』序言，第4—5頁。

② 同上，第12頁。

③ 同上，第16頁。

④ 西晋一郎「朱子学・仁斎学・徂徠学」，『岩波講座　哲学』，1933年1月。『東洋倫理』（岩波全書20，岩波書店，1934年）に附録（「朱子学・仁斎学・徂徠学について」）。引文见『東洋倫理』，第274頁。

实现了。①

用日本的国体观来看中国和中国文化，那当然又会是另一番景象了。这方面的研究已经不少了，本人也曾对此有过论述，②不在此赘言。这里仅举出西晋一郎的一种论调，即认为中国是“危险之国”。他在解释《周易》坤卦的六四文言传中的“括囊。无咎无誉。盖言谨也”时借题发挥，说：“西方说进不怎么说退。日本从来把退当做大事。出处即出外和居内，得时最为重要。西洋以出、进为主。是阳性的。《易》常说得出处进退之时。中国退得不好就危险。日本这样的国家不是危险之国所以不这样说，中国确实是危险的国家。有‘明哲保身’的说法。”③在解释乾卦初九的“乐则行之，忧则违之”时，也借题发挥，说“行藏自在。中国特别爱说行藏自在。人在最盛之时有破坏之兆，特别爱这样说。在日本，因为比较安固，不特别这样说。在中国，可以说是大臣大将没有一个最后能够保全的国家。历史上这种情况经常出现。”④也是同样的意思。就是说因为中国没有将君臣关系作为人伦关系的根本、一切人伦的统体，所以大臣大将都没有安全感，因此中国是危险的国家。他对垂加神道和暗斋学派的思想解释如何另当别论，这里对公羊学及易学的解释如何评价，中国思想史研究者应该自有其标准。

而且，他在解释《近思录》中“父子君臣，天下之定理，无所逃于天地之间。安得天分，不有私心。则行一不义、杀一不辜，有所不为。有分毫私，便不是王者事。”这一段话时，说：“无论到哪里，到世界的尽头，日本人都是日本的臣民。不能逃脱。”甚至“受日本法律的惩罚的，是作为臣民的恩惠。”⑤这作为日本人自己的一种自我认同，且不作评价。而在日本发动对外侵略战争、滥杀无辜的时代，西晋一郎所谓：“安于臣子的天

① 『東洋倫理』，第 275 頁。

② 参见刘岳兵：《近代日本中国认识的原型及其变化机制》，《历史研究》，2010 年第 6 期。

③ 西晋一郎先生講述：『易・近思録講義』，第 52 頁。

④ 同上，第 22 頁。

⑤ 同上，第 228、229 頁。

分的话，一次不义、杀一个无辜的人，这也不是仅仅一人一次的事。罪就是罪，不孝就是不孝，不忠就是不忠。行一不义、不正即便能得天下亦不为。杀一无辜之人如果能够因此得天下的话，虽然有为如此大事也未尝不可的说法，但无论能得到多大的利益都不行不义。中国虽然这样说，但得以实行的只有日本。我们想要确信这个天下的定理。"①只是"想要确信"，或许这时西晋一郎"至柔"的心底也已经对那场所谓"圣战"的"不义""不正"之处有所察觉？

4. 用西方哲学思想解释中国儒学

如何运用西方哲学思想来解释中国儒学，这也是西晋一郎思想中比较有特色的部分。这在他的《近思录讲义》中表现得非常充分。他的解释方式大体可以归纳为以下几种类型：

第一，用西方哲学概念与中国儒学相照合。

比如《近思录》中有言："有感必有应。凡有动皆为感。感则必有应。所应则复为感。所感复有应。所以不已也。"他解释说："感而为应，应复为感。循环不止。黑格尔哲学的正反合就是说这个。西洋哲学与东洋哲学最近的就是黑格尔哲学。反合就相当于应。"②

又如《近思录》中有言："心生道也。有是心，斯具是形。"他解释说："心是起死回生之道。希腊思想中说心是生命的原理。没有心就没有生物。有机物不用说，无机物也应该视为生命的程度稀薄而已。现象从本体出来之处是心。柏拉图说不是体中有心，而是心中有体。中江藤树也说从心中生出身体。看吧，这样心就创造了眼睛。伯格森哲学、创造的造化论、生的哲学，都是这样说。"进而他还用谢林的哲学来照合：

> 有德则表现为与之相应的品味。心为生之道。谢林的哲学，艺术家雕刻人物、动物，其时是将心中所有表现为形。无心则不能成形。心在自己的念头浮现概念、物的形态。即便考虑抽象之事，不

---

① 西晋一郎先生講述：『易・近思録講義』，第 229 頁。

② 同上，第 286 頁。

借助形象也不能表现思想。观念即实在、理。观念是形态，表现出来是音乐、绘画、诗、文章。人生物、心生物。心不思则无为。心中可见其形态。心为生之道。心有将心中之物向外表现的性质。不过因为有阻碍不能表现而已。①

第二，是用西方的哲学思想来将中国儒学加以引申，在照合中引申而得出新知。

比如《近思录》中有言："心一也。有指体而言者，有指用而言者，惟观其所见如何耳。"对此，西晋一郎用范畴论来解说体用论，指出：

体用论是宋学的特色。对照西洋哲学来看也有这种情况。思考问题有各种各样的"范畴"。这是为思考所设立的工具，并非心中有体用之别，这样分开方便把握心。所有的思考，没有形式的话就无法进行。（中略）思考是心的行走，必须要有思维形式。不能认为它是古今东西共通的。是理解实在的方法，必须充分明白这一点。康德的"范畴"不过是来自亚里士多德。只是一种思考方式的表现，不是实在本身。②

进而将这种体用论与范畴论作为一种哲学的思维方式来理解，并将其置于哲学史中，这样给中国传统儒学带来一种全新的视野。他这样引申：

没有任何思考样式，就不可能思考和言说。并非心本身有体、用。在思考心的问题时，言体、言用，只是为了充分地思考，心没有知情意，什么也没有，但是要这样分开来思考。这是理解之所在。这在一般哲学中也充分明白。在哲学史上，实体自身虽然没有变化，但是其理解方式因时代而异。不靠语言哲学就无法理解，但是

① 『易・近思録講義』，第 305 頁。
② 同上，第 115—116 頁。

局限于它就会搞错事物的真相。①

第三，用西方的哲学理论或命题来阐发中国儒学中的相关问题。这是最有综合性和创造性的工作。比如理性与历史的关系问题，他在分析宋学的特点时用德国古典哲学的发展过程来指出其不足。他在论述宋学的“道通于有形天地之外”时说：

> 大凡哲学的伦理以理为本。因为以理为本，毕竟是以自己的心思考，这方面，如康德的伦理最具标本的意义。研究自己的心从而确立伦理。这是理性学派。所谓“道通于有形天地之外”，好像是普遍的广泛的东西，万法一心，又毕竟归结为心。（中略）“道通于有形天地之外”，这样说的话，就是无外乎一心。因而伦理的标准好像自己建立而实则没有建立起来。这样是无视了道德产生的历史。撇开了作为道德内容的社会生活与国家生活，理性的立法就没有了内容。（中略）康德的伦理中没有内容。康德是理性派、形式伦理派的典型。某种意义上康德树立了主观性的伦理，在主观这一问题上费希特也是一样。对于某种意义的主观性伦理，黑格尔说出了客观的精神。这才是西洋伦理上极为重大之事，否则，即便说理性也没有内容。②

显然，他对西方哲学也是有自己的评判尺度的，学习西方哲学目的也在于能够为己所用。他指出：“理性的自己立法的说法虽然不坏，但是要马上拿来的话则会出现很大的理解错误。一般地玩味西洋的伦理学理论还可以，但是实际地应用并不容易。不探寻何时、何地、谁自己立法的话就没有意义。只说理性的自己立法是无视文化历史的想法。”③所谓

① 『易・近思録講義』，第116頁。

② 西晋一郎先生講義：『日本儒教の精神——朱子学・仁斎学・徂徠学』（1932—1933年西晋一郎的讲义），野口恒树・野木规矩雄笔记、木南卓一校合增补，广岛市：溪水社，1998年，第150頁。

③ 『日本儒教の精神——朱子学・仁斎学・徂徠学』，第157頁。

为己所用，在当时就是要为建设“国民道德”所用，要突出日本的“历史”的作用和特点，他强调：“道德不能离开民族，民族当然是历史性的存在。因此必然是客观的。黑格尔所谓客观的精神具有很大的意义。相反，康德的立场不过是主观的道德。黑格尔的绝对精神与康德的实践理性之差，也就是从天下来看道德与从一心上来看道德之差。”①“离开社会生活、历史，伦理的内容就出不来。知道这一点就自然知道道德无非就是国民道德。普遍的理性是与个别的具体内容相即不离的。”②以康德的伦理而言，实践理性是没有任何内容的。因此无人伦之实。康德的理性变成费希特的理性一般、到黑格尔的世界精神。到黑格尔出现了历史。康德、费希特到黑格尔的发展是必然的。虽说是理性，但是如果不与历史联系起来就有名无实。从这个意义上而言，与其说西晋一郎是个康德主义者，③不如说他是个黑格尔主义者。④

还有宗教与道德的关系⑤及其与此紧密相关的“内直”如何显示为“外义”即内圣与外王的关系问题，⑥这些都是中国儒学研究者现在仍然在探讨的根本问题。

首先，西晋一郎认为在儒学中宗教与道德是融为一体的。他说，在东洋思想中，不说宗教而说“诚”，这个诚，就相当于西方思想中的“神”“爱”。因此，“以诚来实行国民道德的话就是融合国民道德与宗教，以诚来从事学问，就是将学问与宗教融为一体。人生其他一切方面无不如

---

① 『日本儒教の精神——朱子学・仁斎学・徂徠学』，第 156 頁。

② 同上，第 159 頁。

③ 野田义夫在回忆西晋一郎的性格时说：“西视追求为了娱乐而娱乐为罪恶，坚信康德主义。”见其「西晋一郎君の思ひ出」(『丁酉倫理』第 496 輯、1944 年 2 月号)，『綃清風録—西晋一郎先生追憶集—』，292 頁。

④ 朱谦之在《日本哲学的三时期》(1931 年)一文中论及西晋一郎的思想时说：“他的哲学，是建立于黑格儿哲学的形而上学上面，因而主张发挥民族国家的个性的。”见《朱谦之文集》第九卷，福建教育出版社，2002 年，第 10 页。

⑤ 参见『易・近思録講義』，第 133—134 頁。

⑥ 参见『易・近思録講義』，第 207—208 頁。

此,所到之处都不能没有宗教。"[①]在他看来,忠孝、五伦都是人类生活中有限的关系,只有注入"诚即宗教"作为其生命,忠孝才成为真正的忠孝。"五伦之道以诚一贯之,因此道德宗教成为一体。"[②]"东洋所言诚与西洋所言宗教,是同体异名。"[③]在强调宗教与道德融合方面,他特别推崇张载的《西铭》,认为它"将人伦中的孝,与服从万物与共的人所生出的天命进行了一元的会通,以简古劲切之笔表现了宗教与道德合一的境界,说它展示了中国伦理思想的最高峰也不为过。"[④]

以上是从一般意义上来议论宗教,或者是广义的宗教,即以宗教来贯穿人伦。另一方面,他也看到宗教的狭义的一面,如他说到"儒教,修己是狭隘的范围。学问不仅仅是如宗教那样开导使人安身立命。"[⑤]这样的话,那么"宗教容易陷入个人主义"。[⑥] 因此,他在解释"敬义既立其德盛矣"的时候说:"素直之心由义引导。直虽然是根本,但仅仅只有直还不行。必须要由义来显示外方。两方面都有了才能成就其德。"他接着追问:"内直了不能直接形于外而成为外义吗?会有这样的问题。这是很关键的一点。正直是人的普遍具有的,万物皆然,日本人、西洋人、中国人都一样,万物皆直,但这里日本人有日本人需要做的。如何以直心发挥作用,根据国家、个人、场合而不同,仅仅抓住心之本体,并非万事大吉了。比如在宗教上,所谓安心,不是说心安了、得救了就成为善人了。因为是恶人直接被救,此所救为直,故而有悟后的修养、信仰后的修养、被救后的修行,对于该国、此人的境遇而言要学习应该做什么。"[⑦]这里所谓的"素直之心",即是他所说的"宗教心、真心"。"内直"(内圣)要开出"外义"(外王)需要各种各样的条件,面对不同的境遇需要作出种种努

① 西晋一郎:『普遍への復帰と報謝の生活』,第 161 頁。
② 同上,第 162 頁。
③ 同上,第 167 頁。
④『易・近思録講義』,第 230 頁。
⑤ 同上,第 262 頁。
⑥ 同上,第 278 頁。
⑦ 同上,第 207 頁。

力。“慈意虽大如云，如果不讲条理法度，也不能维持人生发展。尧舜之圣德之所以光被四方，就在于建立了礼乐刑政的大组织。”①西晋一郎结合西方的宗教思想，以浅易的道理来说明宗教与道德的不同意趣。到《东洋道德研究》一书中，他已经是将道德作为包括“道德宗教学问艺术法律政治经济等所谓文化的诸方面”的“浑然一体的生活方式”的“统体”，而研究生活本身也是一种道德上的修行。② 作为长年在师范学校从事德育教学与研究的教育工作者，他更是常常以教育者不要“自陷于狭隘之域”自警，强调“教育也要站在天下国家的立场”来思考和行动。③

西晋一郎一方面从中国儒学，特别是“礼”这种具体的文化现象中看到“道德毕竟是保全生的一事，而生，只有贯通天地万物人间、神人、幽明，才能得以保全。因此，礼中不分宗教道德之别是理所当然的。这不是因为其未开之故，而是全生的本质使然。只有礼才是完全的道德、故而同时又是完全的宗教。”礼中的“旧仪与新义之所以不矛盾，是因为都是生的亲爱性的具体体现，即无非都是宗教道德浑然一体的生的真相的一个侧面。”④又以“人伦生活”为基础，探索如何以“特殊的意志”经过“否定的作用”而使“对立的关系”“实现一体的主观的经过”，由此而在肯定宗教性的与“一切发展阶段的根源相连接的”普遍共通的生活的同时，强调在此基础之上，发展出“伦理的生活”的必要。换言之，比如从对待生命的态度上而言，从宗教的方面讲是“惜生”“珍惜生命”，是“敬爱之心”；而与此对应，从道德方面讲则是在此基础上的“耻生、洁死”，⑤是作为统一的人类生活组织、国家的理法，即正义＝儒学中所讲的义的根源的“廉耻心”。⑥ 他感叹明治以来的宗教教育中缺乏的正是这种“义理的究明”，

① 西晋一郎：「陸象山の学に就いて」，『普遍への復帰と報謝の生活』，第 223—224 頁；『東洋道徳研究』，第 71—72 頁。

② 『東洋道徳研究』序言，第 1 頁。

③ 『易・近思録講義』，第 263 頁。

④ 『東洋道徳研究』，第 16、17 頁。

⑤ 西晋一郎述：『道徳論要旨』，岐阜県学務課発行，平塚正雄印刷，1929 年，第 16 頁。

⑥ 『道徳論要旨』，第 34 頁。

而这一点他认为是朱子学对于日本最有意义的所在。①

值得注意的是，上述西晋一郎所论理性与历史、宗教与道德的关系，其最终的目的都归结到为"作为现实的事实的国家"服务上，强调"国家是理法的中心点"，而"君主是法的根元"，"正义的根本是君臣之义"。②因为在他看来，与西洋的由义务和权利所凝固而成的国家相比，神国日本这个国家本身就是"德化的道场"，"在国家生活中不仅有佛教的解脱，也有儒教的道德。舍弃国家这个大的价值发源地，一切宗教、道德、学术都无所归依。"③这样，他对中国儒学和西方哲学思想的摄取与创新，虽然在对一些具体问题的理解上不乏真知灼见，但是从整体上而言，不能不说最终沦为了近代日本天皇制意识形态的一个注脚。

（原载于《历史教学》2016 年第 14 期）

① 『日本儒教の精神——朱子学・仁斎学・徂徠学』，第 72 頁。

② 『道徳論要旨』，第 38、39、40 頁。

③ 西晋一郎：『教育勅語衍義』，朝倉書店，1944 年，第 156、157 頁。

第五章　中日近代学术思想交流互动

一　作为“文明”输出的“明治维新”——以近代中日文化交流史上的几个事例为中心

（一）引言

明治维新距今已150周年，关于明治维新的研究，这两年又掀起一个热潮，一些专业学术刊物和面向一般知识界的大众读物先后组织了专栏，[①]零星散篇论文和评论也时常见于报刊。而且日本学者的相关研究

① 如《日本学刊》2018年第3期的专栏发表宋成有的《明治维新若干问题的再思考》、崔世广的《明治维新与近代日本》、戴东阳的《论黄遵宪对日本明治维新的认识》三篇论文；《日本问题研究》2018年第4期的专栏发表了宋成有的《从幕末改革到明治维新：连续性与变异性的互动》、李小白和周颂伦的《明治维新所见近代日本的国家意识》、宋志勇的《明治维新与日本近代外交体制的形成》、张晓刚的《明治政府一元外交制度的确立过程刍议》、张东的《革命的冻结与激活：明治维新中的一君万民构造》五篇论文。另外在北京三联书店的《读书》杂志2018年第4期上，也刊发了戴宇的《明治维新的“过错”与阴影》、张明杰的《日本谋华：明治维新的再认识》；另外2018年1月8日出版的《三联生活周刊》第970期，发表了两篇关于明治维新的专访，即王新生的《明治维新无法用简单的因果关系进行说明》和孙歌的《明治维新并非值得中国人羡慕的现代化转型方式》。

成果，这两年在中国翻译出版的也比较多。[①] 关于明治维新的国际会议，我也有幸参加了 2017 年 9 月耶鲁大学举办的“明治维新及其影响——社会变迁与政治意义”的会议，并且将沃尔索尔在会议上的报告《明治维新：过去与现在》安排翻译成中文刊发出来了，[②]使我们对美国学界的相关研究有了一定的了解。2018 年 7 月 28 日至 29 日，南开大学也举办了一次较大规模的“明治维新与近代世界”国际学术研讨会，既有对明治维新的历史性透视与断面性分析，也有理论化、系统化叙述；既有对明治维新中的精神构建与思想渊源的探索，也讨论了明治维新对世界及中国的影响。[③]

从总体上看，对明治维新研究的倾向，或可以用从注重其性质的讨论而具体到对其史实、过程和影响的阐明来概括，研究越来越深入。当然这种概括只是粗略的，作为“文明”输出的明治维新，这个话题，广义而言，可以说是明治维新的影响，但是以往对明治维新的影响，特别是对中国的影响的研究，[④]很少从这个视角去看。作为“文明”输出的明治维新，既有一般意义上的学术交流的层面，也不可忽视这种作为“文明”输出的明治维新，还是日本官方当作近代日本“国家战略”的重要一环来有意识地推动的。“明治维新”使日本成为东亚第一个近代“文明”国家。在明

---

① 如三谷博的《黑船来航》2013 年社会科学文献出版社初版，2017 年再版；坂野润治的《未完的明治维新》2018 年由社会科学文献出版社出版；英国学者比斯利（William G. Beasley）的《明治维新》2012 年收入江苏人民出版社“西方日本研究丛书”出版，2017 年又再版了。还有戈登（Andrew Gordon）的《日本的起起落落：从德川幕府到现代》2008 年由广西师范大学出版社出版，到 2017 年又将书名改回与英文原著更接近的《现代日本史：从德川时代到 21 世纪》，由中信出版社出版。关于明治维新研究的详细情况，可参见秦莲星、刘岳兵的《新中国成立以来我国明治维新研究的回顾与展望》，《历史教学》（下半月刊）2018 年第 12 期。

② 安妮·沃尔索尔（Anne Walthall）：《明治维新：过去与现在》（费清波译），刘岳兵主编：《南开日本研究 2017》，天津人民出版社，2017 年。

③ 参见刘轩：《近代世界转型下的明治维新——“明治维新与近代世界”国际学术研讨会综述》，《历史教学》，2018 年第 18 期。

④ 如吕万和的《明治維新と中国》（六興出版，1988 年）、王晓秋的《近代中日文化交流史》（中华书局，1992 年）及《近代中国与日本——互动与影响》（昆仑出版社，2005 年）、戴东阳的《晚清驻日使团与甲午战前的中日关系（1876—1894）》（社会科学文献出版社，2012 年）等，是这方面的代表作。

治时代，日本为了证明自己是文明国家，一方面要继续不断地向西方学习，以求得西方的认可；一方面向世界特别是东亚输出其"文明"，以寻求"东亚盟主"的地位。在近代中日文化交流史上，日本将"明治维新"作为"文明"输出到中国，既有学界的作用，也有官方的背景；既有"输出"方面的动力，也有接受方面的需要。重野安绎的《大日本维新史》和大隈重信的《开国五十年史》就是很好的例证。从"文明"输出的视角来看明治维新，可以加深对明治维新及近代中日文化交流史的理解。

(二) 从王先谦的《日本源流考》说起

对王先谦的研究，已经从资料整理到整体研究、专题研究，以至于作为中国近代思想家的代表之一来给予高度重视了。① 对于《日本源流考》，中国和日本学界的评价历来有赞扬和批评两种论调。这里仅举日本学者的议论，由此可见一斑。如盐谷温就对王先谦的经世意识很赞赏，他说：

> 先生夙有经世之志，曾叹曰：今国家之急务在海军，民之要图在商务。朝士无论矣，草野二三君子，以振兴世道为己任，不思尽心实事，挽救阽危，而相扇以虚名，专念鼓动世俗，即使率土觉悟，太息呼号，而无开济之道。譬犹举家醉卧，遽然梦醒，束手相顾，以须盗之入室，所谓固圉而保种者，果安在乎？（复毕永年书）
>
> 《日本源流考》《五洲地理志》之著作实出此一片婆心。或有非难者谓此等书可以不作者，乃未知先生者也。②

20年之后，在长沙留过学的松崎鹤雄的看法则有所不同了。他

① 湖南省政府主持的"湖湘文库"收录多种王先谦著作，研究著作有孙玉敏的《王先谦学术思想研究》（黑龙江人民出版社，2008年）、程天芹的《王先谦的外国史地著作研究》（中国社会科学出版社，2016年）。中国人民大学出版社的"中国近代思想家文库"中收录有王维江、李鹜哲、黄田编：《王先谦 叶德辉卷》（2015年）。

② 塩谷温：「湖南の老儒と其選著」，『東亜研究』第三巻第一号，1913年1月。"专念"亦作"专意"。

认为：

> 《日本源流考》虽无可观者，而倭寇之事写得有些异样。倭寇在中国的历史中只写日本人之坏，实际上其过半为中国人冒倭寇之名而进行掠夺，我认为此乃公平之论。①

中国学者则认为，王先谦的《日本源流考》一书“以十分之一强的篇幅，辑录了明嘉靖、隆庆、万历时期民族英雄戚继光、俞大猷领导抗倭和东南沿海人民自发抗倭的历次大捷的有关资料。他编纂此书正当甲午中日战争和八国联军侵华之际，用较多篇幅缅怀中国人民抗倭的英雄业绩，应该说是寓有深意的。”②这种“深意”有人则明确表述为在于“着意表彰了明朝沿海人民抗倭的英雄业绩，意在激励中国人民抵抗外来侵略。”③这是可以理解的。

半个世纪之后，中日文化交流史专家石原道博也专门研究了王先谦的《日本源流考》，给这本书一个基本的定位：

> 我是第一个举出《吾妻镜补》(1814 年翁广平著)、《日本国志》(黄遵宪著 1895 年刊)、《游历日本图经》(傅云龙著 1888 年刊)、《日本源流考》四本书作为清代日本研究之最，顺次考察的结果，认为每本书各有其特色，由此至少可以推测日俄战争之前清人的日本观、日本认识、日本理解。④

石原的文章中对王先谦该书中有关倭寇的记述也很在意。如在论及卷十三、十四(后伏见—后小松)时说：“‘倭寇’之记事递增。”论及卷十五(称光—后奈良)时说“所谓嘉靖之大倭寇一出现，王先谦的引用文也突然增加了。”这也的确是该书的一个重要特点。

---

① 松崎鶴雄：「湖南の純儒王先謙」(1934 年 3 月)，『柔父随筆』に収録，1943 年座右宝刊行会，第 97 页。

② 杨布生：《岳麓书院山长考》，上海：华东师范大学出版社，1986 年，第 235 页。

③ 吴荣政：《王先谦》，徐泰来主编：《中国近代史记：1840—1919》(下)，湖南人民出版社，1989 年，第 24—26 页。

④ 石原道博：「王先謙の日本源流考について」，『近代中国』第 19 卷，1987 年。

从以上的各种评论中也大概可以知道《日本源流考》的一些特色了。王先谦自身是很重视这本书的，他的自定年谱中记载，在光绪三十四年(1908)"兹将所著《尚书孔传参正》《汉书补注》《荀子集解》《日本源流考》四种，装潢成帙，恭呈乙览。"这些在他看来都是"研精覃思"，"洵可以信今而传后"的著作。对于《日本源流考》二十二卷，他自评说："于彼国治乱得失、政事学术，皆能窥见本原，而以编年之体，旁搜官私记载，用能择精语详。"他也因此而得到朝廷赏识，"加恩赏给内阁学士衔"。①

《日本源流考》一书的用意，实际上作者在该书的序言中已经说得很清楚了。他说：

> 天下禅代，独日本世王，非但其臣民有所鉴戒取舍而然也。以岛国孑立无邻，故外侮亦弗及焉。然自番轮飚至，重关洞开，情势岌岌。赖豪杰云集，谋议翕合。上下之情通，从违之机决。捐弃故技，师法泰西，曾不数年，屹然为东方强国。余尝考其变法之始，倍难于他邦，……乃自西国扰乱，而将军乞退；议改郡县，而梗命即败；群谤蜂起，而执政不挠。遂以经纬区寓，焕然起维新之局。呜呼，岂偶然哉？
>
> 夫举一国之政而惟外邦之从，匪易事也。而日本行之如转圜流水，此其故亦有二：一则地悬海中，事简民朴。……其前无所因，故后并不得谓之变。非我中国每事拘牵旧章，沮隔群议者比也。一则……我中国塞聪蔽明，百务苟且。台湾生番之偿金，隐中其机权；甲午北洋之利益，饱张其威力。故彼国之士气咸伸，而更新之机势大顺矣。考其内政所施，惟力课农桑，广兴工艺，为得利之实。而以官金资助商会，知保商即以裕国，从而维持附益之，斯得西法之精者也。……
>
> 日本得志之后，所刊《维新史》《法规大全》诸书，扬翊过情，观之徒乱人意，不可概执为兴邦之要道也。是书成，因附述鄙见，以质当

① 《王先谦自定年谱》，王先谦：《葵园四种》，岳麓书社，1986年，第766、767页。

世如此。至日本史家文章之美，览者自得之，故不复云。光绪二十七年岁次辛丑秋九月。[①]

简而言之，王先谦认为日本和中国一样，都经历过“西国扰乱”，都实行了变法，但日本之所以能够“焕然起维新之局”，既保住万世一系的王位，又“屹然为东方强国”，这确非易事。他分析其原因，首先是日本民风简朴，不像中国这样“每事拘牵旧章”，没有这么沉重的历史包袱，变起来就相对容易一些；其次，因为“中国塞聪蔽明，百务苟且”，而日本在外交上费尽心机，屡屡使中国“隐中其机权”，日本不仅因此获利巨大且“士气咸伸，而更新之机势大顺矣。”另一方面，在内政上也很务实，各种措施，能“得西法之精”。

但同时，王先谦也提出，不必事事慕效日本，而且日本所总结的成功的经验之谈如“所刊《维新史》《法规大全》诸书，扬翊过情，观之徒乱人意，不可概执为兴邦之要道也。”如何“治数千年文教之邦”，他的结论是：“必以放勋之劳来辅翼为心，匪特不争其利，亦并不预其事，鼓天下之智力，以求保我君民共有之元气。国家灵长之祚，或在兹乎！”一方面要讲“务开广地利，毋俾他人我先”，同时也不能不讲尧舜之道。这也表现出处于社会转型期中国知识分子的一种比较典型的心态，不能简单地贴上保守甚至反动的标签了事。

（三）重野安绎的《大日本维新史》

为了撰写《日本源流考》，王先谦搜集了大量的资料，其序文开篇即说：“先谦录日本开国以来迄于明治二十六年癸巳，采历代史传暨杂家纪载，参证日本群籍，稽合中东年表，为《源流考》二十二卷。”[②]研究表明，“日本群籍”包括《古事记》《日本书纪》《续日本纪》《神皇正统记》《大日本

---

① 王先谦：《日本源流考序》，王先谦：《日本源流考》，朝华出版社（“清末民初文献丛刊”，影印光绪二十八年思贤书局刊本，分为四册），2017年，第3—6页。王维江、李骛哲、黄田编：《王先谦 叶德辉卷》，中国人民大学出版社，2015年，第84—85页。

② 王先谦：《日本源流考》，朝华出版社，2017年，第3页。

史》《和汉年契》《日本政记》《日本外史》《日本通鉴》《大日本维新史》。[①]这些书籍是怎么得到的，或许每一种都有一个故事。这里只是就我所知，考察《日本源流考》与最后一种即《大日本维新史》（引用时“大”字删去了）的关系。其关系，实际上王先谦自己已经讲了一半。1907 年刊行的《虚受堂书札》中收录其《复日本宗方北平》并附来书。《宗方小太郎日记》翻刻发表和翻译出版之后，这个故事基本上就可以讲得完整了。

宗方小太郎（1864—1923），[②]号北平，熊本人。1884 年来上海学习中文，此后一生直至 1923 年在上海病逝，主要在中国度过。甲午战争期间为收集中国方面的情报尽心竭力，因而受到天皇的接见。对中国问题之熟悉，被誉为“日本志士中的一座高峰”，以其“为对华国策而鞠躬尽瘁”，死时“叙正五位，赐勋三等旭日中绶章。”中国学者也认识到其作为“大陆政策急先锋”的面目，[③]其具体活动，现在我们可以通过《宗方小太郎日记（未刊稿）》的中译本得到详细的了解。

从日记看，那是 1899 年 12 月 21 日，其中这样记述：

> 是日致书当地绅士王先谦，附送《同文会规》，求会见，外出不在。王氏乃翰林出身，前任江苏学政、国子监祭酒。前年以来，执保守党之牛耳，所谓新党之士，悉为此人排斥驱逐，屏息敛气，不能伸展手足。将来若欲开湖南之风气，有所设施，必先游说此人，使其成我囊中之物，非此，则几乎无从下手。予之此行，所以欲先见此人者，实为此也。致王氏之全文如下：
>
> ……鄙人现在汉口总办东亚同文会事务，专依《汉报》倡言宗旨，力图中东两国联络。月前（随会长近卫公爵南京拜）南洋谒刘岘帅，鄂省见张香帅，以申同文会之旨。二公许为美举。顾阁下三湘重望，省之内外，事无大小，一呼可办。仆此行实有为东方时局所求

① 《日本源流考》的资料来源及利用情况，程天芹的《王先谦的外国史地著作研究》一书中有详细研究。

② 详情参见黒龍会：『東亜先覚志士記伝』（下巻），原書房，1966 年，第 377—379 頁。

③ 冯正宝：《论辛亥革命时期的宗方小太郎》，《近代史研究》1986 年第 2 期。

于阁下也。……我两国须及早释嫌猜，去畛域，上下一致，通力合作……唇齿辅车之情，同文同种之谊，……①

次日，《日记》记载：

午前……往至北门内叩王先谦，旅行尚未归来云。……夜王先谦回信至，其全文如下：

……今日在东言东，非如尊论两国上下一致通力合作，别无固圉边陲良策，此不易之至言也。贵国与中国，因甲午朝鲜之事，致启兵戎，和好之后，气谊犹昔。联合之旨，朝官疆吏多以为言，似与贵国人情尚不相远。但邦交之固，权在朝廷，草莽之臣，心知其意，而未便身预其事，此则与贵国情形不无稍异者也。贵国历代以来，权归方镇，自西人构衅，强藩退位，势定一尊，封建之区，俄为郡县，殆运会之所开，不尽由于人事。改制之后，殚精工艺，并心一力，遂分西国权利之重，而开东方风气之先。积富成强，操之有要，此我中土所急宜步趋则效者。先谦虽身处田野，不能一日忘矣。……近因病苦，杜门却轨，虽亲知不相过从。惟平生耽嗜文艺，一息未死，犹思有所述作，以诒方来。曾为贵国源流考一书，根据中国史志，参稽贵邦图籍，颇有斐然之观，惟明治以来，蒐讨不悉，迟为授梓。阁下东邦巨擘，博及群书，尚乞将来有以惠我。高轩之过，敬以疾辞，愿托神交，附于海外文字契好之末，如何？②

宗方来见王先谦的目的非常明确，就是鉴于王先谦在湖南文化界的重要地位，为了日本将来控制这一地区，力图“使其成我囊中之物”。而王先谦则敬而远之，以书信的形式一方面对日本的改制成功表示赞赏，一方面对政治问题表示不在其位不谋其政，但是对于为自己正在撰写《日本源流考》谋求资料，则表现了强烈的求知欲。宗方也不负所望，在

---

① 甘慧杰译：《宗方小太郎日记（未刊稿）》，上海人民出版社，2016 年，第 474—475 页。

② 甘慧杰译：《宗方小太郎日记（未刊稿）》，第 475 页。大里浩秋：「宗方小太郎日記　明治 32～33 年」，神奈川大学『人文学研究所報』46，2011 年 10 月，第 146 頁。

不到一个月的时间里，即1900年1月19日的日记里记载："是日赠王先谦《日本维新史》一部，托原某赴湖南时捎去。"①就是说至少在此时《日本源流考》的明治时代部分的主要资料才到手。有意思的是，1907年《日本维新史》的作者重野安绎经欧洲来华游历，宗方在9月6日的日记中记载："至丰阳馆访西村（天囚）、重野。赠重野成斋翁长沙王先谦所著《日本源流考》一部。"②遗憾的是不知道重野是如何看待《日本源流考》的了。

值得一提的是，《大日本维新史》在1899年12月5日印刷（印刷者为野村宗十郎，株式会社东京筑地活板制造所印刷）、13日发行（发行者为东京的善邻译书馆和国光社）。另外，还有一种的版权页上未标印刷者，但标有"上海北京路商务印书馆代印"字样。1900年4月1日，宗方还给王先谦寄过《国家学》，③虽然只有书名，但从汉文等角度考虑，应为1899年12月出版的伯伦知理著、吾妻兵治译、善邻译书馆出版的《国家学》。1931年10月上海华通书局发行（发行人王怀和）的《日本维新史》，那已经是三十年以后的事了。

宗方送给王先谦的两本书都是善邻译书馆出版的著作。关于善邻译书馆，根据狭间直树的研究，"善邻译书馆的创立意图，在于通过提供汉译书籍这种形式的文化携助，使维新以来的日本文明成就能够有助于清韩两国的革新。"④而重野安绎正是善邻译书馆的核心人物。《申报》1900年初即报道过此事，说："日本文学博士重野诚斋，鸠集同志诸君，创设善邻译书馆，取和文西文书籍之切于世用者，译作华文，礼延四明王黍

---

① 甘慧杰译：《宗方小太郎日记（未刊稿）》，第482页。

② 甘慧杰译：《宗方小太郎日记（未刊稿）》，第704—705页。

③ 甘慧杰译：《宗方小太郎日记（未刊稿）》，第488页。大里浩秋：「宗方小太郎日記　明治32～33年」，神奈川大学『人文学研究所報』46，2011年10月，第158頁。

④ 狭间直树：《日本的亚细亚主义与善邻译书馆》，中国社会科学院近代史所编：《近代中国与世界：第二届近代中国与世界学术讨论会论文集》第二卷，社会科学文献出版社，2005年，第6页。

园明经，为之润色，刻已刊成四种。”①重野诚斋即重野安绎，其所著《大日本维新史》的目的就是面向中国，其《序》中说，明治三十年来“锐意励精，刮刷振作，骎骎乎日进，国威耀于海外”，歌颂其“乾纲广运，日新不息，新政之美，将相继而无穷也。”并引用《教育敕语》中的话，说五伦之道，是“祖宗遗训，通之古今而不谬，施之中外而不悖”，认为“明治中兴”“通于时变”，“即孔子言所因所损益百世可知者矣。”②如狭间直树所言，“其言外之意是在炫耀这是些有助于中国改革的著作。”③或者说，“是确信明治维新的变革是顺应时代要求的正确历史发展路线，其他国家也会走这条道路。虽然没有明说是中国改革，但字里行间都在表达这个意思。”④

根据狭间直树的研究，善邻译书馆的基本情况已经比较清楚了。⑤但是如何评价，狭间强调“善邻协会和善邻译书馆是甲午战争后，中日两国对等性合作具体化的一种形态”，“与后来表达蔑视和侵略的日本‘优越’性立场相比，还是截然不同”，⑥因此积极评价其“将日本文明的成功经验提供给近邻诸国的这项计划，并没有辜负善邻译书馆之初衷；以对等关系为前提将自身‘盈利的事业’转变为‘国家的事业’并付诸实践的尝试也值得后人关注。”⑦但是，在日本近代，尤其是甲午战争之后，与中国有关的“事业”（所谓对支事业、对华事业），个人和国家的因素如何分别？以及在中国与日本两国间如何分别“对等性”与“优越性”？这些问题都是非常考验史家见识和功力的。比如狭间也提到在创立译书馆之初（1899 年），就有外务省的大力支持，后来改组为株式会社（1901 年），

---

① 《善邻有道》，《申报》1900 年 1 月 8 日。转引自《近代中国与世界：第二届近代中国与世界学术讨论会论文集》第二卷，第 2 页。

② 重野安绎：《大日本维新史序》（1899 年 12 月），《大日本维新史》，善邻译书馆，1899 年 12 月。

③ 狭间直树：《日本的亚细亚主义与善邻译书馆》，中国社会科学院近代史所编：《近代中国与世界：第二届近代中国与世界学术讨论会论文集》第二卷，第 6 页。

④ 狭间直树著、张雯译：《日本早期的亚洲主义》，北京大学出版社，2017 年，第 130 页。

⑤ 狭间直树的《日本早期的亚洲主义》的第七章即为“善邻译书馆”，并有长达 130 页的资料，即《附録　善隣協会、善隣訳書館関係資料——德島県立図書館藏〈岡本韋庵先生文書〉》。

⑥ 狭间直树著、张雯译：《日本早期的亚洲主义》，附录，第 A128、A129 页。

⑦ 狭间直树著、张雯译：《日本早期的亚洲主义》，第 145 页。

也是自觉地将自身的商业性盈利作为“国家性盈利”，从而与日本的国家战略自然地结合起来了。

《大日本维新史》是译书馆中“发行行情看好”的一种，狭间注意到该书有“清国翻刻的盗版”，不知是否指“上海北京路商务印书馆代印”的那种，如果所指是这种“代印”版，是否有“代印”的手续，如果有，是否可以称为“盗版”，或许还可以进一步考察。1900 年 1 月上旬，译书馆的发行代表松本正纯及干事吾妻兵治携《大日本维新史》等“数万部”来上海推销，据白岩龙平的日记记载，1 月 5 日、7 日、8 日均有过往。又查宗方小太郎日记，正月 17 日“松本正顺来访，身带善邻译书局之业务，本日抵达者也。”又见 19 日所记，有“松本正纯等来访。松本赠其所管之译书局装订之译书数种。”①接下来，也就在同一天，就有上述宗方赠王先谦《大日本维新史》的事了。

善邻译书馆的旨趣，其干事吾妻兵治特在中国的刊物上发表《善邻译书馆条议引》以为宣传，对于理解是否“对等”、何者“优越”，应该最能说明问题。曰：

> ……我国（日本）自古忠厚成俗，风庞俗美。及中世通好隋唐三韩，传周孔之教。制度典章，灿然具备，其德不可谖也。晚近气运一变，泰西诸国，技艺迭兴，通商互市，日臻富强，骎骎乎驾轶东土。我皇上登极之初，广察宇内之情势，取彼之长，补我之短。锐意革新，力求自强。乃得与泰西各国并驾齐驱，以卓立于东海之表者，三十余载于兹矣。独惜清韩两国，尊内卑外，守旧不移，以致忧患荐臻，国势日蹙是殆不知变者阶之厉也。若不及今为之计，或恐有虎狼乘其衅者。虢亡虞及，此忧国之士所日夜寒心弗措也。于是奋然决起，于新报、于政论、于工商，务讲彼我之公益者，接踵相望。此等事皆为今日急务，不可废一。而更有一事尤急焉者，译述新书以启迪两国士庶者是也。周公制礼，鉴于二代以定损益；孔子论为邦，夏时

① 甘慧杰译：《宗方小太郎日记（未刊稿）》，第 482 页。

殷辂周冕，并垂法则，洵为千古之善变者也。今二国独拘末节，事虚文，宜乎与时背驰，而不能奏革新之功者，不大可惜哉！然则如之何而可？亦惟博采他邦之实学，以长其才识，旁求近世之新说，以启其知见。其法莫如译述我国及泰西有用诸书，以传播之也。使彼得启发新智，通晓时务，则旧习积弊，自然釐革，而富强文明之功，可期而待矣。吾侪窃有见于此，因欲译述新书，以输诸清韩，以表善邻之谊，是所以纠合同志，创立本馆也。①

简而言之，就是日本明治维新之后已经“卓立于东海之表”三十多年了，清韩二国则守旧不移，国势日蹙，因为列强虎视眈眈，唇亡齿寒，当务之急有许多可以做的事，而其中尤为紧要的是使之转变观念，具体的办法“莫如译述我国及泰西有用诸书，以传播之也”。这样，“富强文明之功，可期而待”。可见日本和西洋已经成为“文明”的标准，那么译述日本和西洋有用的新书“以输诸清韩”，即向中国和朝鲜输出“文明”即是善邻译书馆的主要目的，而《大日本维新史》这部“行情看好”的著作也就成了作为“文明”而向中国输出明治维新的典型之作。

《大日本维新史》是王先谦的《日本源流考》明治维新之后部分（卷二十、卷二十一）的主要资料，特别是最后的明治十四年至二十六年，成为其唯一的资料来源。尽管他在序文中批评“维新史”之类书籍“扬翊过情，观之徒乱人意，不可概执为兴邦之要道也”，但是因为没有其他资料可用，也只能接受这份输出的“文明”了。

（四）大隈重信的《开国五十年史》

大隈重信编撰的《开国五十年史》，比《大日本维新史》的篇幅更为宏大，不仅有日文版，还有中文版和英文版，是将明治维新的成果作为“文化”向全世界输出的浩大工程。对此，曾在南开大学日本研究院攻读硕

① 吾妻兵治：《善邻译书馆条议引》，《东亚时报》第21号，1900年4月28日。

士、博士学位的马冰洁，做过这方面的研究。[①] 这里仅介绍该书的中文版及其一些相关的基本史料，以具体说明其“文化输出”之用意。

首先来看看大隈重信的《开国五十年史序》（1909 年 9 月）。该序开篇即盛赞明治维新的伟大功绩：

> 呜呼！世运之变有出于人意表者。我日本开国以来，凡百制度取法于西洋，废置变革，细大并举，武威文物，骎乎日进，国运之昌，振古所未曾有也。

尽管如此，在多变的国际形势中，还是抱有一种危机感，所谓“国家前途尚远，而形势之变不知所穷。”他尤其担心“西白东黄人种之争，孰能保其必无乎？”面对西方的“黄祸论”，他主张：

> 彼已自限其种，我亦不得不同种相恤。东亚大国与我同种者为清，唇齿辅车，休戚相关，故宜左右提挈，御侮于千里之外。而其国不幸内外多故，祸将不测。我以善邻之谊，虽竭力扶持，一发千钧，改亦岌岌矣。故吾为清国计，莫如先务自立。自立之道如何？亦在仿我日本开国进取之道而已矣。

应该如何模仿效法呢？《开国五十年史序》汉译的意义何在呢？他说：

> 清国之宜学者，神也，非形也；意也，非迹也。夫两国人同其种，书同其文，地相近，俗相类，本非欧美之比。然国势民情未能尽一，则取于此而施于彼者，亦安得不异哉？我尝取西洋文化，察焉，精择焉，严稽以时势，断以国体，变而通之，杼轴由己，此其所以浑然无迹也。……我之文华致今日者，岂朝夕之故哉？清人乃观其既成之迹，为可袭而取，亦已过矣。苟欲取则于我，则莫如审我实势；欲审我实势，则莫如考其沿革；欲考其沿革，则如此书者，亦必在其所取

① 马冰洁：《〈开国五十年史〉与明治日本的文化输出》，《史学理论研究》2017 年第 4 期。

也。盖彼天时人事所以相为经纬，外患之所以变而为福，中央集权之所以成，新旧之争所以归一，立宪之所以合国体，大略备乎是。今译以汉文者，为友邦谋也。清人诚能以此推彼、以异济同，改革之事，思过半矣。①

可见此书的目的在“为清国计”“为友邦谋”，其言辞之恳切，颇得同时代中国知识分子之共鸣与同情。

汉译本还有鹿传霖、袁世凯、徐世昌三人的序和荣庆的题词“治具毕张”。这三篇序，②研究者似很少注意到。首先是鹿传霖(1836—1910)的序。鹿传霖曾任两江、两广总督、军机大臣，该序作于1907年12月。其序中盛赞“大日本得海邦之形胜，以地利兼人和，数十年来臻于强盛，进为文明。而大隈伯以杰出之才，建不世之勋。复于暇日纂修编辑，作开国五十年之史，尤能以蔚起之人文为方舆之实录。”认为这部著作将“传诸后世”，成为人们认识明治时代日本的“信而有征之基础”。袁世凯，无需赘言。其序文(1907年10月)也盛赞日本幕末维新时期舍旧谋新，“万矢一的、万众一心”，历尽千辛万苦，“鼓荡于惊风骇浪之域，而酝酿为文明璀璨之花”。文中特别强调：“向使维新诸杰，永守其嘉永安政之故习，终古不变，其何以国？大隈伯者，维新诸杰之一也，将纂开国五十年史，书来问序于余。余观其编纂诸公，非躬亲其事之大臣，即有名于时之学者，而伯实总其成。是书一出，其助我东洋之进步者，岂浅尠哉?”充分肯定这部书对我国的积极意义。最后一篇是徐世昌的序，③作于1908年2月。其中也赞扬“日本大隈伯，以东邦人杰，主变法、负重望，为政治家之泰斗，尽瘁国家数十年如一日。”说大隈“与维新元老及诸当世名士编纂开国五十年史，举内政外交军事财政法制教育文学实业，下逮医药方伎

① 大隈重信:《开国五十年史序》。大隈重信:《日本开国五十年史》(上册)，上海社会科学院出版社影印，2007年。大隈重信:《汉译开国五十年史自序》，《国风报》第一年第一号，1910年正月11日。

② 大隈重信撰:『開国五十年史』，東京:開国五十年史発行所，1909年。

③ 此序以《开国五十年史 督宪之序文》为题刊于《吉林官报》，1908年第111—124册。

音乐美术之属，一一备载，事赅而义富，其为宝贵宜何如也。”徐世昌的序，不仅肯定该书对于记录当世的意义，而且有垂范于后世的价值，即所谓“异日者穷古今之变，通欧亚之邮，举我东方数千年相传治道之本原，发挥而光大之，以成最近世史之巨帙者，舍伯爵其莫属矣。”

大隈的书得到了三位清末的封疆大吏的序文（见附录），可以说宣传阵营是非常豪华的了。鹿传霖在1910年就去世了，而袁世凯和徐世昌，先后做过中华民国大总统，都与日本有比较密切的交往。从徐世昌的序文看，其所谓“东西文明必有渐相切近而同趋一轨之日”似乎与大隈的东西文化融合论属于同一论调。大隈重信因为后来的“二十一条”而臭名昭著，但是他在袁世凯去世后发表《弔袁世凯警告中华国民》一文在中国也颇有影响。1916年7月在《新日本》发表后，8月份就在《东方杂志》节译刊登出来。[①] 到1949年，金毓黻的《静晤室日记》里还在说这篇文章，说“吾国之民性有好修饰之病”，为大隈“一语道破，足为吾国人之警惕，不得以其出自异国人而轻视之也。”[②]做到不因人废言，难得！

再来看看《开国五十年史》在中国的影响。其自序写成当月，下旬即刊登发表在中国的《北洋政法学报》第117册上。《北洋政法学报》1906年8月为袁世凯任直隶总督时的“北洋官报总局”所主办，宣传君主立宪制，在介绍国外法学、法律和政治制度，尤其是日本方面的情况，有重要贡献。如吴兴让翻译了小野冢喜平次的《政治学大纲》、松浦镇次郎的《市町村制讲义》等，徐家驹介绍了《日本议院法》等。徐家驹在大隈重信的序文后有如下一段说明：

> 此文为日本大隈伯爵所著。大隈伯为日本中兴元勋，维新事业半成于伯爵之手。今虽退老林泉，而犹率宪政本党，讨论朝政，以达其进行之志，故其议论为朝野所推重。此文备说日本之所以兴，与我国所以效法日本之所在。言简意赅，其所以策我者甚至，而亦惠

---

① 张锡琛：《日相大隈重信对于我国之忠告》，《东方杂志》2016年8月号（第13卷第8号）。

② 金毓黻：《静晤室日记》卷第149，第9册，沈阳：辽沈书社，1993年，第6756页。

我良多焉。用载本报，以广流传。我知我国之考察日本国政者，当亦同拜伯爵之赐也。乌程徐家驹敬识①

“策我者甚至”“惠我良多”，是对这篇言简意赅的序文的评价。紧接着，还有《附录日本大隈伯爵呈书奏稿》。全文如下（标点引者所加，//为原文分行处）：

外臣伯爵大隈重信跪//奏。为进//呈外臣编修《汉译开国五十年史》，恭折仰祈//圣鉴事。窃外臣前将东文《开国五十年史》谨//呈//德宗景皇帝//孝钦显皇后，赐纳在案。今兹汉译方成，著派编修局员趋赴//贵国进//呈//皇上//摄政王，恭备//御览。盖//贵国变法自强，宪政肇始之端，确为建树。此书所载，敝国维新王政复古之掌故，与//贵国革故鼎新之道，大致相同。日本开国五十年间所为阅历，实与//贵国奎运宣扬之途，作为他山之石，区区微篇，万一有足取法，庶几藉资东亚和平之大局，外臣亦当不负为太平之民也。所有进//呈《汉译开国五十年史》，缘由理合，恭摺具陈。伏乞//皇上//摄政王圣鉴。谨//奏//明治四十二年九月二十日②

由此可见，其文化输出的强烈愿望毋容置疑，但是由此推断《开国五十年史》中文版的发行有“文化侵略的性质”，③大概是有些敏感或解释过度了。

1910年正月十一日上海的《国风报》在创刊号上刊登了大隈重信的《汉译开国五十年史自序》（自序题目中“日本”二字删去）和梁启超的《读日本大隈伯爵开国五十年史书后》。梁启超不仅直接参与了汉译《开国五十年史》的校对，也是该书在国内最早的得力宣传者。梁启超对大隈

① 大隈重信：《汉译日本开国五十年史自序》（附言），《北洋政法学报》第117册，1909年9月下旬，第5—6页。

② 大隈重信：《汉译日本开国五十年史自序》（《附录日本大隈伯爵呈书奏稿》），《北洋政法学报》第117册，1909年9月下旬，第6—8页。

③ 马冰洁：《〈开国五十年史〉与明治日本的文化输出》，《史学理论研究》2017年第4期。

重信的"策我国"之言,评价说:"可谓博深切明也已矣"。充分肯定"兹编所记载,皆出彼都元勋硕儒。自举其所阅历者,以资其后昆及与国之法戒。欲知日本之所以有今日,舍此殆无其途焉。诗曰他山之石可以攻玉。然则吾国人读此,又岂仅为周知四国之助云尔哉。"①将阅读此书视为了解日本之所以"富强"的最好途径。后来,胡适也在日记(1915 年 5 月 20 日)中感叹:"近读大隈重信所纂《日本开国五十年史》(*Fifty Years of New Japan*. New York,Dutton 1909),深有所感。吾国志士不可不读此书。"②当时在美国留学的胡适,应该读到的是纽约出版的英文版。③

1927 年 5 月,中华书局出版的我国第一部以现代学术观念著成的日本通史——陈恭禄的《日本全史》,大隈重信的《日本开国五十年史》乃是其重要的参考书。陈氏评价此书为"大隈编纂元老长官及名士所著之关于开国后之发达历史;备载内政外交军备财政法制教育实业等,足为参考书之用。"④

1929 年 10 月,《日本开国五十年史》被收录进王云五主编的"万有文库",由上海商务印书馆出版(十三册),其影响也因此而更加广泛了。商务版《日本开国五十年史》,当然也还是有很大的影响,甚至作为"人人必读之书"加以介绍。

> 此书系提出二十一条之日本首相大隈重信所编,共十三册,已由商务印书馆译出。关于日本军事、政治、财政、外交、教育、商业、矿产、农事、文学、科学、风俗、民性,无不兼收并蓄搜揽无遗。书中各篇虽多出自大隈重信之手,其他如伊藤博文、岛田三郎、副岛种臣、松方正义、山县有朋、三本权兵卫、阪本三郎之著述均列入,当此

① 沧江:《读日本大隈伯爵开国五十年史书后》,《国风报》第一年第一号,1910 年正月 11 日。收入《饮冰室文集》之二十三。

② 胡适著、季羡林主编:《胡适全集》第 28 卷,安徽教育出版社,2003 年,第 144 页。

③《日本开国五十年史》的英文版有 1909 年伦敦(London : Smith, Elder)和纽约(New York, E. P. Dutton)出版的两种。

④ 陈恭禄:《日本全史》(附录参考书目),长沙:岳麓书社,2013 年("民国学术文化名著"),第 10 页。

> 东邻紧迫、国难当前之际，我青年同志奔走呼号，唤醒民众卧薪尝胆，锻炼体魄之余，于日本之认识及研究，想亦孜孜探求，日无暇晷。该书自出自宰割我国之仇敌大隈重信之手，是不啻日本之小□（此字模糊难辨）、日本之口供，我青年同志为拯救当前之危急与预防暴日将来之侵略，而愿以研究之态度，解剖日本、化验日本者，此书能供我辈以丰富之材料。①

此文在九一八事变之后，紧迫感与危机感溢于字里行间。值得注意的是，第一，似乎汉文版的《日本开国五十年史》是专为商务印书馆译出的，实际上当然不是。第二，大限重信编撰此书时并不是日本首相，提出二十一条也是后来之事。第三，将该书作为“日本之口供”，无疑即是当作反面教材来加以解剖、化验，这样的研究态度，是否能够算得上是梁启超所说的“诚求而善学者”，这样的孜孜探求，会不会重蹈梁启超所说的“拟之也弥似而去之也弥远”的覆辙？② 当然，这时已经与辛亥革命前梁启超推介该书时呼吁学习和模拟日本的时代不同了。国难当前，读此书的目的变成了利用其提供的“丰富之材料”来探求如何“拯救当前之危急与预防暴日将来之侵略”，所谓知己知彼百战百胜，这可以说是那个时代日本研究的普遍特征。

1935 年 3 月，国立中山大学《文史学研究所月刊》第三卷第三号，刊出了可谓民国时期最为详细的日本史研究参考书目，即姚宝猷的《日本史的研究法及参考书目》。姚宝猷在提示了各种各样具体的研究法之后，提醒“我们研究日本史应该注意的，就是不可心存轻蔑和怨愤，应以冷静的头脑，客观的态度，切切实实地研究它。”提醒“我们必须把日本帝国主义和日本的历史截然分开，不可混而为一；我们尤其要以冷静的头脑，客观的态度，平心静气地研究他的历史，然后才能够真正的彻底的了

① 正方：《介绍几本人人必读之书》，《学风》（安徽省立图书馆编印）第二卷第一期，1932 年 1 月。
② 沧江：《读日本大隈伯爵开国五十年史书后》，《国风报》第一年第一号，1910 年正月 11 日。

解日本历史的演进。”①这样的“研究法”指导下所列的参考书目中，当然也有《开国五十年史》，并且在介绍中文参考书缪凤林的《日本论丛》时指出：

> 缪凤林编著：《日本论丛》（民国二十二年，南京钟山书局出版）。
>
> 此书所收论文共十篇，前四篇及末二篇，为缪先生自作，其余五篇，则采自大隈重信主编的《开国五十年史》（汉译的）。缪先生论日本史每有精当的见解；而所录五篇，亦为《开国五十年史》全书的精粹，堪以阅读。②

查看1933年缪凤林编著的《日本论丛》（第一册），可知所收录《开国五十年史》的五篇为：大隈重信的《日本开国五十年史序论》、岛田三郎的《开国事历》、久米邦武的《神道》、井上哲次郎的《儒教》和高楠顺次郎的《佛教》。缪凤林在目录的后面介绍了每篇的主旨，说“《日本开国五十年史序论》则代表日人对于本国史之见解。……《开国事历》叙日本近世开国之经过与因果。《神道》《儒教》《佛教》三篇略可窥见日本民族精神生活之基础。”用“亦为《开国五十年史》全书的精粹”评价这五篇，是缪凤林自己的评价，事实上亦不为过。接着，缪凤林评价说：

> 自《日本开国五十年史序论》以下五篇，皆采自大隈重信主编之《开国五十年史》。原书有英文日文汉文三本，英文本未见，日文本明治四十年（清光绪三十三年·一九〇七）出版。汉文本译自日文本，明治四十二年（清宣统元年·一九〇九）出版。卷首有大隈自序，言：“吾为清国计，莫如先务自立。自立之道如何？亦在仿我日本开国进取之道而已矣…苟欲取则于我，则莫如审我实势；欲审我

① 姚宝猷：《日本史的研究法及参考书目》，国立中山大学《文史学研究所月刊》第三卷第三号抽印本（1935年3月），第22页。此文收入刘岳兵主编：《南开日本研究2017》（“民国时期日本研究文献”栏翻刻），天津人民出版社，2017年，第271页（翻刻时有误，以此为准）。

② 姚宝猷：《日本史的研究法及参考书目》，国立中山大学《文史学研究所月刊》第三卷第三号抽印本（1935年3月），第25页。参见《南开日本研究2017》，第273页。

实势，则莫如考其沿革；欲考其沿革，则如此书者，亦必在其所取也。盖彼天时人事所以相为经纬，外患之所以变而为福，中央集权之所以成，新旧之争所以归一，立宪之所以合国体，大略备乎是。今译以汉文者，为友邦谋也。呜呼！清大国也！其动必大，一旦乘势，云蒸龙变，岂可测哉？余虽老矣，请刮目而待之。”大隈之编译此书，虽富宣传意味，入民国后，且为二十一条之主动者。然此序言，亦殊有相当的善意也。汉译本大致与日文本密合，惟较日文本少《教育琐谈》《高等教育》《欧洲学术传来史》《医药及卫生》《新日本知识上之革新》《政论界之于新闻纸》《染织业》《北海道志》《台湾志》等九篇。亦系有意识的缺略也。全书各篇，撰述者多系当时名宿，惟大致终于明治三十八年日俄战时，在今日已大半成为明日黄花。兹所录五篇，为全书之精粹，且较少时代性。商务印书馆出版之万有文库，曾翻印全书，标明汉译世界名著，而悉删其卷首序文，一若全书即为该馆翻译者。恐读者误谓诸篇录自商务翻印之书，特说明原委如此。①

缪凤林的这段说明，有几点值得注意：第一，对于大隈的自序，虽然后来有“二十一条”之举，但是不能因人废言，一方面看到这本书“富宣传意味”，一方面也肯定了“此序言，亦殊有相当的善意也。”第二，具体说明了日文本和汉译本的区别，且指出汉译本删去九篇“亦系有意识的缺略也”。第三，指出商务印书馆的翻印本与汉译本的区别，且对“商务翻印之书”颇有微词，因其“悉删其卷首序文，一若全书即为该馆翻译者。”所以特别指明所录诸篇不是来自商务版。

《开国五十年史》的编纂，开始于日俄战争之际，成书于日俄战争之后。与同时期由于战争胜利而片面强调日本文化、日本精神的独特性、优越性相比，大隈重信得出的是动态的“东西文明调和论”的结论。他在《开国五十年史结论》一章中指出：“本史已叙日本五十年之进步，而表颂其美善之绩，然其本旨则在令国人鉴于既往益求其将来，不安于现时之

---

① 缪凤林编著：《日本论丛 第一册》（目录），南京钟山书局，1933 年，第 2—3 页。

情势,而更进以步趋于文化之邦。"[①]其结论为:"日本文化在现时之发畅一因于外交,莫非接触泰西文化之效。今复益图其进步,则宜致力于外交,自立于和平竞争之中,以接泰西文明,采其长学其善,而勇往买进其向上之一路。日本既在代表东邦文明之地,而更有天职可将西邦文明介绍布植于东亚数邦。故勉令东西文明相融合者,实为其所带之使命。"[②]如真边将之所言,"《开国五十年史》认为此前日本的发展最多不过是西洋文明导入的结果,因而排斥自以为是的文明观,论述诸文明的调和才是重要的,而日本文明的发展尚不充分,还存在许多缺点,阐明其还有更大的发展空间和需要克服缺点,这些方面与自画自赞的日本文化论划清了界限。"[③]但是我们也不可忽视大隈所强调的实现"发挥文明之真意义"而"能全此重大使命者,舍日本国民其又谁属也",也就是说只有日本人才能承当起东西文明融合的重大使命,这种优越感,与前述善邻译书馆的以日本和西洋文明为标准而将其文明"输诸清韩"的"文明输出"论实质上没有什么区别。

(五) 简单的结语

文明输出,只要以文明的手段进行,客观上还是能够起到促进文化交流、增进相互理解的作用。《开国五十年史》的中译本,在中国发行的,一直未见一个与 1909 年在东京"开国五十年史发行所"发行的一样的完整的译本。最近上海社会科学院出版社的影印本虽然保留了大隈重信的自序,但是三篇清末重臣的序文不见了;而 1929 年的商务印书馆"万有文库"本,连大隈的自序都删去了。就在此"万有文库"本 10 月初版的一个月之后,即 1929 年 11 月,日本外务省已经在开始办理直接派遣教授到中国讲授明治维新的手续,这就是 1930 年 12 月成行的京都大学教

① 大隈重信撰:《日本开国五十年史》下册,上海社会科学院出版社(影印),2007 年,第 1338 页。

② 大隈重信撰:《日本开国五十年史》下册,第 1346 页。

③ 真辺将之:『大隈重信——民意と統治の相克』,中央公論新社(中公叢書),2017 年,第 282 頁。

授三浦周行来华讲授明治维新的活动，其成果结集成《明治維新と現代支那》一书，1931 由刀江书院出版。类似的活动，还有 1941 年东京大学中村孝也来华讲授宣扬明治维新，不过到这时，尽管日本的媒体也将其视为“送往南方共荣圈的文化使节”，而讲述者却已经自觉地把自己打扮成为一名“国史学中‘大陆进出’的战士”①了，大概这才可以称得上是“文化侵略”。因为篇幅的关系，这两次活动只能留待今后再探讨了。

七七事变前，胡适在 1937 年 4 月 25 日给蒋廷黻的信中说：

> 关于日本，我近一年来真成了一个“反日者”，因为我渐渐觉得厌恶，轻视那一个民族了。……天下尽有笨干而有小成的，决没有笨干而能大成的。日本人的成功已超过那个民族的本领的限度，此时真有人才寥落之感。若再不悔祸，我看终有大坍塌。

两个多月后，胡适终于没有看到日本的“悔祸”，中日全面战争终于爆发了。我们应该如何认识日本“那一个民族”？以文化和文化交流史为线索，我们究竟应该如何看待“日本人的成功”和日本“民族的本领的限度”？这在今天，也依然不仅是认识日本，也是认识我们自己的一个不可回避的问题。

附录：《开国五十年史》序文三篇

一、鹿传霖序

大日本开国五十年史序

夫灵书八宝，玉券十华，史氏所编，由来尚已。然上下数千年，纵横数万里，非不极博奥之观，而非目所及见，耳所共闻，于取信之道，殊觉阙如。此讨于古不如论于今，取诸远不如征诸近也。

大日本得海邦之形胜，以地利兼人和，数十年来臻于强盛，进为文明。而大隈伯以杰出之才，建不世之勋。复于暇日纂修编辑，作

① 中村孝也：『日華明治維新史』，東京堂，1942 年，第 113 頁。

开国五十年之史，尤能以蔚起之人文为方舆之实录。披而阅之，今日照人耳目，赫赫若前日事，是即众所共见共闻者，笔之于书，非如子虚乌有。诸人使考稽者，无从指实，亦不至如残编断简所纪，使捃摭搜集者疑信参半也。叨承遗书远征拙笔不揣固陋，聊缀芜词，庶几表扬大文，传诸后世，以为信而有征之基础云尔。

大清光绪丁未年嘉平月定兴鹿传霖拜序

二、袁世凯序

《道德经》谓江海所以能为百谷王者，以其善下也。其在易咸之象曰：君子以虚受人，惟其虚也，是以能受。若夫深闭固拒，龂龂焉守一家之言，以应无穷之变，此于治身且不可，奚能治国？吾观日本自孝德以来，凡八省百官之设，租庸调之赋，礼乐刑政之大，一以唐为师。汉学倡于王仁，佛学来于百济，程朱阳明之绪，大昌于明季。惟其不耻相师，故能洗筚路蓝缕之风，蔚然成东方君子之国。倘所谓虚受者非耶？迨夫安政以后，外患内讧，岌岌不可终日。痛国耻之未雪，慨乎悟攘夷锁国之不足自存。德川氏势力既衰，而萨长肥土诸藩，群起而乘其敝卒之。尊王倾幕，遂以雷霆万钧之力，舍其旧而新是谋。盖自明治八年三月定立宪政体。以五事誓于神明，迄于二十三年开设国会，其渐渍于西洋主义者为多焉。遂乃万矢一的、万众一心，以苟活为羞，以避事为耻。鼓荡于惊风骇浪之域，而酝酿为文明璀璨之花，使旭日徽章照耀于太平洋岸。何其盛也！非所谓江海善下故为百谷王耶？向使维新诸杰，永守其嘉永安政之故习，终古不变，其何以国？大隈伯者，维新诸杰之一也，将纂开国五十年史，书来问序于余。余观其编纂诸公，非躬亲其事之大臣，即有名于时之学者，而伯实总其成。是书一出，其助我东洋之进步者，岂浅尠哉？伯自述其生平，最初为攘夷党，寻而悔悟，乃一变为开国党。其后辗转经时以成为改进党，由是为宪政党、为宪政本党，则皆改进党名义之变迁耳。呜呼！易之为道，变动不居，与时偕行。传称百川学海而至于海，是尤伯之所以自处也夫。光绪三十三年十月大清国

军机大臣外务部尚书袁世凯序

三、徐世昌序

开国五十年史序

晋荀悦有言：立典有五志，曰达道义、彰法式、通古今、著功勋、表贤能。后之言史法者，莫能外也。惟夫英君谊辟，创制显庸，功在当时，声施后世，垂诸简策，传之无穷者，何代蔑有？然而太常太史博士所守，延阁广内秘室之藏，并世者或不知焉。若夫故书雅记，私家著述，网罗遗献，蒐采旧闻，作者盖繁矣。未有遭遇明盛，建树宏阔，与夫同时瑰才硕彦，溯其生平事实，自为叙次，以存一代之掌故，成千载之信史者，斯其为书，不重可宝贵欤？日本大隈伯，以东邦人杰，主变法、负重望，为政治家之泰斗，尽瘁国家数十年如一日。凡维新以来一切大政事大兴革，未尝不资其擘划。其高掌远跖，雄谋伟略，固已不可及矣。经世之心老而弥笃，以为日本自废封建，尊王室，锐意改制，廓然更张，其间匡时济变之才朋兴辈作，先后相望，用能转移国势，驯至富强，匕鬯不惊，宗社如故，以有今日之盛，其制度本末炳焉具存，阙而不书，来者何述？爰与维新元老及诸当世名士编纂《开国五十年史》，举内政、外交、军事、财政、法制、教育、文学、实业，下逮医药、方伎、音乐、美术之属，一一备载，事赅而义富，其为宝贵宜何如也。夫以一姓相承之统，传世数十百，历年数十载，中更时变，幡然与民更始。曾不再世武功文治方轨列强，可谓难矣。不知穷变通久，事理之常，有国者鉴风会之递嬗，作旧邦之新命，中兴再造，亦将视此传。不云乎，殷忧所以起圣，多难乃以兴邦。箴肓起废，发愤为雄，亦惟二三仁人君子心力之所为而已。又闻之晚近泰西学者谓世界文明之发生，自东方始，中国与日本同处一洲，有数千年之历史，政教文物自古称盛。海通以还，风气大开，循是推之，世局日恢，东西文明必有渐相切近而同趋一轨之日。伯爵更历事故，淬炼岁年，慨然以东方大局为己任，有所造述，鸿编立就，然则异日者穷古今之变，通欧亚之邮，举我东方数千年相传治道之本原，发挥而光大之，以成最近世史之巨帙者，舍伯爵其莫属矣。质诸东方贤士大夫，殆不以余言为河汉乎？大清国光绪三十四年二月钦差大臣东三省总督兼管三省将军事务天津徐世昌拜序

（本文相关内容曾在2018年10月29日日本关西大学东西学术研究所、11月14日浙江工商大学东方语言文化学院、17—18日中山大学历史系主办的“知识迁移与近代东亚的政治转型”国际学术研讨会、12月14—16日日本的国际日本文化研究中心主办的“世界史中的明治/对世界史而言的明治”国际学术研讨会上报告过。此稿是根据上述报告修改而成。载《历史教学》2019年第6期。）

二　津田左右吉的论著及学术思想在中国的影响——以民国时期为中心

津田左右吉（1873—1961），作为日本的东洋史学家和思想家，逐渐为中国学界所重视，其相关业绩和思想特点已经先后被写进了中国的日本中国学史和日本近现代思想史著作中。[①] 津田左右吉的著作及学术思想，也是近代中日学术思想交流史中的重要课题，这方面似乎还没有引起足够的关注。

津田没有来过中国，很少与中国的学者有直接的交往，这或许与他

① 参见严绍璗的《日本中国学史稿》（学苑出版社，2009年）、刘岳兵的《日本近现代思想史》（世界知识出版社，2010年）等。关于津田左右吉的研究专著，有刘萍的《津田左右吉研究》，中华书局2004年出版。津田史学在日本史学史上的地位，可参见以下翻译著作：上田正昭的《津田史学的本质及其遗留的问题》（[日本]历史学研究会、日本史研究会编：《日本历史讲座》第八卷“日本史学史”，北京编译社译，商务印书馆，1964年）、坂本太郎的《日本的修史与史学》（沈仁安、林铁森译，北京大学出版社，1991年）、永原庆二的《20世纪日本历史学》（王新生等译，北京大学出版社，2014年）。

对现实中国文化怀有一种连日本学者也读得出来的“难以自拔的蔑视”[①]有关，但是我们不能因此而忽视其著作与学术思想在中国的流传与影响。将其作为近现代中日文化交流史中的课题加以研究，正好可以揭示中日之间的学术思想交流在近现代史上所呈现的复杂性和多样性的一些侧面。梳理这方面的历史事实，也有利于我们摆脱主观情绪的干扰，厘清近代以来中日知识分子在相互认识中彼此之间情感与理智的纠结，从而更加客观而清醒地接近历史的真实面貌。

据《津田左右吉年谱》记载，1905 年 9 月早稻田大学新设“清国留学生部预科”，不久津田就担任了其日语课的讲师，直到第二年。[②] 其具体情况不知如何，与中国人的直接接触，常常被提及的就是后来他与台湾出生的郭明坤（1905—1943）的师生关系，[③]台湾当时是日本的殖民地，而且据说郭明坤也加入了日本籍，因此与通常意义的“中国人”似乎也有些不同。中国学术界最早注意到津田是在什么时候，尚待进一步调查，寡闻所及，民国时期中国学术界对津田左右吉的论著及学术思想的关注，涉及他日本史、中国史研究的方方面面，可以从以下三方面来加以整理。

(一) 津田左右吉的日本史研究成果在民国时期的反响

《周作人日记》的“七年（1918）书目”中，四月有津田左右吉的《国民思想ノ研究》，五月有《国民思想ノ研究》二，十一月有《国民思想ノ研究》三。[④] 1922 年 6 月购读书目中有《国民思想の研究》四。[⑤] 6 月 12 日日

---

① 安藤彦太郎著，李国胜、徐水生译：《早稻田大学与中国：架起通向未来之桥》，武汉大学出版社，2010 年，第 52 页。

②《津田左右吉全集》补卷二，岩波书店，1989 年，第 351 页。

③ 安藤彦太郎著，李国胜、徐水生译：《早稻田大学与中国：架起通向未来之桥》，第 49—50 页。1947 年 4 月津田左右吉还发表过纪念郭明坤的文字，见《津田左右吉全集》第 24 卷，第 180—181 页。

④《周作人日记（影印本）》上册，大象出版社，1996 年，第 803、810 页。

⑤《周作人日记（影印本）》中册，第 227 页。

记:“上午往日邮局取丸善支店小包,内《国民思想の研究》一册。”①1924年7月8日日记记载“下午在东亚公司买书二本”,查购书账得知这两本书为仓田百三的《超克》和津田左右吉的《神代史の研究》。② 这里的《国民思想之研究》四册,即《文学上所见我国民思想之研究》的贵族文学的时代、武士文学的时代、平民文学的时代上卷与中卷,分别是1916、1917、1918和1921年出版的,第三册《平民文学的时代》(上)1918年10月出版,11月周作人就拿到该书了;而在12月,周作人写了两篇有名的文章,一篇是7日的《人的文学》,一篇是20日的《平民的文学》。《人的文学》得到了陈独秀的“写得极好”的高度赞扬,刊发在12月15日《新青年》第5卷第6号。该文在论述“亲子之爱”时就直接引用了津田左右吉的话,曰:“日本津田左右吉著《文学上国民思想的研究》卷一说,‘不以亲子的爱情为本的孝行观念,又与祖先为子孙而生存的生物学的普遍事实,人为将来而努力的人间社会的实际状态,俱相违反,却认作子孙为祖先而生存,如此道德中,显然含有不自然的分子。’”以此来说明自己的主张:“祖先为子孙而生存,所以父母理应爱重子女,子女也就应该爱敬父母。这是自然的事实,也便是天性。”③而《平民的文学》刊载在1919年1月19日的《每周评论》第5号上,这篇文章中虽然没有直接出现津田左右吉的名字,但是其思路显然受到这本书的影响。如他所言平民文学与贵族文学的区别、平民文学的特点等,都可以从该书中找到相关的线索。这两篇文章作为周作人当时主张“人道主义文学”的代表作,收录到其自编的《艺术与生活》一书中,也是排在该书的最前面,从中也最能窥见作为

---

① 《周作人日记(影印本)》中册,第243页。

② 同上,第392、418页

③ 钟叔河编:《周作人文类编③·本色》,湖南文艺出版社,1998年,第38页。周作人:《艺术与生活》(止庵校订·周作人自编集),北京十月文艺出版社,2011年,第17—18页。

思想家和文艺理论家的周作人的面貌。①

《神代史之研究》是1924年2月出版的，周作人7月就买到了。这与周作人当时在翻译《古事记》有关。② 1921年3月作《日本的诗歌》一文时就注意到“日本最古的歌，有《古事记》中须佐之男命的一首短歌”，1924年底开始翻译《古事记》，1926年2月发表的《汉译〈古事记〉神代卷引言》已经充分吸收了《神代史之研究》的思想，并给予高度评价，视为具有“在古典研究上可以说起了一个革命”的意义的著作之一。他说：

> 日本自己有“神国”之称，又有万世一系的皇室，其国体与世界任何各国有异，日本人以为这就因为是神国的关系，而其证据则是《古事记》的传说。所以在有些经国家主义的教育家炼制成功的忠良臣民看来，《古事记》是一部“神典”，里边的童话似的记事都是神圣的，有如《旧约》之于基督教徒，因为这是证明天孙的降临的。……十多年前日本帝国大学里还不准讲授神话学，当初我也不明白是什么缘故，后来看夏目漱石集中的日记，才知道因为日本是神国，讲神话学就有亵渎国体的嫌疑了。就这一件事，可以想见这种思想是多么有势力。可是近年来形势也改变了，神话学的著作出版渐多，(虽然老是这两三个著者，)连研究历史与文化的也吸收了这类知识，在古典研究上可以说起了一个革命。做有四大厚册(尚缺一册，未完成)《文学上国民思想之研究》的津田博士在《神代史研究》上说，《古事记》中所记的神代故事并不是实际经过的事实，乃是

---

① 周作人晚年的回忆，对这篇《人的文学》也非常重视。他说：“‘五四’运动是民国以来学生的第一次政治运动，因了全国人民的支援，得了空前的胜利，一时兴风作浪的文化界的反动势力受了打击，相反的新势力俄然兴起，因此随后的这一个时期，人们称为‘新文化运动’的时代，其实也是很确当的。在这个时期，我凭了那时浪漫的文艺思想，在做文学活动，这所谓浪漫的思想第一表现在我给《每周评论》所写而后来发表在《新青年》上的一篇《人的文学》里边。”见周作人：《知堂回想录》(一三三 文学与宗教)，《知堂回想录》下(止庵校订・周作人自编集)，北京十月文艺出版社，2013年，第497页。

② 劉岳兵：「中国における『古事記』研究について——周作人の漢訳『古事記』を中心に」，NPO法人神道国際学会編集、発行『現代によみがえる『古事記』——『古事記』撰録千三百年記念』，2013年8月。

> 国民想象上的事实；后人见了万世一系的情形，想探究他的来源，于是编集种种传说，成为有系统的记载，以作说明。这个说法似乎很是简单，而且也是当然，但在以前便不能说，（当然现在也有些人还不以为然，）更不必说能保全文学博士的头衔了。人类学者鸟居博士新著《人类学上看来的我国上古文化》[①]第一卷，引了东北亚洲各民族的现行宗教，来与古代日本相印证，颇有所发明。……日本人容易看《古事记》的神话为史实，一方面却也有这样伟大之学术的进展，这一点是我们中国人不得不对着日本表示欣羡的了。[②]

对于《古事记》，周作人始终是侧重注意其文学性的方面，欣赏其"人情美"或"有情的人生观"，[③]当然这也是他浪漫的人道主义文学观的一种表现。

津田左右吉对周作人影响，[④]从一定意义上，也可以看成是中国"新文化运动"中的日本要素的一部分。周作人与其说是日本文化的研究者，不如说他是日本文化的鉴赏者更合适。那么学院派的日本史研究者，对津田著作的关注又如何呢？

1935年，中山大学姚宝猷教授[⑤]在国立中山大学《文史学研究所月刊》第三卷第三期发表了一篇《日本史的研究法及参考书目》的大作，该文可以说是民国时期中国日本研究最为周到的方法提示和最详细的参考书目。方法的提示方面，特别提及研究日本古代史时史料甄别和批判的重要性。他说："我们研究日本史应该注意的第二点，就是日本史籍所

---

① 1925年11月14日收到此书。见《周作人日记（影印本）》中册，第465页。

② 周作人：《汉译〈古事记〉神代卷引言》（1926年2月刊《语丝》65期），钟叔河编：《周作人文类编⑦·日本管窥》，湖南文艺出版社，1998年，第340—341页。

③ 周作人：《日本的人情美》（1925年1月刊《语丝》11期），钟叔河编：《周作人文类编⑦·日本管窥》，第11页。

④ 可参考赵京华的《周氏兄弟与日本》（人民文学出版社，2011年）及刘军的《日本文化视域中的周作人》（上海文艺出版社，2010年）的相关章节。

⑤ 姚宝猷（1901—1951），1924年毕业于广东高等师范学校（中山大学前身）文史系，1929年留学日本东京文理科大学攻读历史学，1933年回国，任中山大学文学院教授。主要著作有《日本近百年史》《日本帝国主义的特性》《中国丝绢西传史》等。

载的日本史，尤其是古代史，有许多虚伪不可靠的地方。”指出：“日本皇室的尊严，既然超乎真理之上，日本的历史，乃有许多神秘虚妄的地方……我们研究日本史若不注意到这点，处处抱一怀疑的态度，那就不免以讹传讹。反过来说，我们对于史料的选择，史籍的批判，和史实的考定，也就不致为彼邦御用学者的伪说所蒙蔽了。”①关于日本学者所著日本古代史研究的参考书目，他列举了如下 11 种：

(1) 神代史之研究　津田左右吉著

(2) 日本上代史研究　津田左右吉著

(3) 上代日本之社会及思想　津田左右吉著

(4) 古事记及日本书纪之研究　津田左右吉著

(5) 日本古代史(日本时代史第一、二卷)　久米邦武著

(7) 日韩古史断　吉田东伍著

(8) 古代之研究　田口卯吉著

(9) 由人类学上见的日本上代之文化　鸟居龙藏著

(10) 有史以前之日本　鸟居龙藏著

(11) 日本古代氏族制度　大田亮著

姚宝猷评价说：“以上各书，是近今日本学者所著古代史中之代表的名著，也是研究日本古代史必须阅读的良书。”②排在最先的津田的以上四种著作因为“津田事件”③都在 1940 年被日本内务省勒令禁止销售或

---

① 姚宝猷：《日本史的研究法及参考书目》，国立中山大学文史学研究所月刊三卷三号抽印本，1935 年 3 月，第 5、6 页。

② 同上，第 30—31 页。

③ “津田事件”是指日本右翼及法西斯主义者迫害津田左右吉的事件。津田的日本神话和古史研究，在精细的文献批判的基础上指出日本神话及早期天皇的许多记述不应该都视为历史上的真实史实，将其视为一种“思想上的表现”更为妥当。这种观点由于与官方的皇国史观及政府的“国体明征”运动相抵触，狂热的法西斯主义者认为津田的思想大逆不道，并于 1939 年 12 月以“不敬罪”起诉了津田左右吉。翌年，津田的相关著作被禁止发行，这些著作的出版者岩波茂雄也一同被起诉。1941 年开始公审，1942 年 5 月东京刑事地方法院对津田、岩波两位被告作出了有罪的判决。津田提出申诉，最终因官方的拖延超过了审理的期限，有罪的判决也就无效了。事件的详细经过参见家永三郎：《津田左右吉の思想史的研究》(岩波书店，1972 年)。

部分删除。关于学术、思想史专题方面，“津田左右吉著的表现于文学上的我国国民思想之研究”[1]也是重要的参考书目之一。可见津田的研究方法和著作得到了当时中国的日本史研究者的高度评价。

洪启翔[2]在1944年出版的《日本历史概论》的序文(署“民国三十一年四月序于陪都”)中，批判了以白鸟库吉为代表的日本东洋史学者在“科学的怀疑态度”的掩饰下，提高日本建国年代而降低中国历史年代是“根据其帝国主义的文化宣传政策来歪曲史实”。他指出：“这种歪曲中日历史年代的工作，日本帝国主义看得很重要，尤其在近年，如前几年日政府对于久已发行的津田左右吉所著关于日本书纪(日本伪古史)的几本研究著作(古事记及日本书纪之研究，日本神代史之研究，日本上代史研究等)忽然加以禁止发行。即系出于这种用意，而日本帝国主义学徒对于这歪曲历史年代的工作也确实下了不少功夫，如饭岛忠夫花费数年心血写一部《支那法起源考》巨著以证明中国古代关于天文历法知识，系来自西方之类，都可说是和这种用意相关联的。”[3]将津田左右吉作为反对帝国主义文化宣传的受害者，与他的老师白鸟库吉区别对待。序文的结尾指出：“这里所提出的年代问题只是一例，日本式的学者，借着科学研究的伪装来为其帝国主义作文化宣传的，不知其数。我们对于这些虚伪的别有用意的著作与言论，不但要谨防上当，且必须努力揭穿其真相。作者今兹发表这本日本历史概论，即是对于这项工作愿有所贡献。”这里涉及学术与政治的关系问题，这个问题不仅仅存在于当时的日本，也是一个具有普遍性的历史问题。

---

① 家永三郎：《津田左右吉の思想史的研究》，第52页。

② 洪启翔(1903—1988)，广东梅县人，1923年考入北京大学，1928年留学日本，先后就读于东京东亚学校和东京高等师范学校，1933年再留学日本。1943年由姚宝猷介绍，在国民党军委政治部任主办的军中文化工作研究班兼任日语讲师，讲授日本史地。1946年之后任广东文理学院、华南师范学院教授。主要著作有《古代中日关系之研究》等。

③ 洪启翔：《日本历史概论》(序)，国民图书出版社，1944年，第2、4—5页。北京图书馆编《民国时期总书目(1911—1949)历史·传记·考古·地理》(上，北京图书馆出版社，1994年)收录该书时介绍(第379页)：“卷首有作者序，批驳日本白鸟库吉、津田左右吉、饭岛忠夫等人的论点”，将津田左右吉与白鸟库吉、饭岛忠夫一视同仁，与原序的意思不符。

(二) 津田左右吉的中国史地研究成果在民国时期的反响

津田左右吉史学研究的一个重要特点是,无论是中国史还是日本史研究,都有通史的基础和整体的眼光,而且中国史与日本史同时兼治。如早年在白鸟库吉的指导下编写西洋史教科书(1895 年开始),从而对世界历史的整体动向有了大致的把握,在此基础上后来自己又撰写了《新撰东洋史》(1901 年出版)和《国史教科书》(1902 年出版)。通史性的宏观把握和具体的原典批判的结合,为津田史学这一近代日本学术思想史上的奇观奠定了坚实的基础。但是民国时期中国学术界对津田史学业绩的认识基本上局限于其片鳞只爪,对其中国史,包括中国的哲学思想史的研究业绩尤其如此。但是即便如此,我们也可以通过观察当时中国学术界一些具有代表性的研究者对津田左右吉关于中国史方面的著作及学术思想的反响探知学术史的相关细节,也可以感受到在中日关系的非常时期中国学者对这种学术交流的复杂心态。

1908 年,津田左右吉成为白鸟库吉负责的满鲜历史地理调查部的研究员,开始了他的中国史地研究。我们先来看看津田左右吉这方面的成果在民国时期的一些反响。寡闻所及,且将相关史实列举如下:

第一,据吕方编写的《吕思勉先生学术年表》记载,1921 年“翻译《勿吉考》,译自日本津田左右吉所撰《满鲜地理历史研究报告》(第一册)。”①

第二,据赵万里《王静安先生年谱》1927 年“编年文”记载:“箭内博士《鞑靼考》译文、津田博士《辽代乌古敌烈考》译文、津田博士《室韦考》译文,以上均三月译,见《观堂译稿》。”②

查《王国维全集》第十四卷《鞑靼考》一文,有编者题注曰:“此文写成于一九二五年十一月,次年六月刊《清华学报》第三卷第一期,并附刊于《蒙古史料校注四种》后,其大意译为英文载当年《中国科学美术杂志》

---

① 吕思勉:《秦汉史》,商务印书馆,2010 年,第 878 页。

② 谢维扬、房鑫亮主编:《王国维全集》第 20 卷,浙江教育出版社,2010 年,第 481 页。

(上海出版)六、七月两号。后经修改,复写定于一九二七年五月十四日,稿本今藏中国国家图书馆。《遗书》本《观堂集林》(二十四卷本)卷十四所收即此修订本。"[①]《鞑靼考》《蒙古史料校注四种》刊行后,神田喜一郎先后于1926年获赠,从神田喜一郎在1926年7月、9月给王国维的信函中可以知道。[②] 羽田亨在《史林》第11卷第4号(1926年10月)发表文章,对《鞑靼考》进行介绍与评价。[③] 王国维读到此批评文章[④]和"由友人展转借得"的《满鲜历史地理研究报告》数册,读到了日本学者的相关论文,不仅自己翻译了箭内的《鞑靼考》和津田的《辽代乌古敌烈考》及《室韦考》,还对旧作进行了修订改写,并在自己新修改的《鞑靼考》中对箭内亘的成果作了回应,一方面肯定"其说良是",同时又对其"谓山阴鞑靼出于沙陀,乃突厥人种,与漠北鞑靼之属蒙古人种者全非同族",即"对箭内博士之二元论"表示"宁主张一元论,以唐之鞑靼、辽之阻卜名称之统一,非是无以解释之故也。"[⑤]

在新改写的《蒙古考》[⑥]所引《唐书·北狄传》史料的案语中提到津田左右吉:"混同江之北源为嫩江,即《魏书·失韦传》之'难水',此传之'那河',《元朝秘史》之'纳浯河'也。而此那河在忽汗河前,忽汗河者,今之呼尔咯河。然则此传之那河,非谓其下流之混同江,而谓其上流之嫩江也。然额尔古讷河与嫩江实不相通,故日本津田博士左右吉勿吉、渤海诸考以此传所记为出传闻之误,其说是也。然则望建河只是额尔古讷河

① 谢维扬、房鑫亮主编:《王国维全集》第14卷,第249页。

② 马奔腾辑注:《王国维未刊来往书信集》,清华大学出版社,2010年,第82—83页。

③《羽田博士史学论文集》上卷历史篇(《读书漫录》中),东洋史研究会,1957年,第534—537页。

④ 王国维致藤田丰八函(1927年3月5日稍后):"去岁读羽田博士拙著《鞑靼考》之批评"。谢维扬、房鑫亮主编:《王国维全集》第15卷,第905页。

⑤ 谢维扬、房鑫亮主编:《王国维全集》第14卷,第252、258页。

⑥"此文原题《辽金时蒙古考》,写成于一九二五年十二月,次年刊于《学衡》杂志第五十三期。八月,复附于《蒙古史料校注四种》印行。一九二七年五月八日修改写定,易名为《蒙古考》,收入《遗书》本《观堂集林》(二十四卷本)卷十五时改此名。"见《王国维全集》第14卷,第284页。

之古名，不兼黑龙江、混同江言之。”①

王国维为津田左右吉的《室韦考》一文，特作《黑车子室韦考》一文，据《王国维全集》编者所言：“此文从王氏所作《鞑靼考》中摘出，据中国国家图书馆藏《鞑靼考》手稿本批语，知其写定于‘丁卯四月’，即一九二七年五月。原载《遗书》本《观堂集林》(二十四卷本)卷十四。”此文开篇即曰：“丁卯暮春，从友人借得日本文科大学所印《满洲朝鲜历史地理研究报告》，中有津田博士《室韦考》，谓：‘室韦本部，自后魏讫唐并在今嫩江流域，而唐人并兴安岭西即呼伦泊西南诸部族皆呼之曰‘室韦’，盖本之室韦本族部人之言，而非诸部族之所自称者。’其说甚精辟，独不及黑车子室韦及其南徙事，因补著之。”②

王国维所译津田左右吉《室韦考》及《辽代乌古敌烈考》具体情况如何，试举几例如下，以窥一斑：

1.《室韦考》原文：「冊府元龜巻九七　によれば唐代に於ける室韋の朝貢は貞観三年に始まりてそれより絶ゆることなく會昌年間に及べるが、かく唐初より殆ど唐末まで連続来朝せるものは単に室韋とのみ記されて何れの部族なるかを示されず。」③

译文：“据册府元龟卷九七九，室韦自贞观至会昌朝贡不绝，大都单称室韦，不冠以何部族。”④

按：此处译文“卷九七九”(卷九七九为“外臣部·和亲二”，记事从“唐高宗永徽三年”开始)误，原文“卷九七”(外臣部·朝贡三)正确，该卷载：贞观三年，“室韦遣使贡丰豹貂，自此朝贡不绝。”⑤

2.《室韦考》原文：「唐書に室韋を「北至于海」と記せるをも参照すべし。ただ新唐書に達姤を「室韋種也」と記し、」⑥

---

① 谢维扬、房鑫亮主编：《王国维全集》第 14 卷，第 285—286 页。

② 同上，第 372 页。

③《津田左右吉全集》第十二卷，第 47 页。

④ 谢维扬、房鑫亮主编：《王国维全集》第 19 卷，浙江教育出版社，2010 年，第 676 页。

⑤(北宋)王钦若等编：《册府元龟》第十二册，中华书局影印，1960 年，第 11397 页。

⑥《津田左右吉全集》第十二卷，岩波书店，昭和 39 年，第 55 页。

译文:“唐书言‘室韦北至于海’亦如此耳。但新唐书云‘达姤,室韦种也’。”①

按:查中华书局点校本《旧唐书》卷一百九十九下·列传第一百四十九下,原文为:“室韦者,契丹之别类也。居猺越河北,其国在京师东北七千里。东至黑水靺鞨,西至突厥,南接契丹,北至于海。”②

3.《辽代乌古敌烈考》原文:「遼史卷九四耶律世良伝に開泰二年世良が耶律化哥と共に辺部の命に拒みしものを討ち、安真河に至りて大に之を破りしかば辺境是より寧しとの記事あり」。③

译文:“据《辽史·耶律世良传》:‘开泰初,边部拒命,帝即命化哥益兵,与世良追之。至安真河,大破而还。’”④

按:津田原文非直接引用,为日文意译。译文变成直接引语,原来是对原文的跳跃式引用,最后一句“自是,边境以宁。”漏译。查《辽史》原文为:“开泰初,因大册礼,加检校太尉、同政事门下平章事。时边部拒命,诏北院枢密使耶律化哥将兵,以世良为都监,往御之。明年,化哥还,将罢兵。世良上书曰:‘化哥以为无事而还,不思师老粮乏,敌人已去,焉能久守?若益兵,可克也。’帝即命化哥益兵,与世良追之。至安真河,大破而还。自是,边境以宁。”⑤

第三,金毓黻的日记《静晤室日记》及著作《渤海国志长编》中的相关记载。

1. 日记民国二十一年四月二十二日记载:“日本津田左右吉作《渤海考》,考证天门岭甚详。余所引《新唐书·安禄山传》之语,彼亦引之,人言已先于我,深佩其读书之多。惟彼只引《通鉴》,不言采自《新唐书》,尚

---

① 谢维扬、房鑫亮主编:《王国维全集》第19卷,第682页。

② (后晋)刘昫等撰:《旧唐书》,《二十四史》缩印本第11册,中华书局,1997年,第1366—1367页。

③《津田左右吉全集》第十二卷,第110页。

④《王国维全集》第19卷,第689页。

⑤ (元)脱脱等撰:《辽史》,《二十四史》缩印本第17册,中华书局,1997年,第356页。划线部分为王国维译文所引。

不如余寻见本源也。"①

2. 民国二十四年四月九日:"津田左右吉氏《安东都护府考》,诚胜于《满洲历史地理》所说,然检索古籍尚未能尽,余拟别撰一文以补津田氏之所未备。又,津田氏不信有辽东新城,与余说合,诚为卓见。"②

3. 民国二十四年五月六日:"近思撰三文:一曰《唐代安东都护府考》,向者津田左右吉氏撰此文,而未甚详,故拟广搜文献而详考之,以弥津田氏之阙。"③

4. 民国二十五年十二月十一日:"读津田氏《室韦考》,谓难河即今嫩江,实获我心。屠敬山亦有此论,然不若津田氏之理证昭晰也,读毕为之一快。"④

5. 民国二十六年一月四日:"方壮猷撰《东北史纲》第二卷有《安东都护考》,取材颇富,大抵以日人津田左右吉所撰《安东都护府》为主,又辅以他种之史料,既有条理,更多创获。余撰《史稿》亦至此题,于其取材之外,不能再有所得。其为方氏所未及者,仅《唐会要》'开元十一年,安东都护府却归燕郡平州,依旧置'一条耳。"⑤

6. 民国二十六年一月六日:"方壮猷君所撰《安东都护府考》,悉以津田氏之文为蓝本,殆等于译作,别无新组织之可言。谓咸亨元年移府于辽东州一段,津田氏未曾考及,此为差强人意。"⑥

7. 金毓黻《渤海国志长编》(1934 年 5 月 1 日"印竣,装成样本一帙"⑦)第九册"渤海国志长编附录二·征引书录"中,有《满洲历史地理》和《满鲜历史地理研究报告》。对后者的案语为:"案此书第一册刊于大

① 《金毓黻文集》编辑整理组点校:《静晤室日记》(全十册),第四册,辽沈书社,1993 年,第 2813 页。
② 同上,第五册,第 3557 页。
③ 同上,第五册,第 3823—3824 页。
④ 同上,第五册,第 3940 页。
⑤ 同上,第五册,第 3954 页。
⑥ 同上,第五册,第 3955 页。
⑦ 同上,第五册,第 3302 页。

正四年，嗣后续有刊行。据其例言云，此为提供南满洲铁道会社研满洲及朝鲜地理历史之结果。观其内容多为松井等、箭内亘诸氏之作。此盖为撰《满洲历史地理》一书时所集之资料而又加以整理者也。其第一册有津田左右吉氏《渤海考》一篇。”①

有意思的是鸟山喜一(1887—1959)的著作《渤海史考》(1915 年 10 月作为“奉公丛书”的一册由奉公会发行)翻译成中文之后，作者变成了津田左右吉，以至于“津田左右吉著”《渤海史考》(陈清泉译，上海商务印书馆 1929 年 6 月初版)这本书在中国流传半个多世纪而未有人提出质疑。②

(三) 津田左右吉的中国思想文化研究成果在民国时期的反响

1920 年 4 月津田左右吉受聘为早稻田大学文学部教授，同时讲授(日本)国史和东洋史，1922 年以论文《上代支那人の宗教思想》获得博士学位。后来其研究的重点逐渐转向了东洋思想(中国哲学)。这方面的著作在民国时期的影响似乎不大，但是也有可圈点之处。如《顾颉刚日记》中 1930 年 11 月 19 日记载：“予作《太一考》，自谓创见，今日润孙(即牟润孙——引者注)持大正十四年出版之《白鸟博士还历纪念东洋史论丛》来，其中有津田左右助之《太一》一文，则固余之所欲言者也。虽材料不及余所集之多，而早余五年发现此题，殊为可畏。”③

值得稍费笔墨的，是 1925 年 4 月津田左右吉在《东洋学报》第十五卷第一号发表的《儒家と道家との交渉について》一文，1926 年 1 月该文由李继煌④翻译成汉语在上海商务印书馆以《儒道两家关系论》的书名出

---

① 金毓黻：《渤海国志长编》册九“渤海国志长编附录二・征引书录”，辽阳金氏千华山馆，1934 年，第 16 页。

② 详见刘岳兵：《中译本〈渤海史考〉的作者》，《读书》2015 年第 4 期。

③《顾颉刚日记》第二卷(1927—1932)，台北：联经出版事业股份有限公司，2007 年，第 461 页。

④ 李继煌(1891—1960)，苗族，湖南省绥宁县人。1913—1922 年留学日本，1925 年任上海商务印书馆编辑，1926 年后先后任教于湖南省立第二师范、长沙一中、常德中学、常德三中等校，新中国成立后，一直在湖南省文史馆任文史委员。编有《古书源流》(1926 年上海商务印书馆)等。

版单行本，收入王云五主编的“国学小丛书”，1928 年 7 月再版。1930 年 4 月又收入“万有文库”出版，又有 1933 年 4 月及 1934 年 1 月的国难后第一版、第二版（“国学小丛书”）。① 从该书的多次再版重印，可以推测其在当时流传之广。

众所周知，胡适的《中国哲学史大纲》（卷上）1919 年出版之后，梁启超 1922 年 3 月 4 日、5 日下午为北大哲学社作了题为《评胡适之中国哲学史大纲》的讲演，这就是民国时期儒道关系之争的滥觞。4 日下午讲老子之可疑，在场的钱玄同当时也觉得“此说极有价值”，②而胡适本人虽然不服，但不得不承认“《老子》一书是战国之末的出品”一说“也有讨论的价值”。③ 此讲稿于同月 13—17 日刊发于《晨报副镌》，11 月又刊登在《哲学》第 7 期上，又收入同年商务印书馆出版的《梁任公学术讲演集》，可谓影响甚广。梁启超虽然提出了儒道关系、老子其人其书的一些基本观念，但是学界的意见并没有很快统一，也没有系统的论著马上出现。或许正是因为这个原因，津田左右吉刚刚发表不久的这篇系统论述儒道关系的大作很快就被翻译成中文出版，而且不断重印再版，也印证了日本的史学研究的确很有成绩。

马叙伦发表于 1933 年 5 月《哲学论丛》第一集的《辩〈老子〉非战国后期之作品》一文正文前有一段小序，说到：“余于中华民国十三年，曾为《老子覈诂》一书……七八年来，时贤对于老子之疑问日甚，其重要者谓《老子》乃战国后期之作品。不独国人然，日本人研究老子者亦然；国人且每袭日本人之议论而引申之。”④这里所说的“国人且每袭日本人之议论而引申之”的说法不知其“日本人之议论”具体何指，但是“袭而引申”的确可以作为一种“示范性的影响”的表现。不过在论著中标明所袭何

① 北京图书馆编：《民国时期总书目（1911—1949）哲学·心理学》，书目文献出版社，1991 年，第 62 页。

② 杨天石主编：《钱玄同日记（整理本）》上，北京大学出版社，2014 年，第 397 页。

③《胡适全集》第 29 卷（1922 年 3 月 6 日日记），安徽教育出版社，2003 年，第 532 页。

④ 罗根泽编著：《古史辨》第六册，上海古籍出版社，1982 年影印再版，第 526—527 页。

自且从正面引申说明《老子》乃战国后期之作品的，真是不好发现。只检出一例，即张寿林的《老子〈道德经〉出于儒后考》(1927 年 11 月 18—21 日，《晨报副刊》第 74 期)，该文第五部分的标题为"就思想以证《道德经》出于孔子之后"，开始就写道："日人斋藤拙堂著《老子辨》五篇，就思想方面以证老子《道德经》之出于《孟子》之后，其说甚精。我邦梁任公氏近作《儒家哲学》文，即从其说。"①《儒家哲学》且另当别论，斋藤拙堂(1797—1865)的名文《老子辨》确实很流行。《老子辨》收录于明治十四年(1881)其门人中内惇编辑的《拙堂文集》第四卷，又被选入不断再版的《今世名家文钞》(月性编，1885、1911)。其所谓"论道莫大于语孟，纪事莫治于左氏。皆不少概见。而读见于史迁之书，是知老子非春秋以前之人，比不先于孟子。"②等的确常常被"袭而引申"。

津田左右吉的《儒道两家关系论》也可以在《古史辨》中找到，却是为了批评而引用。黄方刚《〈老子〉年代之考证》(《哲学评论》第二卷第二期，1930 年 7 月)中的相关论述即为一例。他说："日本有津田左右吉者，著《儒道两家关系论》(李继煌译述)，创言《老子》书并老子人都是庄子所假造，其意盖欲用以解释其所谓儒道之冲突也。此种先存己见以解释事实之方法是否适当，已成问题，若单就此问题之原料言之，更属可笑。"③所谓"创言《老子》书并老子人都是庄子所假造"，并非津田左右吉《儒道两家关系论》中的观点，这应是黄方刚的误解。津田是要通过从孔子到孟子、老子、荀子，进而到庄子，再到汉儒的思想发展脉络，解释儒家与道家两家学说发展的内在关联。这种学术思想史的梳理其实是非常有意义的。如果说津田所言老子在孟子之后、荀子之前的说法比较常见，那

① 罗根泽编著：《古史辨》第四册，第 330 页。

② 斋藤拙堂：《拙堂文集》第四卷，中内惇编，斋藤氏藏版，1881 年，第 29 页。

③ 罗根泽编著：《古史辨》第四册，第 377 页。

么他的关于《老子》中也隐含有儒家思想的因素、[①]《荀子》也有《老子》的思想要素[②]的论述应该说是很精辟的。

至于说津田的论说方法是否是"先存已见以解释事实"，这种批评应该说是非常尖锐，也值得重视的。津田在文章的结尾处有一个自问自答，很耐人寻味。他写道："儒家这样采用道家之说，其中难道没有什么特殊的内面理由么？对于这个疑问，著者则以为前此曾经道及的中国民族性，或当为其主因。"他分析这种民族性的特征是"从那中国的自然地理上的情事及以这情事为基础而形成的社会组织与政治状态所生出来的长久间民族生活的因袭，致使一般民众对于广阔的公共生活没有了兴味。"又说："在人生观上，则满足于天与的命运，不论怎样的环境，都打算顺应，而于其间，谋保其生，……我们若知道，这便是中国人么，那么，道家从那极度主观的态度一转，并述说将自己放到外界与物同化的，便也就知其甚能与之相应了。"[③]这样，他对中国的态度和研究中国的方法，也可以从上述这些论述中找到一些端倪。在这篇文章发表的同时，他在日记中也流露了一种看似无奈的心绪："长期以来只顾处理中国的材料，而且一味强词夺理，连自己都不满意。（中略）要找理由的话，这也是一种病态的癖好，一种职业特点。"[④]他承认"知识的根底中有意志是心理上的

① 如《儒道两家关系论》中指出："《老子》虽则反对儒者之道、反对教、反对圣人，顾他犹未能绝弃道、教和圣人的观念；而且就是那以圣人为王者的想法，见于孟子的那种思想，也还是继承着；或者，并且一面反对儒者的道德，一面仍旧是舍不得丢他；是这种情况，于是乎《老子》之言遂不得不成为一种 paradox 了。"（1934 年 1 月国难后第 2 版，第 24 页。）又如："《老子》之说，虽则反对儒家的教化主义，而不能不说他仍旧是继承着其思想，他以为民是当服从于王者或圣人之化的之一事，实同于儒家。"（1934 年 1 月国难后第 2 版，第 37 页。）

② 如："荀子者，一方乃是将儒家传统的精神——惟在孟子则比较的不为所重——之教化主义，更加上一层发挥，同时，在他方，则为其教化主义之一侧面的礼乐人为说及关于天的思想上，其所受于《老子》的赐实多，故即就性恶说的根据论，而其对于人生之实际的观察，也是和《老子》有其共通之点；又其全体思想之为功利主义之一事，而两者也可以说'其轨一也'咧。"（1934 年 1 月国难后第 2 版，第 44 页。）

③ 津田左右吉：《儒道两家关系论》（李继煌译），上海商务印书馆，1934 年 1 月国难后第 2 版，第 64—66 页。

④《日信》（1925 年 4 月 13 日夜），《津田左右吉全集》第 27 卷，岩波书店，1965 年，第 3 页。

事实。”①对他自身而言，这是一种什么样的意志？这种意志是如何逐渐形成的？这无疑是一个值得探讨的问题。

津田左右吉的《左传的思想史研究》一书后来再次在中国学界掀起波澜。这对于我们反思“知识的根底中”的那个“意志”的含义正好提供了一个例证。这本书是津田根据他1931年秋在东洋文库的“东洋学讲座”的讲稿补充修订，于1935年作为“东洋文库论丛”的一册出版的。在该书的前言中，津田详述了他的“研究方法”，即“首先根据批判有关《左传》的文献上的记载来思考其述作的时代，其次，根据追溯《春秋》的解释方式的历史变迁，阐明《左传》出现的相关情况。”具体而言，“第一，将《左传》中所述主要故事，一一与《春秋》经的记载、《孟子》、《荀子》、《韩非子》、《吕氏春秋》、《公羊传》、《穀梁传》、《韩诗外传》、《淮南子》、《史记》、《汉书》、《管子》、《说苑》、《新序》、现存的《国语》等所见同样主题的故事进行比较，而且与从战国时代到前汉末年的政治史及思想史上的事实加以对照，思考其变化与发展的途径，来观察《左传》在其中具有怎样的历史地位。由此，第二，如上所述的许多故事及其由此而构成的《左传》整体结构所表现的《左传》的思想及产生这种思想的社会政治状况、其形成的途径与历史地位，对这些进行考察，是研究的核心。以上两个方面的考察自然与最初所用的方法完全不同，通过对《左传》内容本身的探讨来了解其述作的年代。最后研究作为春秋传的《左传》的特质以及《左传》的思想与其述作时代的儒教的关系，也可以观察春秋经的性质及其述作时代。因此，这一研究有助于了解以下问题，即将《左传》的记载作为史料来看时，它可以作为关于什么时代、什么内容的史料？上代的中国学者是从怎样的心理、以怎样的态度来树立自己的主张、对待古典或古传说的？”②而研究的结果，他认为“《左传》的述作年代是在前汉末期”，这个结论虽然未必是新

① 《日信》(1926年1月9日)，《津田左右吉全集》第27卷，第156页。
② 津田左右吉:《左傳の思想史的研究》(まへがき)，《津田左右吉全集》第15卷，岩波书店，1964年，第3—4页。

的，但是他强调得出此结论的思考方式与内容与此前的不同。①

该书出版前后，中国学者罗倬汉正好在东京留学，他在《史记十二诸侯年表考证》自序中说："民国二十五年春，予在东京，适津田左右吉氏《左传思想史研究》出版，以儒学磅礴，会于炎刘；伪文剽窃，综于左传。钜册煌煌，取子史偶关左传文句者，影附曲证，排比先后，翻果为因。加之思想奔流，格于断代；儒门广博，划以范畴。构主观之系统，乃驰骋于无方。遂使子虚儒者，多窃史记之文；肓左全书，伪成西汉之末。春秋十二公，皆为假名；中华三千年，本为朴野。纵笔浩荡，汗漫无归矣。"为了批判津田的研究方法与结论，罗倬汉先后写成《左氏私学论考》《史记十二诸侯年表考证》。对前者，上述自序中说："予于是作《左氏私学论考》，会通经子，究私学之源，穷儒术之变。知左氏为书，观其典礼，决不待五经立学而始著。"对后者，该自序中接着说："继念思想进程，虽有其序，概念非实，共见难期。溯左氏著录，始于太史。十二诸侯年表，明言左氏春秋，则表之所据，必有攸在。予于是校读史表，得表之据左者数百条，视他书不啻倍蓰。而春秋编年，贻于左氏，左氏书法，于马迁，跌荡昭彰，更无掩饰。此史公明见今本左氏，不可诬也。"②在此基础上，罗倬汉对津田的左传研究方法与结论进行了整体批判，即由于其"翻果为因"的手法，其结论"皆由心造"，不可能保持公正客观。他直言"津田氏力翻旧案，著书五十万言，以证《左传》非史官所遗，皆由心造。彼以其极研东北史之风力，近年萃精于中国古史，集东洋文库之学者，一唱百和，蔑我文明，谬种流传，吾为此惧。"进而告诫学界："若以学术之公言，沦为民族之嫉恨，小智自私，贼彼大道，此予所为眷顾前程，睊睊然悲也。"③"以学术之公言，沦为民族之嫉恨"的历史教训，在近代中日学术史和中日文化交流史上留下了惨痛的记忆。回顾、分析和揭露这种"小智自私，贼彼大道"的例子，对于我们反思历史、总结经验教训，无疑具有重要的意义。

---

① 津田左右吉：《左傳の思想史的研究》，第 4 页。

② 罗倬汉：《史记十二诸侯年表考证》自序（1940 年 11 月 17 日），重庆：商务印书馆，1943 年，第 1 页

③ 同上，第 2 页。

（本文根据2015年1月7日在日本早稻田大学的特别研究集会“津田左右吉的人文学与中国”上的报告修改而成。此会由（日本）私立大学战略性研究基础形成资助计划“近代日本的人文学与东亚文化圈”（早稻田大学）研究团队“早稻田大学与东亚——直面人文学的再生”主办，感谢该会议组织者早稻田大学文学学术院新川登龟男教授及渡边义浩教授的关照。原文刊登在《文献》2017年第2期，发表时有删节。）

三　民国时期“日本马克思主义”研究著作在中国的影响——为思考“马克思主义中国化”提供一些参考资料

新世纪十年来，“日本马克思主义”再次引起学界关注，从南京大学张一兵教授主持的“广松哲学系列”翻译到清华大学韩立新教授主持的“日本马克思主义译丛”，他们共同的目的，就是想向中国学术界，主要是向国外马克思主义学界推荐一个新的学术前沿领域。虽然他们对这一领域的命名不一样，或曰“日本马克思主义”，或曰“日本新马克思主义”，但都是指20世纪60年代日本出现的以广松涉、望月清司和平田清明等人为代表的一个新的马克思主义研究群体，张一兵主张用“日本新马克思主义”这一称呼，是为了突出自觉地把自己区别于“苏联东欧马克思主义”以及日本正统马克思主义“教义体系”即日共马克思主义学者的学说的重大意义。[①] 而韩立新明确主张“日本马克思主义”作为一个独立的马克思主义流派，诞生于20世纪60年代，并总结出日本马克思主义的三个特点，即重视文献考证和原始文本解读的“学术性”、横跨多种学科领域的“综合性”以及丰富和敏锐的“时代感觉”，呼吁“尽快在我国确立起一个日本马克思主

① 张一兵、韩立新：《是“日本马克思主义”还是“日本新马克思主义”？——关于日本马克思主义的学术定位的对话》，《中国社会科学报》2010年3月25日、4月6日。

义范畴。"①由此,学界也开始关注:"日本马克思主义"能否在我国的马克思主义研究中像"西方马克思主义"那样,构成一个独立的学术范畴?

日本马克思主义在新世纪中国学界引起关注,这与中国学界在新的历史时期认识到马克思主义研究需要深化、需要从原始文献出发加强学术性研究等动向是紧密联系的。实际上,中国的马克思主义在形成时期,很大程度上就受到了日本马克思主义的影响。日本马克思主义在中国并不是一个新名词,上述对20世纪60年代出现的日本马克思主义的特点的总结,事实上也适应于此前半个世纪就出现的日本马克思主义,比如对原典的重视,日本的马克思主义者从1927年到1935年由改造社翻译出版了27卷本《马克思恩格斯全集》。由于二战之前马克思主义在日本作为一种"反抗的哲学"而受到帝国主义的打压,所谓"日共马克思主义"常常处于分化状态,很难说什么是日本正统马克思主义"教义体系",到二战结束之后才"作为一种理论和意识形态"在日本取得合法的地位。回顾一下民国时期中国学界所受日本马克思主义的影响及对它的批评,不仅有助于我们理解中国马克思主义的形成,而且对于认清民国时期中国学界对同时代日本思想研究的状况也不无裨益。

1926年6月6日《民国日报》副刊《觉悟》上发表汉俊《研究马克思学说的必要及其我们现在入手的方法》一文,其中提到(书名后的数字为引者所加):

> 在我们中国,现在关于马克思学说的书很少,我们将所有的照易难的次序分别列出来罢:
>
> 关于全豹的:
>
> 一、近世经济思想史论(河上肇著,李培天译)①
>
> 二、共产党宣言(马格斯、安格尔斯合著,陈望道译)②
>
> 关于唯物史观的:
>
> 一、唯物史观解说(郭泰著,李达译,中华书局发行)③

---

① 韩立新:《"日本马克思主义":一个新的学术范畴》,北京师范大学出版社"日本马克思主义译丛"总序。

二、经济史观(塞利格曼著,陈石孚译)④

三、社会主义与进化论(高畠素之著,夏丏尊、李继桢合译,新时代丛书社)⑤

四、达尔文主义与马克思主义(新时代丛书社)⑥

关于阶级斗争的:

一、阶级斗争(柯祖基著,恽代英译,新青年社发行)⑦

关于经济学说的:

一、马克思资本论(马尔西著,李汉俊译)⑧

二、工钱劳动与资本(马克斯著,袁让译)⑨

三、马克斯经济学说(柯祖基著,陈溥贤译)⑩,此外还有高畠素之著李达译的社会问题总览⑪,和生田长江、本间久雄合著周佛海译的社会问题概观⑫里面,也有关于马克思学说的部分叙述,也可以作我们研究的参考。

上面提到12种书籍,其中①⑤⑪⑫四种的作者是日本人,占了三分之一。再仔细调查,其中⑧是上海新文化社1920年出版的,转译自日本人远藤无水翻译的《通俗马格斯资本论》(东京:文泉堂1919年出版),⑩是上海商务印书馆1922年出版的,乃转译自高畠素之的日译本《马克思资本论解说》(东京:大镫阁1920年版)。②③是参照堺利彦的日译本翻译的。该文作者李汉俊(1890—1927)是中国共产党的创始人之一、中共一大的代表,1921年7月23日,中国共产党第一次代表大会就是在上海法租界李汉俊的家里召开的。他曾经留学日本,毕业于东京帝国大学,在日本接受了马克思主义,是早期中国马克思主义理论家的重要代表。由于与陈独秀、张国焘在一些问题上的意见分歧,他后来虽然脱离了中国共产党,但是如上文标题所示,仍然坚持主张研究马克思学说的必要。由上文可见,在20世纪20年代,日本马克思主义的理论著作对中国马克思主义的形成起到了极大的作用。

中国共产党早期革命活动家施复亮(1899—1970),对介绍日本马克思主义著作也有重要贡献。他1920年6月在上海参加起草党纲,参与筹建中国共产党，并成为中国共产党最早的党员之一。不久，施复亮留学日本，担任东京共产主义小组负责人。1922年他也加入了国民党。国民革命失败后，1927年8月，施复亮宣布退出中国共产党。之后他作为民主人士从事教育与文化工作，抗战胜利后，积极参与“民主建国会”的筹建。他翻译有高畠素之的《马克斯学说概要》（1922年）、《资本论大纲》（1930年），有河上肇的《马克思的理想及其实现的过程》、栉田民藏的《唯物史观在马克思学上的位置》（以上两篇收入范寿康等译著《马克思主义与唯物史观》，上海：商务印书馆，1923年），有山川均的《资本制度浅说》（1926年）、《辩证法与资本制度》（1929年）、《工会运动底理论与实际》（1930年），有石滨知行的《唯物史观经济史 中册 资本主义经济史》（1929年），有福本和夫的《社会进化论：社会底构成及变革过程》（1932年）、永田广志的《现代唯物论》（与钟复光合译，1937年）等等。他的翻译是有选择的、主动的，他的思想由一个共产党员、一个马克思主义者而自愿变成一个“单纯的革命的国民党员”，是否与当时日本马克思主义的影响有关，也是一个值得研究的问题。

李达（1890—1966）在译介日本马克思主义著作方面也功不可没。除了上面提到的《唯物史观解说》（中华书局，1921年）、《社会问题总览》（同上）之外，他还合作翻译有《马克思主义经济学基础理论》（河上肇著，昆仑书店，1930年）、《社会科学概论》（杉山荣著，同上，1929年）等著作，以及山川菊荣的《劳农俄国之结婚制度》、《劳农俄国底妇女解放》、佐野学的《俄国农民阶级斗争史》等论文发表在《新青年》上，对促进马克思主义在中国的传播起了积极作用。

在20世纪二三十年代，中国对日本马克思主义论著翻译出版得最多的大概要数河上肇的著作，如温盛光译的《马克思主义经济学》（1928年）、陈豹隐译的《经济学大纲》（1929年）①、周拱生译的《唯物论纲要》

① 陈豹隐在该书跋文中提到该书的特点之一是“他所引的实例，都切近东方人的心理。……所以能够使东方读者格外容易领悟。”（转引自刘会军：《陈豹隐传》，吉林大学出版社，2009年，第194页。）关于陈译《经济学大纲》的影响，有学者指出：“这本书在国内发行后，其全面、系统、通俗、易懂的特点，大大超过了当时国内介绍马克思主义的其他书籍。因而，在30年代深受中国共产主义者的欢迎，许多当年的中共党员从这本书中系统地学习了马克思主义的经济学说，然后再进一步读懂了马克思、恩格斯的原著。”常裕如：《一生坎坷的经济学家陈启修》，孙迦成、林圃主编：《中国当代著名经济学家》，四川人民出版社，1985年，第306页。转引自刘会军：《陈豹隐传》，第194页。

(1930 年)、巴克译《唯物史观的基础》、郑里镇译的《唯物史观研究》、江半庵译的《唯物辩证法者的理论斗争》(1931 年)、江伯玉译的《马克斯主义经济学大纲》(1932 年)、邓毅译的《社会主义经济学》(1929 年)等等。除了上面提及的之外,值得注意的还有佐野学的《无神论》(林伯修译,1929 年)、《唯物论的哲学》(巴克译,1930 年),堺利彦的《辩证法的唯物论》(吕一鸣译,1927 年),河西太一郎、猪吴津南雄、向坂逸郎的《马克思经济学说的发展》(萨孟武、樊衷云、陶希圣译,1929),平野义太郎的《法律与阶级斗争》(萨孟武译,1930 年),猪俣津南雄的《金融资本论》(林伯修译,1928 年),户坂润的《科学方法论》(谭吉华译,1935 年),永田广志的《科学的历史观》(阮均石译,1937 年),大森义太郎的《唯物辩证法读本》(罗叔和译,1934 年;同年杨允修译)等等。日本马克思主义重要派别代表人物的著作,几乎都有中译本。还直接从日译本或参照日译本中转译了一些马克思主义的经典著作,比如上面提到的《共产党宣言》,程始仁根据河上肇的辑本编译的《辩证法经典》(上海亚东书局,1930 年,收入马克思、恩格斯、列宁著作十篇),恩格斯的《费尔巴哈论》(彭嘉生参考佐野文夫的日译本译出,上海南强书局 1929 年)、《反杜林论》(吴黎平据俄、日两种译本译出,1931 年由上海江南书店出版)等。

中国马克思主义形成过程中,除了中国社会自身的因素之外,日本、苏联和欧美马克思主义三方面因素的影响、特色及其具体作用如何,还是一个有待深入研究的问题。这个问题,杨瑞六(1885—1966)早在 1920 年 8 月就提到。他说:“今不数年,而马克思之名喧传于全国。上自所谓名士,下至初级学生,殆无不汲汲于马克思学说之宣播。其原因果何在乎?岂有此俄国多数党之胜利有以影响于我国之思想界乎?抑西欧工党社会党之活动直接传布于我国之青年学子而后波及于全国之人心乎?两者均不似也。俄国之革命虽哄动全世界,且据报告所传,中国工人有在俄组织军队者,有组织工党者,然窃观今日学界所用以鼓吹之文字,似不自俄国直接输入而来。此固易解,因国人习俄文者不多,俄国革命之真象且不易了解,而况乎革命之原因与其动机乎?至于西欧工党社会党之活动，固欧战停止后惹人注目之事，而当战时，则均闻其无声也。即最近事实亦不若我国鼓吹之甚。岂耶稣死于小亚而生于欧洲乎？或释迦死于印度而生于中日乎？我不信传播如是之速也。或以为我国近来每事取自日本，社会主义亦不过其一例耳。此说或可征信，盖日本近年来鼓吹社会主义，可谓空前大活动。"(《马克思学说评》，载《太平洋》2卷7号)由此可见，至少中国马克思主义形成初期，日本的影响是非常巨大的。中国学界在接受和吸收日本马克思主义的同时，与日本学界在1927年之后开始围绕明治维新及日本资本主义性质进行论争几乎同步，中国学界也开始出现了关于中国社会性质、中国社会史的论战，力图运用所学的马克思主义理论来分析中国的具体问题，或者认为马克思主义理论不适合中国的实际。而值得注意的是在1927年中国社会性质论战展开之前，以《孤军》杂志为阵地，以留日学生特别是京都帝国大学河上肇的中国学生，如杜国庠、王学文、萨孟武、周佛海、郭心嵩为核心从1923年到1925年进行长达两年之久的"经济政策讨论"。[①] 经过讨论，在理论上出现了分化，加上国民党的高压政策，一些早期的中共党员也出现了"转向"。当然这种转向与以佐野学等为代表的许多日本共产党员在20世纪30年代出现的"转向"有很大的不同，但是如果加以比较研究，也有耐人寻味之处。

当然，当时中国学界对日本马克思主义的介绍也有各种不同的立场，甚至不乏批评之声。比如有站在向日本学习的立场上介绍包括马克思主义者在内的日本当代思想家的，也有想通过介绍日本当时思想界的代表人物来推测将来日本的走向和前途的。前者如郑里镇的《介绍日本现代思想评论家》，[②]其介绍的目的，是有感于"日本自维新以来，为时不过数十年，而已列入一等强国，与欧美先进各国争雄。虽曰全系战胜我国及俄国之成果，然其各种科学文化之发达，实有不可轻视者。……反视我国，其如何乎？我国所谓大学问家也，有价值书也，既寥寥可数，而副其实者，

① 参见三田刚史：《留日中国学生论马列主义革命——河上肇的中国学生与〈孤军〉杂志》，《徐州师范大学学报(哲学社会科学版)》2005年9月。

②《新声》1930年第1、3—4期合刊、5期连载。

更少中又少，良可叹息。倘不急起直追，实事求是，借镜他人，取长补短，国家前途，殊为危险。日本现代之思想家评论家，容有尚不及欧美之进步，然较诸我国，实远出于其上。”其中介绍福本和夫时，指出他“为马克思主义之一主张者。其著作有《唯物史观与中间派史观》《社会之构成与变革之过程》《经济学批判之方法论》《无产阶级之方向转换》《理论斗争》等。其个人杂志《马克思主义旗下》已发行至六号，氏又为《马克思主义》杂志之一指导论客”。提纲挈领而且能够动态地把握其最新状况。

后者如高宗武以记者身份发表的《日本思想界最近代表人物》，①介绍了自己所关注的几位人物：佐佐弘雄、河上肇、大山郁夫、长谷川如是闲、山川均、土屋乔雄、有泽广巳、小船信三、高田保马。他认为“日本的社会，现在如何的变化，以及将来要走入如何的途径”，“当可由现在几位支配日本一般社会的思想家身上，推想出几分来。”如他介绍河上肇，一方面对他作为“研究马克思主义之极有权威者”充满敬意，说“他的唯物史观的讲义，把日本青年学子的热血，沸腾起来，一时日本青年中之醉心马克斯主义者，因之多讴歌河上博士。”指出“现在我国陈豹隐先生所译的《经济学大纲》，或者可以说是博士在此二十年中所研究出来之结晶品。”另一方面也提及河上肇“博士与大山郁夫因劳农党的问题决裂之时，大山公然批评他说：‘河上生平，都是书本工作，重理论而漠视实际，此其所以不能与我们合作的最大原因。’记者对于博士的批评，与大山氏的意见大同小异。博士今后的生命，恐怕依旧脱不了书本生涯。反动思想的风暴一过之后，博士仍旧不失其为日本思想界中心人物的地位，这是我敢预断的。”而在介绍“攻击马克斯学说之小泉信三”中写道：“他平日与土方成美、高田保马两博士站在共同战线，努力于批评马克斯的经济学，他们的意思想从理论方面克服马克斯经济学，以维持其现存的布尔乔亚经济学，但是虽以他们天生的聪明，和经年累月的努力，结果终不能移动如妖怪般可恐憎的马克斯经济学理论的毫发。在反方面来说，就是证明布尔乔亚经济学的破绽，同时是

① 《中央时事周报》1932 年第 1 卷第 5—9 期连载。

表现他们之无能力，这是我们很值得注意的一回事。”

此外，还有站在“三民主义”的立场上，分析日本马克思主义的成因、特点及其善导的方法。陈彬龢的《日本思想界的危机》一文，是他在上海东亚同文书院的讲演，由江汇益笔记，分两次刊于《新纪元周报》1929 年第 8 期和第 10 期。在第 10 期中我们可以看出他对日本社会主义思想与马克思主义思想的概括性分析。他说：“现在日本的流行思想是什么，那不消说自然是社会主义了。”接着他分析社会主义思想产生的原因，“在大战前后，日本的经济方面，已经逐渐趋于资本主义化；国内生产机关，发生为少数资本家独占的现象。至于政权，亦在军阀官僚的掌握内。资本家往往与政府狼狈为奸，因此政府所制定的法律，都与资本家有利，使富者愈富，贫者愈贫，造成社会不平的畸形状态。社会主义的思想，遂于此勃然而兴了。”而他明确指出所谓日本思想界的危机，就是指社会主义。他说目前日本的社会主义思想有左倾的倾向，赤色倾向逐渐明显。他认为“我们不能怪日本青年们信仰马克斯主义，我们应该怪日本容纳这种主义的思想和条件。所以问题的症结所在，并不是怎样的压迫马克斯主义的发展，而应该是怎样的从理论上求一可以相代的新信仰，一面满足社会改造的理论体系，一面安排国家建设的实际方针。”最后他表示：“鄙人敢‘不揣冒昧’地向各位介绍敝国孙中山先生的三民主义，这的确是世界最完备的主义，可以给贵国参考和模仿。不然若一味采取高压手段，表面上虽说排斥马克斯主义，而实际上反在帮助或促进马克斯主义的扩大，其前途的危险，真不少呢。”

而在民国时期能够将日本的马克思主义思想纳入到整个日本思想史的发展过程中加以定位的，还是朱谦之。他在 1931 年所发表的论文《日本思想的三时期》①中对日本思想史上第三时期“社会科学时期”的代表性思想家中的“社会主义派”作了比较详细的介绍。他说：“现在日本思想界最有影响的，确是那介绍辩证法的唯物论同情于布尔札维克革命的几

① 收入《朱谦之文集》第九卷，福建教育出版社，2002 年。

位思想家，如福本和夫、佐野学、大山郁夫等。他们前前后后一面从事实际的政党活动，一面专心著译。”并且举出三位代表辩证法、唯物论的代表加以分析批评，即福本和夫、河上肇和三木清。如他评价河上肇的《马克思主义经济学之基础理论》说：其“上篇论马克思主义的哲学基础，可算日文中关于历史唯物论的最好参考书了。但是河上氏因他始终带着理想主义的倾向（堺利彦也这样说他），其所谓唯物史观，究竟是否和马克思、燕格尔的唯物史观完全一致，很是问题。”并且还进一步论到其辩证法，他根据日本思想家土田杏村的批评，而对河上肇的“辩证法，是否真是唯物辩证法?”发生怀疑，又根据三木清对河上肇的批评，而感到“在我国思想界所认为日本数一数二的马克思主义者，他的辩证法的唯物论，也是不可靠极了。”但是他最后表示：“我很相信日本思想界在最近的将来，应该有个新的发展，只要日本思想不是‘开倒车’，便只有更彻底地倾向于实践与理论合一之真正唯物辩证法的革命思想了。”表现出来对这一派思想的同情。

中国学界对日本马克思主义的研究和介绍大体可以分为民国时期、新中国成立以来 60 年期间和 21 世纪以来的新时期三个阶段。在民国时期，中国对包括日本马克思主义在内的各种思想的研究和介绍，有各种不同的立场和出发点，可以说抓住了日本马克思主义的一些不同的侧面。但是总体而言尚不够深入，而且其批评，很大程度上受到日本学者的影响。但是有一点值得注意，就是那时的学者不论是否信奉马克思主义，大多能学术地对待，重视学理的研究，注意收集最新的研究成果与文献资料。如朱谦之 1929 年去日本留学，当时的中央研究院还可以给他一个“社会史观与唯物史观之比较研究”的课题，而他也不惜重资搜集历史哲学相关资料，他后来回忆说：“如列宁的《唯物论与经验批判论》，我现藏即有中苏英日四种版本，而山川均、大森义太郎的日译本，尚是我在 1929 年 7 月 9 日在东京岩松堂夜间购得，时距该书发行日尚差一日，是值得纪念的。”①新中国成立之后，中国的马克思主义的地位也经历从民国

① 《朱谦之文集》第一卷，第 176 页。

时期的“反抗的哲学”到新中国社会主义建设的“意识形态”的巨大转变。而新世纪以来，学界又开始大量地译介战后日本马克思主义论著，这为我们研究新时代的日本马克思主义提供了系统的文献资料。而重视文献考证和原始文本解读的“学术性”被视为日本马克思主义“作为一种独立的研究范式”的主要特点之一。这种从文献出发的科学态度，被认为对中国的马克思主义学者们“反省自己走过的和将走的道路”“一定是大有裨益的”。[①] 新世纪出现的日本马克思主义研究无疑表现出了中国马克思主义研究的新进展，如果具有民国时期相应的学术史视野，我们就能够对这一新进展的某些关联看得更加清楚。我相信这种新进展的重要成果，不仅对中国的马克思主义学者们大有裨益，而且对中国的日本学研究者也同样大有裨益。

附录一、增补参考资料

1. 据《游学译编》第三册（光绪二十八年12月15日发行）所载图书广告，其“觉民译书社豫告”中有“《现时之社会主义》，日本民友社编”（《游学译编》，“湖湘文库”编辑出版委员会影印本，湖南师范大学出版社，2008年，总页码第284页）的信息。

2.《民报》第二号（1905年11月，东京。中华书局2006年影印）发表蛰伸（朱执信）的《德意志社会革命家小传》，介绍马克思及其《共产党宣言》相关内容。（收入张枬 、王忍之编：《辛亥革命前十年间时论选集》第二卷上册，生活·读书·新知三联书店，1963年。）

3. 据张申府回忆，1920年8月，“对于建党一事，我们有了统一的认识，便开始分头活动。陈独秀热情极高，他说干就干，在上海首先找了一些从日本留学回来的人，其中有周佛海、田汉、李达等，还发展了当时在沪的施存统、沈雁冰、沈玄庐等。此外，陈独秀同胡汉民、戴季陶、张东荪等人也谈过此事，他们没有同意。由于陈的多方推动和组织，终于成立了上海共产主义小组。”（《所忆》，《张申府文

① 张一兵：《文献学语境中的广义历史唯物主义原初理论平台》，广松涉编注、彭曦翻译、张一兵审订：《文献学语境中的〈德意志意识形态〉·代译序》。

集》第三卷,第474—475页。)在另一处,他回忆自己在1920年11月间"再到上海准备赴法。""到上海后,我仍住在法租界渔阳里的陈独秀家里。这就是当时中国共产党筹备时期的中央所在地。这时在上海的党员,我所记得的除陈独秀以外,还有施存统、沈雁冰、杨明轩、沈玄庐、陈望道等。"(同上,第540页。)

4. 侯外庐:"廖梦醒精于日文,她曾花不少时间,拿我的译稿和高畠素之翻译的《资本论》进行核对。核对以后,她对我说:和日文版比较,中文意思表达得可以。这简简单单的一句话,对我来说胜过任何褒奖,我的信心由此倍增。"(侯外庐:《韧的追求》,生活·读书·新知三联书店,1985年,第23页。转引自杜运辉:《侯外庐先生学谱》,中国社会科学出版社,2013年,第24页。)

1932年初春,侯外庐受聘北平大学法学院教授,"该校教授先后有李达、陈启修(陈隐豹,1886—1960,四川中江人)、陈翰笙、许德珩(1890—1990,江西九江人)、章友江(章裕昌,1901—1976,江西南昌人)等人"。(杜运辉:《侯外庐先生学谱》,第31页。)

"日译本中高畠本,是根据第四版译的,我们自然也要参考。但对于河上宫川译本对于高畠本的改正处,以及二氏最近改造社版对于岩波文库版的自己的许多改正处,我们亦斟酌采用。老实说,在中国译书界不采用日译的用语的,实在鲜有,驯至大多数专门用语,都已日本化了。所以我们的翻译在便利上以及惯用上,都得求助于日译,甚而至于应该改正的名词,亦沿用一般的借用语,如'相对的阶级形态'与'等价形态',本可译为'价值的分见'与'价值的相分'。但我们为通俗计,仍沿用着前者。"(王慎明、侯外庐译:《资本论》第一卷上册"译者的话",北平:国际学社,1932年,第1—2页。转引自杜运辉:《侯外庐先生学谱》,第35页。)

"如果说,大革命时期,李大钊同志曾经是指引我学习马克思主义理论的老师,那么,从三十年代初开始,我已经把郭沫若同志看作是指引我学习和研究中国历史的老师。"(侯外庐:《韧的追求》,生活·读书·新知三联书店,1985年,第223—224页。转引自杜运辉:《侯外庐先生学谱》,第39页。)【马克思著:《政治经济学批判》,郭沫若译,上海:神州国光社,1931年12月初版。1932年再版。上海:言行出版社1939年5月重排出版(著者名译为“马克斯”)。】

5. 资本论的第一个中译本,是陈豹隐翻译的《资本论第一卷第一分册》,1930年3月上海昆仑书店出版。该书的原本虽说德文版的考茨基国民版第八版(1928年),但是参照了两个日文版(1927年河上肇、宫川实的岩波文库版和同年高畠素之的改造社译本),而且为了更好地理解《资本论》,译者还在译本前附有河上肇的《〈资本论〉在马克思经济学说上的地位》及他与宫川实所译日文版第二分册第一篇的解题。陈隐豹译有河上肇的《经济学大纲》,1929年4月,上海:乐群书店初版。

6. 张申府主编《大公报》“世界思潮”第5期(1932年10月1日)和第9期(1932年10月29日)的《出版界(一)》和《出版界(三)》,介绍李达等译的《辩证法的唯物论教程》(转移自日文[①])等著作和日本哲学界的情况。(收入杜运辉编:《张申府集》上册,河北人民出版社,2017年。)“世界思潮”第45期(1933年7月6日)和第71期(1934年5月3日)刊出《唯物辩证法》(一)和(二),介绍日本学界关于辩证唯物论方面的翻译及著作。(收入杜运辉编:《张申府集》中册,河北人民出版社,2017年。)

附录二、增补汉译日本相关著作[②]

---

① 《大公报》“世界思潮”第1期(1932年9月3日)《续新哲学书(一)》介绍广岛定吉、直井武夫共译《辩证法的唯物论教程》(东京:白杨社)说:“这是一本关于辩证唯物论和唯物辩证法的最新、最好、最明晰、最详赡、最系统、最有条理,态度、观点最正、最可靠、最可读的教本。是苏联近两年度关于哲学的论战或勘正后的收获,是克服了新的机械唯物论与新的辩证唯心论后的成果。”(杜运辉编:《张申府集》上册,河北人民出版社,2017年,第560—561页。)对于此书中译本的意义,“世界思潮”第5期曰:“有了这本书,迭薄林(德波林)的著作已只堪覆瓿。布哈林的什么《唯物史观》或《史的唯物论》,也应从此更要无颜色了。希望这本教程的流行能比《唯物史观》等盛过几十倍,这样子才足证明中国读书界已有进步。”(同上,第590页。)

② 主要参考北京图书馆编:《民国时期总书目》(北京图书馆出版社,1993年)、田雁主编:《汉译日文图书总书目1719—2011》第一卷(1719—1949.9)(社会科学文献出版社,2015年)等。

幸德秋水著:《社会主义神髓》,高劳译,上海:商务印书馆,1923年12月初版。(1925年6月三版。)

堺利彦著:《妇女问题》,康伯焜译,上海:民智书局,1922年6月初版。(1927年6月五版。)

堺利彦著:《妇女问题的本质》,吕一鸣译,上海:北新书局,1929年6月初版。(同年,上海:民智书局。)

堺利彦著:《现代社会生活》,高希圣译,上海:光华书局,1945年前版。

山川菊荣著:《妇人与社会主义》,祁森焕译,上海:商务印书馆,1923年11月初版。(1926年再版。)

山川菊荣著:《妇女问题与妇女运动》,李达译,上海:远东图书公司,1929年1月初版。

山川菊荣著:《社会主义的妇女观》,吕一鸣译,上海:北新书局,1927年再版。(上海:商务印书馆,1927年。)

山川均著:《劳农俄国底劳动联合》,陈望道译,《新青年》第8卷第5号,1921年1月1日(收入《陈望道全集》第七卷,浙江大学出版社,2011年)。

山川均著:《苏维埃研究》,王文俊译,北京:新知书社,1921年8月初版。

山川均著:《资本主义的解剖》,崔物齐译,上海:光华书局,1927年2月初版。

山川均著:《资本主义的玄妙》,吕一鸣译,北京:北新书局,1927年6月初版。

山川均著:《马克思资本论大纲》,陆志青译,上海:未明社,1930年8月初版。

山川均著:《资本论大纲》,傅烈译,上海:广州方圆社,1930年。(上海:辛垦书店,1930年3月初版。)

山川均著:《农政法与资本主义》,施复亮译,上海:新生命社,1945年前版。

考茨基著、石川准十郎改编:《资本论概要》,洪涛译,上海:神州国光社,1930年6月初版。

石川准十郎著:《资本论入门》,洪涛译,上海:商务印书馆,1949年。(上海:社会科学研究社,1949年4月初版,6月再版。)

小泉信三著:《资本论》,霜晓译,北京:青春书店,1930年5月初版。(济南:尚志堂,1930年。)

考茨基著、高畠素之译:《资本论解说》,戴季陶译,胡汉民补译,上海:民智书局,1927年10月初版。

考茨基著、高畠素之译:《马克思底经济学说》,汪馥泉重译,上海:神州国光社,1930年初版。

高畠素之著:《剩余价值学说概要》,吕一鸣译,上海:北新书局,1929年6月初版。

高畠素之著:《地租思想史》,夏维海、胡一贯译,新使命出版社,1930年初版。

高畠素之著:《经济思想主潮》,朱一民译,国立编译局,1930年。(上海:乐群书店1930年1月初版。)

住谷悦治著:《社会主义经济学史》,宁敦玉译,上海:昆仑书店,1929年10月初版。

高畠素之著:《马克思十二讲》,萨孟武、陈宝骅、刑墨卿译,上海:新生命书局,1930年10月初版。

河上肇著:《马克斯底唯物史观》(节译自河上肇的《近世经济思想史论》),陈望道译,《民国日报》1920年6月17、18、19日副刊《觉悟》(收入《陈望道全集》第七卷,浙江大学出版社,2011年)。

河上肇著:《社会组织与社会革命》,郭沫若译,上海:商务印书馆,1925年5月初版。(1927年1月再版。)

河上肇著:《社会改革底必然性》,沈绮丽译,上海:创造社出版部,1928年10月初版。

河上肇著:《马克思主义批判者之批判》,江半庵译,上海:申江书店,1930 年初版。

河上肇著:《马克思主义经济论初步问答》,潘敬业编译,北京:华北编译社编译,1933 年 4 月初版。

河上肇著:《劳资对立的必然性》,汪伯玉译,上海:北新书局,1945 年前版。

河野密著:《马克思国家论》,佘叔奎译,上海:商务印书馆,1928 年。

桥野升著:《唯物史观略解》,吕一鸣译,北京:北新书局,1927 年再版。

堺利彦著:《社会主义学说大要》,吕一鸣译,上海:北新书局,1927 年。

河西太一郎著:《世界农民运动之现势》,佘叔奎译,上海:太平洋书店,1928 年 2 月初版。(上海:商务印书馆,1928 年。)

河西太一郎等著:《马克思经济学说的发展》,萨孟武译,上海:商务印书馆,1929 年。同年,新生命书局。

平野常浩著:《马克思主义国家学》,逍遥译,上海:世界文艺书社,1945 年前版。

森户辰郎著:《马克思恩格斯意特沃罗基观》,余思齐译,上海:昆仑书店,1945 年前版。

佐野学著:《唯物论与宗教》,邓毅译,上海:秋阳书店,1930 年初版。

山田坂仁著:《资产阶级的唯物论与辩证唯物论》,阮有秋译,上海:中华书局,1949 年 9 月初版。(上海:商务印书馆,1949 年。)

平林初之辅著:《唯物史观的思想史》,张式南译,上海:明日书店,1945 年前版。

麻生久著:《无产政党与劳动组合》,阮叔清译,上海:太平洋书店,1928 年 3 月初版。

福田德三著:《经济学原理(总论及生产篇)卷上》,陈家瓒译,上海:晓星书店,1930 年 12 月第一版。

福田德三著:《经济学原理 卷下》,陈家瓒译,上海:晓星书店,1933年4月初版。(上海:商务印书馆1934年。)

福田德三、坂西由藏著:《经济学原理》,陈家瓒重译,上海:益群书店,1945年前版。

福田德三著:《日本经济史论》,金奎光译,上海:商务印书馆,1930年。

野吕荣太郎著:《日本资本主义发达史》,金学成、赵南柔译,上海:中国建设印务公司,1948年。

日本经济劳动研究所编:《日本资本主义论争史》,金学成、卫瑜译,上海:中国建设印务公司,1948年。

(此文曾以《"日本马克思主义":民国时期中国学界回望》为题载《读书》2012年1月号。发表时有删节。提交2017年6月24日河北师范大学马克思主义学院主办的"综合创新与马克思主义中国化"学术研讨会时,对原文作了些增补修改并改为此题。此次增补,杜运辉教授提供了许多重要线索和资料,并收入其所编《张申府张岱年研究集刊(第4辑)》,河北人民出版社,2018年,特此致谢!)

四　中国现代新儒学与日本——以梁漱溟的著作在日本的影响为例

(一)

梁漱溟是中国现代新儒学的开启者,通过分析和整理梁漱溟的思想和著作在日本的影响,可以看出中国现代新儒学与日本的密切关系。透过这种关系不仅可以使我们获得对中国现代新儒学研究的新视角,而且这对研究近现代中日思想文化交流史也具有重要意义。

梁漱溟被日本学者关注是在其《东西文化及其哲学》正式出版之后。

日本第一篇介绍梁漱溟的文章，是 1922 年 5 月在京都出版的《支那学》[1]第二卷第九号上发表的冈崎文夫[2]的《梁漱溟著〈东西文化及其哲学〉》。冈崎文夫由上野育英会派遣于 1919 年来中国留学。他在文章中说："中国思想界处于迷惘混乱的状态，而且对于具有深厚文化根底的中国人来说，不可能无条件地接受不同的思想。余辈留学于中国之际，痛感革新派与守旧者之间几乎没有融通的余地，虽说这就是中国式的态度，但是最近终于出现了相互交流的迹象。该书通过深刻反思，从中可以看出中国思想活动的方向，颇觉愉快。"京都学派学者虽以研究中国古典而闻名，对现实中国也有浓厚的兴趣。

同年 10 月，在东京出版的《斯文》第四编第五号"孔夫子追远记念号"上发表了小柳司气太《支那之国民道德》一文。《斯文》是近代日本最大的儒学团体"斯文会"的机关刊物。而小柳司气太是当时最活跃的"新儒家"之一。[3] 他在文章中认为："与中国社会组织有紧密关系的孔教之精神，事实上依然作为中国的国民道德在发挥作用。"并将北京的四存学堂及孔教会引为同调，说"他们对孔子教的见解及其实行宣传的方法等虽然未必与我们的意见一致，但其最终目的，应该说是一样的。"文章中

---

① 《支那学》是近代日本中国学的重要学派"京都支那学"派的重要学术阵地，从 1920 年 9 月 1 日创刊到 1947 年 8 月停刊，此期间出版十二卷五十期，发表 439 篇学术论文。关于这一学派的形成及思想特点可参见子安宣邦《近代知と中国認識——支那学の成立をめぐって》(岩波讲座现代思想 15《脱西欧の思想》，1994 年，第 61—97 页)、钱婉约《日本中国学京都学派刍议》(《北京大学学报》哲学社会科学版 2000 年第 5 期)以及严绍璗《日本中国学史》(江西人民出版社，1991 年)、刘岳兵《日本近代儒学研究》(商务印书馆，2003 年)等论著。

② 岡崎文夫的主要著作有《魏晋南北朝史　内编》(弘文堂，1932 年。平凡社东洋文库 1989 年再版)、《南北朝に於ける社会経済制度》(弘文堂，1935 年)等。

③ 小柳司气太(1870—1940)在大学时代就力图用西方哲学的方式来重新解释传统儒学，1894 年哲学书院出版了他的《宋学概论》。他在该书的《自序》中说："是以今日之有志者，就支那学术之中取类于近世之所谓哲学者，而假其名者，盖欲仿泰西学术之分类以资世人之研究也。于是儒学再变而儒教哲学之名起焉。然则谓之儒教、谓之儒学、将谓之儒教哲学，唯由其时势之变迁而异其称呼耳。至其所基依然不出尧舜之道、朱泗之统也。顷日，余翻宋代诸儒之书，多会意，即沿流溯源，叙述其大旨。虽略而未详，庶几使乱麻得正其绪，以知儒教哲学之美于世欤！""徒向世人而说儒教哲学之名也颇切，儒岂好用哲学之称哉，抑亦不得止也。何日得明尧舜之道以复朱泗之统乎！"

特别提到“北京大学教授梁漱溟，本来是唯识学者，后来宣称去佛从儒，成为孔子教徒。”并对其《东西文化及其哲学》这一著作中“必须用孔子的哲学来拯救西方文明的缺陷”这一主旨深表赞同。他之所以对中国当时的儒学动态格外关注，正如他在文章中所说，“切儒教者中日共同之文明也，而两国最重要之大关系，洵赖此共同之文明相互以融和之也。然两国和亲之原因，则亦存于上述文明之融和。且须牢记两国之自卫共存，亦实以此同一文明为关键也。近自欧洲大战以还，所酝酿之黑暗思潮，今已澎湃而来，淘洗我东亚之堤岸矣。吾人虽确信吾中日两国民之文明，乃数千年来儒教的精神所熔炼，决不至轻易为所破坏焉。而时代之趋向所及，又有未容乐观者。故吾两国国民必须协力提携，奋勉振兴儒教精神，使我东亚深远高崇之文明，得以永久不失其光辉。是实我两国民间之相互的急务、应尽之天职也。”（以上划线部分原文为汉文）他认为儒学不仅有悠久的历史，而且具有广阔的发展前景，而西方的发达进步不过是最近三四百年间的事，况且这三四百年间构筑的文明如今也出现危机，他感到需要一种有力的辅助力量来开出新生面不可。“这种辅助力量不外就是中国的文明东洋的文化。这是上天赋予的拯救世界人类的妙药，中国人、东洋人岂能够辜负此使命？”

在20年代出现的提到梁漱溟的著作中有以下两本值得注意。其一是清水安三的《支那新人与黎明运动》（1924年大阪屋书店）。吉野作造为该书写的序中称“清水君对中国的事物具有极为公平的见解”，“相信其见解之最正确，在今日的中国通中无人能出其右。”而且“其论说均来自第一手材料”。当时清水安三任《北京周报》主笔。本书的第十一章“支那思想界近状”介绍“梁漱溟为北大印度哲学的教授，披沥蕴积之所著《印度哲学大纲》《漱溟卅前文存》《东方文化之价值》（为《东西文化及其哲学》之误——引者）等著作逐渐出版问世，越来越为世人所认可。现在在青年学生中的名声与胡适相比，有过之而无不及。”[①]“他（梁漱溟）参

---

① 清水安三：《支那新人与黎明运动》，大阪屋书店，1924年，第334页。

加张君劢与丁文江的论战而站在与张君劢稍微不同的立场上反对丁文江。他有两个明显的倾向，一是提倡东方文化，二是立足于唯心论(idealism)。在他看来，欧美的科学文化现在已经发展到了极限，此后是中国文化统治世界，再接下来的是印度文化。"①对此清水安三也表示了自己的看法，即"大体上与张君劢、梁漱溟的意见有同感。"②

另一本是土田杏村的《日本支那现代思想研究》。这是第一本向西方人介绍日本和中国现代思想内容的著作(英文版：*Contemporary Thought of Japan and China*，伦敦，Williams and Norget，1926)。此书关于中国的论述"受益于清水安三的《支那新人与黎明运动》和《支那当代新人物》两本书最多。如果没有这两本书作为向导，就是收集资料都会感到困难。而且本书中关于中国的论述也有直接得之于清水安三的研究之处"(1926 年《日文版序》)。该书对梁漱溟《东西文化及其哲学》的文化观提出了怀疑，他说："我认为将中国文化与西欧及印度文化对照时，尽管相信将来会进一步西欧化，无论如何不能相信最终会印度化。至少为了论证其主张，不能仅仅从哲学方面立论，还必须科学地、特别应该从经济事实方面加以论证。"③

(二)

在二十世纪三、四十年代日本出现的关于现代中国思想的著作中，梁漱溟的名字频频出现，评价不一。如神谷正男在《现代中国的思想潮流》(载 1939 年 4 月《亚洲问题讲座》)一文中指出："五四前后，在北京大学与胡适并称的梁漱溟，其《东西文化及其哲学》是超越地域政治背景的传统主义思想潮流的唯一名著。此后他转向指导农村运动而未能够发展其哲学，但是现在他被西方人视为中国唯一的哲学家。"④又如小竹文

① 清水安三：《支那新人与黎明运动》，大阪屋书店，1924 年，第 334 页。
② 同上，第 341 页。
③ 土田杏村：《日本支那现代思想研究》，第一书房增補版，1927 年，第 270 页。
④ 神谷正男：《现代支那思想研究》，理想社，1941 年，第 23 页。

夫在《现代支那思想》中说到，梁漱溟的思想“在其立论的根底上虽然特别能够让东方人产生共鸣，但其在所论的事实及条理方面有许多矛盾之处，不能说论证严密。仅就其在民主与科学呼声日盛之中，批判西洋文明而推崇东方文化这一点，即使其缺乏明确的理论，也决不可忽视其影响。”①而福井康顺的《现代中国的伦理思想》(1943 年 11 月《岩波伦理讲座》)则重视梁漱溟“独特的佛学思想”，说梁漱溟等保守派思想家“都倾向于持独善之说，而未与论敌进行真正的辩驳”。

与以上的这些泛泛而论相比，四十年代有两篇专门研究梁漱溟的论文更值得注意。这两篇文章都出自京都中国学者之手，一篇是木村英一的《梁漱溟的思想——关于〈东西文化及其哲学〉》(《东亚人文学报》第 3 卷 3 号，1944 年。以下称“木村文”)，作者在文末“附记”：“此稿本来打算进一步论述《东西文化及其哲学》的思想与此后村治论思想的关系及其社会历史意义。现在因故就此搁笔，虽然从内容和体裁上看都尚未完结，其以村治论为中心的后半生的思想，只好留待他日再论。”另一篇是小野川秀美的《梁漱溟的乡村建设论的形成》(京都大学人文科学研究所《人文科学》第 2 卷 2 号，1948 年。以下称“小野川文”)。在该论文的一个注释中，小野川秀美说：“关于《东西文化及其哲学》的一般性内容，木村副教授在《梁漱溟的思想——关于〈东西文化及其哲学〉》一文中作了很好的介绍。本文参照了此文。”木村英一此后侧重于中国道教、佛教思想研究，没有看到其续篇出现。从某种意义上说小野川文可以说就是其续篇。这两篇论文描绘出了梁漱溟思想的基本面貌，为日本的梁漱溟研究奠定了坚实的基础。要而言之，有以下几点值得注意。

第一，这两篇文章比较全面地介绍了梁漱溟的生平与思想。木村文中详细地介绍了梁漱溟的思想发展历程，并从文化观、哲学观、比较哲学的原理、中国人生活态度的优劣以及现代中国人应持的态度等方面详细地分析了《东西文化及其哲学》的思想。关于梁漱溟的生平，作者说中日

① 《支那精神・世界精神史讲座Ⅱ》，理想社，1940 年 5 月。

之间战争全面爆发之后就没有听到梁漱溟的消息了，并听说梁漱溟已经于去年（1943 年）去世了，因此而不胜感叹。小野川文则详细地论述了梁漱溟乡村建设理论的形成及主要内容。两者都将东西文化论和乡村建设作为梁漱溟一生的两个思想巅峰，并着力阐述两者之间的内在联系。木村文指出《东西文化及其哲学》“是梁漱溟一生中的两本主要著作之一，是他前半生思想的顶峰，同时也是形成他后半生村治运动的理论根据之一。”小野川文强调“梁漱溟的乡村建设论与其对东西文化的独特见解相表里。乡村建设运动可以说是对其东西文化见解的实践。”也就是说，“梁漱溟的乡村建设论的成立过程是与其如何接受西方近代文化紧密联系，并随之而展开的。”他指出梁漱溟从《东西文化及其哲学》到《乡村建设理论》的转变“即梁漱溟关心的重点由文化问题移向了政治问题”。

第二，两者都重视从中国近现代思想史的发展脉络上阐述梁漱溟思想的性质和特点。木村文中指出梁漱溟探讨文化的究极问题之难能可贵和理所当然。“在具有深厚的文化遗产而如今遭受列强无端侵略的灾难而面临着生存危机的中国，知识分子抱着这种深重的忧患意识而反思自己的国家和文化的前途与命运时，首先力图透视中国文化的究极地位和价值，这难道不是理所当然的事情吗？”他说，梁漱溟的《东西文化及其哲学》一书虽然难以避免其启蒙性质，对这一问题也还有待于进行充分的学术性研究，“但是梁氏出色的直觉与作为思想家的优秀素质，同他的真诚的人格与忧国的热情相互辉映而发出照人的光彩。”而且“此书是以东西文化比较的形式而吐露自己的经世之志，而决不是以单纯的学问研究为能事。”另外，木村文还指出：“从尝试对中国思想进行新的研究和解释这一点上看，此书与胡适的《中国哲学史大纲》、梁启超的《先秦政治思想史》具有同样的价值。”

小野川文更加从中国近代化的道路选择与对古代的认识的关系中来把握梁漱溟的思想特质，认为中国的近代化是围绕着回归古代与否定古代而展开的，指出“梁漱溟的思想与其说是一种中体西用论，不如说更加有向古代复归的倾向。”他分析说，梁漱溟所谓的古代，并非其具体相，而是被“情义”性所纯化了的理想世界。梁漱溟片面强调“情义化”的一面，这可以看成是有意识地将中国古代社会与西方社会相互对比，通过强调两者的对决来说明古代的优越性。从为了对决而被纯化的古代所抽取出来的，是以“情义”为基调的“中国式的民治”，这正是他的乡村建设理论的根据所在。而轻视身份化与重视情义化，也使得梁漱溟的思想带有一种独特的民主主义的性格，虽然在以“伦理情义”与“义务关系”为基调这一点上，与西方的民主主义有根本的不同，但其目标在于“多数势力的开发、多数政治之形成”。因此关于梁漱溟思想的性质，小野川文认为从梁漱溟之给予孔子的教化与儒家的礼乐运动以极高的评价来看，其乡村建设运动之标榜“新礼俗之创造”，也无非是强调儒教道德的情义方面而致力于儒教的现代复兴罢了。而木村文在揭示梁漱溟的哲学观与文化观时，不仅注意到西方思想对梁漱溟的影响，而且更加着重强调其思想中唯识学的深厚根基。

小野川文还将梁漱溟的“复古”与民族主义作了区分，指明梁漱溟的“民族自觉”虽然也是民族意识高扬的一种表现，但是其内容与民族主义不同。立足于民族主义基础上对传统文化的反省，中体西用论是其主流。而梁漱溟的思想毕竟是以五四运动背景下的东西文化论为根基的，其核心不是民族而是文化。即使同样是文化问题，与中体西用论之“复古”也存在着重要差别。他有意识地强调古代的复活，同时其结论却归结到与西方文化的“沟通调和”。“情义”的“民治”与民主主义就有相通的一面。然而这种古代的复活，在现实中能否再次成为近代化的媒体？这种社会与文化的革新运动在何种程度上能够成为近代化的动积极力？作者认为这些问题大概只有靠历史本身来解决。

以上提到的梁漱溟思想中的儒佛关系、中西关系、古今关系及其关于政治、民族、文化相互关系的论述，这些问题即使在今天依然是梁漱溟研究，甚至整个中国近现代思想史研究的中心话题。

（三）

进入四十年代之后，梁漱溟的《乡村建设理论》（池田笃纪译，大亚细亚建设社1940年出版）、《中国之地方自治问题》（矢野安房译其大意，兴亚资料·政治篇，第13号，1940年，东京）等著作相继在日本翻译出版。

《乡村建设理论》的译者池田笃纪，当时为新民会中央总会设计部企划科副科长。他1909年出生，1929年毕业于东京外语学校后到北京清华大学留学，入外务省工作。1939年11月，他作为“中华民国临时政府行政委员会”（“委员长”为王克敏）山东省行政视察团的成员之一，在行政委员会调查所工作，随团来到济南。他在济南见到他的同学冈宗义，听冈宗义说到梁漱溟的事，并与朱经古（译者将其视为梁漱溟“门下之伟才”）多有过从。冈宗义和朱经古分别将梁漱溟的《乡村建设理论》与《梁漱溟先生教育文集》（在《乡村建设理论》译本的正文之前付有唐现之《梁漱溟先生教育文录编者赘言》）赠送给了池田笃纪。池田在东京外国语学校就读时曾经醉心于梁漱溟的《东西文化及其哲学》，这次得到梁漱溟的著作自然高兴。11月底回到北京之后，他决意向日本青年宣传梁漱溟的思想。于是在恢弘塾面向十几位青年每周一次以《乡村建设理论》为中心讲解梁漱溟的人格与思想。有人建议他将讲稿拿到大亚细亚建设社出版。1940年3月，他加入了新民会，梁漱溟有关乡村建设的观点被认为“对新民会很有参考意义”，新民会的副会长、陆军中将安藤纪三郎为之作序，在笠木良明的支持下，讲稿于1940年10月初在该社公开出版。

安藤纪三郎在该书的序中表示，九一八事变之后日本深入到“满洲社会”的县级单位，并在此基础上建立了“新满洲国”；中日战争全面爆发之后，要更加进一步深入到乡村这一基层组织，以中国社会的最基层为基础，建设亚洲新秩序。他称梁漱溟为“中国社会革新在实践上的一异才”，称该书是“以维护和发展从中国民族文化的本性本质所流露涌现出来的东西为基础而谋求中国社会的解放和发展的心血之作、魂魄之作。”

指出出版该书的日文译本，在中国研究著作泛滥之际，无论是对著者、译者还是发行者而言都可谓“得其人、其处、其时”。

《乡村建设理论》日译本中，译者增加了《梁漱溟氏的人物与思想》《乡村建设理论解说》两篇绪论。译者视梁漱溟为“圣人(圣者)”“圣侠”，而抑制不住对他的“敬慕之念”。《乡村建设理论解说》中原原本本地译出了该书的目录，但是正如译者所说的，日译本的正文并非完全原原本本地按照原著的样子展开。其中最明显之处是在“认识篇”中增加了两个子目：“中国不能按照日本的发展路线前进的两个理由”和“将来的中国不能步日本近代资本主义路线后尘的三项理由”。

我们知道，新民会是 1937 年 12 月日本侵略者在华北建立的傀儡组织。汉奸王克敏为会长，张燕卿是副会长，缪斌为中央指导部长。在华北沦陷区各省、市、县都设立有分会，宣扬“中日亲善”“东亚新秩序”及“新民主义”等。这本“一名中国民族之前途”的《乡村建设理论》被讴歌这场企图毁灭中国的侵华战争为“圣战”、为“旨在转变世界史的人类历史上空前的战争”的帮凶所“崇敬”和“陶醉”并大加宣扬，这的确是一个天大的历史玩笑。从字面上看，我们很难怀疑他们的真诚，他们也同样毫不掩饰自己“全身心致力于培育新民会”，毫不掩饰自己满腔的“亚洲新秩序建设的血与魂”。要弄清这个历史玩笑的真相，无疑是一件十分有趣也很有意义的事情。

(四)

梁漱溟对时局即抗日战争的看法①和他对日本的了解②或许是揭开此历史之谜的一条线索，对此本文不想太多涉及。下面这些鲜为人知的

① 梁漱溟这方面的言论有《我们对时局的态度》(1936 年)、《我们如何抗敌》(1937 年)、《怎样应付当前的大战》(1937 年)等，以上均收入《梁漱溟全集》第五卷(山东人民出版社，1992 年)。另外可参见郑大华《民国乡村建设运动》(社会科学文献出版社，2000 年)的最后一节“日本侵略与乡建运动的终结”。

② 梁漱溟于 1936 年 4 月至 5 月间赴日作了一个月的考察，其详情请参见《梁漱溟全集》第五卷中收录的《我在日本参观后的感想》《东游观感记略》《中日农村运动的异同及今后中国乡村建设之动向》三篇文章。

历史事实或许更有助于我们理解这段历史。

梁漱溟晚年在回忆1936年的那次日本之行时，说到："访问日本时见到长谷川如是闲，得到一本《老子》的著作。记得好象会见过年轻的阳明学者，但具体情况忘记了。"[①]和崎博夫推测此阳明学者就是安冈正笃(1898—1983)。这种推测不无道理。这从安冈正笃当时的情况[②]及下面提到的此后梁漱溟方面与安冈正笃方面的人物与思想往来可以证明。

1940年8月23—25日，东洋农道振兴大会在日本农士学校召开。23日，在大会开幕式上，会长土岐章、日本文部、农林、拓务各大臣、埼玉县知事等发表祝词之后，一直被一些日本人视为梁漱溟高足的朱经古[③]作为"外地代表"致辞。24日上午，在安冈正笃发表《西洋文明的没落与农村文化》的讲演之后，朱经古作了题为《中国乡村建设运动》的报告。25日，会议在酒井忠正带领下，三呼"东洋农道万岁"而闭幕。[④]

朱经古访日期间，为菅原兵治[⑤]的《东洋治乡之研究》(刀江书院，

① 长谷部茂译：《东西文化及其哲学》(和崎博夫《后跋》)，农山渔村文化协会，2000年。

② 安冈正笃于1931年创办成立"日本农士学校"，1933年组织"笃农协会"，宣扬农村自治和农村维新。

③ 朱经古与梁漱溟的关系，目前可以找到的只有以下两条。第一，梁漱溟1931年从河南赴山东搞村治时，初到济南，住在东鲁中学，朱经古为该校校长(孟宪光《回忆河南村治学院学习生活及商谈筹办山东乡建院经过》，载梁培宽编：《梁漱溟先生纪念文集》，中国工人出版社，1993年。参见第30页)。第二，朱经古陪同梁漱溟访日时，任翻译。有说朱经古是"山东乡建院干部"，有说"非乡建院干部"(李任夫《深切悼念梁漱溟先生》，载梁培宽编：《梁漱溟先生纪念文集》。参见第145页)，也有说为"梁漱溟高足"(参见池田笃纪译《乡村建设理论》的绪论《梁漱溟氏的人物与思想》及《代跋》，大亚细亚建设社，1940年，第5页、第343页。又参见日译本《东西文化及其哲学》所登载的当时梁漱溟等考察日本的照片的说明。农山渔村文化协会，2000年)。据梁漱溟之子梁培宽说，1950年代梁漱溟去山东考察时还念及朱经古，但是据说朱经古已经作为反革命被取决了。

④ 安冈正笃先生年谱编纂委员会、安冈正笃先生生诞百年记念事业委员会编：《安冈正笃先生年谱》，乡学研究所、安冈正笃纪念馆发行，1997年，第76—77页。

⑤ 菅原兵治为安冈正笃的得意门生，曾任日本农士学校的检校(校长)。主要著作有《东洋治乡之研究》《农士道——东洋农道之教学》等。1939年9月28日至11月2日，考察朝鲜和中国的农村。在中国考察期间去济南访问了朱经古，说这是他此行的最大目的之一。菅原兵治说，朱经古于1936年曾去访问过他，并提及朱经古留学于九州大学受到过河村幹雄博士的熏陶。见《东洋治乡之研究》，第348—349页。

1940年11月。该书序中,作者称朱经古为“指导中国乡村建设的权威人士”,并与之有“多年的交情”)作《跋文》曰:

> 昔仲尼有言:观于乡,而知王道之易易也。诚以乡俗淳朴,人情厚笃,因其族党邻里之轨,沐以伦理风教之化,濡煦生息,而教养之仁政以成。是知王道以乡治为磐楚,乡治以王道为依归,辅车相倚,殆无许其偏缺焉。……
>
> 慨自欧风东播以来,机械文明波及远东。其于利用厚生,固无间然。而起兼并垄断之风,开阶级种族斗争之渐,举世嚣嚣,迄无宁戢。所谓王道霸道之得失,殆至此而昭然若揭。重农归乡之义,乃又见称于世人。近如中国之乡村建设运动、日本之农士学校及笃农协会运动,蓬勃兴起,蔚为风气,剥极而复。其我东洋王道精神浸盛之机欤?友人菅原兵治先生,近著《东洋治乡之研究》一书,详稽旧章,敷以新议,俾醉心于都市文明功利主义者惕然知所憬悟。叩清钟于午夜,作鸡鸣于风雨。余为菅原先生颂焉。是为跋。

菅原兵治的《东洋治乡之研究》第一章“东洋农村之本性”,在开篇就引用“乡村建设的实际指导者梁漱溟《中国(之)地方自治问题》”中的一段话:“新习惯新能力的养成,必须合乎中国固有的精神。如不合乎中国固有的精神,必不易养成。”这段引文是梁漱溟在谈到促成地方自治要注意的四个方面的第一个方面。关于这一方面,菅原兵治在随后的文章中几乎全部翻译了出来。① 现仅将菅原兵治的引文中加上着重号而原文中没有着重号的地方抄录于此:

> “中国的旧精神是崇尚情义的,社会的组织结构是伦理本位的。”②
>
> “这完全因为中西历史不同,社会组织不同,所以合于彼者未必

①《东洋治乡之研究》,第4—7页。

②《东洋治乡之研究》第4页;《梁漱溟全集》第五卷,第325页。

能合于此也。”①

“大家尤应注意者，今后中国社会如不恢复崇尚礼俗之固有精神，处人处己，如不出之以谦敬爱惜之情，而仍出之以抵制牵掣之法律态度，取法而遗情，重律而忽礼，则中国问题永无解决之日，中国社会仍无匡正之期矣！”②

菅原兵治引用梁漱溟的思想目的在于说明要做好农村的治理教化工作，不能够只是罗列一些被称为指导精神的概念或仅仅重视法律、机构、制度这些形式上的和机械性的办法，而是要重视情和礼这些有机性的、活生生的活动，认为这才是农村的本性所在，这才是农村最根本的重要问题。

梁漱溟的乡村建设运动与当时新民会的“新民主义”以及日本的乡治、笃农运动甚至“新村”建设究竟有什么异同，只有深入理解这些问题，才能够真正明白梁漱溟的思想之所以当时在日本产生影响的原因所在。

(五)

中华人民共和国成立之后，梁漱溟依然颇受日本学界的关注。对五十年代知识分子的思想改造运动，日本学者认为像梁漱溟、张东荪这些在现代中国具有代表性的“东洋思想”主义者，他们如何批判原有的思想、如何评价马克思主义和毛泽东思想，这是意味深长的事情。③ 第二次世界大战之后日本的第一本具有代表性的中国现代思想史专题研究的

① 《东洋治乡之研究》第 6 页；《梁漱溟全集》第五卷，第 326—7 页。

② 《东洋治乡之研究》第 6 页；《梁漱溟全集》第五卷，第 328 页。

③ 中国研究所编译：《人間革命——中国知識人の思想改造》(前言)，中国资料社，1952 年，第 1 页。此书收录了梁漱溟、张东荪、沈从文、朱光潜、顾颉刚、冯友兰六位“可以说是给予最近思想界以最大影响”的“著名思想家”的“自我批判的代表作”(安藤彦太郎翻译)，其目的在于通过这些文章弄清下列疑问：“其自我批判的根据何在？这些自我批判究竟意味着中国思想界的进步还是只不过是新政府的一种思想统制？”只要阅读这些文章就能够判断“这些自我批判是真心的还是假装的，是创造性的还是倒退性的，是自发的还是强迫的。”

著作，对梁漱溟的生平和思想也有比较详细的介绍，强调他的“乡村自治”是“力图以儒教的道德秩序去从事农村的复兴”的“独特的农本主义”运动。[①] 在五十年代，日本学者对梁漱溟的论述中已经注意到梁漱溟思想在日本的影响。比如福井康顺的《现代中国思想》一书中论及梁漱溟的《东西文化及其哲学》时，就指出“其视野广阔，而且还引起了日本学人的议论，在当时是具有轰动性影响的著作。”[②]同时，福井康顺还将梁漱溟的乡村建设和以缪斌等为代表的“新民主义”相提并论，说梁漱溟“以乡治作为拯救中国的途径，而参与这一运动。其全貌可以从他的《中国民族自救运动之最后觉悟》得知。”对于“新民主义”，他指出其“宋学的立场”，认为“从中国思想史上看，后世可以评价其为一种宋学的复活。与冯友兰的‘新理学’的立场是相关联的。”[③]后来山口一郎在《现代中国思想史》一书中对此有进一步的发挥，明确地将梁漱溟与冯友兰的思想作为民国时代思想史中“新儒教主义的展开”来加以论述。[④]

二十世纪八十年代之后，随着梁漱溟的主要著作在日本翻译出版，梁漱溟研究在日本学界得到了进一步的深化。八十年代以来，梁漱溟著作之所以在日本得以如此顺利地翻译出版，景嘉（1914—1986）起了重要的中介作用。景嘉为八旗名门之后，1934 年受溥仪派遣同溥杰等一同留学日本，1939 年毕业于早稻田大学，同时入京都大学，1942 年毕业回国。1945 年到台湾，1956 年又来到日本并定居下来，直到去世。在日本，有人将景嘉视为“日本最高的梁漱溟研究家、信奉者”。[⑤] 他之所以要介绍梁漱溟，一方面，据他自己说是“自稍知人事以来，就喜读梁漱溟的著作，

---

① 竹内好、山口一郎、斋藤秋男、野原四郎：《中国革命の思想》，岩波书店，1953 年，第 88 页。

② 福井康顺：《现代中国思想》，早稻田大学出版部，1955 年，第 136 页。

③ 福井康顺：《现代中国思想》，第 195、196 页。

④ 山口一郎：《现代中国思想史》，劲草书房，1969 年。该书第一章“民国时代思想史”的第四节为“传统思想的复活”，其中第二款就是“新儒教主义的展开——梁漱溟与冯友兰的思想”。

⑤ 长谷部茂译：《东西文化及其哲学》（长谷部茂《解说》），农山渔村文化协会出版，2000 年，第 269 页。

虽然未谋一面，确是神交已久。”[①]更重要的是，他认为最近五十年来，在中国只有梁漱溟可以代表东洋的学问。[②] 而且梁漱溟的理论和运动对中国的建设仍然具有重要的意义，他呼吁海内外的知识分子对此加以认真的探讨。[③] 他于1980年与亚洲问题研究会的和崎博夫等筹划编辑翻译出版了梁漱溟的父亲梁巨川的遗书。他想通过表彰先人的遗志来消除中日两民族之间存在的无形的裂痕。[④] 1987年，亚细亚问题研究会出版了梁漱溟《人心与人生》的日文译本。梁漱溟为此写下了《人心与人生日本译本弁言》：

> 拙著《人心与人生》一书如一九七五年书成自记之所云：早在一九二六年春即以此标题曾为一次公开讲演，兹于一九八四年乃始以积年底稿付印出书，求教于国人，盖慎之又慎矣。今复承池田笃纪先生翻译成日文，景嘉先生审订之，将更加得友邦人士之指教焉，曷胜感激。谨致衷心感谢之忱如右。一九八五年七月八日梁漱溟识于北京。[⑤]

景嘉在为此书日文译本所写的长篇序言中称该书为梁漱溟平生著作及思想的“总结论”，并且在序文的结尾向日本友人提议：“梁先生一生的著作在日本都可以搜集到，而且也有的被翻译成日文。敬爱梁先生的人如果将其编成全集，使其论旨一贯，这必将成为二十世纪极为重要的指针。”[⑥]景嘉的这篇序文作于1985年6月21日，中国文化书院学术委

① 景嘉：《桂林梁巨川先生殉世遗言录序例》。梁巨川著、池田笃纪译：《一个读书人的节操：桂林梁巨川先生殉世遗言录》，亚细亚问题研究会，1980年，第136页。

② 景嘉：《梁漱溟其人其学》，见《景嘉文选》(景嘉文选刊行委员会编辑刊行)，1987年，第58页。

③ 景嘉：《梁漱溟其人其学》，见《景嘉文选》，第78页。

④ 景嘉认为这种裂痕就是“凡是接触过中国人的日本人，在有意识无意识、或习惯上，都存着一种无形的轻视中国人的心理。”“凡是接触过日本人的中国人，在有意识无意识或习惯上，对于日本人，都存着一种看不见的仇怨的心理。”景嘉：《桂林梁巨川先生殉世遗言录序例》。梁巨川著、池田笃纪译：《一个读书人的节操：桂林梁巨川先生殉世遗言录》，第138—139页。

⑤ 此处引自日文译本所影印的梁漱溟的手迹，与收入《梁漱溟全集》第七卷第568页中的文字略有出入。

⑥ 梁漱溟著、池田笃纪译：《人心与人生》(景嘉序)，亚细亚问题研究会，1987年，第23页。

员会开始筹备编辑《梁漱溟全集》是在1988年秋，1993年出齐八卷。虽然至今还没有日文译本的《梁漱溟全集》，但是从梁漱溟逝世的1988年开始，亚洲问题研究会每年要举行一次“梁漱溟先生纪念研讨会”，[①]从1997年1月开始的亚洲问题研究会的月例研究会，梁漱溟的思想与著作经常成为讨论的议题。1991年梁漱溟的《乡村建设理论》由池田笃纪、长谷部茂重译由亚细亚研究会出版，2000年农山渔村文化协会再版。长谷部茂翻译的《东西文化及其哲学》也于2000年由农山渔村文化协会出版。这一年还出版了第一部日文的梁漱溟研究专著。[②]

宇野精一在《乡村建设理论》重译本《序》中开篇就说，“作为邻国一后学，我从心里敬慕梁漱溟先生”，并将梁漱溟的乡村建设与毛泽东的农民运动进行了比较，认为现实中虽然以儒学的民主精神和自由立国为乡村建设的基础的梁漱溟败给了以阶级斗争论为基础的毛泽东等的农民运动，但是就现代社会所面临的困境，他呼吁我们必须重新思考梁漱溟所致力和向往的世界。认为重新出版梁漱溟的《乡村建设理论》一书具有重要的意义。和崎博夫在该书的书带上写道：“在苏联及东欧社会主义体制解体之际，我们推举此书作为东方馈赠给现代世界的一本合时宜的书。该书记述了对民族传统不断地反躬自问、以伟大的孔夫子的儒学身体力行而投身于中国农村实践的近代中国巨人梁漱溟先生的深厚的

① 宇野精一在《东西文化及其哲学》日文译本的《序》中提到从梁漱溟去世之后即1988年开始的由亚洲问题研究会主办的一年一度的“梁漱溟先生记念研讨会”。该书附有“梁漱溟先生记念研讨会”的讲演集：第一次（1988年）：宇野精一《梁漱溟的一生》（以中国文化书院刊《梁漱溟先生生平记》为蓝本，宇野精一在东京举行的梁漱溟先生追悼会上宣读的悼词）；第二次（1989年）：汤一介《梁漱溟与中国文化》；第三次（1990年）：朱伯崑《中国现代人间研究的开拓者——读梁漱溟〈人心与人生〉》；第四次（1991年）：汤一介《中国的儒、道、佛与梁漱溟思想》；第五次（1992年）：朱伯崑《近代中国的社会主义思想与梁漱溟思想——读〈乡村建设理论〉》；第六次（1993年）：朱伯崑《梁漱溟的儒学观》；第七次（1994年）：河田悌一《从传统向近代的摸索——梁漱溟与毛泽东》；第八次（1995年）：曹跃明《梁漱溟的文化多元主义——中国社会如何进行现代转化》；第九次（1996年）：王守常《梁漱溟的佛教理解》、韦政通《梁漱溟：其人格特质与生命动力》；第十次（1997年）：李善峰《梁漱溟思想的现代意义》、梁培宽《我的父亲梁漱溟》；第十一次（1998年）：王宗昱《现代中国梁漱溟再评价的思想背景——梁漱溟与科玄论争》等

② 中尾友则：《梁漱溟の中国再生構想——新たな仁爱共同体への摸索》，研文社，2000年2月。

学问与热诚。”称此书为“中国思想史上不朽的名著”。可以说梁漱溟的影响在日本是越来越大了。

简单的小结

对近代中日文化交流史的研究，在承认文化交流及其影响的双向性、相互性的同时，我们一般比较重视阐发近代日本的思想文化是如何影响中国、近代中国是如何学习日本或如何通过日本向西方学习的这一侧面，并认为这一方面是主要的趋向，①而很少有人注意近现代中国思想在日本的反响。本文通过揭示梁漱溟的思想与著作在日本的影响，旨在呼吁人们要重视研究长期以来易被人们忽视的历史的另一侧面，这对于我们全面地把握历史，无疑具有重要的意义。

（原载于王勇等著：《中日“书籍之路”研究》，北京图书馆出版社，2003 年。）

① 王晓秋：《近代中日文化交流史》，中华书局，1992 年，第 3 页。

第六章　日本研究学术史回顾与展望

一　清末维新派的明治维新论及其对日本研究的启示

在辛亥革命的前一年，梁启超曾撰文感叹中国勤于学习日本的明治维新，无论是学子负笈还是官方考察，都想以他们所学到的经验来“施诸有政”，但是其结果却是“拟之也弥似，而去之也弥远。日本之所以致富强者，我袭而取之，则不得强而得弱，不得富而得贫。”[①]为什么？这个问题已经讨论了一百多年，众说纷纭，难有定论。再回过头来重读当时的维新派是如何看待明治维新的，[②]或许可以为思考这个问题找到一些线索。

（一）

黄遵宪的《日本国志》，是将它作为“明治维新史”来写的。1877 年底

① 梁启超：《饮冰室合集》第三册（《饮冰室文集》之二十三），北京：中华书局，1989 年，第 114 页。

② 相关研究可参阅王晓秋的《清末形形色色的明治维新观》（收入《世界历史》编辑部编：《明治维新的再探讨》，《世界历史》增刊，1981 年 12 月）、吕万和著『明治維新と中国』（東京：六興出版，1988 年）等。

黄遵宪任中国驻日本使馆参赞，1882年春离任时，有诗曰："海外偏留文字缘，新诗脱口每争传。草完明治维新史，吟到中华以外天。"[①]这里的"明治维新史"就是指他的《日本国志》。如果将明治维新的下限划到1889年明治宪法的颁布，作为外交官的黄遵宪，不仅是明治维新的亲历者，因为他的积极活动，甚至可以说是参与者。因此，《日本国志》也可以说是中国的明治维新亲历者、参与者所撰写的唯一一部"明治维新史"。其撰述的旨趣，作者也曾忍不住透露出可以将这部"务从实录"的"史志"作为政治著作来读的隐秘心态。其《日本国志书成志感》有言："改制世方尊白统，《罪言》我窃比《黄书》。"且在《黄书》下自注："《王船山集》有《黄书》"。[②] 众所周知，《黄书》作为一本政论著作，是中国近代民族主义思想的先声。

黄遵宪对明治维新的认识，牵涉的问题很多，对明治政府实施的各项改革和制度建设，其态度也不都是肯定的。从整体而言，有以下几点值得关注的。

第一，他认为明治维新的动力是"处士之功"和"汉学之力"。他在《日本国志·国统志》中将日本历史变迁的"治乱之由"概括为四个环节，依次为"在外戚擅权，移太政于关白。""在将门擅权，变郡县为封建。""在处士横议，变封建为郡县。""在庶人议政，倡国主为共和。"其中后两项即为幕府灭亡、废藩置县和明治政府的政治体制改革，都是明治维新的重要内容。是什么力量推翻了幕府呢？"幕府之亡，实亡于处士。"他认为："独浮浪处士，涉书史，有志气，而退顾身家，浮寄孤悬，无足顾惜。于是奋然一决，与幕府为敌，徇节烈者于此，求富贵者于此，而幕府遂亡矣。"[③]而"处士"的思想基础，是《春秋》的尊王攘夷之说。早在1880年，黄遵宪在驻日期间为日本学者藤川三溪的《春秋大义》所写的序文中，对《春秋》尊攘之说在明治中兴之业中的关键作用已经作了精辟的解说。在《日本

① 陈铮编：《黄遵宪全集》(全二册)，北京：中华书局，2005年，第105页。
② 陈铮编：《黄遵宪全集》(全二册)，第116页。
③ 陈铮编：《黄遵宪全集》(全二册)，第929页。

杂事诗》中也强调过倒幕"卒赖以成功，实汉学之力也。"[①]《日本国志·学术志》的"汉学"一章中也明确肯定明治中兴之功乃收汉学之效。

第二，他强调明治维新是一个"顺人心""结民心"的渐进过程。首先，明治维新的各种改革措施不是一蹴而就的，"日本自维新以来，举凡政令之沿革，制度之损益，朝令夕改，月异而岁不同。"[②]不断损益、摸索，其轴心何在？他解释说："尊王之说自下倡之，国会之端自上启之，势实相因而至相逼而成也。何也？欲亡幕府，务顺人心，既亡幕府，恐诸藩有为德川氏之续者，又务结民心。"[③]唯有顺应民心所向、大势所趋，改革事业才能最终成功。值得注意的是，他在《国统志》篇末列举了日本朝野围绕是否应该速开国会的两派论争，"保守之说"另当别论，其概括"调停之说"所用之词句为"天生民而立之君，使司牧之，非为一人，苟专为一人，有兴必有废，有得必有失，正唯分其权于举国之臣民，君上垂拱仰成，乃可为万世不坠之业"[④]云云，与王船山《黄书》中论"宰制"部分中所谓"今欲宰制之，莫若分兵民而专其治，散列繁辅而制其用"[⑤]的分权思想和"不以一人疑天下，不以天下私一人"[⑥]的反专制论，何其相似。从他对明治政府"下诏已以渐建立宪政体许之民"的评价"论其究竟不敢知矣"这看似悬疑的八个字后面，"留心时务者"自当能察知个中是非曲直之究竟。

第三，倡导西学中源，为变法维新扫除心理障碍。主张西学中源者，自明清以来，至今仍不乏其人。在黄遵宪这本灌注了其"忧天热血"的《日本国志》中，为了倡导变法图强，也着力倡导此说。其《学术志》曰："余考泰西之学，其源盖出于墨子。"不仅其立教源于墨子，而且还强调"其用法类乎申韩，其设官类乎《周礼》，其行政类乎《管子》者，十盖七八。

① 陈铮编：《黄遵宪全集》（全二册），第 30 页。
② 陈铮编：《黄遵宪全集》（全二册），第 821 页。
③ 陈铮编：《黄遵宪全集》（全二册），第 929 页。
④ 陈铮编：《黄遵宪全集》（全二册），第 930 页。
⑤ 王船山：《黄书》，《船山全书》第 12 册，长沙：岳麓书社，2011 年，第 508 页。
⑥ 王船山：《黄书》，《船山全书》第 12 册，第 519 页。

若夫一切格致之学，散见于周秦诸书者尤多。"[①]等等。他更加关注的是"百年以来，西国日益强，学日益盛，若轮舶，若电线，日出奇无穷。譬之家有秘方，再传而失于邻人，久而迹所在，或不惮于千金以购还之。今轮舶往来，目击其精能如此，切实如此，正当考求古制，参取新法，藉其推阐之妙，以收古人制器利用之助，乃不考夫所由来，恶其异类而并弃之，反以通其艺为辱，效其法为耻，何其隘也！"[②]这方面，日本就做出了很好的榜样，对于非其所固有的格致之学，能够"降心以相从"，发愤自强，因而骎骎乎有富强之势。因此他不厌其烦地强调："况古人之说明明俱在，不耻术之失其传，他人之能发明吾术者，反恶而拒之，指为他人之学，以效之法之为可耻，既不达事变之甚，抑亦数典而忘古人实学、本朝之掌故也已。"[③]通过明治维新，"蕞尔国耳"的日本放下身段效法西学，已经从事实上证明这是一条可行的自强之路，何况这些格致之学本来源自中国，因此于情于理都没有不效法的道理了。

(二)

再来读读康有为的相关论述。在第一次向光绪皇帝上呈《日本变政考》的一个月之前，他为其女康同薇的《日本变法由游侠义愤考》(戊戌春月上海大同译书局印)所写的序(1898 年 3 月 16 日)中力说日本明治维新的原动力是由"处士浪子发愤变政"、由"义士游侠热血涨力发蹈之所成"。而其《日本变政考》所述，如康有为在跋文中所言，"其变法之次第，条理之详明，皆在此书。其由弱而强者，即在此矣。"[④]该书实际上就是一部编年体的明治政治史。在康有为看来，日本的明治维新是一个不断"刮垢除旧，改良进步"的过程。作为维新最终成果的明治宪法，也是"经

① 陈铮编：《黄遵宪全集》(全二册)，第 1414 页。
② 陈铮编：《黄遵宪全集》(全二册)，第 1415 页。
③ 陈铮编：《黄遵宪全集》(全二册)，第 1415 页。
④ 姜义华、张荣华编校：《康有为全集》第四集，北京：中国人民大学出版社，2007 年，第 274 页。

百十之阻挠，过千万之丛弊”，①“几阅欧美之考求，几经再三之改错，而后得此。”②而且康有为特别强调其起步与过程之艰难，正是因为日本经历了如此艰难而获得了成功，因此可以成为中国变法维新可靠的向导。如果按照他的思路效仿日本，他甚至为光绪皇帝列好了时刻表：“三年而宏规成，五年而条理备，八年而成效举，十年而霸图定矣。”③其自信的基础，是因为他看到了中国的各种条件比日本都优越，如在自然和社会方面，“我广土众民，十倍于日，皇上乾纲独揽，号令如雷霆，无封建之强侯，更无大将军之霸主，片纸涣汗，督抚贯行，四海无虞，民罔异志。”而经济上，“就今岁入，已逾万万；若括陋规，必可得倍；若正经界，更得倍蓰；若善银行之用，则不可思议也。”加上与日本文化、习俗相同的一面，所谓“彼与我同文，则转译辑成书，比其译欧美之文，事一而功万矣。彼与我同俗，则考其变政之次第，鉴其行事之得失，去其弊误，取其精华，在一转移间；而欧美之新法，日法之良规，悉发现于我神州大陆矣。”④而且进一步在《日本变政考》跋文中强调，因为“其守旧之政俗与吾同，故更新之法，不能舍日本而有异道。”⑤就是说中国也只能效法日本，舍此别无他途。而其有效性的根据是建立在对中日文化共性的基础上的。

康有为也思考过明治维新的各种变革和新政，最根本的是什么？中国学习它应该从何下手？他认为首先是制度的变革，具体而言是官制的变革最重要。制度建设固然重要，康有为也认识到更重要的是要有能够执行新法的新人。“执旧例以行新政，任旧人以行新法，此必不可得当者也。故惟此一事，为存亡强弱第一关键矣。”⑥尤其他注意到基层的行政执法者的重要性。“今日百政，皆下知县。而知县选之甚轻，捐纳军功皆可得；任之甚重，兵、农、学校、赋税、讼狱、皆责于一人。彼未尝读其书，

① 姜义华、张荣华编校：《康有为全集》第四集，第 48 页。
② 同上，第 274 页。
③ 同上，第 105 页。
④ 同上，第 104—105 页。
⑤ 同上，第 274 页。
⑥ 同上，第 137 页。

立此志，如之何而责其行也？知县不奉行，则无一政能逮于民者，如此而望新政之行、自强之效，岂非却行而求及前哉？日人新定府县制，而尽废旧制，诚得变法之本矣。”[①]上面千条线，下面一根针。基础不牢，地动山摇。说的都是一个道理。

(三)

说到梁启超，他虽然没有留下关于明治维新的大部头专著，但是明治维新对他的影响，或远远超过黄、康二人。他自己也说：“自居东以来，广搜日本书而读之，若行山阴道上，应接不暇，脑质为之改易，思想言论与前者若出两人。每日阅日本报纸，于日本政界学界之事，相习相忘，几于如己国然。盖吾之于日本，真所谓有密切之关系。”[②]与直接涉及明治维新的相关论著相比，其传授学习日文经验的《和文汉读法》一书，或更有影响。他在《论学日本文之益》中现身说法：“学日本语者一年可成，作日本文者半年可成，学日本文者数日小成，数月大成。”对于所辑《和文汉读法》，更是胸有成竹，谓“学者读之，直不费俄顷之脑力，而所得已无量矣。”之所以认为容易，也是由于多看到中文与日文的相同之处。如他所言：“日本文汉字居十之七八，其专用假名，不用汉字者，惟脉络词及语助词等耳。其文法常以实字在句首，虚字在句末，通其例而颠倒读之，将其脉络词语组词之通行者，标而出之，习视之而熟记之，则已可读书而无窒阂矣。”[③]这种读法，他自己也曾在《东籍月旦》中解嘲说是“一急就之法，殊未可厚非也。”[④]

梁启超的论著中涉及日本幕末维新之处不少。首先，他也认为日本明治维新之成功，乃是幕末诸豪杰之所赐，而其中尤其推崇吉田松阴。在梁启超的思想变化中，无论是倾向于革命还是倾向于立宪改良，吉田

① 姜义华、张荣华编校：《康有为全集》第四集，第196页。
② 梁启超：《饮冰室合集》第七册（《饮冰室专集》之二十二），北京：中华书局，1989年，第186页。
③ 梁启超：《饮冰室合集》第一册（《饮冰室文集》之四），第81页。
④ 同上，第83页。

松阴都是他重要的思想资源。当他的思想倾向于革命的时候,他认为吉田松阴“打破局面”的破坏精神是日本维新的主动力;而他的思想回归到立宪改良的时候,还编译《松阴文钞》(1906年)来为立宪派助威。在《松阴文钞序》中他强调“日本维新之业,其原因固多端,而推本其原动力,必归结吉田松阴。松阴可谓新日本之创造者矣。”甚至“虽谓全日本之新精神,皆松阴所感化焉可也。”这种“新精神”是什么呢?他在这篇序文中没有明说,只是提到“事业与学问皆枝叶也,而有为事业、学问之本原者。本原盛大,则枝叶不必出自我,而不啻出自我;而不然者,日修其枝叶,本则拨矣,夫安所丽?”①这个“本原”借用吉田松阴的话说就是需要刻意厉行的“勤王敌忾”精神,对此,梁启超批注曰:“此言不啻诏我辈。”②在他看来,维新中国的创造也要在维持既定“国体”这个本原的前提下进行。

梁启超的明治维新论,最精彩之处当在其《日本预备立宪时代之人民》一文,而此文实为一篇“明治政党史纲”。1906年9月1日,清政府颁诏预备立宪,声称“大权统于朝廷,庶政公诸舆论”。这篇文章正是因此而作,目的在于借鉴日本的经验。总体而言,他认为明治宪政得以成立,是政府和人民双方力量相互“借重”、相互作用的结果,而尤其强调人民的要求具有决定性意义。日本宪法之运用,其成绩斐然可观,明治宪法,从形式上看虽是钦定宪法,但从根本上看,其动机发自人民。因此,日本的成功是日本国民努力的结果。效法日本,就是要效法其国民。他强调:“凡善良之政治,不可不求其基础于国民。”如果“国民政治不发生,而欲国家即于盛强,是又欲入而闭之门也。”③而中国当时的国民都将“政治”作为“政府当道者之专有物”,④以不在其位不谋其政的消极态度,敬而远之。国民的政治参与意识淡薄,即便政府颁布预备立宪上谕,也将

---

① 夏晓虹辑:《〈饮冰室合集〉集外文》(上册),北京:北京大学出版社,2005年,第360页。

② 郭连友:《吉田松阴与近代中国》,北京:中国社会科学出版社,2007年,第248页。

③ 夏晓虹辑:《〈饮冰室合集〉集外文》(上册),第387页。

④ 同上,第389页。

难见成效。

梁启超虽然没有一部专门的明治维新著作，但是他曾直接参与了大隈重信所编《开国五十年史》(汉文版在 1909 年 9 月由东京印刷株会社出版发行)汉译稿的校对。[①] 该书汉文版发行的目的之一，就是希望中国能够借鉴日本的成功经验。这与梁启超等立宪维新派的思路是一致的，因此他也对此书极力推荐，说“兹编所记载，皆出彼都元勋硕儒自举其所阅历者，以资其后昆及与国之法戒。欲知日本之所以有今日，舍此殆无其途焉。”[②]针对那些主张直接学习欧美，认为日本一切制度学艺皆裨贩欧美而不愿做再传弟子的观点，梁启超主张“吾苟诚求而善学者，则日本已足以资我而有余。若其不能，则事事模仿欧美，而画虎类狗之丑态，必更甚于今日数倍，有速其亡已耳。”[③]怎样才称得上是“诚求而善学”？我们学习日本为什么会出现“拟之也弥似，而去之也弥远”的现象？

(四)

对这个问题，如果从当时的革命派来说，道理可能很简单。众所周知，比如章太炎就说立宪本来就不适于中国，因为在他看来所谓宪政，不过是“封建世卿之变相”罢了。中外历史及世界大势在他眼里，“欧洲、日本去封建时代近，而施行宪政为顺流；中国去封建时代远，而施行宪政为逆流。”[④]又说：“世人徒见欧洲、日本，皆以立宪稍致清平，以为四海同流，中国必不能自外，是但知空间之相同，而不悟时间之相异，其亦疏缪甚矣！”[⑤]就是说，方向走错了，当然是只能渐行渐远、越学越坏了。

---

① 马冰洁：《〈开国五十年史〉与明治日本的文化输出》，见北京大学・复旦大学・南开大学第 11 届博士生日本研究论坛资料集《东亚视阈下的日本与中国》，该论坛 2017 年 3 月 18 日在南开大学日本研究院举行。

② 梁启超：《饮冰室合集》第三册(《饮冰室文集》之二十三)，北京：中华书局，1989 年，第 115 页。

③ 同上，第 114 页。

④ 上海人民出版社编：《章太炎全集・太炎文录初编》(徐复点校)，上海：上海人民出版社，2014 年，第 396 页。

⑤ 同上，第 397 页。

不同的政治立场大概不足以拿来代替作为对这个问题的学理性分析。维新派的明治维新论还是可以为我们的思考提供一些线索。如上所述，我们可以从中读到一些基本相同的理念。比如，他们都将明治维新成功的原动力归结为豪杰之士（处士、侠士、志士）的英雄气概这种精神因素，而养成这些因素之土壤无不与汉学有关。又如，他们看到的多是中日文化相同的方面，甚至是中国优越于日本的方面，因此对于效法、学习日本的制度、语言都充满自信。他们的认识也各有特点，比如黄遵宪基本上属于传统知识分子的范畴，他写《日本国志》，虽然材料是日本的，但那是作为传统的中国史书来撰写的，如他在《日本国志叙》中所言："今之参赞官，即古之小行人、外史氏之职也。"①对自己的定位非常清楚。而康有为的经世意识、帝师观念非常鲜明。他研究日本，并非对日本本身感兴趣，其出发点在中国。其《日本变政考》的目的非常明确，就是要"我皇上阅之，采鉴而自强在此。若弃之而不采，亦更无自强之法矣。"②他也意识到西方的良法美意，一到中国就弊窦丛生，最终他将其归结于中国官制之积弊太甚。相对而言，梁启超或许要理性、严密得多。他到日本不久就意识到中国与日本有根本的不同，认为日本再好的著作也只能作为中国的参考，而不能照搬。在《东籍月旦》中介绍井上哲次郎和高山林次郎合著的《新编伦理教科书》时，他说"井上高山皆著名大家，其书亦精心结撰。但专为日本人说法，日本国体民俗有与我国大相反者，故在彼虽为极良之书，在我则只注供参考而已。"③这就是很好的例证。只是这种不同还没来得及仔细品味、研究，就很快因为应急、速成的现实需要而被表面上的似乎相同所掩盖，因此将对象简单化了。

梁启超意识到了问题的所在，而给予这个问题以清晰解释的，或许要数周作人。他根据自己研究日本语言文化的切身经验，在 1942 年初发表的《日本之再认识》一文中强调："如果只于异中求同，而不去同中求

① 陈铮编：《黄遵宪全集》（全二册），第 819 页。
② 姜义华、张荣华编校：《康有为全集》第四集，第 274 页。
③ 梁启超：《饮冰室合集》第一册（《饮冰室文集》之四），第 87 页

异，只是主观的而不去客观的考察，要想了解一民族的文化，这恐怕至少是徒劳的。”[①]他说：“我们前者观察日本文化，往往取其与自己近视者加以鉴赏，不知此特为日本文化中东洋共有之成分，本非其固有精神之所在，今因其与自己近似，易于理解而遂取之，以为已了解得日本文化之要点，此正是极大幻觉，最易自误而误人者也。”[②]可是到今天，还是有许多人不重视对日本作“客观的考察”，不去下功夫寻求“中国民族所无或少有”的“日本民族所独有之异”，还不时能够听到有人片面强调以中国人的主体关怀去读日本史，甚至说所有的日本史都是中国史。这种“‘中国式’日本研究”或认识，可否谓之“诚求而善学”，仍然还是一个问题。

（原文载于《日本问题研究》2017 年第 4 期）

二　中国日本思想史研究的方法论问题——一种学术史的回顾与展望

引言

与中国的中国思想史研究自 1990 年代中期以来持续备受关注，形成了“思想史热” [③]相对照，近二十年来，特别是新世纪以来，中国的日本思想史研究且不论其是否成为学界关注的热点，但确实也发生了很大的变化，取得了长足的发展。

关于日本思想史研究，在 1960 年代初，丸山真男说“思想史”这门学问在日本“还没有作为独立的体系取得市民权”，而且“能作为学界的公

---

① 钟叔河编：《周作人文类编・日本管窥》，长沙：湖南文艺出版社，1998 年，第 92 页。

② 同上，第 92—93 页。

③ 葛兆光：《思想史为何在当代中国如此重要——葛兆光教授在美国普林斯顿大学的讲演》，上海《文汇报》2010 年 5 月 22 日第 6 版。

共财产而被认可的方法几乎还没有诞生”。[①] 而新中国的日本思想史研究正是在1950年代后期和1960年代初才起步的。从新中国第一部日本思想史著作——朱谦之先生(以下敬称省略)的《日本的朱子学》(1958年)出版到现在已经经历了半个多世纪,为了这门学问在中国的发展,其研究传统虽然不长,但对一些问题也还是值得进行学术史的总结。卞崇道和王家骅已经在这方面作了许多基础性的工作,[②]本文参照这些成果,以方法论问题为中心谈一点观感。

实际上,谈方法论是一个很难的话题。因为无论是什么学问,实际的研究者未必要是方法论方面的专家。何况本人在日本思想史这个研究领域还是初出茅庐,没有什么研究经验可言。但是不可否认,无论是对于总结学术史,还是对于推进实际研究工作来说,方法论的自觉都是很有意义的。

(一) 中国日本思想史研究的奠基时代

20世纪五六十年代是中国日本思想史研究的奠基时代。与同时代中国的日本通史或断代史研究主要从日本或苏联引进研究成果[③]相比,在日本思想史领域,通史性或专题性研究成果已经拥有了中国学者自己的著作,这包括朱谦之的《日本的朱子学》(三联书店,1958年)、《日本的

---

① 丸山真男:《关于思想史的思考方法——类型、范围、对象》(区建英译),见区建英、刘岳兵译:《日本的思想》,北京:生活·读书·新知三联书店,2007年,第75页。

② 卞崇道:《日本哲学研究四十年》(北京日本学研究中心编:《中国日本学年鉴1949—1990》,北京:科学技术文献出版社,1991年)和《90年代中国的日本哲学研究刍议》(《日本学刊》1992年第5期,两篇文章均收入其《现代日本哲学与文化》,长春:吉林人民出版社,1996年)。王家骅:《中国における日本思想史研究の現状と問題意識》(《中国—社会と文化》第7号,1992年6月)、《中国的中日思想交流史研究》(严绍璗、源了圆主编:《中日文化交流史大系[3]思想卷》序论,杭州:浙江人民出版社,1996年)。

③ 如井上清的《日本历史——“国史”批判》(阎伯纬译,生活·读书·新知三联书店,1957年)、井上清、铃木正四的《日本近代史》(杨辉译,商务印书馆,1959年)、加尔别林主编的《日本近代史纲》(伊文成、顾铭学等译,生活·读书·新知三联书店,1964年)等。新中国成立之后的第一本日本通史著作,是1978年商务印书馆出版的辽宁大学哲学研究所编写的《日本简史》。

古学及阳明学》(上海人民出版社，1962 年)、《日本哲学史》(生活·读书·新知三联书店，1964 年)和刘及辰的《西田哲学》(商务印书馆，1963 年)，以及朱谦之主持的两本日本哲学史料集。① 这些著作是中国日本思想史研究的奠基之作、经典之作。中国的日本思想史研究在奠基时代走在了日本研究的其他领域的前头，要归功于朱谦之(1899—1972)和刘及辰(1905—1991)这两位卓越的先行者的努力。从上述著作的名称，我们可以知道中国的日本思想史研究，起初主要是以日本哲学思想为内容和对象的，这与两位奠基者的哲学家身份是分不开的。

1. 新中国成立之前朱谦之的日本思想研究

朱谦之是历史学家，同时也是一位哲学家，是中国"历史哲学"的开创者。② 他的日本思想研究在方法论上与其历史哲学有密切的关系。为此，我们不能不追溯到他 1931 年所发表的论文《日本思想的三时期》。③ 民国时期中国的日本思想史研究状况虽然还有待研究总结，④但是从总

---

① 北京大学哲学系东方哲学史教研组编《东方哲学史资料选集 日本哲学》的"古代之部"和"德川时代之部"，分别于 1962 年 12 月、1963 年 2 月由商务印书馆出版。

② 朱谦之不仅著有《历史哲学》(上海泰东图书局，1926 年)，还主编有"历史哲学丛书"，其中包括他本人的《历史哲学大纲》(上海民智书局，1933 年)、《黑格尔主义与孔德主义》(上海民智书局，1933 年)。他还著有《黑格尔的历史哲学》(上海商务印书馆，1936 年)和《孔德的历史哲学》(商务印书馆，1941 年)等。以上著作均收入《朱谦之文集》第五卷(《朱谦之文集》共十卷，福建教育出版社，2002 年)。

③ 黄夏年在《〈日本哲学史〉跋》中介绍朱谦之的日本哲学思想研究论著时提到这篇论文，写道："《日本思想之三时期》，《现代学术》第 2 期。"并论述道："从时间上看，朱先生的《日本思想之三时期》系 20 世纪 30 年代发表，全文主要说明'日本思想的发达，是从神学阶段到形而上学阶段，从形而上学阶段到科学阶段'的一个发展过程，可以说这时朱谦之先生已经对日本哲学有了较为详细的研究和比较具体的看法了。"(朱谦之：《日本哲学史》，人民出版社，2002 年，第 480 页。)该文收入《朱谦之文集》第九卷时，题注"原载《学术月刊》第一卷第三期"不知何故，据张国义的《朱谦之学术年谱》记载，1931 年"12 月《现代学术》1 卷 3、4 期合刊刊登朱谦之的《日本思想的三时期》。"(张国义：《一个虚无主义者的再生——五四奇人朱谦之评传》，中国文联出版社，2008 年，第 192 页。)

④ 北京日本学中心编的《中国日本学文献总目录》(中国人事出版社，1995 年)和林昶所著《中国的日本研究杂志史》(世界知识出版社，2001 年)的附录一《中国早期日本研究杂志篇目辑录》可以提供相关线索。张国义认为"日本思想史、哲学史研究在旧中国基本上还是一个空白。系统的研究是自朱谦之开始的。"(张国义：《一个虚无主义者的再生——五四奇人朱谦之评传》，第 141 页。)民国时期中国的日本思想史研究究竟如何，还是一个值得探讨的课题。

体上看，该文的实证性与系统性、理论性，都可以代表那个时代中国的日本研究水平。

据朱谦之自述，《日本思想的三时期》一文是他在日本写成的，[①]在日本留学的情况，他在1945年所写的自述《奋斗廿年》中讲述了那时“专注全力于历史哲学研究”，说：“我初住在神保町有明馆，后迁赤门帝大对面的登龙馆，两处附近均有长列书市，我每日有暇，一定从书市的首端走到书市的末端，视为常课。我搜集历史哲学一类书籍，凡能购得的，都不惜重资，尽量收为己有，书籍之外更特别注意于新旧杂志，（中略）我所搜集的单篇论文，在两年之后，居然订成五大册，定名为‘历史哲学论文集’，这也许就是我在东京的最大收获罢！我又每日必往图书馆，如上野帝国图书馆、大桥图书馆、日比谷图书馆，均为我经常足迹所在，凡不易购得的书籍，便在那里面抄，（中略）自朝至夕，我均为历史哲学的工作而忙，我的苦学和搜集狂，即是我唯一的嗜好，和唯一的娱乐，（中略）我的刻苦耐劳的习惯，也是在这个时候养成的。”[②]从《日本思想的三时期》来看，他后来在1968年的自述《世界观的转变》中所说的“我虽曾留学日本，但从未注意日本哲学”[③]的说法，显然是另有深意的。我想这主要是他因为学术立场的转变而对自己过去的工作的重新认识。在搜集阅读大量资料并专注于历史哲学研究的情况下，他是如何看待日本思想的发展的呢？

第一，力图推演、概括日本思想发展的历程。他指出日本思想的发展经历了“从神学阶段到形而上学阶段，从形而上学阶段到科学阶段”三个时期。他认为日本古代思想“都是不重理论而看重情意的，所以与其说是哲学的，毋宁说是文学的。”[④]摆脱大陆儒佛思想的影响，是日本思想发展的出发点，他指出“从崇拜儒教本土的迷梦唤醒起来，这实在是日本

---

① 朱谦之在《世界观的转变》中说：“我是在1929年4月间至1931年初在日本东京留学的”（《朱谦之文集》第一卷，第137页），而1931年发表的《日本思想的三时期》中称该文“为去年旧作”，如果可以由此推测，那么该文为1930年所作。

②《朱谦之文集》第一卷，第71页。

③《朱谦之文集》第一卷，第179页。

④《日本思想的三时期》，《朱谦之文集》第九卷，第1页。

文艺复兴运动的起点。过此便入日本思想的第一期——神学思想的时期了。"[①]具体而言,"因为德川时代正是日本文艺复兴运动的时代,所以许多神道学者如贺茂真渊等,出来提倡古学,而排斥从外国传来的儒佛。"[②]关于第二个阶段"形而上学时期",他说:"如把德川时代的神道思想,比成西洋思想史上的文艺复兴,则明治维新实好像'启明运动'似的。所以明治时代,神道思想便只剩得糟粕,没有人去注意他。于是神学时期一转而为形而上学时期。"这一时期的特点,他认为是以西洋思想为背景的"明治时代的维新精神,已完全根据于个人的和国家的自觉运动,较德川时代只以宗教为中心的神国观念、保皇观念,当然是要进步多了。"[③]对于这一时期的思想,他具体分析说:"我们讲到日本思想的第二期,为方便起见,可完全用德国的正统派哲学代表它。这派哲学起于明治中期,以大正十三年地震为止,势力很大,至今尚为大学里研究的中心。"[④]日本的思想家将德国派的观念论哲学"与东洋思想融化而成一新的哲学系统",他认为"形而上学派"的井上哲次郎、西田几多郎、西晋一郎、纪平正美都是这方面的代表。此外讲坛哲学中还有"认识论派"(左右田喜一郎、波多野精一等)和"现象学派"。第二期思想的特点是"高唱着国家主义","并且以为国家在哲学的意义上说,是绝对不可侵犯的"。[⑤] 他进一步分析说:"日本思想从大正十三年大地震以后,便是一个大转期,他已经不是第二时期的国家思想,而进入于第三时期的社会思想。"[⑥]其中包括无政府主义派(大杉荣、荒畑寒村、石川三四郎)、社会主义派(早期如堺利彦、山川均、安部矶雄,代表唯物论辩证法的福本和夫、河上肇、三木清)。他总结说:"日本现在思想,正在第三时期社会科学思想极发达的时候;也是马克思主义列宁主义最出风头的时候;(中略)我很相信日本

---

① 《日本思想的三时期》,《朱谦之文集》第九卷,第 3 页。
② 同上,第 2 页。
③ 同上,第 6 页。
④ 同上,第 8—9 页。
⑤ 同上,第 11 页。
⑥ 同上,第 12 页。"他"字原文如此。

思想界在最近的将来,应该有个新的发展,只要日本思想不是‘开倒车’,便只有更彻底地倾向于实践与理论合一之真正唯物辩证法的革命思想了。”[①]另外他还看到当时日本思想界的另一种倾向,即“似乎有积极走向法国的新实证主义的趋势”,并对这种趋向充满期待:“日本对于德国哲学已根深蒂固似的,无论在官学,在民间社会,试问除了粉饰着晦涩的文句,与观念辩证法的滥用以外,那派的哲学,是从生物学出发?那一个哲学家,是从心理学出发?真是一个也没有。为救这种死沉沉的霉气,当然日本学者会有重新呼吸新实证的空气的要求,这或许也是给过渡的政治革命论者以一个理论的基础罢!”[②]

他将日本思想发展的“事实”作这样的分期,是以什么为依据的呢?该文的最后一段给出了答案的线索:

> 最后由上面所举事实的证明,便知日本思想的发展,是由(一)宗教的哲学时期;到——(二)自我的哲学时期;又到——(三)社会科学时期;而最近将来的——(四)新生命哲学时期,则正在创造的进化中。如由于新黑格儿主义与青年黑格儿派的运动,重新发现黑格儿哲学的生命性、艺术性(如大江清一、松原宽、岩崎勉等),这便是好例。前途茫茫,我不敢预说什么,然而由上种种的事实,对于我前著《历史哲学》的分期原理,却已无意之中,更得了一个旁证了。[③]

朱谦之的《历史哲学》强调历史哲学的任务就是要“在历史事实里面寻出一种根本发展和进化的原理”,“历史哲学”的成立,即把历史事实给以哲学的研究,由“一种根据于历史事实的哲学”,“来解释历史全体”。[④]在这本书中他介绍孔德《实证哲学讲义》时写道:

> 以为人类的一切知识,系经过三个不同的理论的阶级:(第一)

① 《日本思想的三时期》,《朱谦之文集》第九卷,第14—15页。

② 《日本思想的三时期》,《朱谦之文集》第九卷,第15页。“那派”“那一个”原文如此。

③ 《日本思想的三时期》,《朱谦之文集》第九卷,第15页。

④ 《历史哲学》(二 历史哲学的进化史)(1926年),《朱谦之文集》第五卷,第14、15、20页。

> 神学阶级(Theological Stage),这时期做一切理论的基础的,就是"神"。一切现象都可以不可思议的超自然力解释他。(第二)形而上学阶级(Metaphysical Stage),这时期以抽象的概念,就是潜伏人们内心的思想来解决一切。(第三)实证或科学的阶级(Positive or Scientific Stage),这时期专以观察为主,汇集事实上所得的法则而整理之,排列之,籍以说明一切,所用的方法,完全是科学的。①

朱谦之在《历史哲学》中将历史哲学本身的发展历史分为宗教的历史时期、自我的历史时期、社会的或科学的历史时期和综合的历史时期,而且在论述西洋、印度和中国哲学时都是运用上述的分期说。比如他在论述西洋近代哲学的生命派时,他将其分为"宇宙哲学时期(文艺复兴)"、"自我哲学时期(启明运动)"、"社会的科学的时期(19 世纪)"和"现代的生命哲学"四个时期;在论述印度哲学的历史进化时,他也同样将其分为"宇宙哲学时期(婆陀罗衍)"、"自我哲学时期(乔陀婆陀)"、"社会哲学时期(甘地)"和"生命哲学时期(太戈尔)"②;在论述中国近世以来的哲学时,他也将其分为"宇宙哲学时期(宋代)"、"自我哲学时期(明代)"和"社会政治哲学时期(清代)"。③ 可见他这时的日本思想研究,是有着他的先在的历史哲学的一贯的原理和研究方法的。因此其日本思想研究,与《历史哲学》的分期原理的关系,与其说是"无意之中,更得了一个旁证",不如说是有意地对其分期原理作了一个补注。

第二,他对日本思想的发展状况的理解,显示了既定的历史哲学原理本身所具有的特点。其一,侧重日本近世以来,特别是明治维新后日本的近现代思想状况。对日本古代思想的论述比较简略。其二,对儒佛等来自中国的文化对日本的影响,一方面承认其影响之大,但是更多的是强调"儒家思想和日本的国民性,有些不尽吻合",以至于主张"儒家思

① 《历史哲学》(二 历史哲学的进化史)(1926 年),《朱谦之文集》第五卷,第 18 页。

② 《历史哲学》(六 西洋印度两方哲学的生命派)(1926 年),见《朱谦之文集》第五卷,第 70—89 页。

③ 《历史哲学》(七 中国哲学的三时期)(1926 年),见《朱谦之文集》第五卷,第 90—111 页。

想终究和日本思想不能相容。我们现在一谈到日本哲学，好似就只儒佛的思想盛行，这完全由于我们自尊的心理，结果把日本思想的真相淹没，对于研究的对象，反为把捉不着了。实在说来，在德川时代所谓儒教，虽代替了佛教的地位，但到日本古学复兴，便儒教也渐渐自告衰微；当时的国体论和神道论，都是始而主张神儒合一，后便变成纯粹神道的思想了。"[①]注重日本思想的固有特性，这在今天也依然具有重要的意义。但是在这里，他对日本儒学自身的特色显然注意不够，这也与他的理论前提，即将所谓"日本思想的第一期"规定为"神学思想的时期"这种限制有关。

第三，他关注的重点在明治维新之后的日本思想界，对于近现代日本思想的复杂性有充分的认识。这不仅表现在他对近现代日本思想史上各种派别的思想实质及其论争的充分了解，而且他也不是将神学阶段、形而上学阶段和科学阶段简单地作直线的理解，而是看到了不同阶段里存在各种不同的思想因素，比如"科学阶段中虽有唯物史观与社会史观两派，但均不彻底，尤其是神学阶段封建思想与形而上学阶段的军国主义思想，至今尚为有力的反动阶级之势力，如最近日本帝国主义者以旧式之军事征掠手段，强占东省，便是好例。"[②]而他对"形而上学派"中的井上哲次郎、西田几多郎、西晋一郎、纪平正美都从各自的特点出发探讨了其思想中东西方思想因素的融合及其浓厚的东洋色彩。在第一阶段中也注意到儒佛的更替以及神儒的关系，但是没有充分展开。

第四，对日本马克思主义的评价，也值得注意。比如对河上肇，他指出其"《马克思主义经济学之基础理论》一书，上篇论马克思主义的哲学基础，可算日文中关于历史唯物论的最好参考书了。但是河上氏因他始终带着理想主义的倾向（堺利彦也这样说他），其所谓唯物史观，究竟是否和马克思、燕格尔的唯物史观完全一致，很是问题。"还有其辩证法"是

---

① 《日本思想的三时期》，《朱谦之文集》第九卷，第 3 页。

② 《日本思想的三时期》，《朱谦之文集》第九卷，第 1 页。

否真是唯物辩证法”也大可怀疑。由此提醒人们注意:“在我国思想界所认为日本数一数二的马克思主义者,他的辩证法的唯物论,也是不可靠极了。”[①]他希望将有“更彻底地倾向于实践与理论合一之真正的唯物辩证法的革命思想”的诞生。他希望以“从生物学出发”“从心理学出发”即他在《历史哲学》中所强调的“生机主义的方法”[②]来打破思想界“死沉沉的霉气”,“给过渡的政治革命论者以一个理论的基础”。

对于马克思的唯物史观,朱谦之在《历史哲学》中虽然认为它“是算不了什么的”,但也还是看到了其积极的方面。他说:“他这种以经济事情为中心的历史观,因他说明历史上的社会变迁注意在社会史上一切关系依于物质的条件而变化的原因,故此学说推到极端,把理想那样东西,也看作不过物质的影子,历史家对于这句话,自然不能同意的了。不过他也有一个好处,就是对于他们专门在上帝之城理想之城去发现历史的原理的,却别开生面从地球上日常生活里面去发现他。”[③]后来他在1933年出版的《历史哲学大纲》中将马克思、恩格斯及其唯物史观放在欧洲历史哲学的发展过程中,对此有详细的论述。朱谦之对马克思主义唯物史观的批判、介绍以及到后来开始接受以至自觉地运用,是一个值得深入研究的课题。[④] 我们发现他在回忆自己1920年代初的思想时这样提到唯物史观:“我因痛恨于独秀用列宁政府的金钱,来收买工人,做他野心革命的牺牲,所以对于唯物史观的革命论者,非常失望! 而欲从根本上去求改造人心了!”[⑤]后来在《世界观的转变》中他认识到自己的“《文化哲学》根本是从一切人都是好的这个前提出发,所以太信赖了人类的良心,

① 《日本思想的三时期》,《朱谦之文集》第九卷,第14页。

② 《历史哲学》(三 历史哲学的方法)(1926年),《朱谦之文集》第五卷,第40页。

③ 《历史哲学》(二 历史哲学的进化史)(1926年),《朱谦之文集》第五卷,第18页。

④ 张国义指出:“从20年代的反对唯物史观到30年代认为唯物史观可以用来看待社会历史进化的部分真相,再到40年代在太平天国研究中将唯物史观全盘拿来,一方面说明朱谦之对唯物史观的认识逐渐深化,另一方面也说明唯物史观在中国学术界的影响力与日俱增。”张国义:《一个虚无主义者的再生——五四奇人朱谦之评传》,第126页。

⑤ 《回忆》(1928年),《朱谦之文集》第一卷,第50页。

而忘记了有许多剥削阶级存在，因为立场错了，世界观也错了，甚至所用以实现未来社会的方法也流于空话。”并表示：“我深刻地感到群众力量的伟大无比，同时更应该从内心深处感谢中国共产党，感谢这一次思想改造运动，感谢全体群众所给我的过去所未曾有的思想教育。共产党改造了世界，也改造了我。”①新中国成立之后，他自觉地批判和否定自己的“超阶级”思想和小资产阶级世界观，目的在于“让革命的知识分子，以我为鉴戒，以后不再走资产阶级世界观下个人英雄主义的路。”②同时他通过学习马列主义毛泽东思想，“并想能应用辩证唯物主义和历史唯物主义来解决一定的具体实际问题”。③ 但是，不可否定的是，他在进行自我批评的同时，也否定了自己曾经抱有的力图从学理上认识马克思主义、研究唯物史观的热情，这时他所接受的马克思主义观点和方法在很大程度上不能不说是一种政治化了的意识形态。而在日本留学期间注意收集唯物史观的著作，在后来也只不过成了一种精神上的慰藉。④

2. 新中国成立之后朱谦之的日本哲学思想研究

关于新中国成立之后朱谦之在日本哲学思想研究方面的开创性贡

---

①《世界观的转变》，《朱谦之文集》第一卷，第 177 页。

②《世界观的转变》，《朱谦之文集》第一卷，第 182 页。

③《世界观的转变》，《朱谦之文集》第一卷，第 177 页。

④ 朱谦之回忆自己自费留学日本后不久，“因为国内熊十力（子真）先生的帮忙，并蒙蔡孑民师的同意，我竟然以国立中央研究院社会科学研究所特约研究员的名义留日了。”（《奋斗廿年》，《朱谦之文集》第一卷，第 71 页。）而且“每月有八十元的补助费”，他说：“我本来是有历史癖的人，此时社会革命思想的潮流，更使我重新注意于历史发展的法则问题，我是不能以在厦大所讲的《历史哲学》一书自己满意的，加以中央研究院给我的研究题目，恰好是关于‘社会史观与唯物史观之比较研究’，因此，对于历史哲学的兴趣格外浓厚。”“如列宁的《唯物论与经验批判论》，我现藏即有中苏英日四种版本，而山川均、大森义太郎的日译本，尚是我在 1929 年 7 月 9 日在东京岩松堂夜间购得，时距该书发行日尚差一日，是值得纪念的。”（《世界观的转变》，《朱谦之文集》第一卷，第 137—138、176 页。顺便提一句，此岩松堂已经于 2010 年 11 月 21 日关张了。）此外，朱谦之的自叙诗中有曰：“中年落拓到东瀛，无福日光富士行。埋首蓬窗逃白眼，侧身岛国隐书城。何曾丝竹耽歌舞，而向马恩借甲兵。终是风尘身仆仆，不教狂客显声名。”见《自叙诗三十四首》，《朱谦之文集》第一卷，第 205 页。

献,不仅已经成为中国日本学界的共识,①也得到日本学者的高度评价。② 其开创之功或研究特色,概括地说,有以下几点:第一,开创了以马克思主义研究日本哲学思想的先河。第二,系统地梳理了日本哲学史、儒学史。第三,重视中日思想交流和比较研究,特别注重中国思想对日本的影响。第四,重视原始资料的搜集与整理。

需要指出的是,对运用马克思主义研究日本哲学思想,朱谦之也有一个从小心翼翼地试用到充满自信地娴熟掌握的过程。这也是当时的时势使然。在其第一本日本思想史专题著作《日本的朱子学》中,他对自己的研究方法还不是那么坚定,说:"在观点方面,日本哲学界至今尚少以马克思主义观点阐述日本哲学思想的发展。"申明"本书是我研究东方

---

① 前述卞崇道的《日本哲学研究四十年》、王家骅的《中国的中日思想交流史研究》对此有充分的说明。张国义的著作《一个虚无主义者的再生——五四奇人朱谦之评传》中第三章第二节"日本哲学史研究的先驱"对此分析更加详尽(亦可参见其论文《朱谦之的日本哲学史研究》,盛邦和、井上聪主编:《新东亚文明与现代化》,学林出版社,2003年)。严绍璗在为王青的《日本近世儒学家荻生徂徕研究》(上海古籍出版社,2005年)所写的序言(第7页注释⑥)中提到:"自从1958年三联书店刊出朱谦之先生的《日本的朱子学》以来,继后有1962年上海人民出版社出版的《日本的古学及阳明学》,1964年三联书店出版的《日本哲学史》,我国关于日本思想的研究基本上笼罩在这些著作表述的范围内,很少有能出其右者。但是,现在我们知道,中国版的《日本的朱子学》和《日本的古学及阳明学》的基本观念和学术体系,则来自于日本东京富山房出版社在20世纪初连续出版的由著名哲学家井上哲次郎撰著的《日本阳明学派之哲学》(1900年第一版)、《日本古学派之哲学》(1902年第一版)和《日本朱子学派之哲学》(全)(1909年订正第三版)。1964年三联刊出的《日本哲学史》的基本观念则来源于上述井上哲次郎与丸山真男《日本政治思想史研究》。1999年10月15日《光明日报》在《理论与学术》版上有文章说:'(朱先生的)《日本的朱子学》和《日本的古学及阳明学》是用马列主义观点研究日本哲学的典范,受到日本学者的高度评价'云云。该文作者及作者所说的'日本学者'可能都没有阅读过日本井上哲次郎与丸山真男的相关著作,所以这个书评便说了些不三不四的话,让研究者不知所云莫名其妙了。"如果真是这样,朱谦之日本哲学研究的特色可谓一目了然。朱谦之掌握马克思主义的程度、其自身学术特色在日本哲学研究中的体现,还值得进一步研究。顺便订正,上述《光明日报》上的文章,据查应是2000年8月29日《光明日报》上发表的署名"于光"的《百科全书式学者——朱谦之》。

② 卞崇道介绍说:"日本学者把朱谦之在北京大学开创的日本哲学史研究团体称为'朱学派',指出该派成员'其后为中国日本哲学研究的核心'。'虽然以后因'文革'而中断,……(朱先生)也在文革的旋涡中成为故人,但他播下的种子却在中国的哲学土壤中发芽,今天扎根于各地大学里。'"(原注:铃木正:《中国访问记》,《朝日新闻》(名古屋版)1985年7月9日晚刊。见《现代日本哲学与文化》第211页。)

哲学史之一初步尝试，在观点方法上可能有错误的地方，希望读者随时加以指正。”①但是到 1962 年 7 月写《日本的古学及阳明学》的前言时，对于马克思主义的运用看上去就已经很有信心，也似乎非常娴熟了。他写道：

> 日本哲学史即日本科学的唯物主义世界观及其规律的胚胎、发生和发展的历史。马克思主义以前日本哲学的基本情况，即唯物主义和唯心主义孕育、形成、发展以及它们相互间的斗争，在德川时代已经十分明显。②
>
> 研究日本哲学史主要在以马克思主义观点，阐述日本唯物主义哲学思想的发展，并批判过去所有唯心主义哲学体系；但也不能忘却在唯心主义哲学里面，正如黑格尔的辩证法，有其合理的内核一样，阳明学左派的辩证法，也有其合理的内核。现代日本哲学的主流是辩证唯物主义和历史唯物主义的发展，而追溯其思想背景，则不可不先研究一下马克思主义以前唯物主义哲学及辩证法思想产生的准备时期哲学的诸流派。③

这里，将“日本”替换成其他任何一个国家或地区，在那个时代都很适用。进而，他将哲学学派斗争与社会阶级矛盾联系起来，说：“日本哲学的学派斗争，是和社会阶级的矛盾、斗争与变动有关；以阶级矛盾作为各学派思想斗争的背景来看，就更容易明白中国的唯物主义和唯心主义思想对日本哲学所起的各种特殊作用。”④可见，这里的“马克思主义”被公式化、意识形态化了。

但是，即便如此，我们也还是可以看到他在对具体历史人物的评价中不时地表现出对自由主义的向往。比如他在评价徂徕的“独特的所谓

---

① 朱谦之：《日本的朱子学・前记》（1957 年 6 月 15 日），《日本的朱子学》，北京：人民出版社，2000 年，第 8、9 页。

② 朱谦之：《日本的古学及阳明学》，北京：人民出版社，2000 年，第 5 页。

③ 朱谦之：《日本的古学及阳明学》，第 6 页。

④ 朱谦之：《日本哲学史》，北京：人民出版社，2002 年，第 29 页。

'唯物论'"时说:"徂徕所谓物,当然不是我们之所谓物质,但也具有某一种客观存在之意义。"又说:"徂徕的唯物是把自已束缚于先王之礼之物之下,一口气也不许出,结果便是极端的自卑感,极端的奴性教育,和他的《学则》的自由主义风格恰相矛盾。"并感叹:"以一个绝顶豪迈的人,抑何其谦卑自守至此!"①有论者由此读出:"朱谦之倾注了个人情感在里面,对自由主义学风的推崇也表明他的五四学风是一以贯之的。"②注意发掘朱谦之思想中一以贯之的东西,可谓独具匠心。

其次,他的中日思想交流和比较研究,实际上也是他的历史哲学、文化哲学以至比较文化学的延伸。他认为从文化的类型上说,印度文化为宗教文化,中国文化为哲学文化,西洋文化为科学文化;从文化的结构上说,西洋文化也有宗教和哲学,而从文化的接触上说,西洋文化史上的"哲学时代"是受中国哲学文化的影响的。③ 为此他先后对中国文化在欧洲和美洲的影响进行研究,出版了著名的《中国思想对于欧洲之影响》(1940 年)和《扶桑国考证》(1941 年)。在其比较文化学的视野中,"日本文化的发生,实始于中华民族移住该土之后","日本文化原为中国文化的产物,为中国文化所传播"。④ 新中国成立之后他的日本哲学思想研究首先从朱子学入手,认为"中国哲学对于日本的影响,亦为中国学者研究日本哲学史特别主要的任务之一。然而不幸即此种研究工作,在中国今日尚属创举。"因此他的《日本的朱子学》"注重叙述朱子学在日本之传播与发展",⑤而其《日本的古学及阳明学》研究,也是想"借以明了中国哲学对于日本近世哲学的影响"。⑥ 朱谦之能够开创中日思想交流与比较这样一个新的研究领域,一定意义上也可以说是源于他文化哲学和比较文化学理论的需要,是对其既有的理论的补充与完善;另一方面,或许也正

① 朱谦之:《日本的古学及阳明学》,第 151、152 页。
② 张国义:《一个虚无主义者的再生——五四奇人朱谦之评传》,第 148 页。
③《比较文化论集》(1949 年 1 月 29 日序),《朱谦之文集》第七卷,第 255 页。
④《比较文化论集》(《世界史上之文化区域》),《朱谦之文集》第七卷,第 268、269 页。
⑤ 朱谦之:《日本的朱子学·前记》,第 1、9 页。
⑥ 朱谦之:《日本的古学及阳明学·前言》,《日本的古学及阳明学》,第 22 页。

是因为固有理论的影响，使他容易过于看重中国哲学，特别是朱子学对日本的影响。

比如他在论述“建武中兴”与宋学的关系时指出：“所谓‘建武中兴’（建武为后醍醐年号，当元顺帝元统二年[1334]），从思想的基础上说，是得力于研究宋学。因宋朱子生于偏安之时，无一日不思复兴，其史论往往为此而发，后醍醐为武门陪臣所迫，王室衰微，情况与此相似，故因研究宋学，而激发忠义磅礴之气，确立了建武中兴的功业。”①这种说法也许是出于他自己的推测，也许是受到日本学者的影响，②但是后来的实证研究表明建武中兴运动由宋学的理念所致的说法是完全没有根据的。③ 朱谦之在这里一方面主张“后醍醐虽在宫中树起宋学的新学帜，成就了后来复位时的建武中兴”，一方面也还是顾及这样的历史事实：当时“作为封建统治阶级政权的理论基础的儒学，依然是没有它的独立地位的。”④表现出一个历史学者的谨慎态度。而后来的研究者，在这一点上做过当的发挥，甚至提出“日本史上所谓的‘建武中兴’，是采用了宋学作为指导的意识形态的”，从而判定“在14世纪，即德川幕府之前两个世纪，日本统治阶级已经把宋学作为一种理想的统治思想了。”⑤这或许可以归结为理论先行的负面影响吧。

最后，也是最为重要的，是朱谦之尊重原始资料的实证精神。如果说朱谦之在研究日本哲学思想时马克思主义和他自己的文化比较学的

---

① 朱谦之：《日本的朱子学》，第52页。

② 比如中山久四郎在《朱子の史学特に其の資治通鑑綱目につきて》中说：“南宋本来为偏安之世，因为强烈地辩证道德经义的朱子学适于士风振作，因而在后醍醐天皇之世，为了中兴而宋学之研究渐渐兴旺起来。”载中山久四郎：《读史广记》，东京：章华社，1933年，第74页。

③ 和岛芳男：《日本宋学史の研究（增補版）》，东京：吉川弘文馆，1988年（初版1962年），第172页。

④ 朱谦之：《日本的朱子学》，第53页。

⑤ 严绍璗：《中日禅僧的交往与日本宋学的渊源》，《中国哲学》第三辑，生活·读书·新知三联书店，1980年，第236页。又见严绍璗、源了圆主编：《中日文化交流史大系 思想卷》，浙江人民出版社，1996年，第175页。但是，严绍璗在2009年学苑出版社出版的《日本中国学史稿》中删去了这一观点，只保留了“以宋学为‘建武中兴’的思想要素”及“在意识形态上，则与渐次发展的宋学有密切关联”的论述。《日本中国学史稿》，第56页；《中日文化交流史大系 思想卷》，第166页。

理论都是一种外在的临时习得的或固有的由来已久的理论，在给他的研究带来开拓性的贡献的同时，也不可避免地形成某种局限的话，那么他尊重原始资料、强调“无征不信”①的历史主义的实证方法，则是最终使他的研究著作成为这个领域的经典之作的法宝。实际上，提倡史观与史料的并重是朱谦之在1930年代开始所倡导的“现代史学”的重要思想。他说：“从前只知注重史料的确实性，以为只要辨别古籍古物的真伪，就完事了；现在却将这些史料来解释那时代人类社会的生活。（中略）我们看重后者方法，因其能为人类历史建立下进化的根本法则；我们亦看重前者，因其能为历史进化法则建立下史料之确实的基础”。② 到1950年代他在讲授史料学时，还强调“科学研究必须把握材料，愈能全面把握关于研究部门的所有材料，就研究的成绩，便愈成功。”同时还批判了傅斯年等“不注意史料学与历史理论的关系”。③ 朱谦之在研究日本哲学思想时正是注重选录大量的相关原始史料，使研究者得以直接与原始史料接触，这为他的研究成功奠定了坚实的基础。朱谦之的史观或理论从综合孔德、黑格尔而形成的历史哲学④转变到接受马克思主义的唯物史观，这固然是一种“进步”，但是无论什么理论，在历史研究中一旦被政治化、意识形态化而成为凌驾于一切史料之上、放之四海而皆准的“绝对真理”，

① 朱谦之：《日本的朱子学·前记》，第9页。

②《现代史学概论》，《朱谦之文集》第六卷，第5页。

③《中国哲学史史料学》(1957年)，《朱谦之文集》第四卷，第175、176页。

④ 朱谦之这样自述：“在《黑格尔百年祭》一文，公开承认我是一个抱自己主义的‘半黑格尔主义’(Half-Hegelist)，我是在历史哲学上将黑格尔与孔德结合，在生命哲学上将黑格尔与柏格森结合，这种依据辩证法，承认黑格尔与反黑格尔两说同时并存，我以为是最完全的黑格尔主义，其实乃是最完全的代表小资产阶级知识分子的伪科学方法。为什么呢？由于把黑格尔与柏格森结合，即使辩证法与直觉相结合，使黑格尔作为‘核心’的辩证法可以给生命主义的世界服务。由于把黑格尔和孔德结合，即辩证法与归纳法的结合，则使黑格尔的辩证法，可以给文化主义的哲学社会科学服务，而我以后所有不正确的观点、方法，事实上均发端于此。尤其是从黑格尔主义与孔德主义结合的基础上，建立了我的历史哲学，从我的历史哲学的基础上建立了我的文化哲学，从我的文化哲学的基础上建立了文化社会学乃至文化历史学、文化教育学等等。这一整套的学问体系，虽然没有明显地反对马克思主义，但是既然站在文化主义和马克思主义对立，也就应该加以彻底批评。”《世界观的转变》，《朱谦之文集》第一卷，第140页。

这样的理论看似吓人，实际上已经失去了生命力。所谓论从史出，是说有生命力的历史理论都是具体的，因为它都是在与大量的具体的史料的肉搏中得来的。

3. 刘及辰的西田哲学研究

刘及辰是中国日本思想史研究奠基时代的另一位重要人物。虽然与朱谦之一样，刘及辰也有留学日本的经历，而且在留学期间同样都非常刻苦学习，但是他们当时的理论立场不同。刘培育认为在 1930—1935 年的留学期间，“通过学习和研究，刘及辰先生从科学上确信了马克思主义，认识到理论和实践相结合的重要意义，掌握了运用唯物论和辩证法观察问题和处理问题的思想武器。”[①]回国之后，他在大学讲坛热情宣传马克思主义，并积极参加抗日宣传和民主革命斗争，是“九三学社”的创始人之一。新中国成立之后，他到新闻出版总署工作，1955 年调到中国科学院哲学研究所工作，开始从事日本哲学研究。

1956 年，刘及辰在《哲学研究》上发表《日本唯物主义哲学的发展概况》，实际上是对日本明治维新以来唯物主义和唯心主义哲学斗争历程的概观。他指出：“日本，自明治维新到一九四五年战败为止的这段时期，一般来说，封建主义哲学是占了支配地位的。但同时也要指出：随着劳动运动的发展，唯物主义哲学也有相应的发展；并在同封建主义哲学及其他各种唯心主义哲学斗争的过程当中，他也不断扩大了自己的阵地。因此，日本的哲学从此以后就是对立斗争的哲学。”值得注意的是，在该文中还论及西田几多郎及以西田、田边为代表的“京都学派”。他将西田几多郎的思想（该文中未出现“西田哲学”字样）分为前后两期，将西田视为日本哲学家中“独立研究思考的开端者”，将其以《善的研究》为代表的早期思想的特点，概括为“是以在德国的观念论上又加进詹姆士和柏格森的思想中的神秘主义为基本观点的一种唯心主义的世界观”；认

① 刘培育：《孜孜不倦求真求善——记九三学社中央参议委员会副主任刘及辰先生》，《民主与科学》1990 年第 4 期。

为其后期思想“采用了黑格尔的辩证法，主张所谓‘绝对无的辩证法’”，指出“西田‘绝对无’的主张，实质上就是给军国主义天皇制大张威势”，而且进而指出：“属于他们一派的‘京都学派’的立场也是如此的。这种立场，已经是法西斯化了的立场，它不仅是社会主义的否定，同时也是资产阶级民主主义的否定。”最后，他展望未来，充满希望地期待：“今后将适应着劳动运动展开的新阶段，日本唯物主义哲学也将有飞跃的进展，一直到不久的将来争取到全面胜利。”①

1963 年商务印书馆出版了刘及辰的《西田哲学》一书。该书是以马克思主义为指导对西田哲学的基本范畴或命题如“纯粹经验”“自觉中的直观与反省”“场所逻辑”“无的逻辑”“辩证法的世界”“绝对矛盾的自己同一”分章进行分析批判。其基本精神可以说是对上述论文中关于西田思想论述的展开。关于西田哲学的内容与性质，他指出：“西田哲学，是以东方佛教思想为基础以西方哲学思想为材料并用后者的逻辑把前者装扮起来的一种东方哲学。它是具有封建性格的资产阶级唯心主义哲学。”西田哲学的目的，他认为一方面是“企图和唯物主义哲学相对抗”，“企图和马克思主义哲学相对抗”，另一方面，在一些现实的社会问题上“同现有的统治势力作了更进一步的妥协，以至后期的西田哲学完全变成了天皇制绝对主义的拥护论，变成了日本法西斯主义的御用哲学，对于日本侵略战争起了帮凶作用。”②他的研究，实际上主要是对西田哲学的批判，之所以如此，是因为他通过对战后以至于五、六十年代日本思想界的了解，感觉到“西田哲学的亡魂还是在日本的一些统治阶级及其意识形态者当中游来游去”，一些唯心主义者和反动的好战分子“甚至企图使之死灰复燃”，刘及辰在马克思主义指导下对西田哲学的批判，可以视为对日本唯物主义哲学阵营的一种声援。他在该书的结尾处坚定地表示：

① 刘及辰：《日本唯物主义哲学的发展概况》，《哲学研究》1956 年第 4 期。

② 刘及辰：《西田哲学》(前言)，商务印书馆，1963 年，第 3、4 页。

> 总之，日本的唯心主义的哲学的前途是黑暗的，而唯物主义的前途是光明的。这是历史注定了的。①

我们再来参看朱谦之《日本哲学史》(1964年初版)中关于西田哲学的论述，他认为"西田哲学的性格，是保守的和反动的宗教的哲学，是东方型的一种封建思想体系的复活。如果说这种哲学还有它的'独创'的地方，那就是以垄断资本主义时期的西洋资产阶级哲学为外衣，而其内容则加进了几千年东方封建社会所残留下来腐朽的旧货色。"同时指出"他的晚年思想反映着日本之法西斯化"，"尽了为反动的天皇制辩护的职能"。② 可以说与刘及辰的观点基本上一致。由此我们可以看出当时运用马克思主义理论研究日本哲学思想的基本状况。

(二) 中国日本思想史研究承前启后的过渡时代

从1970年代末开始到上世纪末这二十来年，是中国日本学研究面向21世纪的过渡时代。过渡时代的中国日本思想史研究有以下几个特点：一、在坚持马克思主义指导的前提下，对马克思主义的研究方法进行反思，提倡研究方法的多元化；二、在具体问题上研究的深化和拓展奠基者所开创的学术领域；三、进行了一些新方法的试验。下面我们分别来进行分析介绍。

1. 学术史上烙印着过渡时代特征的经典之作：《日本哲学史教程》

过渡时代最受关注的哲学史通史性著作当然是《日本哲学史教程》，作者王守华、卞崇道在1988年春写的"后记"中这样写道："我们的恩师北京大学教授朱谦之先生和中国社会科学院哲学研究所研究员刘及辰先生是我国研究日本哲学的老前辈，朱先生现已作古，刘先生今也迎来鹤寿之年。是他们像辛勤的园丁，教我们以做人，哺我们以知识。如果

① 刘及辰：《西田哲学》，北京：商务印书馆，1963年，第147页。

② 朱谦之：《日本哲学史》，第330、320页。

说我们今天能够作点工作，完全应该归功于他们。”①从这段话里我们不仅可以体会到他们的师生情谊，也可以看到中国日本哲学思想史研究薪火相传的历史。该书在继承前人研究成果的基础上，对日本哲学思想的总体特征和在一些具体问题的论述上都有所创新，诚如王家骅所言，“在深度和广度上都较朱谦之的《日本哲学史》前进了一大步，是学习日本哲学史和中日思想交流史的良好教材。”②作为这个领域学术史上的一本重要著作，在今天看来，仅就方法论而言，其过渡性的特色也非常明显。

比如，对研究日本哲学史与马克思主义的关系，《日本哲学史教程》中写道：

> 我们何以要学习、研究日本哲学史呢？（中略）探索日本哲学史这个圆圈，搞清楚日本哲学史的发展规律，是丰富和发展马克思主义哲学史观的一个方面。这是我们学习和研究日本哲学史的第一个目的。（中略）有助于提高我们的马克思主义的理论水平和思维能力。这是我们学习日本哲学史的第二个目的。（中略）通过学习和研究日本哲学史，可以具体了解中日两国人民在思想文化方面交往的历史与传统，从而促进今后两国人民思想文化的进一步交流，使得中日两国人民世世代代友好下去。这是我们学习研究日本哲学史的又一个目的。③

从这里我们可以看到，了解日本思想文化的历史和传统不是研究日本哲学史的首要目的，也不是次要目的。首要目的是什么呢？是为了“丰富和发展马克思主义哲学史观的一个方面”。第二个目的是“提高我们的马克思主义的理论水平和思维能力”。这里的马克思主义可以视为意识形态的化身，就是说，在这种问题意识下，研究日本的哲学思想，其主要目的并不在于将日本哲学思想这一研究对象本身作为“他者”来认

① 王守华、卞崇道：《日本哲学史教程》，济南：山东大学出版社，1989 年，第 524 页。
② 严绍璗、源了圆主编：《中日文化交流史大系[3] 思想卷》，第 5 页。
③ 王守华、卞崇道：《日本哲学史教程》，第 9—10 页。

识，也不在于通过“他者认识”来深入地认识自我，而是为了服务于意识形态本身。这样，研究日本哲学的目的本身就被“异化”了。这样，日本哲学史的发展规律搞得再清楚，也超不出“马克思主义哲学史观”的范围，最多也只不过是“丰富和发展马克思主义哲学史观的一个方面”。

但是，同时这部具有明显过渡时代色彩的著作在破除对马克思主义的简单化、片面化和公式化运用方面，也具有十分重大的意义。书中指出：

> 研究日本哲学史必须坚持历史唯物主义所提供的经济基础决定上层建筑的基本原理，同时在具体运用时要避免简单化。贯彻党性原则，运用阶级分析方法，从复杂纷繁的哲学思想中整理出理性规律，同时在分析中注重实事求是，避免片面化。贯彻历史主义的原则，采用历史主义与阶级分析相结合的方法，从哲学发展的长河中把握哲学发展的基本规律和线索，避免公式化。①

卞崇道在论及1990年代中国日本哲学研究所存在的问题时，还着重提到“有的评论带有公式化、主观化倾向，即不是把马克思主义的立场、观点和方法融贯到研究对象之中，而是机械地搬用马克思主义的一些现成结论去对照、推测和批判研究对象，给人以生硬、僵化、武断之感。”②这实际上是意识到了作为意识形态化的马克思主义与作为学术思想的马克思主义的分离而力求在较高的理论层次上的统一。

2. 方法多元化的自觉：李威周、卞崇道

政治化、意识形态化的东西具有强制性，强调统一性。而学术研究的根本在于独立思考。李威周十分尖锐地揭示了两者的矛盾，他说：

> 以历史唯物主义为指导，以及与此观点密切结合的实事求是具体分析的方法，是研究日本哲学史的基本方法。同时，应当允许独

---

① 王守华、卞崇道：《日本哲学史教程》，第10页。

② 卞崇道：《90年代中国的日本哲学研究课题》，《现代日本哲学与文化》，第242页。

> 立思考，从不同的观点和方法出发来研究日本的哲学思想，历来我们一直提倡要运用马列主义的立场、观点和方法来研究问题，但是怎样掌握和运用马列主义的立场、观点和方法却莫衷一是，往往都认为自己是最马列主义的，事实上"官本位"、"权本位"或教条主义、主观武断在衡量是非中起了相当的作用。这样，很多所谓的"马列主义"其实是自以为是的东西，它们起了极为恶劣的影响。①

正是因为意识到这种"机械地搬用马克思主义"和自以为是的主观武断所造成的恶劣影响，方法的多元化要求才提上日程。在中国的日本哲学思想史研究领域，卞崇道首先比较系统地提出"方法选择"，强调要选择"适合自己研究课题的方法论"。他在《90年代中国的日本哲学研究课题》一文中提出选择研究方法应该遵循如下三个方向。

> (1) 在马克思主义哲学方法论指导下，向多元化方向展开。马克思主义认为，方法论不是唯一、绝对的；当今人文、社会学科发展迅速，各学科中不断涌现新的研究方法。不论立足于何种立场的学派，只要其方法有效，我们就要吸取，特别是现象学方法论、结构主义方法论、分析哲学方法论以及符号学方法等，都有可借鉴之处。在方法论上只有坚持向多元化方向展开，才能避免形式主义。(2) 既尊重研究对象的客观性，又体现研究者的主体精神。历史事实是客观的，我们强调文献学的和实证的研究，就是要尊重研究对象的客观性，使其研究保持强烈的历史感；但是历史叙述即历史学又非纯客观的，它是研究者主体精神的体现。我认为，史学研究者要有现代意识，用现代的观念和方法，照亮历史，使之在现代学术背景下重放异彩，这样的研究才能具有鲜明的时代感。(3) 分科研究与综合研究相结合。作为研究对象的日本是一个整体，要彻底搞清楚这个整体，首先要把它分解，从政治、经济、社会、历史、文化等不

① 李威周：《研究日本哲学史的意义和方法》，《日本研究》1999年第1期。

> 同的学科进行分析研究;然后,在分科研究的基础上进行综合研究,以得出总体结论。目前我国的日本学研究只进行了“分析”这前一半的工作,当然,分析也还有待深化,而无“综合”这后一半的工作。实际上,分析与综合缺一不可,正因为我们的综合研究不够,才使20年来我国学者没有写出一部有重大国际反响的日本学著作。①

这可以说是在20世纪中国日本学研究力图挣脱“政治形势”的影响或“意识形态化”研究的束缚,而达到的方法论上的自觉,这种自觉的难能可贵,也许是没有亲历过种种政治运动的人所难以理解的。

3. 方法论自觉的影响(上):卞崇道、王守华

随着方法论上的自觉和对作为学术思想的马克思主义认识的变化,学界不仅对于日本哲学思想中的具体人物和问题研究有进一步的深入,而且研究的领域也进一步拓宽。比如,1994年3月7日在中国社会科学院哲学所召开的“刘及辰先生学术思想座谈会”上,丘成就对刘及辰的《西田哲学》和《京都学派哲学》进行了比较,他说:

> 这两部著作的出版相隔整整30年,在这期间,刘先生对西田哲学的研究更细致、更深入,在《京都学派哲学》一书中足见其研究的进展。其次,刘先生在《京都学派哲学》中对西田哲学作了《西田哲学》一书尚缺的全面评价,不仅批判了它的许多唯心主义观点,而且没有忽视它的一些积极方面,譬如,刘先生指出:“不能否认,西田的技术论中是含有丰富的合理内容的。”(见《京都学派哲学》第57页。)②

又比如对三木清的研究,朱谦之的《日本哲学史》中强调“三木哲学的性格,是对于马克思主义哲学的歪曲、篡改。”这是“由于他的不正确的实存主义的立场”所致。因此“三木的‘马克思主义’只能是以‘马克思主

---

① 卞崇道:《90年代中国的日本哲学研究课题》,《现代日本哲学与文化》,第248—249页。

② 赵培杰:《刘及辰先生学术思想座谈会在京举行》,《哲学研究》1994年第5期。

义'为伪装，隐蔽着生之哲学、实存哲学的实质。"而"三木哲学的基本内容是属于帝国主义时代腐朽的哲学思潮之一，即'不安的哲学'。"其结论是："三木的'不安的哲学'终究只能在神秘的、宗教的、非科学的信仰里得到最后的'大解脱'。这就是日本型的修正主义思想的下场。"①而刘及辰的《京都学派哲学》一书中对三木清的评价继续指出"三木对于唯物史观的研究显然是对它的一个莫大的歪曲和修改"，"这个修改是由唯心主义方面来修改；因为三木自始至终就是一个唯心主义者。"但是该书也肯定了三木"在介绍马克思主义上和反对日本法西斯主义上都曾起了进步作用"，肯定他是"具有进步性的"唯心主义者、"具有批判性格的"自由主义者。② 王守华、卞崇道的《日本哲学史教程》虽然在一些方面继承了《京都学派哲学》的思想，但是在对三木清的评价上有明显的"进步"。他们首先明确指出"三木清是近代日本哲学史上著名的进步哲学家。"认为其"称得上是一位进步的自由主义哲学家。"在承认三木清"对马克思主义缺乏正确、全面的理解，所以在以人学解释唯物史观时，难免有误解、甚至有曲解之处"的同时，指出由于这种曲解所引起的争论，"却把日本对马克思主义哲学的研究引向最基本的理论问题，即辩证唯物主义这个问题上来，从而促进和推动了日本后来马克思主义哲学研究更加深入发展。"③

后来卞崇道的《三木清》一文则将上述《日本哲学史教程》中的相关论述更加深入一步，开篇即肯定"三木清是现代日本哲学史上著名的进步哲学家，是'闪烁在日本暗淡夜空上的一颗明星'。"而在结尾时指出"三木清这颗明星在现代日本哲学史上不会陨落，它将永远闪烁着光辉。"该文强调要"准确把握三木哲学的个性特征"，④并且充分肯定了三

① 朱谦之：《日本哲学史》，第 360、369、382、389 页。

② 刘及辰：《京都学派哲学》，北京：光明日报出版社，1993 年，第 147、177、176、177 页。

③ 王守华、卞崇道：《日本哲学史教程》，第 375、388、380 页。

④ 卞崇道：《三木清》，王守华、卞崇道主编：《东方著名哲学家评传・日本卷》，济南：山东人民出版社，2000 年，第 514、538、537 页。

木清在阐明“马克思主义的人学形态”方面的积极意义。他评价说：

> 他以人学解释马克思主义的唯物史观，我们也不应采取不加分析便予以否定的态度。首先应肯定三木对马克思主义人学进行的探讨是有积极意义的。人学本来是马克思主义哲学的重要内容之一，三木受实存主义哲学影响，感到人学不应为实存主义垄断，马克思主义也不排斥人学，从而提出马克思主义的人学形态，这种主观意图非但不是为了修正、歪曲马克思主义，反而是对马克思主义的一个贡献。他所提出的是一个亟待解决而当时又尚未解决的问题。但是，由于他对马克思主义缺乏正确、全面地理解，加之受实存主义哲学影响较深，即立场、观点、方法还没有完全转变到马克思主义方面来，所以在解释唯物史观时，既有接近马克思思想的一面，又有误解、甚至曲解的一面，这都是可以理解的。①

对思想家个性特征把握的要求、对三木清的马克思主义人学形态的重新评价，这当然是卞崇道长年研究探索的结果，同时也可以说是二十世纪八十年代马克思主义理论界掀起的关于人道主义论争在日本哲学思想研究中的反映。

研究领域的拓宽，比较明显的可以举出这样几个方面，比如对近现代乃至当代日本哲学思想的研究，如金熙德的《日本近代哲学史纲》（延边大学出版社，1989 年）、方昌杰的《日本近代哲学思想史稿》（光明日报出版社，1991 年）、上述卞崇道的《现代日本哲学与文化》及其主编的《战后日本哲学思想概论》（中央编译出版社，1996 年）；对日本神道思想的研究，比如王守华的《日本神道的现代意义》②；对中日儒学比较及儒家思想与日本文化、日本现代化的关系的研究，有王家骅的《中日儒学之比较》（东京：六兴出版，1988 年）、《儒家思想与日本文化》（浙江人民出版社，

---

① 卞崇道：《三木清》，王守华、卞崇道主编：《东方著名哲学家评传 · 日本卷》，济南：山东人民出版社，2000 年，第 536—537 页。

② 王守华著、本间史译：《日本神道の現代的意義》，东京：農山漁村文化協会，1997 年。

1990年)、《儒家思想与日本的现代化》(浙江人民出版社,1995年)等系列成果,以及李威周编著的《中日哲学思想交流与比较》(青岛海洋大学出版社,1991年)、崔世广的《近代启蒙思想与近代化——中日近代启蒙思想比较》(北京航空航天大学出版社,1989年)、王中江的《严复与福泽谕吉——中日启蒙思想比较》(河南大学出版社,1991年)、李甦平的《圣人与武士——中日传统文化与现代化之比较》(中国人民大学出版社,1992年)、徐水生的《中国古代哲学与日本近代文化》(台湾:文津出版社1993年。2008年阿川修三、佐藤一树翻将该书译为《近代日本の知識人と中国哲学》由日本的东方书店出版)和盛邦和的《东亚:走向近代的精神历程——近三百年中日史学与儒学传统》(浙江人民出版社,1995年)等等。严绍璗的《日本中国学史》(江西人民出版社,1991年)、王晓秋的《近代中日文化交流史》(中华书局,1992年)也属于广义的日本思想史或中日思想交流与比较研究的范围。

这里我们来看看王守华的日本神道研究。将神道列入日本哲学史的研究对象,并初步地进行了系统的研究,是王守华对中国日本思想史研究的最大贡献。在朱谦之的早年日本思想研究中,如前所述,"神学阶段"被列为日本思想发展的第一个阶段,对神道给予了充分的重视。后来,在其《日本哲学史》中,第六章《国学者的"日本精神"哲学》以批判的态度讨论了复古神道的思想。他在该章开篇即指出:"国学者的反动的'日本精神'哲学,即指复古神道而言,其代表者有为复古神道作准备的荷田春满,'国学'的开拓者贺茂真渊、本居宣长,与复古神道的集大成者平田笃胤。"[①]对本居宣长,他说:"宣长的政治哲学是十足反动的神国主义、天皇绝对主义、日本至上主义,直到今日尚给日本法西斯运动以理论的根据之一,可以说是复古国学最黑暗的一面。"因此,"清算这种神国的毒素,根本肃清这毒素所给日本思想界的影响,这应该是当代日本哲学家的重大任务,也是研究东方哲学史者的重大任务。"在这一章的结尾,

① 朱谦之:《日本哲学史》,第94页。

朱谦之总结道:"从所谓国学三大人(贺茂真渊、本居宣长、平田笃胤)到各式各样的国学流派,无论真渊的县居门流,宣长的铃屋门流,笃胤气吹舍门流,早已云散烟消或奄奄一息了,而怎样肃清他们的余毒,怎样从反动的'日本精神'哲学清醒过来,根本消灭天皇制度的理论基础,打倒军国主义,这是日本当前政治变革的问题,也是哲学上世界观变革的问题。"[①]王守华回忆说,在北京大学哲学系读本科时,就"对恩师朱谦之先生的课程'日本哲学史'非常感兴趣。1961 年大学毕业后,在北京大学上研究生,跟随朱谦之先生学习日本哲学史。"王守华的日本神道研究,是对朱谦之相关研究的拓展和深化。这表现在以下几个方面。

第一,王守华继承了朱谦之早年重视神道为日本固有思想的观点,他说:"随着对日本哲学思想理解的加深,我总觉得在从古代到现代的日本哲学思想的背后,除了中国哲学和西方哲学的影响之外,有一条看不见的日本固有的线索——神道思想的线索在起作用。它以神佛习合、神儒习合、复古神道(国学)、国家神道等形式与日本的古代哲学、近现代哲学交织在一起。"[②]于是他对神道哲学思想从神道思想的形成、各派神道的哲学思想、神道哲学的理论及特点三个方面进行了概观式研究,这便是《日本哲学史教程》中的第四章《神道哲学思想》。

第二,与朱谦之重点批判神道哲学的负面影响不同,王守华在注意到负面因素的同时,更加关注日本神道对日本现代化成功的积极作用。在 1980 年代,研究日本现代化成功的经验是中国日本研究的热点,王守华不满足于当时的日本思想文化研究仅仅从"儒家资本主义""家族主义""集团主义""拿来主义"等这些方面的研究,力图寻找更加深层次的原因,认为应该从日本固有的民族信仰,即神道中探索日本现代化成功的更深层次原因。他说:

> 从神道的观点来看,神不仅给人以神圣的生命,同时也给所有

---

① 朱谦之:《日本哲学史》,第 106—107、108、113—114 页。

② 王守华著、本间史译:《日本神道の現代的意義》,第 2 页。

> 的存在物以生命。人一出生在这个世界上便具有了某种神圣的使命和自身的自觉。因此，人必须努力表现其本来面貌。这表现为必须承担自己的责任、使共同的全体的生活得以发展这种强烈的共同体意识。同时神道将人类社会的一切成果都视为人自身的努力和神的保佑的结果。为了“报本”，神道要求人们主动地努力工作；为了“报本”，要求人们积极地发扬勤劳精进的精神。我认为这种主体的积极进取的精神，是形成被当作是日本的民族精神之一的“集团意识”的更深层次的要素。这种精神是日本民族发展的原动力之一，在日本现代化的过程中起到了积极的促进作用。①

力图从积极的方面探索神道的社会作用，探讨神道思想对现代化的促进作用，这在中国，王守华是首倡者。这对于我们全面而深入地认识日本的思想文化，具有重要的意义。

第三，关于神道与外来思想影响的关系，朱谦之的《日本哲学史》中只是提到“日本神道的派别，有以佛教与神道结合，主张本地垂迹说的两部神道；有受中国的儒、道及阴阳五行说影响而著《神道五部书》的伊势神道（度会神道）”，以及惟一神道、古儒家神道、理学神道、垂加神道等，进而指出这些“均无疑是外国影响的产物，和日本固有的纯神道不同。日本固有的纯神道，据说存在于《古事记》、《日本书纪》等古典之中”。②王守华进一步指出“即便是在主张复活‘纯神道’的复古神道中，也存在许多中国思想的影响。”进而主张“神道在中日两国文化交流史上占有重要地位，而且发挥了积极的作用。”③并对此进行了初步的研究，当然也批判了国家神道的负面影响。

4. 方法论自觉的影响（下）：王家骅

与过渡时期方法论的自觉相关，王家骅（1941—2000）的研究和思考

---

① 王守华著、本间史译：《日本神道の現代的意義》，第121—122页。

② 朱谦之：《日本哲学史》，第94页。

③ 王守华著、本间史译：《日本神道の現代的意義》，第5页。该书第七、八章分别从儒佛与神道、阴阳五行思想与神道的关系探讨了神道在中日文化交流中的作用。

值得关注。他的第一本个人专著《中日儒学之比较》在日本出版之后，因为其对日本儒学特质的概括和“早期儒学”概念的提出，而得到了充分的好评，甚至被源了圆称为是“迄今为止由一个中国人来把握日本儒学的壮举”。王家骅后来的一系列研究成果之所以不同凡响，首先是基于他在对相关研究领域的充分把握而产生的一种学术责任心和使命感。他在回顾自己为何要从事日本儒学和中日儒学比较研究时说：

> 我研究这个问题，主要有两方面的考虑。首先从中国学界的角度讲，我认为评价中国儒学，要站在世界史的高度，至少站在东亚史的高度。其次从日本学界的角度看，近年来日本存在有意无意地过低评价中国思想对日本影响的倾向，强调日本文化的特殊性。古代日本有“和魂汉才”之说，江户时代的日本有“国学派”，寻求未受中国影响的日本原有思想。二战时津田左右吉就曾反对日中同文同种说，战后日本成为经济大国后寻求文化大国地位，许多思想家支持津田，将中国及朝鲜对日本的影响矮小化。作为一个中国学者，有责任梳理儒家思想对日本的影响，还历史本来面目。我以为儒学到日本，发生一定变异是有可能的，但与中国总还是属于同一种属的。就像蒙古马到其他地方，变成矮脚马，但终究还是马而非驴。我想以实证材料证明儒学对日本的政治、法律、道德、宗教、文学、史学及当代日本社会的影响。否认这些影响，是非历史主义的。①

只有将自己的研究切实地放在广阔的学术史视野中，独立思考找到当前相关学术领域存在的问题，怀着因为山在那里所以要去攀登、问题在那里所以要去解决的豪情壮志和责任意识，才能够不被意识形态所役，而把自己的工作纳入到具有建设性意义的学术史范畴。正因为如此，所以王家骅在《儒家思想与日本的现代化》一书的“后记”可以自豪地说：“本书并非‘遵命

① 王家骅、钱茂伟、章益国：《儒学与中日东亚文化——王家骅教授访谈录》，《历史教学问题》2001年第4期。

文学'，而是笔者为学历程的自然归趋。"①只有以寻求各自学术领域的相关问题及其解决为研究的标准，而不是服务于学术之外的某种强加的或先行的理论，才能够使自己的研究工作保持一个纯粹的学者本色。

当然，这还只是一个必要的前提。要使自己的研究具有特色，方法论的自觉也非常重要。王家骅的研究之所以与众不同，他自己也认为方法论的自觉是"关键的一点"。他这样说：

> 我认为关键一点是我特别注意方法论的思考，或者说是视野的思考。我曾在我的《儒家思想与日本的现代化》一书中有所论述。现在有关儒家思想与东亚现代化关系的讨论，虽已成国际规模，在一些问题上也有深入进展，但大体上说，截然不同的观点处于胶着状态。我认为，要突破这种局面，推动儒家思想与东亚现代化问题的研究，除深化理论研究外，必须在方法论上有所创新。我在书中，提出了三点，那就是提倡多层次研究，提倡哲学与历史相结合的思想史研究，进行个案考察。此前的讨论囿于韦伯的理论框架，主要是研究精神与经济现代化的关系，而现代化是由划分为不同层次的诸社会要素结构而成的社会系统的动态过程，因而应展开多层次的研究，从经济、政治、社会组织、教育等层面，综合考察儒家思想与现代化的关系。还有，此前的讨论多从学理从价值坐标系统进行考察，这是哲学的方法。作为历史工作者，我们也该从功能坐标系统进行考察。不单单根据概念、范畴、推理而进行逻辑评价，而要把儒家思想看成一个不断发展的流，放于具体的历史情景中，进行个案考察。②

这里的"多层次研究"是力图突破韦伯的理论框架，比较好理解。而"哲学与历史相结合"，即"哲学的方法与历史的方法相结合"，他在《儒家思想与日本的现代化》中有详细的说明。所谓哲学的方法，他认为就是

① 王家骅：《儒家思想与日本的现代化》，浙江人民出版社，1995年，第309页。

② 王家骅、钱茂伟、章益国：《儒学与中日东亚文化———王家骅教授访谈录》。

“不满足于再现研究对象的现象复杂性，力图透过繁复的现象达到对研究对象的本质和规律性的认识，这主要是通过概念、范畴与命题，以逻辑的理论来证明。”与之相对应，“历史的方法则重视研究对象的复杂的历史演变，注重研究对象在各个时代存在的具体条件、具体形态及其特点，在这种历时性的分解式研究的基础上再归纳取得有关研究对象之本质与规律性的认识。”总之，“哲学的方法着重共时性的结构分析，而历史的方法注重历时性的演变考察。”之所以提出这种结合，是因为他发现“在国内关于儒家思想与现代化关系的讨论中，哲学家与历史学家的意见之所以时有相左，并非由于采取的方法不同，而是由于采取哲学的方法时，有时忽略了对于‘个别’与‘特殊’的考求，而代之以未尊重研究对象客观性的浮泛的逻辑推论；采取历史的研究方法时，则有时误将偶然性的‘个别’视为必然性的‘一般’，从而导致对客观对象的本质与普遍规律的误解。”①因此他提出将二者结合的思想史研究方法。他说：

> 在研究儒家思想与现代化之关系时，思想史的方法，既要求像哲学的方法那样，紧紧抓住反映儒家思想和现代精神之本质的关键观念与价值，对其总体价值取向的真理性做出判断，又要求像历史的方法那样，考察这些关键观念与价值在特定历史时期的或特定人物思想中的具体存在状态，以及它们与现代化某一进程的具体关联。因而，思想史的考察，不仅针对某种价值体系的全体，而且把某种价值体系中的某些思想、观念和价值的社会功能也纳入其中。思想史的评价，不独是依据概念、判断、推理而进行的逻辑评价，还要依据某种思想、观念和价值的社会功能进行历史的评价。（中略）在逻辑的评价出现歧异时，已成为不可更动之事实的历史，以及据此而成立的历史的评价，有助于正确判断不同逻辑评价的真理性。将哲学的方法与历史的方法相结合的思想史考察，或许会使我们得到

① 王家骅：《儒家思想与日本的现代化》，第17、18页。

比较客观、公允的新认识。①

这里所谓“哲学的方法与历史的方法相结合”，很明显地可以看出是王家骅将马克思主义的“历史与逻辑的统一”的思想方法在研究儒家思想与现代化关系时进行创造性运用的经验总结，这是很有理论意义的。在这种结合中他特别重视“功能的评价”，由此也可以看出他的这种结合是建立在重视历史的基础上的。进而我们在他的思想方法中还可以看到西方社会理论中的“结构功能主义”乃至“解构主义”因素的影响。他在《儒家思想与日本的现代化》一书的终章“日本现代化的二重性与日本儒学的二重性”中这样总结道：

> 笔者则主张哲学的方法与历史的方法相结合，应把功能的评价也纳入考察的范围，而且本书用了相当的篇幅论述了儒家思想在现代化过程中的正、负二重性功能。之所以如此，不仅因为笔者作为历史学的从业员，将其视为历史学的应有之义，而且因为只有通过这种功能的考察，才可证明任何文化、思想体系都是可以解析的，传统的文化、思想体系的某些因子在解构而重组入现代体系后有可能发挥新的功能。此外，只有通过这种功能的考察，才可以判定：对传统的文化、思想体系如何解析解构；哪些因子可以被重组入现代文化、思想体系；在重组时，对这些因子经过怎样的曲折变形或现代诠释才可能融入现代文化、思想体系，并发挥有利于现代化进程的积极作用。只有这样，才可以让我们所主张的传统文化与思想的创造性转化不只是玄妙的议论，而通过解明优秀传统与现代相融合的具体机制，使其具有一定程度的可操作性，才切近现实人生而真正做到在建设现代文化时不失优秀传统的根本精神。②

---

① 王家骅：《儒家思想与日本的现代化》，第18—19页。

② 同上，第306页。

我曾经在《儒家思想与日本的现代化》一书出版之后不久，即对王家骅的日本儒学研究，包括其方法论特点进行了初步的探讨。① 其一贯重视的“功能的评价”的研究方法有一个从简单地以“有用性”为标准而进行“优劣价值判断”发展到“功能解构论”的过程，②应该肯定王家骅强调将历史的方法与哲学的方法结合起来，有助于对历史事实与逻辑评价的复杂关系作出统一性的圆融解释，从而更加接近于历史的真实性，“以此方法而得出的许多结论，从历史的横断面看也是颇有说服力的。”③但是他进而追求的具有“可操作性”的功能解构机制是否有陷入机械论的危险？而且由于对“现代化”概念的不同理解，思想的正负功能是否有绝对的价值标准？这些都是值得思考的问题。

王家骅曾经概括中国的日本思想研究，特别是中日思想比较研究领域有如下三个共同的问题意识：第一，在现代化过程中为什么中国落后于日本？从思想的侧面探寻其原因。第二，想通过自己的研究，以某种形式为中国的现代化作出贡献。第三，想知道日本人在现代化的过程中是如何处理传统与现代性的关系的。就此他指出：“基于这种问题意识的研究，从根本上说，是结论先行的研究。在这里，中国已经落后于日本，被视为不可动摇的事实，然后再从这一事实逆推中国落后的原因。而且关键性的‘中国落后了’这一命题的背后，隐藏着学术性课题之前的情感因素。这种对于中国落后所生的焦躁，容易导致否定中国之‘一切’的心理状态。在这样的动机引导下进行的研究，无论如何反复进行比较，也难于产生在学术上真正有意义的科学结论。”④

---

① 刘岳兵、孙惠芹：《日本儒学及其对日本文化与现代化的影响——评王家骅的三本书》，《日本研究》1995 年第 4 期。该文收入刘岳兵：《中日近现代思想与儒学》，北京：读书·生活·新知三联书店，2007 年。此外还可参考惠琴：《同情及其界限——重读王家骅的〈儒家思想与日本文化〉》，载徐静波、胡令远主编：《东亚文明的共振与环流》，上海社会科学院出版社，1996 年。

② 刘岳兵：《日本近代儒学研究》，商务印书馆，2003 年，第 5 页。

③ 刘岳兵：《中日近现代思想与儒学》，第 314 页。

④ 王家骅：《中国的日本思想史研究之现状与问题意识》，收入日本东京大学《中国》第 7 号，1992 年。见严绍璗、源了圆主编：《中日文化交流史大系[3] 思想卷》(序论)，第 19—20 页。

这里对"结论先行"和非学术的"情感因素"进行了严厉批评，也是值得我们记取的。

(三) 21 世纪中国的日本思想史研究

20 世纪八十年代之后的二十年是第二代中国日本思想史研究者的活跃期，也是中国日本思想史研究承前启后的过渡时期。第二代研究者的代表人物在日本学术界集体亮相的，是东京农山渔村文化协会出版的"中国的日本思想研究"丛书，其中包括上述王守华的《日本神道的现代意义》、王家骅的《日本的近代化与儒学》(《日本の近代化と儒学》，1998 年)和卞崇道的《日本近代思想的亚洲意义》(《日本近代思想のアジア的意義》，1998 年)。2000 年王家骅逝世了，这对中国的日本思想史研究是一个重大的损失。所幸进入 21 世纪以来，王守华和在他精心培养下的日本神道研究已经初具规模，[①]而且像中国日本史研究的第二代重要代表人物王金林也加入到日本神道研究的行列，出版了《日本神道研究》(上海辞书出版社，2007 年)。2010 年 11 月 13 日中国社会科学院日本研究所举办了"神道与日本文化"的国际会议，随着对神道研究的深入，我们对日本思想文化的了解也将会有新的进展。

而卞崇道不仅自己新著迭出，培养了一批研究日本近代哲学的人才，而且他所领导的中华日本哲学会，不断进行国际国内的学术交流活动，其与时俱进的旺盛的理论创造力使他的学术生命青春永葆，在新世纪又成为新生代日本哲学思想史研究队伍的一员，继续引领和推动着中国日本哲学思想史研究的发展。

---

① 在王守华指导下的三篇博士学位论文已经出版，它们是范景武的《神道文化与思想研究》(内蒙古人民出版社，2001 年)、王维先的《日本垂加神道思想研究》(山东人民出版社，2004 年)、牛建科的《复古神道哲学思想研究》(齐鲁书社，2005 年)。

“新生代”中许多人[①]的学术风格还未定型、正在成长，所以现在要对他们的研究进行总结还为时尚早。但是既然已经说到这里，愿就寡闻所及，主要以自己比较熟悉的新生代中的活跃人物为中心，谈一些我认为值得注意的倾向，可能很不到位，供大家参考、批评。

1. 卞崇道的日本哲学思想研究的新视角与新方法

21世纪以来的十年间，2003年开始，新生代日本思想史研究者的处女作集体涌现，并表现出强劲的、持续的发展势头。这一年依次出版了韩东育的《日本近世新法家研究》(1月，中华书局)、吴光辉的《传统与超越——日本知识分子的精神轨迹》(1月，中央编译出版社)、卞崇道的《日本哲学与现代化》(4月，沈阳出版社)、刘岳兵的《日本近代儒学研究》(6月，商务印书馆)，还有一本厚重的论文集，即郭连友主编的《近世中日思想交流论集》(10月，世界知识出版社)。卞崇道此后还出版了《融合与共生——东亚视域中的日本哲学》(人民出版社，2008年)、《东亚哲学与教育》(中国社会科学出版社，2009年)，而《融合与共生》可以说是他作为新生代日本哲学思想研究者的代表作，该书在他以往研究成果的基础上，系统地展现了他日本哲学思想研究的新视角和新方法，至少有以下几点值得我们注意：

第一，强调“共生文化论”。他指出共生文化论“作为一种文化理论或文化哲学，它不仅可以用来解释民族间文化关系，国家间文化关系，也可以用来考察内部文化发展状况。”用这种理论来看看日本文化，他认为“融合与共生是日本思想文化所呈现的外在的形相与内在的质料相统一的特征。”具体而言，即“从纵向的文化史的考察中，笔者认为日本文化的发展走的是‘共存→融合→共生’的道路；从横向的文化内容的考察中，

① 随着海峡两岸学术交流的频繁，特别是华东师范大学出版社系统地引进并出版台湾学者编成的“儒学与东亚文明研究丛书”，的确“是近年来海峡两岸学术交流中的一件大事”(黄俊杰：丛书总序，2007年4月13日)，其中包含有许多日本思想史研究著作，他们的研究有许多值得借鉴学习之处。本文所论以中国大陆的研究成果为对象。台湾的日本思想史研究状况如何，也值得研究。如果纳入大陆的学术史中，就其影响的广泛性而言似可纳入“新生代”中论述。

我感到日本文化的最显著的特征可以概括为'生活文化'，即在日常生活的层面上来理解事物，并且在个我的层面上加以展开。"[①]他在《日本近代思想的亚洲意义》中就提出21世纪是共生的时代，强调"共生哲学"必要性。他指出了共生及其目标的四个方面，即"人与人的共生——人际关系的和谐、集团与集团的共生——社会关系的和谐、国家与国家的共生——国际秩序的和谐、人类与自然的共生——整体环境的和谐。"[②]后来他参加中日学者的共同研究，以至主张"'共生'已经成为具有普世价值的全球意识"。[③] 与此相联系，他还强调"文化融合论"，认为"近百年来日本文化建设所走的，是一条由西洋主义到东洋主义、到东西融合的道路。文化融合是文化建设的手段，其目的是通过吸取东西文化之长，进而融为一体，建设适合于现代日本社会的民族文化。"指出"现代日本思想文化发展的经验具有超越日本的普遍意义。可以说，东西文化的融合，将是亚洲国家文化现代化建设的一条必经的共同道路。"[④]

第二，主张通过解构传统，在东西思想融合与共生中重构或建构东方哲学。为此他提出一种新的方法论视角，即"树立他者意识，站在他者立场，客观地认识、研究日本思想文化"，主张"超越中日两国的域界，从东亚视域乃至全球视域来认识日本或中国的思想文化，则是构建21世纪东亚哲学的前提。我想，只要东亚哲学家拓宽视野，共同努力，就能够为建设和谐东亚、和谐世界提供坚实的哲学基础。"[⑤]这里的"他者认识"，他赞同山室信一的"多极视野"的观点，说"多极间的认识能够更正相互认识中的片面性和凝固的观念。我认为山室信一的这一观点为东亚和

---

① 卞崇道：《融合与共生——东亚视域中的日本哲学》，第2—3、1（前言）、238页。

② 卞崇道：《日本近代思想のアジア的意義》（1998年），第298页；《融合与共生——东亚视域中的日本哲学》，第252页。在1999年8月举行的"第三次中日哲学研讨会"上他发表《共生哲学的提倡》（收入其主编的《哲学的时代课题——走向21世纪的中日哲学对话》，沈阳出版社，2000年），系统阐述了"共生哲学"观点。

③ 卞崇道：《融合与共生——东亚视域中的日本哲学》，第44页。

④ 同上，第164、165页。

⑤ 同上，第3—4页（前言）。

解提供的新的认识方法。”①正是因为在多极视野中的他者认识这种多棱镜的观察之下，对日本的传统观念如“大和魂”“武士道”的解构才有可能，各种文化要素在冲突之后才能达到融合与共生，日本近代哲学思想的“东西方哲学融合的独特性”的特征也才能得以显示出来。

这里我们看到一位哲学家通过对历史的研究而表达出来的对现实和未来的关切。卞崇道说：“中国的日本哲学研究的目的很明确。从一般层面上说，我们研究日本哲学，是要从深层次上认识和理解日本（包括日本人），从而为中日两国人民的相互沟通搭起文化桥梁。从理论层面上说，我们研究日本哲学，是要汲取日本哲学中的优秀成果，作为重构中国现代哲学的思想资源。”②如他对公共哲学、环境哲学的关注，都已经明显地看出其研究已经上升到自身理论建构的层面。没有深厚的历史积淀和热切的人文关怀，是难以上升到这个层次的。他说：“在现代化和全球化的浪潮逐步深入和拓展的情况下，面对日益出现的伦理失范、道德缺席、政治困境、经济失衡等一系列公共性问题，作为这个世界的一分子，每个人都有义务和责任为创建一个和谐、和平的公共世界而努力。”③足见其视野之广大与关怀之深切。

值得讨论的是，卞崇道的“解构—重构”这一努力在形式上似乎与王家骅的功能解构论有某种异曲同工之势，但是卞崇道的“解构—重构”的基准不只是功能论，而是有着多极的视野，以能够彼此共生与融合为目标。其共生文化论或文化融合论作为一种理想固然有其可贵之处，用这种理想的理论观察日本的哲学思想和文化，也确实可以到达“一般（陈述型）近代日本哲学思想史著作所起不到的作用”，但是因为所有的理想都难免主观因素的作用，因此从纯粹的学术史意义上来说，用这种理想的

① 卞崇道：《东亚哲学与教育》，第186页。山室信一：《面向未来的回忆——他者认识和价值创建的视角》，收入中国社会科学研究会编：《中国与日本的他者认识——中日学者的共同探讨》，社会科学文献出版社，2004年。

② 卞崇道：《融合与共生——东亚视域中的日本哲学》，第320页。

③ 卞崇道：《东亚哲学与教育》，第195页。

理论作为方法来研究日本思想文化，虽然“剑走偏锋”自有其特色与意义，[①]但是否也会有以从某种既定的理论出发去解释研究对象而得到的“史实”来作为这种既定理论的注脚的循环论证的嫌疑？比方说对日本文化的理解和对像二宫尊德这样具体历史人物的认识是否也因此带上某种理想的色彩？

2. 韩东育的日本近世新法家论

韩东育是个值得关注的人物。此后他出版了《道学的病理》(商务印书馆，2007 年)和《从“脱儒”到“脱亚”——日本近世以来“去中心化”之思想过程》(台湾大学出版中心，2009 年)。韩东育的《日本近世新法家研究》出版之后，据说他也因此而被称为“新法家”，[②]由此可以想见他对“新法家”所寄予的同情之深厚。实际上在该书出版之前，韩东育的基本思路已经以比较简明通俗的形式在《读书》杂志上发表出来了，这便是该书后附的三篇“散论”。[③] 本人对日本近世思想史没有专门的研究，当然也就没有资格对其研究作出恰当的评述。这里只是顺着他的基本思路，来看看其方法论的核心观念所在。

第一，日本现代化源起论。韩东育要挑战的最大目标在日本学术界是丸山真男，韩东育的日本思想史研究与丸山真男思想史学的关系是一个值得探讨的课题。丸山在《日本政治思想史研究》中将徂徕学的历史地位规定为“朱子学分解过程中的最终完成者”，因此而赋予了徂徕学“近代思维”的特质。这一点他们基本上是一致的。韩东育说：“如果说，徂徕学在某种意义上奠定了日本早期近代化的思想基础这一观点可以被视为事实言说的话，那么，当人们进一步追问事实后面的根据时，丸山

① 王守华：《日本哲学思想研究的新视角——〈融合与共生——东亚视域中的日本哲学〉读后》，《浙江树人大学学报》第 8 卷第 4 期，2008 年 7 月。

② 王悦：《相争与互补的内情》，《读书》2007 年第 10 期。此说根据宋洪兵的《新法家在叩门》(香港《二十一世纪》2003 年 12 月号)一文而来。

③《迟来而未晚——也读余英时〈现代儒学论〉兼论日本“徂徕学”》(《读书》2000 年第 10 期)、《从“脱儒入法”到“脱亚入欧”》(《读书》2001 年第 3 期)、《丸山真男的“原型论”与“日本主义”》(《读书》2002 年第 10 期)。

的解释却严重地背离了事实，而成为异常明显的‘假说’或曰‘附会’。”①因此他对丸山的“解释的模板”即“所谓‘原型论’”进行了批判，指出了丸山因为提出“原型论”或“古层论”而使其理论“染上了民族主义色彩，而丸山本人，亦露出了国粹主义者的端倪。”②丸山将古学派的登场当作日本式的“古层(原型)的隆起”而无视其与荀子之间的内在关系，甚至特别强调“徂徕与荀子之间，存在着根本性差异”，进而指出徂徕“确立‘礼法’，树立身份制度”的做法，“也是徂徕固有的思维方法的发现，而决非如屡屡被误解的那样，是什么‘法家’立场的显现。”韩东育对此论断针锋相对地倡言：“在比较具有求实精神的日本研究者那里，荀子‘重礼乐、倡功利、道系圣人所作而非天地自然之道’的理论才是徂徕学的‘祖型’这一说法，早已成为定论。”进而提出“徂徕从‘人性论’到‘人情论’的转变，某种意义上正好意味着徂徕学从荀子到韩非的转变。”③在此基础上，他断言：“由荻生徂徕、太宰春台和海保青陵所创立的‘徂徕派经世学’，以朱子学批判为端绪，通过对儒教所展开的全面批判和重新解释，终于脱出儒教，使江户思想界诞生了一个全新的思想流派——‘日本近世新法家’。”“徂徕派完成了日本近世史上‘脱儒入法’的全过程，并最终使‘日本近世新法家’登场面世。”④在韩东育看来，“脱儒”是徂徕学的特质，他说：“秉师志而不移，最终将师学推向理所当然的逻辑终点——新法家哲学体系的徂徕后学自不待言，即便在学派之外，亦有相当多的人私淑其学，圭臬其书，致使徂徕学几成整个近世日本思想史界的‘显学’。然而后世之所以对徂徕学抱有如此浓厚的兴趣，其关键之关键，亦正在于它的‘脱儒’特质。”⑤这样“脱儒入法”俨然成为日本近世史上一场声势浩大的思想运动。韩东育认为正是“经由‘脱儒入

① 韩东育：《日本近世新法家研究》散论三，第390页。

② 同上，第392页。

③ 同上，第393、395页。

④ 韩东育：《日本近世新法家研究》(终章)，第279页。

⑤ 韩东育：《日本近世新法家研究》散论二，第383页。

法'而从原始法家学说中寻出的基本原理及从中蝉蜕而成的'新法家'理论，确已奠定了近世日本迈向近代日本的东方式思想基盘。"而"明治维新的一举成功，与'脱儒入法'运动的展开和'新法家'的出现，可谓关系重大。"由此他找到了被丸山真男"有意回避、无视甚至屈抑"的"法家学说在日本早期近代化中的重大意义"。① 韩东育批判是由于丸山"原型论"的稚拙及其中国停滞论的偏见，使得"丸山异常横蛮地拦腰斩断了"从荀、韩思想中转换出"近代"的可能性。②

这里似乎也有些问题值得再议。其一，关于荀子思想为徂徕学的"祖型"早已成为定论说，作者虽然有一个"在比较具有求实精神的日本研究者那里"的限定，但还是值得探讨。实际上如韩东育所明示的，"《荀子》学说乃徂徕学之祖型，已成定论"是今中宽司在其所著《徂徕学之基础研究》中所作的总结。③ 但是平石直昭评价今中宽司的这本书"是多年的实证研究的成果，但在史料操作与解读等种种方面有欠严谨，整本书仍存在许多问题。"④无论如何，这里"求实""祖型（思想渊源）""定论"都还可以进一步仔细斟酌。

其二，韩东育的徂徕学研究得到了他的导师黑住真的高度评价，盛赞"徂徕学派经由作者之手，首次从它与东亚思想资源的相互关联中得到了正确的复原。"⑤同时他在这篇序言中对徂徕的评价，说到徂徕"吸收了大量的非正统儒学和各式各样的古今思想要素"，尽管他"在与荀子、韩非子、老子的对话中，创建了具体而务实的社会运营之道"，强调徂徕学派的经世思想给近世后期带来广泛的影响，即便如此，他也没有把徂徕学派排除在儒学之外，而是将其视为儒学的一种形态，是"孕育近代日

① 韩东育:《日本近世新法家研究》散论一，第 373、374 页。

② 韩东育:《日本近世新法家研究》散论三，第 396—397 页。

③ 韩东育:《日本近世新法家研究》(第一章)，第 61 页。

④ 平石直昭:《战中、战后徂徕学批判:以初期丸山、吉川两学说的检讨为中心》(蓝弘岳译)，张宝三、徐兴庆编:《德川时代日本儒学史论》，台湾大学出版社，2004 年，第 103 页。

⑤ 黑住真:《日本近世新法家研究 · 序言》，韩东育:《日本近世新法家研究》，第 7 页。

本的巨大的儒学资源之一”。[①] 之所以要提到这一点，是因为韩东育对儒教和“脱儒”有比较明确的规定，即他所讲的儒教和脱儒，“指的就是始自思孟学派集大成于朱熹然最终为徂徕学所脱却的所谓‘儒家者流’的正统的儒家学说。”也就是说，脱儒就是“脱却‘四书’体系的过程”。[②]《道学的病理》中说：“所谓‘脱儒’，便是指对始于思孟、集大成于朱熹的所谓‘正统’儒家学说——‘道统’的脱却与逃离。”[③]就是说脱儒，实际上就是脱“宋学”或脱“朱子学”。韩东育的“日本近世新法家”的概念并未与“徂徕派经世学”这个概念作明确的区分。两者所指几乎是相同的内容。他说：“‘徂徕派经世学’不但把儒教的合理主义思想并诸法家体系而实行重新组合，而且还将其他学说也一并兼收并蓄。体现了学问与方法上的包容性与宽容性。”[④]也就是说，“日本近世新法家”或“徂徕派经世学”在观念上是儒家与法家思想的重新组合，在儒与法的关系上，既然称为“新法家”，当然是以法统儒，其所举荻生徂徕与太宰春台的思想从整体上看都还是处在“‘脱儒入法’道路上的过渡人物”，而海保青陵这个“日本近世新法家”的完成者，“被称为太宰春台死后‘徂徕派经世哲学’的唯一继承者”，[⑤]这样“形成于日本近世的新的法家流派”中真正可以称得上是“日本近世新法家”的也就只有硕果仅存的海保青陵一人而已。那么这一场所谓“脱儒入法”的运动，其“逻

---

① 黑住真：《日本近世新法家研究・序言》，韩东育：《日本近世新法家研究》，第 7 页。此处黑住真的原文为“その意味で、徂徠派は、近代日本を準備した大きな儒学的資産の一つであった。”（同上，第 3 页。）原译文为：“从这个意义上说，徂徕学派已成为孕育近代日本的广义的儒学资源之一。”这里我认为“大きな”还是翻译为“巨大的”或“很大的”比较合乎原意。

② 韩东育：《日本近世新法家研究》，第 48 页。

③ 韩东育：《道学的病理》，第 238 页。

④ 韩东育：《日本近世新法家研究》，第 287 页。

⑤ 同上，第 228 页。

辑的终点”上的这个特例能够承载作者所赋予的历史之重吗?①

实际上“徂徕派经世学”这个概念就很好了,如韩东育所指出的,其理论不过是对“勃兴并深植于江户时代町人和中层民众观念中的‘利’意识”“所作的理论转换而已”。② 所谓《荀子》或是《韩非子》,只不过是理论家在对治或疏导这种“利”意识时的一种触媒或工具而已。朱谦之曾指出徂徕之学与“颜(习斋)李(刚主)学派极相近似”,说“古学派无论崛川学派或萱园学派,都是从宋儒之学出发,从怀疑宋儒,批判宋儒,而部分地吸收宋儒之学以建立其新道学,这不但徂徕如此,颜李学派亦可作如是观。”③在经世方面都可以归入功利主义之列。过于彰显荀子的“祖型”作用和法家思想的地位,无疑也是韩东育本人强烈的经世意识的体现。

第二,塑造中国当代思想界与现代新儒家并称的“新法家”。韩东育之所以高度重视“徂徕派经世哲学”,甚至不惜提出“日本近世新法家”这样一个显得有些标新立异的概念来醒人耳目,实际上也体现了他对中国当下思想与现实的深刻关怀和良苦用心。这从他的下面两段话里可以看得很清楚。

> 人欲横流,是当今的现实,不要不承认或“曲为之说”。“欲”从“私”起,能控制“私”的决非“慎独”、“良知”这些靠不住的内在自觉,而是能使这“私”被控制在不危害他人利益范围内的外在规矩。它的极端表现形式是法律,而施诸“日常人生”者,应当是公共道德。法家认为,人性是好利的。既知如此,则所有的治国原则、大政方针乃至铺规里法,都应自觉地建立在对“人性好利”之现实“必然”的充

① 《日本近世新法家研究》第319页以小林武的论文《关于海保青陵的〈老子国字解〉上》(《京都产业大学日本文化研究所纪要》1999年第4期)为依据简略地介绍了《韩非子》在日本的情况。《道学的病理》第218页同样以此文为据,得出结论:“日本的荻生徂徕、服部元乔、户崎允明、宇佐美惠、何野龙子、小川信成、海盐道记、蒲坂圆、海保青陵等一大批学者,正致力于一场韩非复兴运动。”如果近世日本真的存在这样一场“韩非复兴运动”或“近世新法家”,那么我们期待着作者对其他“近世新法家”代表人物的研究成果面世。

② 韩东育:《日本近世新法家研究》,第288页。

③ 朱谦之:《日本的古学及阳明学》,第126、130页。

> 分认识的基础上，而不是建立于某种“应然”而非现实、惟此也极易流为虚幻的假设的基础上。“徂徕派经世哲学”之所以应引起中国人的高度重视，道理当在于此。①
>
> 余英时指出，古代印度佛教对儒家的挑战与近代西方文化对于儒学的挑战的本质差异在于，前者是“形而上”而后者是“形而下”。如果说对“形而上”的挑战必须待之以“形而上”的办法，那么，对付“形而下”的威胁，则只能应之以“形而下”的理论。可以骄人的是，中国古代的“形而上”迎战是成功的，无论是魏晋玄学还是宋明理学。然而，这根神经茁壮与粗大的同时，“形而下”的根脉却日渐萎缩。(中略)为日本近代转型奠定了重要的思想基础与社会基础的荀学，竟在它的本土横遭批判，而批判者竟是戊戌志士！今天看来，这种批判，是否直接导致了中国在迎战西方“形而下”冲击时本土文化对应模式的前提“失范”呢？(中略)忽视法家的近代转换意义，究竟给日后中国带来了怎样的后果，恐怕直至今日也并不是所有人都能看得很清楚。②

正因为他强调“法家的近代转换意义”和旗帜鲜明的“新法家”主张，在当代思想界他很快就被视为与李泽厚、成中英具有同等地位的思想家。③ 也正是这种强烈的现实关怀与良苦用心，使得他在进行思想史研究时所塑造出来的徂徕形象几乎成了他本人的自画像。他曾经引用美国历史学家康尼尔·李德(Conyors Reed)在《历史学家的社会责任》一文中的一个观点：“事实上，他在历史中发现的东西，往往就是他想从历史中寻找的东西。在选择、安排和强调他的事实材料时，他是按照自己心中的某种图式(某种他认为对社会有利的概念)进行工作的。”④以此来

---

① 韩东育：《日本近世新法家研究》散论一，第377—378页。
② 韩东育：《日本近世新法家研究》散论一，第374—375页。
③ 宋洪兵：《解读当前儒学研究新动向》，《史学理论研究》2004年第2期。
④ 李德：《现代西方历史哲学译文集》第256页，上海译文出版社1984年。转引自韩东育：《日本近世新法家研究》散论一，第372—373页。

说明："徂徕最为关心的，是生存于其中的元禄、享保时代的社会现实。从这个意义上讲，徂徕在《荀子》中所发现的，也正是他想从《荀子》中所发现的东西——某种有利于现实的解释和社会发展的理论根据。"[①]这个观点或许也同样完全可以用来说明他自己，即韩东育在徂徕学中所发现的，也正是他想从徂徕学中所发现的东西——某种他认为有利于现实的解释和社会发展的理论根据。

韩东育之所以能够从日本思想史研究入手而同时又活跃在当代中国思想的前沿，这还与他对中国思想史，特别是先秦思想史的熟谙以及无论是反思中国传统还是解读日本思想，都能够将视域置于东亚思想史的整体背景中有关。他的"东亚的心胸"和"东亚的乡愁"是他审视"东亚的病理"，并不断引发其"关于东亚研究的新思考" 的前提。[②] 要细致地解读韩东育的日本思想史研究，也不能不具有同样的东亚视野，这不是用三言两语能够解决的问题，也不是我所能够完全胜任的工作。但是有一点是可以肯定的，那就是他后来的日本近世思想史研究中特别注意到日本儒学者接受朱子学，其出发点并不仅仅是为了"祖述"或弘扬朱子学及其所代表的中国文化，而在很大程度上，是利用朱子学的哲学观为日本寻找"主体性"和"利用朱子学的历史观为日本寻找'正统性'"。[③] 也就是说，日本儒者学习中国文化，是为了使日本完全从中国的影响下独立出来，使日本成为一个与中国完全对等的具有主体性的存在，以便从理论上彻底完成了对中国的对象化、相对化。这种努力，借用韩东育的话，

---

① 韩东育：《日本近世新法家研究》，第 72 页。

②《东亚的病理》(《读书》2005 年第 9 期)、《东亚的心胸》(《读书》2008 年第 8 期)、《东亚的乡愁》(《读书》2009 年第 5 期)三篇文章均作为"散论"收入其《从"脱儒"到"脱亚"——日本近世以来"去中心化"之思想过程》中，《关于东亚研究的新思考》是他发表在 2010 年 1 月 7 日《中国社会科学报》上的一篇散论。

③ 韩东育：《从"脱儒"到"脱亚"——日本近世以来"去中心化"之思想过程》，台北：台湾大学出版中心，2009 年，第 63 页。

可以说正是日本儒者"'道统'的自立愿望"的表现,[①]也是儒学日本化的一个重要标志。[②] 韩东育这方面的研究,突破了朱谦之、王家骅日本儒学研究偏重中国儒学对日本的影响的思维定势,力图从日本思想史的内在逻辑出发,揭示日本儒者"习儒"与"脱儒"的辩证关系,进而寻找"脱儒"与"脱亚"的内在联系,日本思想史研究的一种崭新范式可以说在这里已经初见端倪。[③]

继韩东育的徂徕学研究成果发表之后,王青的徂徕研究为我们提供了一个难得的参照。《日本近世新法家研究》在综述徂徕"人情论"研究时提到王青在一桥大学的博士论文,肯定其"对徂徕学'人情'问题提出过有益的见解"。[④] 王青的博士论文"几经修改"后以《日本近世儒学家荻生徂徕研究》为书名于 2005 年在上海古籍出版社出版了。王青的徂徕研究也是以批判丸山的徂徕研究为出发点的,指出"丸山真男对徂徕学的引用有断章取义、为我所用之处,他的徂徕学研究其实是把徂徕学当作他构建有关日本近代起源学说的一个工具。"从本质上看,她认为"丸山的论点可以说是近代主义版国学,是从近代主义＝脱亚论和日本中心主义角度得出的儒学观。"但同时也充分肯定了丸山研究的现实意义:"丸山的徂徕学研究的意义,实际上并不在于他对于徂徕学的评价是否准确这一问题本身,而是在于他通过把批判朱子学的徂徕学塑造为'人性解放'的近代思想的先驱来对抗二战时期日本法西斯政权的专制统治。丸山的出发点无疑是为了维护近代的民主主义,反对法西斯主义,

① 韩东育:《"道统"的自立愿望与朱子学在日本的际遇》,《中国社会科学》(北京),2006 年第 3 期;《"华夷秩序"的东亚构架与自解体内情》,《东北师大学报(哲学社会科学版)》(长春),2008 年第 1 期。2009 年台湾大学出版中心出版了韩东育的著作《从"脱儒"到"脱亚"——日本近世以来"去中心化"之思想过程》,很值得参考。

② 参见刘岳兵:《近代日本中国认识的原型及其变化机制》,《历史研究》2010 年第 6 期。

③ 王明兵、王悦在《从"中国原点"到"东亚史学"——韩东育教授学术足迹考察》(《社会科学战线》2010 年第 11 期)一文中概括指出:"由先秦而魏晋,由宋明而日本,由明清而东亚,由华夷秩序而东亚体系,韩东育教授的研究理路大体上寻此脉络而来。"充分肯定其研究的意义在于"成为史学研究新范式的创生契机"。

④ 韩东育:《日本近世新法家研究》,第 75 页注释③。

从这个意义上讲丸山的学说即使在今天也仍然具有现实意义。但是丸山的徂徕学研究的前提是把西方的近代化视为唯一的典型和楷模，可以说这是一种西方中心史观的产物。"[1]进而，她对近代主义的研究方法进行了透彻的清算。她说：

> 所谓近代的视角就是把构成近代思维的诸种特征的成立以逆行的方式推算到近世思想当中，而被编入近世思想史的其实是近代人的历史观和世界观，也就是说近代的神话以日本近世思想史的面目出现，近世由于与近代的联系而被赋予意义和价值，近世是近代的折射而已。所以不首先推翻在无意识中支配、规定着我们的这些既成的思想学说，也就无法形成徂徕学乃至日本近世思想史研究的新方法。[2]

王青通过将日本的徂徕学与中国的朱子学进行历史地比较分析，不单纯从思想的逻辑结构方面，更从思想与具体的社会历史现实的结合方面进行实证地考察，的确如其博士论文导师安丸良夫所言，"为中国学术界提供了一种极为崭新并且有说服力的荻生徂徕像"。[3] 与韩东育将"脱儒"作为徂徕学的思想特质不同，王青则主张日本"真正的儒学思想家"自古学派才刚刚开始，认为"直到德川时代中期，逐渐出现了古学派那样的真正的儒学思想家，他们建构了独自的经学，呈现出思想的创造性和可能性。"[4]具体而言，"徂徕的古文辞学，并不是单纯的实证主义的考据学，而是一种把中国儒学的普遍概念解读为日本现实社会所需要的政治经济制度和道德规范的'诠释'工作，是把因为脱离了中国的具体社会背景——比如一君万民的中央集权体制、科举制和宗法制，而对于施行多元权力体制、世袭身份制和家族制度的日本近世社会的现实问题显得无

① 王青：《日本近世儒学家荻生徂徕研究》（导言），第5、6、7页。

② 王青：《日本近世儒学家荻生徂徕研究》，第158页。

③ 安丸良夫：《近世日本思想史研究与荻生徂徕》，王青：《日本近世儒学家荻生徂徕研究》（代序），第4页。

④ 王青：《日本近世儒学家荻生徂徕研究》（导言），第6页。

能为力的中国儒学改造为适应日本社会具体情况的、有日本特色的儒学理论的创新行为。”①王青的徂徕研究成果的出版，的确如严绍璗所言：“为我国人文学术界为阐释日本经典文化提供了一部具有相当学术价值的著作”，②而她对近代主义研究方法的批判，更是值得我们每一个人文学研究者深思。

(四) 代结语：一次关于方法论问题的讨论

1. 吴光辉与本人关于方法论问题的思考与困惑

吴光辉在《传统与超越》一书中“试图描述日本近代知识分子为了对抗西方文化的冲击，如何哲学化地阐发以阳明学为主导的东方学问，如何超越西方文化的影响，赋予东方学问以一种世界性的内涵这一过程，由此来引导出东方近代化过程中所出现的重新建构东方传统与超越西方近代化的两大课题。”由此将“传统与超越这一问题的核心”定位在“发掘出传统在世界这一场所下的主体意识与存在价值”，他关注的焦点自然也就是“日本知识分子对这一问题的逻辑思考与哲学体验”。③ 吴光辉有过在京都大学研究日本哲学史的求学经历，后来一度转向了研究日本的高等教育，曾经“困惑于哲学思辨的研究方法与历史学的研究方法之间”而“深刻地意识到了学问与方法的贯通之处”。④ 后来他坦言自己“迄今为止的日本体验与学术经历，尽管涉及了日本哲学、日本思想、日本文学、日本教育等多个领域，却一直找不到一个可以将它们融会贯通在一起且具有时代感的学问研究之契机。”在这种情况下，他“开始了以日本的中国形象为对象的探讨与研究”。⑤

新世纪以来，本人也一直在日本近现代思想史及中日近现代思想交

① 王青：《日本近世儒学家荻生徂徕研究》，第 166—167 页。
② 王青：《日本近世儒学家荻生徂徕研究》（严绍璗《序言》），第 5 页。
③ 吴光辉：《传统与超越——日本知识分子的精神轨迹》（自序），第 7、8 页。
④ 吴光辉：《转型与建构——日本高等教育近代化研究》，世界知识出版社，2007 年，第 263 页。
⑤ 吴光辉：《日本的中国形象》，人民出版社，2010 年，第 236 页。

流史领域从事教学与研究活动。2009 年 10 月我在《读书》发表了《关于日本近现代思想史》一文，概括地谈了一些自己在方法论上的体会，这篇文章实际上就是 2010 年世界知识出版社出版的我的《日本近现代思想史》的“前言”(发表时略有删节)。我说到：

> 在历史研究中，由于理论先行所引起的许多论争、发表的许多论著，极而言之，不论“好事者”的主观意愿如何，其出发点就决定了他的“研究”不是探求历史的真相，而只是掩盖历史的真相；他的“成果”也称不上“历史著作”，只不过是对“我执”或“妄念”的一个注脚。史学理论的生命力来源于其解释史实范围的广度和阐发历史进程之所以然的深度。一旦离开与史料的真正的肉搏和对史实的辩证，任何史学理论的生气都将丧失殆尽，也很难再发挥任何积极作用。没有万能的、放之四海而皆准的史学理论。(中略)在历史研究中，理论先行的做法都是探究欲衰退与投机欲增强的表现。①

其中还强调了对中国日本学这门学科的“专业化态度”和“专业化训练”的重要，强调“如果基本的历史叙述工作做得尚不扎实，便眩之以各种外来流行的理论或研究‘范式’，那一定会出现百鬼夜行、鸡犬不宁的局面。”并表示：“我为自己不熟悉各种流行的史学理论或研究‘范式’而汗颜，但同时，我也为自己没有先入为主地照搬任何理论、套用任何范式而欣慰。”②

2. 吴光辉与本人关于方法论问题的讨论与交流

2010 年 5 月 11 日，我开始将此书分别邮寄给中日相关学者，其中包括吴光辉。5 月 31 日给吴光辉写信，请求他为该书写一篇书评。6 月 14 日就收到了他的书评初稿《“理论之后”的日本思想史研究——刘岳兵〈日本近现代思想史〉述评》，其中专门就思想史的方法、目的及其价值、意义等问题谈了他的一些想法，很有见地。如关于方法问题，他提到：

---

① 刘岳兵：《日本近现代思想史》(前言)，第 7 页。
② 刘岳兵：《日本近现代思想史》(前言)，第 8 页。

历史的发展究竟是一个什么样的轨迹？思想史的发展究竟是一个什么样的轨迹？二者必须进行一个严格的划分，(中略)思想史的断裂与延续，并非是随着朝代或者年号的改变而发生根本的转移；通过历史的大事件所构筑起来的历史，不一定就是“思想”本身的历史；(中略)“日本近现代思想史”这一标题下的“日本”的主体、“近现代”的延续与断裂、“思想”的内涵与扩张、“史”的价值与意义究竟是什么？我认为必须进行一个综合性的概论。

关于思想史研究的目的，他指出：

我们必须认识到自身研究思想史的立论究竟在何处？(中略)是否具有一定的批判意识——针对研究对象为什么存在，其存在的逻辑是否合理的批判意识，恰恰就是思想史研究的最为关键之所在。刘岳兵的研究目的无疑在于历史资料的收集与梳理，也充满了极为深刻的人文关怀与忧患意识，令人油然而生钦佩之感。但是我们也不得不指出，历史资料的收集与梳理绝不是思想史研究本身，也不应该被视为思想史研究的目的之所在。

关于思想史研究的价值与意义，他指出：

如何在一个西方化的知识体系下的日本思想史研究之中树立起我们自身思想诠释的合理性或者合法性，将是考验我们的思想史研究是否成功的重要指标之一。所谓“树立起我们自身思想诠释的合理性或者合法性”，其基准或思想渊源，或许是日本知识分子针对儒学的理解，或者是我们得益于日本思想而衍生出来的思想，或许是我们直接从西方接受过来且与日本的传统进行了比较之后的思想，总之，我们要维护的是我们自身的解释权。

之所以称之为“理论之后”的日本思想史研究，事实上也是针对后现代主义的一种批评。在经历了一系列西方理论的洗礼之后，我们才发现丧失了自身的立场，陷入到了一个“失语”的状态之下。后现代主义具有强大的破坏性，如今我们也在借助这一方法来颠覆此前的观念史或者意识形态下的日本思想史研究。这样的破坏性对于我们脱离日本学术界的观念性的“指导”还是具有一定价值的。作为日本思想史的研究，我们没有必要从一开始就对美国、英国或者德国的研究方法采取一种排斥的态度，也没有必要一开始就抱着所谓的“日本学”的态度，而是要通过方法的渗透与交织，尤其是要关注到史料的发掘与解释，由此来梳理出我们自身的方法论。

我当然很高兴收到如此有见地的精彩评论。于是在6月15日回信致谢并作了一些简要的说明，主要内容如下：

第一、“思想史的断裂与延续”与“朝代或者年号的改变”的关系的问题。日本近现代思想史的发展，当然不可能以明治、大正、昭和前期、战后这样朝代或年号的改变而断裂，正因为如此，我也注意到不同时代思想的“延（连）续性”，（中略）但是又不得不按照历史顺序分章论述，“思想史”如何充分体现“思想的历史”的确是一个值得探讨的问题。实际上我是想将如何处理好传统与现代、日本与世界、个人与社会这三个方面的关系贯穿到日本近现代思想史的写作中，但是不很理想，甚至很不理想。

第二、（中略）如果说对中国的日本思想史研究在理论上要有一种批判意识的话，我想当务之急是要批判情绪化的（→无理论）和意识形态化的（→理论先行）研究，这一点我在拙著第279页的注释1中有一些透露。

第三、“思想史研究的价值与意义”，当然是在这个领域中工作的每一个人都难以回避的问题。就我现在的想法而言，其下手之处，我认为与其将这一问题作为“理论”问题，还不如将其作为“历史”问题来着手更加实际。因为我认为“如果理论一旦陷入一种空谈，而不是根植在深厚的信仰中或没有广阔的大地般的滋养，它就很容易成为一种时尚，不断地变换颜色而成为现实需要的牌坊。这样的理论当然无‘节操’可言。”（拙著第88页）

第四、“对美国、英国或者德国的研究方法”，我并不是“从一开始”就“采取排斥的态度”，我反感的只是“照搬”和“套用”。（后略）

6月16日收到了吴光辉的回函，主要谈到以下几个问题：

（1）第一个问题，实际上是一个难以理想化的划分，我非常能够理解你的无奈，我也同样面临着这一问题。不过，我考虑的不是去批评你的划分，而是试图解释年代划分的历史方法只是思想史研究的一个方法。后来之人要继续撰写思想历史，可以按照黑格尔的历史观——大事件的思想史，或者以人物为中心思想历史，或者挖掘各个流派（明六社、自由民权运动、学院派）为中心的思想史，这样也就避免了绝对化。如今您的操作具有了极为强烈的时代烙印——批判现实的痕迹，具有重大的历史意义，但是反过来作为思想史的意义就不会那么显著。（中略）“日本的”思想的日本性格究竟是什么，我认为至少在最后要强调一下。

（中略）

（2）就批判意识而言，应该说我也非常了解大著的意图。不过，我所说的批判意识抱有两层内涵，一个是如同您所说的，针对中国的日本思想史研究的批判意识。我所强调的是第二层内涵，我的文章之中也没有直白地指出。我们之前的批判纠集在了一点，就是日本为什么会走向军国主义？丸山的立场则是日本为什么成功？因此站在思想史的立场，我们如今要撰写，究竟要抱有什么样的意识？这也就是您的思想的出发点究竟何在？

（中略）

因此，我所强调的批判意识的最终目标是“回复”这样的多样性的批判视角，但是，作为我们要采取的批判意识本身究竟应该如何呢？我认为与其论述日本的“日本性”（为他人论证，这样的工作七十年代以来的日本知识分子一直在进行，沟口教授的《作为方法的中国》也是如此，到了21世纪，沟口教授的立场有所变化），还不如阐述日本的“多样性”，这一点我目前也还在构思，希望找一个机会可以展开对谈。

总之，我认为材料或者文献的收集与整理必然会服务于一个基本的目的，也就是批判意识，就此而言，大著之中所突出的问题意识（我自身认为的批判意识），也就是为什么要研究日本还不是那么确定。而且，我自身的立场是日本的“思想”经验不可复制，也不应该复制。

(3) 意义与价值，我之前的第二点进行了阐述，应该说我们两个人的立场或者视角不同。（前略）历史学的方法是我们擅长的方法，立足根本材料，具有典型的说服力，不可小窥。但是，我认为我们要超越前人的研究，如果只是史料的发掘的话，那么思想史研究的价值也就会被矮小化了，我们也需要消化后现代主义的方法。

就日本思想史而言，我认为我们要在史料的把握上找到为什么会出现这样的思想，这样的思想的来源与变迁如何，日本民众是如何接受这样的思想，这样的思想对于整个时代、整个日本社会乃至东亚的影响如何？如果从我自身的哲学立场而言，则是要评价这样的思想是否合理，合理的根源或者不合理的问题的症结究竟何在，这样的思想的逻辑问题是否可以扩大为整个近现代日本的问题。

（中略）

(4)（前略）在此，我联想到卞老师提到的“日本哲学”这一概念，日本人不承认，我们该怎么办？我们的研究要树立的就是我们自身逻辑框架下的“日本哲学”的合理性与合法性。大著的一系列研究的最终目的应该说也是如此吧。我并不是说它就是合理与合法的。因为基准是什么尚不清楚，什么才是基准也是未知的，不过，我想我们都在为这样的“基准”而努力。

对此，当天我回函如下：

（前略）回想这些年来的工作，记得在《日本近代儒学研究》的

"导论"中有这样的话:"本书不想得出什么可以为学界所公认的结论,只是想证明近代日本存在着这样的'儒者'。书中并没有什么先入为主的方法论的指导。笔者所能做的只是尽自己的最大努力,把研究对象的所有著作及其相关资料尽量找来,逐字逐句地去阅读领会,然后分析、综合,力求把他们的所思所想原原本本地表述出来。"十来年了,为自己的固执和没有长进而汗颜。

实际上,我想在完成手头现在的任务之后,专心投入"原典日本近现代思想史"的解读与译介工程。如您所知,日本中国学界,在上世纪七十年代出版了西顺藏编的《原典中国近代思想史》六卷本,今年开始岩波书店又在出版一套七卷本的《新编 原典中国近代思想史》。相比之下,我们的日本近现代思想史研究,基础工作之贫乏也着实同样令人汗颜。中国的日本研究,某一个研究者或许可以出类拔萃地优秀,但是如果中国的知识界,当然首先是中国的日本学界,比如说在日本近现代思想史研究领域,连一些最基础的历史事实知道得都不是很全面、了解得都还只是停留于表面,如果不建构一种夯实的"知的土壤",恐怕连某种能够得到真正认可的理论观点甚至都很难提出,遑论整体上的理论提升。尤其是我们的研究对象是物议纷然的近代日本。

尊评以及来信所强调的问题意识,不同的研究者或许有不同的表现,而理论建构,无疑是一种美好的理想。(中略)"是什么"的追问是没有穷尽的,"为什么"的追问也必然随时翻新。两者都无可逃避,这是研究者的宿命。

由于北京日本哲学思想读书会决定2010年8月14日以讨论《日本近现代思想史》作为例会活动,①我曾提议将吴光辉的书评连同我们的来

① 北京·日本哲学思想读书会:《中国日本思想史研究领域的第一本通史性著作——刘岳兵〈日本近现代思想史〉讨论会综述》,《或问》第19号,东京:白帝社,2010年12月。这次讨论会中与会者也就方法论问题进行了比较深入的讨论,请参看该综述第三部分。

往信函一并交讨论会传阅，实际上当天只是将印发了他的书评，而且由于时间紧迫，也没有就此展开讨论。

3. 杨学功对这次讨论的总结及本人的一点感想

后来我将自己最近的想法包括这些往来信函寄给同样关心方法论问题的老友杨学功博士①，请他指教。他不负所望，在8月17日认真地给我回信，事实上对我与吴光辉的讨论作了一个很好的总结。他说：

(前略)来信收到，转发大著书评及你与书评作者吴光辉之间就日本近现代思想史研究理论和方法的往复信函，也已细细品读，觉得非常有意思。

首先，吴对大著的评价是很高的，诸如说"该著的日本思想史研究具有奠基之作的重要价值"，"对于未来的系统研究或者个案研究具有极为显著的历史意义"。这些评价都是很高的。

其次，关于他所提的几点商榷意见，排除其中你指出的缺乏证据的一点，以及最后关于意义和价值的空泛之论，其他各点我觉得都有一定的参考价值。这里只谈其中两点：

第一，关于思想史的写法。你反对"理论先行"，主张从文献出发还原历史的真相，将历史研究方法贯彻到底。这无疑是最基础的工作，但思想史毕竟有其独特性，与一般政治史、经济史、社会史不同。如何体现思想"构成自身"的历史，正如你所说的，可能还是一个值得探讨的问题。我粗略看了大著的篇章结构，觉得政治史和社会史的痕迹较重，思想史的特色还不够鲜明。我们在重写马哲史过程中也碰到这个问题，即思想史的分期是否一定要与客观历史分期保持一致。在这个方面，黑格尔的逻辑与历史方法值得参考。

① 杨学功，北京大学哲学系副教授，是学院派马克思哲学研究的少壮派，主要著作有《超越哲学同质性神话：马克思哲学革命的当代解读》(北京大学出版社，2010年)。他的关于马克思主义哲学研究方法的观点，见杨学功、鲁克俭：《在范式转换的途中——关于马克思主义哲学研究现状的对话》(《学术月刊》2008年第8期)、杨学功：《超越"史"和"论"的二元对置——从当前状况看马克思主义哲学研究如何走出困境》(《学术月刊》2006年第1期)等文章。

第二，关于思想史研究的立场。吴说你将"'儒学'的合理性或者合法性"作为自己的立论根基，实乃错认，但他所谓"思想史研究的目的究竟何在"，实际上是要求"明了著者自身思想主张之所在"，或者说，"如何在一个西方化的知识体系下的日本思想史研究之中树立起我们自身思想诠释的合理性或者合法性"。这个问题我觉得不能回避，因为"客观历史编纂学"方法对于思想史来说是不够的，或者说是不充分的。

（前略）你总是强调拿材料和文献来说话，甚至对"理论"充满鄙夷和不屑，斥之为"空谈"、"时尚"、"变换颜色而成为现实需要的牌坊"，总之，"无节操可言"；而他则认为，"历史资料的收集与梳理绝不是思想史研究本身，也不应该被视为思想史研究的目的之所在"。

抽象地说，你们的主张都不无道理。这大概也是两种不同的治学方式，很难区分高下。如历史上所谓"汉学"与"宋学"之争，争来争去，始终没有结果，任何一派都不可能消灭另一派。因此，抽象争论是没有意义的，需要着眼于当前所面临的问题。就此而言，我更加"同情"你的主张，因为正如你所指出的，我们现在的研究（人文各学科均是如此，并非仅限于日本学），并不缺乏新奇的理论和方法，而是最起码的"专业化要求"（包括"专业化的态度"和"专业化的训练"）都没有达到。在这样的情况下，基本知识的介绍和基本文献的翻译比起那些大部头的"论著"更有价值。"一旦离开与史料的真正的肉搏和对史实的辩证，任何史学理论的生气都将丧失殆尽，也很难再发挥任何积极作用。没有万能的、放之四海而皆准的史学理论。"其实哲学也如此，没有万能的、放之四海而皆准的哲学理论。"如果中国的知识界，当然首先是中国的日本学界，比如说在日本近现代思想史研究领域，连一些最基础的历史事实知道得都不是很全面，了解得都还只是停留于表面，……，恐怕连某种能够得到真正认可的理论观点甚至都很难提出，遑论整体上的理论提升。"你的这段话对于哲学界也有很强的针对性，对我来说也恰如其时。

（中略）

我始终认为，方法应该是多样的（这一点我倾向于吴光辉），不能人为地定于一尊。但是在中国当下的学术转型期，讨论方法问题是很有意义的。在哲学界，以前也有很多人喜欢谈方法问题，但都限于空谈（"只说不练"）；现在讨论方法的意义就不同了，是为了在学术转型期为自己寻找合适的道路。（后略）

如杨学功所言，方法应该是多样的，但是抽象地争论是没有意义的，需要着眼研究者各自所面临的实际问题。没有放之四海而皆准的理论，也没有放之四海而皆准的方法。

如前所述，卞崇道曾强调"史学研究者要有现代意识，用现代的观念和方法，照亮历史，使之在现代学术背景下重放异彩，这样的研究才能具有鲜明的时代感。"这固然是非常有意义的。但需要注意的是，真正能够"照亮历史"的"现代的观念和方法"，对于每一个史学研究者而言，这种"火眼金睛"的获得不可能从天而降，其"灵光"也必然是通过与无数史料"肉搏"之后而炼成的。因此即便获得这种"灵光"，也不能将它视为可以普照世界的"真理"，而必须谦逊地严守其畛域。[①] 我相信每一件史料都在呢喃细语，都有自己的思想，但史料本身却不能自行再现或重构历史，而能否——如果能够那么如何才能、多大程度上才能——倾听到史料的呢喃、理解出史料的思想，全凭史家的素养、能力和境界，全凭史家的心灵的丰富性和敏感性。历史学是一种倾听、一种体察、一种理解，决非以寻章摘句而尽其能事的。

（原载莽景石主编：《南开日本研究 2012》，世界知识出版社，2013

① 王尔敏有言曰："研究历史，近世学界恶习，不就史料史实建树正确基础，徒务凭空创设理论欲求倡为解释之管钥，立定典范之标帜。自是凭恃聪明，假借断识，急求结论，竞图创新。于争奇斗艳之中，为惊世骇俗之言，自然逞快一时，必至贻误后生。"见王尔敏《序三》（载王家俭：《李鸿章与北洋舰队——近代中国创建海军的失败与教训（校订版）》，生活·读书·新知三联书店，2008 年）。

年。后收入《"中国式"日本研究的实像与虚像》，中国社会科学出版社，2015年。本文是在2010年9月27—28日杭州举行的首届"东亚文化交涉学方法论"研讨会上发表的论文《作为"他者认识"的中国日本研究如何可能——回顾中国日本研究的相关方法论问题有感》基础上重新构思而成。原为纪念王家骅教授(1941—2000)逝世十周年而作。其中第Ⅲ、Ⅳ部分在2011年1月15日香港大学召开的"东亚视域中21世纪日本哲学研究的现状与走向"国际会议上发表。文章主要以1949年以来中国的日本哲学思想研究成果为主要论述对象，而从广义的文学角度进行的日本思想研究，如孙歌等人的研究成果，以及以中国思想史为出发点的日本思想史研究，如葛兆光等人的相关研究，均为中国日本思想史研究的重要成果，对此将另行撰文加以论述。感谢中国社会科学院日本所李薇所长将本研究纳入其中国日本研究学科综述课题中，本文第Ⅱ、Ⅲ部分收入李薇主编的《当代中国的日本研究(1981—2011)》(中国社会科学出版社2012年出版)中。相关内容已经公开发表的文章有《中国日本思想史研究30年》(《日本学刊》2011年第3期)、《朱谦之的日本哲学思想研究》(《日本学刊》2012年第1期)。全文由(日本)金津日出美氏翻译为日文，以《中国における日本思想史研究の方法論的問題—ある学術史的回顧と展望—》为题发表在2012年3月日本立命馆大学发行的《東アジアの思想と文化》第4号(ISSN1881—1264)。)

三　中国的日本哲学思想史研究如何从朱谦之"接着讲"？——纪念朱谦之先生诞辰120周年

前言：什么是"接着讲"？为什么要谈"接着讲"？

研究中国哲学的现代学者，大都熟悉冯友兰在定位自己的哲学体系与宋明理学的关系时所用的"照着"讲和"接着"讲的说法。1939年5月商务印书馆出版的《新理学》的"绪论"中冯友兰在解释书名"何以名为新理学”时说：

> 照我们的看法，宋明以后底道学，有理学心学二派。我们现在所讲之系统，大体上是承接宋明道学中之理学一派。我们说“大体上”，因为在许多点，我们亦有与宋明以来底理学，大不相同之处。我们说“承接”，因为我们是“接着”宋明以来底理学讲底，而不是“照着”宋明以来底理学讲底。因此我们自号我们的系统为新理学。①

半个世纪之后，冯友兰晚年在总结自己的一生学术成就及其在中国哲学史上的地位时，将自己的哲学体系作为“中国哲学近代化时代的理学”的一种（另一种是金岳霖的哲学体系）来论述时，开篇第一节，即用“‘接着讲’与‘照着讲’”为标题来说明：

> 《新理学》开头就说，本书“是‘接着’宋明以来底道学讲底，而不是‘照着’宋明以来底道学讲底”。
>
> 中国需要近代化，哲学也需要近代化。近代化的中国哲学，并不是凭空创造一个新的中国哲学，那是不可能的。新的近代化的中国哲学，只能是用近代逻辑学的成就，分析中国传统哲学中的概念，使那些似乎是含混不清的概念明确起来。这就是“接着讲”与“照着讲”的分别。②

他的“接着讲”不仅是中国哲学的研究方法，更是创新中国传统哲学、建构现代中国哲学的一种精神追求。③ “接着讲”既重视学术传承，又重视创新。由于“新理学”作为宋明理学的一种现代形态已经得到学界的普遍认可，新理学系统何以建成的“接着讲”的方法和理念，也就成为了一种具有普遍意义的发展和创新人文学科的共识，因此，强调“人文学

---

① 冯友兰：《三松堂全集》第四卷，河南人民出版社，2001 年，第 4 页。

② 冯友兰：《中国哲学史新编》第七册，台北：蓝灯文化事业股份有限公司，1991 年，第 166 页。《三松堂全集》第十卷，第 621 页。（收入全集，章节标题及此段中的“近代化”均改为“现代化”。）

③ 高秀昌：《“接着讲”——一种治中国哲学史的方法》，《中州学刊》2003 年第 2 期；蒙培元：《如何理解冯友兰的“接着讲”》，《中州学刊》2003 年第 4 期。

科的新的创造必须'接着讲'。"学术思想、学科传承,要尊重前辈大师的遗产,"'接着讲'是突破,是扬弃,是创造,是发展。"①这些都不能说言之为过。

具体到不同的学科,接着谁讲,如何接着讲,自然会有所不同。比如美学,叶朗就明确提出"必须从朱光潜'接着讲'"。② 日本哲学思想史研究领域,我曾经呼吁"应该接着朱谦之讲"。③ 后来我又对"接着朱谦之讲"的意义作了三点概括,即尊重原始资料的实证精神、重视理论修养和史料与理论结合、"无征不信"的历史主义的实证方法。④对此,我的观点并没有什么变化,之所以特意提出来专门再谈接着朱谦之讲,是因为对朱谦之的日本哲学思想研究的评价,有些"问题"还没有很好地澄清,有必要对相关问题做出客观的、符合实际的说明,只有对学术史有准确的认识,我们才能够明确自己的方向。

(一) 朱谦之在中国日本哲学思想史研究的地位

朱谦之在中国的日本哲学思想研究领域的地位,日本学者铃木正早在1985年访问中国后,就撰文将朱谦之在北京大学开创的日本哲学史研究团体称为"朱学派",⑤后来卞崇道的《日本哲学研究四十年》⑥和王家骅的《中国的中日思想交流史研究》⑦等文章中也都对朱谦之的学术贡献作了充分的说明,本来这些是有目共睹、没有争议的。

---

① 叶朗:《人文学科新的创造与"接着讲"》,《中国文化报》2012年10月25日。

② 同上。

③ 刘岳兵:《中国日本思想史研究30年》,《30年来中国的日本研究概况》,《日本学刊》2011年第3期。

④ 刘岳兵:《朱谦之的日本哲学思想研究》,《日本学刊》2012年第1期。

⑤ 铃木正:《中国访问记》,《朝日新闻》(名古屋版)1985年7月9日晚刊。转引自卞崇道:《现代日本哲学与文化》,长春:吉林人民出版社,1996年,第211页注释。**【据查证,此注释有误,应为:鈴木正:「近代化成功のカギ探る——中国における日本哲学研究」,『朝日新聞』(夕刊),1985年7月6日。】**

⑥ 北京日本学研究中心编:《中国日本学年鉴1949—1990》,科学技术文献出版社,1991年。

⑦ 严绍璗、源了圆主编:《中日文化交流史大系[3]思想卷》序论,杭州:浙江人民出版社,1996年。

结合前人的研究成果，我曾将他在日本哲学思想研究领域的开创之功或研究特色，概括为以下四点："(1)开创了以马克思主义研究日本哲学思想的先河；(2)系统地梳理了日本哲学史、儒学史；(3)重视中日思想交流和比较研究，特别注重中国思想对日本的影响；(4)重视原始资料的搜集与整理。"①并对此作了比较详细的论述。

同时也注意到对朱谦之如下的否定性评价：

> 严绍璗在为王青的《日本近世儒学家荻生徂徕研究》(上海古籍出版社2005年)所写的序言(第7页注释⑥)中提到："自从1958年三联书店刊出朱谦之先生的《日本的朱子学》以来，继后有1962年上海人民出版社出版的《日本的古学及阳明学》，1964年三联书店出版的《日本哲学史》，我国关于日本思想的研究基本上笼罩在这些著作表述的范围内，很少有能出其左右者。但是，现在我们知道，中国版的《日本的朱子学》和《日本的古学及阳明学》的基本观念和学术体系，则来自于日本东京富山房出版社在20世纪初期连续出版的由著名哲学家井上哲次郎撰著的《日本阳明学派之哲学》(1900年第一版)、《日本古学派之哲学》(1902年第一版)和《日本朱子学派之哲学》(全)(1909年订正三版)。1964年三联刊出的《日本哲学史》的基本观念则来源于上述井上哲次郎与丸山真男《日本政治思想史研究》。1999年10月15日《光明日报》在《理论与学术》版上有文章说："(朱先生的)《日本的朱子学》和《日本的古学及阳明学》是用马列主义观点研究日本哲学的典范，受到日本学者的高度评价"云云。该文作者及作者所说的"日本学者"可能都没有阅读过日本井上哲次郎与丸山真男的相关著作，所以这个书评便说了些不三不四的话，让研究者不知所云莫名其妙了。"如果真是这样，朱谦之日本哲学研究的特色可谓一目了然。朱谦之掌握马克思主义的程度、其自身学术特色在日本哲学研究中的体现，还值得进一步研究。顺便订

① 刘岳兵：《朱谦之的日本哲学思想研究》，《日本学刊》2012年第1期。

正，上述《光明日报》上的文章，据查应是2000年8月29日《光明日报》上发表的署名“于光”的《百科全书式学者——朱谦之》。①

严绍璗是国内日本研究的代表性学者，在日本汉学、汉籍与中日文学交流史研究方面有很深的造诣，其意见当然值得重视。而且这篇序言以《日本江户时期汉学家最后的学问》为正标题，收入其《比较文学与文化“变异体”研究》一书中，②这种意见或已产生了比较广泛的影响。无独有偶，他在2006年为王青的另一本著作《日本近世思想概论》所写的序文中，也提到类似的话题。序言正文中说：

学界众人对于日本文化的真实面貌，例如关于学界经常挂在嘴边的“日本儒学”层面，国内的“儒学家”、“哲学者”很难就“中国儒学传入日本”的真实轨迹和“日本儒学”的真谛说出个有模有样的“子丑寅卯”来。（中略）中国学术界至今也没有一部在真正意义上可以称之为“日本思想史”或“日本哲学史”的著作，更未见有断代史的研究呈现于世，零星散篇的研究当然存在，有些表述在文献方面也相当丰厚，在思考方面也相当地深入和深刻，但因为没有有效地组织成相应的体系，所以常常不为有关研究者注目，也难以使人形成较完整的学术印象。

“学术印象”后面又特别做了一个注释。曰：

1964年三联书店有朱谦之著《日本哲学史》刊出，1989年山东大学出版社有王守华、卞崇道著《日本哲学史教程》的出版，读者如果阅读过20世纪初期日本井上哲次郎关于日本的“朱子学”、“阳明学”和“古学”的三部著作以及丸山真男的关于日本思想史的研究著

① 刘岳兵：《“中国式”日本研究的实像与虚像》，北京：中国社会科学出版社，第66页，注释②。见本书第365页注释①。《日本学刊》2012年第1期发表《朱谦之的日本哲学思想研究》时删去此注。金津日出美翻译的拙文《中国における日本思想史研究の方法論的問題—ある学術史的回顧と展望—》中将此注释全文译出，见『東アジアの思想と文化』（立命館大学）第4号，2012年3月，第84—85页（註三七）。

② 严绍璗：《比较文学与文化“变异体”研究》，上海：复旦大学出版社，2011年，第265—269页。

作，则前书称为“著作”就不尽合适。而王、卞二位先生的著作作为大学教程，有急补学界缺漏之功。①

由此可见，严绍璗对朱谦之日本哲学思想研究的评价，几乎是全盘否定的，认为其《日本哲学史》甚至连“著作”都称不上，其《日本的朱子学》和《日本的古学及阳明学》也不过是20世纪初井上哲次郎的《日本阳明学派之哲学》《日本古学派之哲学》和《日本朱子学派之哲学》三部著作的“中国版”，且断言朱谦之日本哲学思想研究的“基本观念和学术体系”都来源于井上哲次郎和丸山真男的《日本政治思想史研究》；包括朱谦之在内的“日本儒学”研究，没有就“中国儒学传入日本”的真实轨迹和“日本儒学”的真谛“有效地组织成相应的体系”，这样的著作不能说“在真正意义上可以称之为‘日本思想史’或‘日本哲学史’的著作”。对这样的评价，中国的日本哲学思想界一直没有做出什么回应。我想这既是对朱谦之的不尊重，也是对严绍璗的不尊重。

因为严绍璗的意见中涉及的问题较多，下面主要以朱谦之的《日本的朱子学》与井上哲次郎的《日本朱子学派之哲学》为例来加以辨析。

（二）朱谦之的《日本的朱子学》与井上哲次郎的《日本朱子学派之哲学》

朱谦之的《日本的朱子学》（以下简称“朱著”，此书1958年由北京三联书店初版，2000年由人民出版社再版，本文引此书者皆出自再版）与井上哲次郎的《日本朱子学派之哲学》（以下或略称“井上著”。朱著所列参

---

① 严绍璗：《序二》，王青：《日本近世思想概论》，北京：世界知识出版社，2006年，第Ⅶ页。需要说明的是，王青在《中华日本哲学会通讯》新第30期（2017年10月31日）发表《我国日本哲学研究的薪火相传——从朱谦之到黄心川、黄夏年》，指出：“朱谦之先生在我国的日本哲学研究领域有开拓和奠基之功，他先后发表了《日本的朱子学》（三联书店，1958年）、《日本的古学及阳明学》（上海人民出版社，1962年）和《日本哲学史》（三联书店，1964年）三部专著和《日本哲学（古代之部）》（商务印书馆，1962年）和《日本哲学（德川时代之部）》（商务印书馆，1963年）两部资料集，堪称是用马列主义观点研究日本哲学的典范。”（第5页。）文章结尾说：“笔者相信在黄心川先生的努力传承和黄夏年老师的全力整理下，朱谦之先生作为我国日本哲学研究先驱的伟大学术功绩终将为历史所铭记。”（第6页。）

考书为该书1924年7月东京富山房第14版，笔者所持为1923年9月第13版）的关系，[①]我们可以从以下几个方面来看。

1. 朱谦之对井上哲次郎相关研究的总体评价

井上哲次郎相关研究的总体特点，朱谦之在其著作中实际上已经说得非常明白：

> 关于儒学东渐的研究资料，可举者甚多，尤以井上哲次郎与西村时彦的著作，尤为重要。井上为研究此学权威。惟于朱子学之起源，所述甚少，大阪朱子学派及水户学派，则几无叙述，且其所论在伦理格言，引证多汉文和译，似不如原始资料之可据。[②]

首先，朱谦之充分肯定“井上为此学权威”。“此学”，无论理解为“日本儒学”“日本哲学”还是“东洋哲学”都不为过。井上的日本儒学研究三部曲，即严绍璗反复提及的《日本阳明学派之哲学》（1900年）、《日本古学派之哲学》（1902年）、《日本朱子学派之哲学》（1905年），如其与蟹江义丸所编《日本伦理汇编》中那样对日本儒学派别的划分、各派主要人物及其基本著作的整理，无疑对于后世日本儒学的研究具有重要的示范意义。在这个意义上，朱谦之的日本儒学研究无疑也受到他的影响。

---

① 2017年由中国人民大学哲学院张立文教授申报的国家社会科学基金重大项目《日本朱子学文献编纂与研究》获得全国哲学社会科学规划办公室的批准立项。2018年3月25日中国人民大学哲学院召开了“江户时代日本朱子学的发展与演变暨《日本朱子学文献编纂与研究》重大项目开题研讨会”，会上，“林美茂教授作了题为《关于日本朱子学学派划分的若干问题》的报告。林美茂教授以井上哲次郎著《日本朱子学派之哲学》和朱谦之著《日本的朱子学》两部著作为依据，考察了两者对于日本朱子学学派划分方案的不同。井上著将朱子学划分为京学及惺窝系统、惺窝系统以外的朱子学派、南学及闇斋学派、宽政以后的朱子学派、水户学派五个派别，朱著则将朱子学划分为京师朱子学派、海西朱子学派、海南朱子学派、大阪朱子学派、宽政以后朱子学派和水户学派六个派别。朱谦之方案是在井上哲次郎方案的基础上进行了增补与修订，形成了具有中国特色的日本朱子学全貌的展现，通过对比，不难发现与井上方案相比，朱谦之方案更为全面与合理，所以项目组以朱谦之方案为参照划分子课题，进行具体工作分工。但是朱谦之方案中也存在着一些问题，如意识形态先行、缺少整体性框架、各学派思想发展史模糊、来自中国的影响失踪等，这些问题是项目组在此后的文献整理、编撰与研究过程中必须要注意和克服的问题。”见《中华日本哲学会通讯》新第31期（总第53期，2018年4月30日），第20页。

② 朱著“前记”，第7页。

但同时，他也看到了井上对日本朱子学研究的不足，即“于朱子学之起源，所述甚少，大阪朱子学派及水户学派，则几无叙述”。与其说是不足，大概不如说二者研究的侧重点不同更加准确。朱著的主要目的，如其所言：“本书注重叙述朱子学在日本之传播与发展，但亦注重选录日本朱子学派及与之相关的原始史料，使中国研究者得以直接与此原始史料相接触。”①其用意也在“为研究中国哲学者参考之用”，他认为“中国哲学对于日本的影响，亦为中国学者研究日本哲学史特别主要的任务之一。然而不幸即此种研究工作，在中国今日尚属创举。”②因此，朱著分为“前论”和“本论”两大部分，前论“日本朱子学之传播”，从《论语》《千字文》传入日本到奈良平安时代汉文学的兴起，经中世禅林宋学传入，到江户时代朱子学的兴盛，清晰而系统地描述了中国儒学传入日本的基本轨迹，可以说是一部完整的中国儒学东传日本简史。这方面，在日本学界，同时代和岛芳男的《日本宋学史之研究》（吉川弘文馆，1962 年）和《中世之儒学》（吉川弘文馆，1965 年）可以说将这一领域的研究推向了深入，而中国学界，尽管后来也有一些研究，比如有提出“日本早期儒学”的，最近从事五山文学研究的学者增多起来，但是从总体上而言，可以借用严绍璗的话说“因为没有有效地组织成相应的体系……也难以使人形成较完整的学术印象。”期待着后来者能够尽快“超越”朱谦之的这前半部书。

井上哲次郎的《日本朱子学派之哲学》是他的日本儒学三部曲中的最后一部，他研究日本儒学的目的在于通过“阐明德教的渊源”，来“医治现今社会的病根”，“培养国民的道德心”。③ 而朱子学派，他认为是“德川时代最具势力的重要哲学派别”，④他重视的是“朱子学派的道德主义与当今所谓的自我实现说，即便其形式不同，而其精神几乎如出一辙”。⑤

---

① 朱著，前记，第 9 页。

② 同上，第 1 页。

③ 井上哲次郎：《日本阳明学派之哲学》（序），东京：富山房，1900 年初版，1919 年第 12 版。

④ 井上著序，第 1 页。

⑤ 井上著序，第 3 页。

他认为：

> 朱子学派的学说值得我们学习的地方固然不少，然至于其实践道德，值得学习的更多。特别像藤原惺窝、林罗山、木下顺庵、安东省庵、室鸠巢、中村惕斋、贝原益轩诸氏，其人格之清高、其品性之纯洁，可以说是我邦朱子学派之代表，足以永垂其道德模范于后世。当今日俄战争已告终结，随着我邦之威光大显于宇内，欧美学者渐欲究明我邦强大之缘由。值此之际，德川三百年间我邦实行教育主义，对在国民道德的发展上受到伟大影响的朱子学派的历史研究，岂可一日怠慢？有志于德教之学者，都应该对此进行深入研究。①

由此，也就可以看出朱谦之以“其所论在伦理格言”几个字便简明而又精辟地概括出了井上著作的特点。至于其“引证多汉文和译”，可以说是为了日本读者的需要，似不必苛求。

对日本儒学派别的划分，朱谦之几乎完全遵照井上哲次郎、蟹江义丸所编《日本伦理汇编》的划分，同样计划在完成这“叙述朱子学的影响”的“第一册”著作之后，准备“第二册叙述朱子学以外诸学派的影响，包括古学派、阳明学派、折衷学派、考证学派及老庄学派。”②这第二册，便是后来的《日本的古学及阳明学》(上海人民出版社，1962 年)一书。虽然大的派别框架是继承了井上之说，但是在具体的派别的内容上，朱谦之也有很大的补充，比如朱子学派，井上就根本没有提及大阪朱子学派，而朱著中专门用一章的大篇幅来叙述(正论第五章)。朱谦之《日本的古学及阳明学》中说：“关于哲学史方面，古学派及阳明学派尚少专著，惟井上哲次郎所提供资料尚可用，而立场、观点不同。”③这也同样适用于他们二者的朱子学著作的关系。反对功利主义的井上哲次郎，或许是有意忽略了大

---

① 井上著序，第 5—6 页。

② 朱著，前记第 2 页。

③ 朱谦之：《日本的古学及阳明学》，人民出版社，2000 年(上海人民出版社 1962 年初版)，前言，第 21 页。

阪的朱子学者，而在当时弘扬唯物主义哲学传统的中国学界，朱谦之重视大阪朱子学派也自有其道理。他说：

> 大阪朱子学派从三宅石庵开始，盛于中井竹山、履轩兄弟，其学派分布遍全国，到了富永仲基、山片蟠桃更完全走上唯物主义路上，这不但标志了日本资本主义生长过程中的上升的现象，而且也标志了朱子学在日本的影响，从唯心主义而至唯物主义的一种转移。①

可见，他是把大阪朱子学派作为一种进步的社会现象来看待，并充分肯定其在日本唯物主义发展进程中的重要意义。

2.《日本的朱子学》对《日本朱子学派之哲学》的引用分析

我们再具体通过朱著中与井上著有关的注释，来看看两者的关系。

朱著一共有 1127 条注释，绝大部分是原始材料的出处。其中与井上著有关的一共只有 18 条，其中两条是引用《日本阳明学派之哲学》的。16 条井上著注释中，出现最多的“前论第二章朱子学之传播”中占了 7 条，但是其中三条(注释 66、97、98)的前两条注释分别是与川田铁弥的《程朱学派之源流》、西村时彦的《日本宋学史》对举，第三条则是将井上著与川田、西村著三者并举。“本论第四章海南朱子学派”中出现三条相关的注释，其中注释 28 是与和过哲郎《日本伦理学史》下卷相对举的。也就是说，即便从形式上看，井上著在朱著中也不是什么绝对性的存在。

朱著中有关井上著的注释大概可以分为以下三类：

第一类，是表示赞同的观点或重要史实。这时候往往与其他文献并举共证，以上所列均属此例。

第二类，表示需要补充或延伸。如在叙述楠正成思想成因时，朱著先提起：“正成的忠诚义烈，在日本史上放一大光辉。但他的思想，是否由于崇奉朱子学的结果，尚成问题。如西村时彦《日本宋学史》、井上哲

---

① 朱著，第 349 页。

次郎《日本朱子学派之哲学》★均认此为牵强附会。"[①]值得注意的是《日本宋学史》后也有注释26，或意欲以此说明这种观点已经颇具"权威性"。正因为如此，他才觉得有进一步搜寻史料，展开分析加以补充的必要。经过他的论证，他最后的结论是："正成的纯忠至诚，虽其天性，而其所得于孔孟之教，尤其是朱子学的忠君爱国观念，这大概是尚有痕迹可寻的了。"[②]无论如何，朱著是用史料将这些可寻的"痕迹"表述清楚了的。

有些还表现在意义的延伸，甚至是引申和发挥上。比如，在本论第三章海西朱子学派中论安东省庵时，说"省庵在世界观方面，则更进而有朴素的唯物主义倾向，与贝原益轩相同，且皆得力于罗整庵，这可以说是海西学派的特点。"[③]接着在引用一段省庵的著作之后，评价说："井上哲次郎指出省庵这种理气合一论，是理随气而有，与气一元论的见解甚为接近。★换句话说，也就是具有朴素的唯物主义因素的思想了。"[④]井上著中的原文为："省庵超脱区区朱陆二派的争论，而欲接圣学渊源之意气诚可敬佩。其就理气而取理气合一论，以理为随气而具者，几有进于唯气一元见解之痕迹。"[⑤]由"唯气一元"，自然地就引申出"换句话说，也就是具有朴素的唯物主义因素的思想了。"

也有对井上著中的史料所在作补充的。比如，义堂周信的著作，朱著中说"《空华日工集》抄录三卷，收入《续史籍集览》。"[⑥]对此下一注释：即注释66："井上哲次郎谓全书不传，但据川田铁弥《日本程朱学之源流》第41页作五〇卷，并云全部藏京都南禅寺。"[⑦]井上著这样记述：义堂"所著有《空华集》二十卷、《空华日工集》(详称《空华日用工夫集》)若干卷，

---

① 朱著，第58页。标★处是注释序号27(注释27："井上哲次郎：《日本朱子学派之哲学》，第619页。"——见朱著第127页)所在位置。

② 朱著，第60页。

③ 朱著，第243页。

④ 同上。标★处是注释序号7(注释7："参照井上哲次郎：《日本朱子学派之哲学》，第158—159页。"——见朱著第277页)所在位置。

⑤ 井上著，第158页。

⑥ 朱著，第78页。

⑦ 朱著，第128页。

可惜《日工集》全书不传，唯《续史籍集览》收载《空华日工集》的抄录三卷。”①

第三类，订正与质疑、讨论。

订正，比如在叙述贝原益轩的思想变化时，朱著中说：“及至读陈清澜《学蔀通辨》才一变而为纯然朱子派的人物。”②接下来引用《益轩先生年谱》中相关段落，③引文结束后下一注释，即注释 17：“参照《日本朱子学派之哲学》，第 266—267 页，惟井上氏以《学蔀通辨》误为陈白沙撰，应予改正。”④井上著原文为：“益轩初好陆王之学，然及读陈献章《学蔀通辨》，遂弃陆王之学而成纯然朱子学派之人。”⑤朱著指出《学蔀通辨》非陈献章（即陈白沙）所撰，而为陈清澜（陈建，号清澜）所撰，订正了井上著之误。

质疑或讨论，也体现在朱著的相关部分。如在论述林罗山的理气关系论时，强调林罗山受王阳明所言“理者气之条理，气者理之运用”的影

① 井上著，第 626 页。

② 朱著，第 247 页。

③《益轩全集》（益轩会编纂，益轩全集刊行部发行，1910 年）第一卷卷首载有贝原好古、梶川可久撰《益轩先生年谱》，“相关段落”为益轩 36 岁时的宽文五年（1665 年）条。现将原文、井上引文、朱著译文列举如下。原文：“嘗て陸象山の学を好み、また王陽明の書を喜ぶこと已に数年、朱陸兼用の意あり。此歳始て学蔀通辯を読み、遂に陸王の非を悟り、盡く旧見を棄て、全く程朱の説を信じて純如たり。以為らく尚書論語は是れ聖人の説く所、此を以て陸王の説に比すれば、齟齬（そご）する所あり、帰向する所大に異る覚ゆと。是より益々廉洛関閩の正学を信じて、直に洙泗の流に泝らむと欲し、心を専にし志を致し昼夜刻苦して講学最も勤む。”（14—15 頁。）井上引文：「先生嘗て陸学を好み、且つ王陽明の書を玩読し、数歳朱陸兼用の意あり、今年始て学蔀通辨を読み、遂に陸氏の非を悟り、盡く旧学を棄てて純如たり。先生謂へらく、尚書論語は是れ聖人の説く所、此を以て陸王の説に正さば、則ち齟齬（そご）する所ありて、而して帰向する所大に異る覚ゆ。是れに由りて益々濂洛関閩の正学を信じ、直に洙泗の流に泝らむと欲し、心を専らにし志を致し昼夜力め学んで懈らず寝食を忘れるるに至る。」（267 頁。）朱著译文：“先生尝好陆王，且玩读王阳明之书数岁，有陆王兼用之意。今年始读《学蔀通辨》，遂悟陆氏之非。尽弃其旧学，纯如也。先生谓《尚书》、《论语》是圣人所说，以此正陆王之说，则大有所龃龉，而觉所归向大异。由是益信濂、洛、关、闽之正学，直欲诉洙泗之流，专心致志，昼夜力学不懈，至忘寝食。”（第 247—248 页。）原文在“纯如”前有“全信程朱之说”，井上引文与朱著译文皆无，可见此段译文译自引文。

④ 朱著，第 277 页。

⑤ 井上著，第 266—267 页。

响，主张“罗山否认朱子的理气二元论，主张理气合一，性情合一，他这种思想虽依据于王阳明二语，实际上却与张横渠的气一元论相同。”①朱著一方面指出“罗山是一个极尊崇朱子的人”，但是其目的似乎更看重他“在世界观方面，宁可违背了朱子之意，这就可见他是一个追求真理的人，拥护朱子而并不埋没于朱子的圈套中。理气之说颇推崇阳明，而不属于阳明学派。”②接下来，对井上著的质疑或讨论就出现了：

> 阳明学乃朱子学公开的敌人，但罗山却能于此有所选择，这是日本朱子学之一大特色。佐藤一斋《言志晚录》颇知此意，而近人如井上哲次郎在《日本朱子学派之哲学》中反为抹煞他的优点★，可怪。③

“优点”后下一条注释，即注释 42：“《日本朱子学派之哲学》，第 64—65 页。”④翻开井上著对照，相关的部分是井上将惺窝、罗山与暗斋三人对朱子学的态度及器量进行比较，说“罗山之崇奉朱子学远比惺窝峻峭明快，尽管如此，又不像山崎暗斋那样陷入偏固狭陋。”⑤接着，井上引了两段佐藤一斋《言志晚录》中的话，即：

> 博士家古来遵用汉唐注疏，至惺窝先生，始讲宋贤复古之学。神祖尝深悦之，举其门人林罗山。林罗山承继师传，折中宋贤诸家，其说与汉唐殊异，故称曰宋学而已。至于暗斋之徒，则拘泥过甚，与惺窝罗山稍不同。
>
> 惺窝罗山课其子弟，经业大略依朱氏。而其所取舍，则不特宋儒，而及元明诸家。鹅峰亦于诸经有私考，有别考，乃知其不拘一家者显然。⑥

① 朱著，第 186 页。
② 同上。
③ 朱著，第 187 页。
④ 朱著，第 234 页。
⑤ 井上著，第 63—64 页。
⑥『佐藤一斎　大塩中斎』(日本思想大系)，岩波書店，1980 年，第 255—256 頁。

对此，井上评价说："这虽原本出于一斋为自家所取首鼠两端的地位做辩护之意，也未必能否定罗山没有被完全埋没在朱子圈套中的愚(痴)。然其作为朱子学派的旗帜决无暧昧模棱者也。一斋将惺窝与罗山一视同仁，于宽宏之度而不计异同，此论可谓未得其肯綮"。① 井上认为佐藤一斋的学问性格就是属于"阳朱阴王"首鼠两端的，所以觉得佐藤对林罗山的评价缺乏原则性，未得要领。他也认为林罗山在理气关系问题上"背朱子而与阳明，是其未全埋没于朱子圈套中之处也。"②而且与朱著重视林罗山的唯物倾向相比，井上更注意到林罗山将"理气一而二二而一"之意"要之归乎一而已矣，惟心之谓乎！"③的归结与感叹，并分析说，"其'归乎一而已矣'意味着一元，其'惟心之谓乎'意味着唯心，如此，若他进一步深入考察而至主张唯心的一元论，那将会在哲学上产生许多最有意思的结果，但是他最终没能够在此更进一步。"④最终井上的结论是："罗山在理气之说上不满足于宋儒之说，反而采取阳明的一元的世界观，然于其他学问全体上，全然崇奉朱子，决非如阳朱阴王而取首鼠两端的地位。"⑤这也是对佐藤一斋的一种回应。

对佐藤一斋的学问，朱谦之在《日本的古学及阳明学》中专门有论述，就其"阳朱阴王"，说这"并不是诽谤，而是历史事实如此。"甚至说："既然朱子学的元祖都兼取朱陆，那么一斋在林氏教团之中，讲些阳明之学有什么关系呢?"⑥联系起来，就不难理解他对井上著的相关评价为什么感到"可怪"了。一个敢于在"公开的敌人"阵营中"有所选择"地吸取自己认为正确的思想因素，打破学派壁垒而"追求真理的人"，这样的"优

---

① 井上著，第64—65页。

② 井上著，第66页。

③『羅山先生文集』巻68「随筆五」，京都史跡会編：『羅山文集』，京都：平安考古学会発行，1918年，400頁。朱著引用时，"惟心之谓乎"中"谓"误植为"矣"。见朱著第186页。与1958年初版(第159页)之误植同。

④ 井上著，第67页。

⑤ 井上著，第67—68页。

⑥ 朱谦之：《日本的古学及阳明学》，人民出版社，2000年，第292页。

点"当然是不容"抹煞"的。况且,如朱著中已经提到的,林罗山在少年时代就具有"'抗颜讲新说'的革命精神,所以在他早年学说里,便充满着朴素的怀疑主义与无神论的思想。"①这些都是作为一种可贵的品质,值得抒发和发扬的。

实际上,朱著也通过与井上著相关观点的讨论,而突出了自身的特点。比如对日本朱子学理论个性的看法,井上认为朱子学派的学者很少有自己的创建,只是忠实地崇奉朱子的学说,最终不得不成为"朱子精神上的奴隶"。② 朱谦之看到了井上著的这一点,一方面给予肯定:"正如井上哲次郎所指出:在古学派及阳明学派中所见的豁人目惊人耳的壮绝快绝的大议论大识见,在朱子学派中竟绝不可得见。"③此处下一注释,即注释1:"井上哲次郎:《日本朱子学派之哲学》,第598—599页。"④对此,朱著展开了一段较长的评论,朱著自身的特点也在其中得到了充分的体现。曰:

> 但虽如此,拿这些话来评判暗斋学派及宽政以后朱子学者自无不合,拿来说明海西学派,便觉有些不合。至如井上氏就没有注意到的大阪朱子学派,传至中井履轩、富永仲基就也何尝没有壮绝快绝的令人惊心怵目的大议论大识见呢?即在暗斋学派之中也有佐藤直方不信神、不信卜筮,因此竟被削弟子籍。宽政以后朱子学者,也有赖山阳竟指斥宋儒之病,在造立名目。由于以上事实,可见日本朱子学派即使不免于千篇一律,而其特出的人物,却也不少,尤其是这些特出人物,许多可以说是接近于唯物主义思想体系。这也就说明了为什么朱子学在它产生的本国,已濒于衰颓的命运的时候,而在日本反而蓬蓬勃勃一时出现灿烂开花的异彩。⑤

---

① 朱著,第184页。
② 井上著,第598页
③ 朱著,第526页
④ 朱著,第535页。
⑤ 朱著,第526—527页。

以上是朱著引用井上著的基本情况。虽然在整个朱著的注释中，井上著出现的频率非常低，但是基本史料方面，井上著已经提供了一个比较扎实的基础，因为井上著面对的是日本读者，故而将原本为汉文的史料翻译为日文了，而朱著则根据“原始资料”将其还原为汉文，“使中国研究者得以直接与此原始史料相接触”。① 当然，从资料的“原始”性而言，无疑也更为“可据”。

3. 两者“结论”的比较

前面就朱著与井上著两者在总体上和细节上的关系做了一些简要的梳理，我们再看看两者的“结论”。两本书都专门有结论部分，这里只是以井上著中提到部分与朱著相关的部分做一个对比。

第一，从发生学的意义上看，井上著只是着眼于日本的朱子学从佛教脱离，其先驱者敢于“打破僧俗的隔离”，把目光从生前死后的世界拉到现实生活世界，所讲日常彝伦可以作为国民教育之资源。随着由僧侣所倡导的朱子学的影响日渐增大，到德川时代儒教逐渐代替佛教成为时代精神的主潮。而朱著，如前所述，是将叙述中国哲学对日本的影响作为“中国学者研究日本哲学史特别主要的任务之一”来看待，这样在井上著中作为附录的部分就变成了朱著中的主要部分。如果说井上著注重儒佛关系的问题，朱著则侧重于唯物论和唯心论的关系问题。如果说井上著旨在阐释传统思想资源为国民教育服务，朱著则是以日本为例揭示唯物主义与唯心主义两条哲学路线在日本的斗争过程和发展规律。正如朱著结论部分开篇所言：“哲学史是唯物主义与唯心主义斗争的历史，这在日本，也并非例外。”②

第二，日本朱子学的发展状况与阶段，井上著分为三期：

> 第一期自虎関玄惠至藤原惺窝凡二百七八十年间，是为准备之时代。第二期自藤原惺窝至宽政三博士凡一百九十余年间，是兴隆

① 朱著，前记，第 9 页。

② 朱著，第 521 页。

之时代。第三期自宽政三博士至王政维新凡七十余年间，是复兴之时代。维新以后之朱子学不过第三期之余势。第二期之兴隆时代因有两种源头，自分为两大系统，即惺窝的京学系统与时中的南学系统……此二大系统之外虽有中村惕斋、贝原益轩之徒，此等与惺窝之京学系统有同一性质。第三期为第二期两大系统合一而成复兴时代之朱子学。复兴时代的朱子学排斥一切异学而作为唯一的教育主义，其实际势力虽然相当大，但是作为学问仅仅是第二期的微弱的反响，没有留下任何伟大的业绩。总之，我邦朱子学于第一期发其萌芽、第二期开其春花、第三期结其果实，其果实恰逢维新之暴风雨而不知其去向，然朱子学决非全然谬误，特别不可否定其伦理说中存在永远不灭的真理。由此可以想见其隐然在影响人心、培养国民道德上关系不一般。①

朱著对日本朱子学的总体发展面貌，也有详细的论述：

朱子学在日本的发展，也是一切都依条件、地点和时间为转移的。先就条件说，五山禅僧之传朱子学，和博士家不同，博士家和公卿派接近，却又与林氏家学不同，林氏家学又与市民社会的思想家所倡导的儒学不同。即以大阪朱子学派为例，它的进步性是伴着那时候商业资产阶级的兴起而来，这完全是反映阶级的社会关系。朱子学反映封建社会的意识形态，亦反映封建社会之内部的进展。如封建社会之从割据到统一的局面，在水户学的思想中就很具体地反映出来。由此可见只要与其相联系的那些条件不同，朱子学的派别也就不同。

次就地方来说，京师朱子学派和海西朱子学派不同，海西朱子学派和海南朱子学派不同，大阪成为全国“町人”之都，因此也发生了代表町人文化的朱子学派。可见地理环境虽不是主要的有决定

① 井上著，第596—598页。

性的作用，却确实影响朱子学的发展情况。①

接下来：

再次，就时间来说，例如江户时代朱子学的发达，大致可细分为五个时代。

宽永时代＝＝庆长(1603)——正保(1647)

元禄时代＝＝庆安(1648)——宝永(1710)

享保宝历时代＝＝正德(1711)——宝历(1763)

明和宽政时代＝＝明和(1764)——文化(1817)

文政天保以后＝＝文政(1818)——庆应(1867)②

就中宽永时代至享保宝历时代，可以算做朱子学的上升阶段，也可以说是兴隆时代。宝永时代有惺窝(1561—1619)门人的林罗山(1583—1657)，元禄时代有木下顺庵(1621—98)、安东省庵(1622—1701)、贝原益轩(1630—1714)，享保宝历时代有新井白石(1657—1725)、室鸠巢(1658—1734)、雨森芳洲(1668—1755)、三宅观澜(1674—1718)、五井兰洲(1697—1762)均可代表那时代之进步思想方面。到了明和宽政时代，朱子学便进入下降阶段。这时除大阪朱子学派异军特起，对朱子学既是肯定又是否定之外，有名的所谓宽政三博士，如柴野栗山(1736—1807)之流，都是陈陈相仍，这不是朱子学的复兴，而是朱子学的回光返照。这时代替它的主导思想是古学派和折衷学派。所谓水户学派在文政天保以降颇吐光辉，但它仍是朱子学的变种，也可以说是朱子学的历史哲学与徂徕学派的合流。由此可见日本朱子学的发达趋势也是因时间的具体条件而有所不同。它的上升阶段产生了具有进步思想和唯物主义倾向的

---

① 朱著，第527页。

② 相关日本年号及时间如下：庆长(1596—1615)、宽永(1624—44)、正保(1644—48)；庆安(1648—52)、元禄(1688—1704)、宝永(1704—11)；正德(1711—16)、享保(1716—36)、宝历(1751—64)；明和(1764—72)、宽政(1789—1801)、文化(1804—18)；文政(1818—30)、天保(1830—44)、庆应(1865—68)。以下儒者生卒年亦为笔者所加。

> 思想家,但他的下降阶段却产生有许多唯心主义倾向和教条主义者。我们只要注意日本朱子学派的发达,如何依条件、地点和时间而转移,便可以理解朱子学在日本发展之客观的真正原因。①

朱著对日本朱子学学派进行划分时,对社会阶层的因素、地域的因素等历史条件分析更为周密细致。井上的文章中虽没有明显表现出历史升降的史观,从总体上看两者的发展阶段的划分基本一致,但是很显然可以看出朱著更加细分化、条理化。思想上的"唯物""唯心"与历史进程的"上升""下降"有怎样的必然关系且另当别论,研究历史,"我们只要注意日本朱子学派的发达,如何依条件、地点和时间而转移,便可以理解朱子学在日本发展之客观的真正原因。"这样的指导思想,今天应该说仍然适用。

第三,日本朱子学的优缺点。所谓优缺点,当然是相对而言的。井上从涵养国民道德的角度,指出"朱子学的伦理学说中具有普遍性的价值","与西洋理想派的伦理学说有共通之处","朱子学派足以成为儒教诸派中最安全、稳健的教育主义"。这些都被视为优点。还有,他特别提出在宇宙论上,日本朱子学者相对于朱子的"理气二元论",或倾向于"唯气论"(林罗山、安东省庵、贝原益轩)或倾向于"唯理论"(三宅尚斋),认为这是哲学上"进步之征兆"。但缺点,认为主要是单调、有千篇一律之感而缺乏变化,好像是同一个模子铸出来的,究其原因,则归结为"教育上的划一主义的结果"。②

朱著的结论部分也有一节"判朱子学的优劣点"。首先指出"日本朱子学派虽也有不少狭窄的宗派主义,但就大体来说,尚能对异派取兼包并容的态度。"随着其思想意识形态化的加强,排斥异学的倾向也越来越明显,以至于宽政之后"愈缩愈小,踽踽到不能自容,而因此当兰学在日本初步发展的时候,朱子学便成为与之对抗的反动力量。"③如何对待西

---

① 朱著,第528—529页。
② 井上著,第599—603页。
③ 朱著,第529页。

学成为评价的一个标准。最后他举出“在朱子学派之外，号称独立思考的独立学派，如安藤昌益、三浦梅园、山片蟠桃、司马江汉等，因他们不受朱子学的束缚，所以均能最高度地去接受西学，而且倾向于唯物主义哲学。两相比较，此亦可以判朱子学的优劣点。”①

第四，朱著与井上著作最大的不同，在于井上仅仅停留于学派的划分、史料的罗列，②而朱谦之以自己的史观将这些人物及其思想和当时社会历史的关系联系起来探讨，是一种真正的历史研究，是一种有特色的思想史著作。

（三）如何接着朱谦之讲日本哲学思想史研究

以上仅就朱谦之的《日本的朱子学》与井上哲次郎的《日本朱子学派之哲学》的关系做了简单的对照和分析，或许有助于澄清严绍璗提出的相关问题。

朱谦之研究日本哲学思想的基本学术观念和方法，不是来自什么井上哲次郎（唯心主义的实在论），也不是什么丸山真男（近代主义或民族主义），③而是如他自己所说：“在观点方面，日本哲学界至今尚少以马克思主义观点阐述日本哲学思想的发展。惟永田广志所著《日本哲学思想史》（昭和十三年七月，东京三笠书店版）一书可用。”肯定该书“叙述朱子

① 朱著，第531页。

② 2009年日本山川出版社出版的《日本思想史辞典》中列有词条“日本朱子学派之哲学”，评价说：“本書をはじめとする三部作は、儒教の道徳思想の系譜をたどるともに西洋の道徳哲学との類似性を探ろうとしたものであるが、学統を重視した分類に止まり、歴史変化や社会との対応を探る思想史的考察にはならなかった。”石毛忠、今泉淑夫、笠井昌昭、原島正、三橋健（代表編者）：『日本思想史辞典』，東京：山川出版社，2009年，第778頁。

③ 朱谦之在《日本哲学史》中论述福泽谕吉的思想时候提到过丸山真男：“关于他的思想体系，有人以为是‘典型的市民的自由主义者’（丸山真男）”。见朱谦之：《日本哲学史》，北京：人民出版社，2002年，第189页。在论述国学者的思想时也提及：“关于复古国学与儒学古学派的关系，近人论著颇多（村冈典嗣《日本思想史研究》第166页以下，和辻哲郎《日本伦理思想史》下卷第544页，丸山真男《日本政治思想史》第149页以下，永田广志《日本哲学思想史》第158—159页）。”同上，第96页。关于井上哲次郎、丸山真男对朱子学的理解，参见韩东育的《从“脱儒”到“脱亚”——日本近世以来“去中心化”之思想历程》，台湾：台大出版中心，2009年。该书序章《近代以来日本学界朱子学解读的文脉》对井上哲次郎、津田左右吉、丸山真男、黑住真对江户朱子学的解读有详细的解说。

学派如新井白石、贝原益轩及水户学派等，均极精彩，惜篇幅不多。”明确自己“本书引证永田广志之说较多，详见各章中附注。”①如何接着朱谦之讲日本哲学思想史研究，首先面临的一个问题就是如何评价朱谦之所运用的马克思主义的思想观点和方法。

1. 理论自觉：情理的自觉与实践的自觉

朱谦之是一位真诚的思想家。他在历史和哲学方面的贡献，都是他用心探索苦心钻研的结果，他的思想转变也是他发自内心地感受世界、改造自我的真实写照。朱谦之著述宏富，也善于自我总结和自我批评。这里仅从其《一个哲学者的自我检讨——五十自述》(1950 年)和《世界观的转变——七十自述》(1968 年)来看看他是如何学习和运用马克思主义的思想和方法的。

朱谦之青年时代的无政府主义者形象一直为人津津乐道，铃木正教授在向日本介绍中国的日本哲学研究时，提到朱谦之就用了一个“年轻时是无政府主义者”的定语。② 实际上他早就对自己“根深蒂固的无政府主义思想”做了反省：

> 我并不是一般所谓无政府主义者，并不是那些跟着克鲁泡特金之流去步资产阶级后尘的无政府主义者，在我细读马克思的《哥达纲领批判》和列宁的《国家与革命》两书，我更不相信我是一个无政府主义者。我的过去根本错误，还在没有彻底站在无产阶级的立场，没有彻底运用唯物辩证法，我一方面承认共产党革命之历史必然性，一方面又站在共产主义第二阶段的立场，而不觉走向一种“不活动的等待底理论”，这自然是一种自由主义个人主义的残余思想在暗里作祟。我假使不克服这些旧思想，我便要在时代阵营中成落

① 朱著，前记，第 8 页。

② 「北京大学に若いころアナーキストであった朱謙之教授がいて、以前から日本の朱子学・陽明学の研究がなされており，一九六四年には、はやくも『日本哲学史』が出版されている。」鈴木正:「近代化成功のカギ探る——中国における日本哲学研究」,『朝日新聞』(名古屋版夕刊),1985 年 7 月 6 日。

伍者。我在前述学习期间首次读到斯大林《无政府主义还是社会主义》读到马克思主义与无政府主义原则上的不同，是在前者是“一切为着群众”，后者是“一切为着个人”，我不觉一面赞叹不已，一面即自己批评，我应该怎样痛下决心来把这“一切为着个人”的旧思想来一个歼灭战？孤独的奋斗生活是我在许多许多年相信惟有孤独的奋斗才能造成伟大的成功，然而事实胜于雄辩，孤独只能造成消极的革命理想，只能避免于为罪恶的奴隶，要前进一步就不可能了。自我“五四”运动以后，离开革命的群众，成就了个什么？如果孤独是表现着真理，那么，不用说，它一定会给自己开辟道路，然而我不能，我只能沉默——沉默——再沉默下去，这种痛苦乃是生命的大损伤，我难道就永远是这样颓唐消沉下去吗？我难道在学术上三十年的艰苦努力全都归泡影，等于白费吗？我在《奋斗廿年》中宣言“我敢宣告唯我主义的死刑”，现在我却更要无情揭露我本身的短处，拒绝宣告残留在我思想里的一切虚无思想的死刑了！

我今年五十岁了。……今年却是我新生之一年，新生有如小孩般地喊出一个“我”字，我却喊着“群众”；新生有如翻天覆地般从思想的包袱里翻身出来；新生使我高举着学习马列主义和毛泽东思想的大旗帜。①

我过去的自我批评，毕竟不过是某种一时倏忽即逝的东西，我实在还没有彻底研究错误发生底根源和采取改正错误的必要措施，我之决心从思想上从头做起，实则从 1945 在梅大转变之一年开始，那时我已渐倾向于我们伟大领袖马克思和列宁的理论：辩证唯物论和历史唯物论了，但使我知道有马克思、列宁和斯大林的论自我批评的理论，则实从近半年来中国共产党领导实行布尔什维克的批评与自我批评开始，基本的事实是全国人民解放战争的胜利，造成了

① 朱谦之：《一个哲学者的自我检讨——五十自述》(1950 年 5 月 17 日，广州国立中山大学)，《朱谦之文集》第一卷，福州：福建教育出版社，2002 年，第 111 页。

使我们知识分子有了搞通思想和为人民服务决心的基础。[①]

有真诚的反省和伟大的社会主义建设实践的事实，朱谦之的思想转变，无论是就个人还是时代而言，相比之下，也自有其“合逻辑性”的一面，而且他也主动地发挥了其自身的理论“优势”。这个优势之一便是他对黑格尔哲学的深入研究。

他1931年从日本留学一回来，除了发表了《日本思想的三时期》[②]这篇第一次由中国学者详细系统叙述日本思想发展的历史和现状的文章之外，就是对黑格尔哲学的持续关注，[③]因为正值黑格尔逝世百年纪念，翻译了几篇日本学者论黑格尔哲学的文章，后来编著了一本《黑格尔主义与孔德主义》(历史哲学丛书之一种，1933年上海明智书局)。这时他表示既不同于俄国的唯物论的立场，也不同于德国的观念论的立场，而是宣布自己是要以“生命辩证法”的立场将黑格尔与孔德和伯格森结合起来。[④] 但是他在《发刊历史哲学丛书序言》中充分注意到唯物史观的重要性，甚至想在丛书中收入《马克思的历史哲学》，虽然该丛书没有按照原定计划出齐，但是其《历史哲学大纲》中对马克思主义唯物史观及其各派历史哲学做了详细的叙述。

1945年原子弹在日本的爆炸加快了日本帝国主义投降、反法西斯战争胜利的步伐，对朱谦之而言，“原子能的解放，使任何人也没法否认‘物质’和原子之物理的存在”，他说正是这种自然科学的理论变化“使我复

---

① 《朱谦之文集》第一卷，第109—110页。关于在梅县的思想转变，1945年日军进攻粤北，中山大学师生被迫迁徙，先到广东龙川，后文理医三学院在梅县复课。他说：“回溯梅县的几个月生活，给我印象极深，尤其这个地方，是我一生思想大转变的所在地，人不是到了山穷水尽他是不会变的，不肯变的，但一旦思想发生变化，则它一往直前，力量之大却也无可伦比。我在抗战以前无论抱如何革命思想，总不免是唯心论的，观念论的，但在抗战期中，我所写《太平天国革命文化史》却已开始应用了唯物史观来解释革命文化的背景。”同上，第88页。

② 朱谦之：《日本思想的三时期》，《现代学术》第1卷第3、4期合刊，1931年12月。

③ “留学日本时代我专心研究历史哲学，尤特别注意黑格尔资料的收集”。见《朱谦之文集》第一卷，第98页。

④ 朱谦之：《黑格尔的百年祭》，《文艺新闻》(上海)第10期，1931年5月18日。此文收入《黑格尔主义与孔德主义》一书时有修改增补。

归于唯物论者的阵营里。”①具体而言，他是从列宁的《唯物论与经验批判论》中“得到科学理论的根据，我最后竟变成为 Lenin 的学生了。Lenin 的这一名著，给哲学界以很大的贡献之一，就是他首先揭破了‘物质消灭论’之思想上的堕落与腐化，他指明这是近代自然科学的危机，对我更可以说是对症下药了。”②原子弹的爆炸，将“原子之物理的实在性”变成了事实。他后来反复强调：

> “事实是顽强的东西”，无论你愿意与否，你总是不能把它撇开不管，现代原子思想的物理学的胜利，就是马列主义理论的胜利，同时也是我的思想的胜利了。
>
> 不错！“事实是顽强的东西”(列宁:《帝国主义论》引英国俗语，解放社本。——原注释)，由于事实，我现在变成唯物论者了，而且在素以黑格尔和辩证法为研究目标的我，又自然而然地非变成辩证法的唯物论者不可。但我此时虽有如此巨大的突变，而为环境和地位的限制，我只得把我的新思想隐藏起来，用沉默的方式生活下去。我在梅县以迄今日，没有公开发表什么新著作，即是这个缘故。③

此后两年，他的重要工作，就是“从旧哲学的批评中找出新哲学，在黑格尔的辩证法中发现其‘合理的内核’。”他“更注意黑格尔和马克思的方法论的关系”，带着一种使命感致力于黑格尔哲学研究：

> 马克思在 1858 年一月写信给恩格斯说：“我很想用两三个印张，以一种为一般人的理智所能理解的形式，阐明黑格尔。”然而为情势所迫，以致不能实现。列宁也曾想写一部关于马克思主义辩证

① 《朱谦之文集》第一卷，第 91 页。

② 《朱谦之文集》第一卷，第 92 页。

③ 《朱谦之文集》第一卷，第 92 页。朱谦之回忆在抗战胜利思想转变之后，1947 年给大学三年级开必修课“西洋哲学专家研究”讲的就是“黑格尔哲学”。他说：“我知道在资产阶级社会里，大学永没有讲述马列主义的自由，然而我却有讲马列主义的根源思想：即黑格尔哲学的自由，因此而这一年的全部时间，几乎都埋头伏案为着去把那些包含在为黑格尔所发现但穿着神秘外衣的方法中的合理因素，加以阐明而努力了。”同上，第 97 页。

法之有系统的书，但亦为情势所阻，以致只能做成他的哲学笔记中《黑格尔逻辑学一书摘要》。现这个神圣的重大任务，似乎落到我们学生头上，让我们去担负起来了。因此我们也绝不退缩，为着实现马克思和列宁未成的志愿，我们应该义无容辞地十倍百倍的努力，因此这一年中，我竟废寝忘食一心一德来担负了这关于黑格尔哲学之系统解释的这个任务，……每日我自晨至晚，孜孜不倦地把黑格尔的主要著作，一读再读三读，以求根据唯物主义观点来加以解释……①

这个成果，就是他 1949 年 10 月完成的“精心结撰之作”《黑格尔哲学》。他说：

我这书引证列宁的《哲学笔记》的地方很多，但为顾虑到反对派的注意，不得不说得含糊、紧缩，我不写列宁，不写伊利奇，只写作 Uladimir，有时也偶然写 Lenin，使人不易捉摸。这种不自由发表的情形使人难堪极了。然而不自由是对旧世界而言，旧世界的不自由正为新世界的自由作一准备。我在完成了《黑格尔哲学》之后几天，新世界便霹雳一声出现了。②

随着“新世界”的到来，每个新生儿都从既带着旧痕迹又满怀新希望的“思想包袱里翻身出来”。黑格尔哲学是马克思主义的重要思想来源之一，朱谦之从日本留学时代起开始关注、研究，持续了二十多年，从自觉地与唯物史观保持距离，主张以“生命辩证法”的立场阐释黑格尔，经历过民族生死存亡的炮火洗礼，到逐渐自觉地接近并运用唯物史观来分析问题，阐明“包含在为黑格尔所发现但穿着神秘外衣的方法中的合理因素”，其思想的立足点经历了从“一切为着个人”到“一切为着群众”的翻天覆地的转变。然而这只是“新生”的开始。真正掌握马克思主义并

① 《朱谦之文集》第一卷，第 98 页。
② 同上，第 100 页。

能够运用其思想方法从事学术研究、解决理论问题，就需要进行系统的学习和不断的"思想改造"，这是许多知识分子来到"新世界"所面临的问题。

朱谦之积极投身于这种学习和改造之中。1949 年 11 月，他制订了详细的学习计划，列出了马克思、恩格斯、列宁、斯大林、毛泽东等经典著作三十来种，①一面学习一面自我批评，表示"下最大的决心要从此展开了批评与自我批评的武器，用此武器来彻底克服我那残余的陈旧的虚无主义思想的倾向而完全接受那新的前进的马列主义和毛泽东思想。因为这才是今后向前发展的基础，这才是我今后加入社会主义共产主义社会的原动力。"②在学习与改造过程中，其中值得注意的有以下几点：

第一，"世界观之逐渐转变是开始于关于《武训传》的批评以后。"他说：

> 我因学习了《武训传》的批判才完全明了艺术和教育都是阶级性的，而我从前表现于《文化哲学》和《文化社会学》中"超阶级"思想，乃是根本错误，意识到这是无产阶级世界观和小资产阶级世界观的不同。……只在学习关于《武训传》的批评以后，我才能站稳立场，决心把这错误思想加以肃清。……《文化哲学》根本是从一切人都是好的这个前提出发，所以太信赖了人类的良心，而忘记了有许多剥削阶级存在，因为立场错了，世界观也错了，甚至所用以实现未来社会的方法也流于空话。这说明了我过去思想如何丧失了批判的能力，如果不是解放以后，经常参加政治学习，这错误的小资产阶级世界观，怎么能倒转过来呢？③

第二，真心学习，自觉改造，其中最受益的是对《实践论》《矛盾论》的

---

①《朱谦之文集》第一卷，第 103 页。

② 同上，第 107 页。

③ 朱谦之：《世界观的转变——七十自述》(1968 年 12 月 4 日)，《朱谦之文集》第一卷，第177 页。

学习。他说：

> 最得力的是关于《实践论》、《矛盾论》的学习，最对我起根本变化的是高等学校教师中的思想改造运动。《实践论》、《矛盾论》提供我以检查、分析解放以前的思想方法，使我能较彻底地正视我的错误思想。……我此时因群众的智慧帮助下才正视了我自己的个人英雄主义的错误思想，我深刻地感到群众力量的伟大无比，同时更应该从内心深处感谢中国共产党，感谢这一次思想改造运动，感谢全体群众所给我的过去所得未曾有的思想教育。共产党改造了世界，也改造了我。①

第三，学习和改造的成果，首先是担任哲学系"辩证唯物主义与历史唯物主义""社会发展学说史"两门课程的教学，并制定撰写了详细的教学大纲。这两份教学大纲都收录在《朱谦之文集》第一卷中。如其所言，"前者是根据斯大林的经典著作《辩证唯物主义与历史唯物主义》的内容，将唯物辩证法之四大特征，分析为三十六规律，又将哲学唯物主义与历史唯物主义中生产之三大特点，各分析为九项目，目的在较深刻地学习斯大林的经典著作，并想能应用辩证唯物主义与历史唯物主义来解决一定的具体问题"。② 此大纲第四章开篇指出马克思主义辩证法之四大特点为：相互联系的法则、运动发展的法则、质量变化的法则、对立的统一和斗争的法则。"上篇辩证唯物主义"第四章至第七章，每章分别解说一条法则。每章分三节、每节分三款，这就是所谓的"唯物辩证法三十六规律"，简略标示如下：

> 一、相互联系的法则：(一) 客观性——1. 联系的客观性，2. 联系的规律性，3. 联系的具体性；(二) 全面性——4. 全体联系，5. 有机联系，6. 内在联系；(三) 条件性——7. 条件，8. 地方，9 时间。

---

①《朱谦之文集》第一卷，第 177 页。

②《朱谦之文集》第一卷，第 177 页。

【第四章】

二、运动发展的法则：（一）发展的必然性——10. 必然性，11. 偶然性，12. 预见性；（二）发展的可能性——13. 可能性与现实性，14. 革命的创造性，15. 新的事物之不可克服性；（三）发展的生命性——16. 生命性，17. 转变性（否定之否定），18. 曲线性。【第五章】

三、质量变化的法则：（一）前进的运动上升的运动——19. 由旧质态进至新质态，20. 由简单到复杂，21. 由低级到高级；（二）从量到质以及从质到量——22. 质量的统一性，23. 由量到质，24. 由质到量；（三）渐变与突变——25. 渐变性，26. 突变性，27. 实践性。【第六章】

四、对立的统一和斗争的法则：（一）对立的统一——28. 对立的统一性，29. 内在的矛盾性，30. 对立统一的相对性与对立斗争的绝对性；（二）对立的斗争——31. 斗争的不可避免性，32. 斗争的尖锐性，33. 斗争的复杂性；（三）对立的发展——34. 矛盾推动前进，35. 不断的革命，不断底发展，36. 批评与自我批评是新社会发展的辩证规律。① 【第七章】

再来看大纲中"下篇历史唯物主义"第五章至第七章关于生产的三大特点及九个项目：

生产底第一个特点（生产底规律性）：（一）生产底不断变更和发展。（二）生产方式的变更必然引起全部社会制度、社会思想、政治观点和政治制度的变更（"基础"与"上层建筑"的问题也是社会存在决定社会意识的问题）。（三）在各个不同的发展阶段上有各个不同的生产方式（每一个不同发展阶段上的经济基础都有适合于这个不

① 朱谦之：《辩证唯物论与历史唯物论教学大纲》（1951 年 8 月，中山大学哲学系讲稿提纲），《朱谦之文集》第一卷，第 691—725 页。上述根据"大纲"第四至七章（第 695—701 页）简略而成。原文各款由 ABC 标识，这里改为 1—36 连续标识，以直观表示"三十六规律"。

同发展阶段底上层建筑)。

生产底第二个特点(生产底矛盾性):(一)生产力与生产关系之辩证法的发展。(二)生产力发展之从旧质态进至新质态。(三)历史上的基本生产关系与阶级斗争。

生产底第三个特点(生产底实践性):(一)新的生产力的发生是在旧制度内部发送的,是旧制度内部矛盾的结果。(二)从自发的发展到自觉的活动(没有一种旧的生产会自发地走下历史舞台,旧的东西永远不会自己灭亡而必须把它消灭……进化须让位于革命)。(三)新政治制度和新政权在废除旧生产关系而奠定新生产关系中的积极作用。①

因为基础教材是斯大林的《辩证唯物主义与历史唯物主义》,而这个体系至今还在影响着高校的马克思主义教学。虽然朱谦之自我评价说:"这在1951年间初期著作,未免使人有生吞活剥之感,而尤以辩证法的三十六规律之说,缺点最多。"②这或许是当时高校哲学系中较早较系统的一部辩证唯物主义和历史唯物主义教学大纲,其内容非常丰富,从每章后面所列"补充教材",就可以看出编者的认真与专业。再结合他学习《实践论》所写的论文《实践论——马克思主义辩证认识论的底新发展》,也可以看出朱谦之理解的一些特色,而这些特色也与他的"思想传统"有关。比如前面提到他30年代所主张的"生命辩证法",在学习《实践论》的文章中专门列出一部分论述"真理之生命观",③通过对柏格森的直觉主义和尼采的超人主义的批判,认识到了"马克思、列宁主义认识论的生命观是将生命和现实合一,是将生命和实践合一,是将生命和客观的真理合一。从现实性中,从实践中,从反映物质生活的客观真理中所见永

① 《朱谦之文集》第一卷,第713—719页。
② 《朱谦之文集》第一卷,第178页。
③ 朱谦之:《实践论——马克思主义辩证认识论的底新发展》,《朱谦之文集》第一卷,第684—687页。

远的生命，这就是辩证唯物主义的认识论，这是唯物辩证法的基本原理。”[①]这样，就在自我批评中超越了自我，而且他在这种认识的基础上，提出“‘绝对真理的长河’不就是‘永远的生命＝辩证法’是什么呢？”[②]不仅对“真理”的解释突显了自己的特色，而且赋予了“生命辩证法”这个旧概念以崭新的生命。“唯物辩证法三十六规律”中也有一条就是“生命性”。[③]

1952 年思想改造运动结束后，朱谦之调回北京大学哲学系工作，先在中国哲学史教研室，在转入日本哲学研究之前，对老子、桓谭、王充、李贽以及中国哲学对欧洲的影响等都有深入和实证的研究，最能够体现其学习成果的或者要算《中国哲学输入欧洲是辩证唯物论底重要源泉之一》(1951 年 5 月石印本)了，这个问题直到最近都还是一个比较热门的话题。

上面不惜花过长的篇幅介绍朱谦之“理论自觉”的详细过程，除了为弄清他的日本哲学思想研究的理论和方法之外，也是有鉴于目前日本研究界的现状，如宋成有教授曾经呼吁的那样，“日本史研究的最急切的任务之一是尽快推出史学理论和研究方法论的研究著作。”[④]而本人的相关研究工作，也被评为“理论之后”的日本思想史研究。[⑤] 可见无论是在日本历史还是日本哲学研究中，“理论”创造多么不容易。

2. 理论应用：马克思主义与日本哲学思想研究

日本哲学史研究成为朱谦之运用马克思主义进行耕耘的“试验田”。他说：

---

①《朱谦之文集》第一卷，第 685 页。

②《朱谦之文集》第一卷，第 687 页。

③ “生命性——‘永远的生命＝辩证法’——生命逻辑即革命逻辑……”见《朱谦之文集》第一卷，第 697 页。

④ 宋成有：《中国的日本史研究理论与研究方法演进 30 年综述》，李薇主编：《当代中国的日本研究(1981—2011)》，北京：中国社会科学出版社，2012 年，第 500 页。

⑤ 吴光辉：《“理论之后”的日本思想史研究——刘岳兵博士〈日本近现代思想史〉述评》，刘东主编：《中国学术》第 32 辑，商务印书馆，2012 年。

> 1958年以后，我的研究任务，转入东方哲学史方面，由于当时对于了解亚非拉各国的思想动态，促进文化交流，支持东方各国民族解放运动的斗争，研究东方哲学史有其现实意义，因此正在我对于中国哲学史极感兴趣之时，科学院提出东方哲学史研究的重要性，而且把这任务交给北大。金克木起草了关于印度哲学研究计划，马坚起草了关于阿拉伯哲学研究计划，我呢？奉命起草关于日本哲学史的研究计划，并且打成文件。我虽曾留学日本，但从未注意日本哲学，而即在日本本国当时也还没有从头到尾一部成功的日本哲学史可资参考。我感觉彷徨，但终于完成任务。在北大图书馆善本室里，发现有李盛铎(木斋)任日本大使时所搜集许多日本中古哲学的原著，经我钻研之后，居然找到许多材料。我开始试用马克思主义观点、方法加以分析批判，以后材料积累越多，研究的兴趣也越浓厚，我在1957年至1963年之间前后发表了《日本的朱子学》(1958年8月，三联书店)、《日本的古学及阳明学》(1962年12月，上海人民出版社)、《日本哲学史》(1964年8月，三联书店)三书，约一百万言。又以个人编注的《日本哲学史料》，用东方哲学史组名义发表《日本哲学》二册(古代之部，1962年12月；德川时代之部，1963年3月，均商务印书馆版)，把一百年来中国哲学者应该做而没有做的工作完成了。①

这的确是一项伟大的"创举"！开创了运用马克思主义研究日本哲学思想的新范式，为我们今天"接着讲"日本哲学思想史提供了一个很好的典范。从理论上看，至少有以下几点值得注意：

第一，一方面将哲学史划分为唯物主义与唯心主义斗争的历史，同时力图避免对唯物主义和唯心主义及其斗争做简单、机械的理解。如将佛教视为主观唯心主义，而朱子学视为客观唯心主义。进而又指出"客观唯心主义虽然也是唯心主义，但在其与主观唯心主义思想斗争的时

① 朱谦之：《世界观的转变》(1968年12月4日)，《朱谦之文集》第一卷，第179—180页。

候，便含着多少唯物主义的思想内容。"[①]他特别看重从旧阵营里"翻身"出来的京都朱子学派：

日本京都朱子学派敢于从僧侣主义阵营之中翻身出来，讲究朱子性理之学，肯定了世界及其规律的存在，因此他们的运动，便具有元气淋漓的新气象。虽然朱子学的本身还只是一种客观唯心主义，但从其以合理主义代替信仰主义的观点看来，对于主观唯心主义哲学中最反动的方面的斗争，却是具有与唯物主义相联系的因素。[②]

更进一步，即使在同属于一个学派，也特别注意不同的人物思想倾向有很大的差异，必须具体问题具体分析。

其实即在朱子学派之中，也包含唯物主义倾向与唯心主义倾向之内在的矛盾，因也展开了在朱子学派中唯物主义与唯心主义思想的斗争。尤其是朱子学的世界观原为二元论，而到了日本朱子学派手中，往往不满足于二元论，而将理气二元论归结为气一元论或理一元论。前者如林罗山、安东省庵、贝原益轩等接近于唯物主义，后者如三宅尚斋则完全变成唯心主义了。日本朱子学有左派也有右派，左派如新井白石、室鸠巢，如贝原益轩，如中井履轩，他们虽和古学派的意见不同，但均接近于唯物主义的派别。相反地如海南朱子学派，如宽政三博士，这些朱子学的右派则很明显地属于唯心主义的派别。水户学派是朱子学的杂种，其中有暗斋派的成分，也有徂徕派的成分，分开来看则前者属于唯心主义思想体系，后者接近唯物主义思想体系。而且即在暗斋学派之中，三宅尚斋是唯心主义，佐藤直方则接近唯物主义。可见即同在朱子学派之中，其思想内容很不一致，一个人的思想，也不一定前后相同，是要加以分别认识的。[③]

① 朱著，第 522 页。
② 朱著，第 523 页。
③ 朱著，第 525—526 页。

值得注意的是，朱谦之在《日本的朱子学》中曾经透露想写一本《日本唯物论史》，[①]后来在《日本的古学及阳明学》前言中甚至明确划分了日本马克思主义唯物哲学形成的三个时期，即“马克思主义传播以前唯物主义哲学及辩证法思想产生的准备时期”“马克思主义传播以前日本唯物主义哲学形成时期”和“马克思主义唯物哲学与修正主义斗争的时期”。[②]《日本唯物论史》虽然未见出版，但是对照后来的《日本哲学史》，就可以知道朱谦之的研究体系了。我们来看一下《日本哲学史》的目录：

第一章　神话传说及佛教化时代（第一节 古代神话传说 第二节 日本佛教）

第二章　封建统治时期的朱子学之一

第一节　室鸠巢、贝原益轩 第二节 中井履轩、富永仲基

第三章　封建统治时期的朱子学之二

第一节　雨森芳洲、山崎暗斋　第二节　会泽正志斋、藤田东湖

第四章　儒学的分化之一：古学派

第一节　伊藤仁斋、伊藤东涯　第二节　荻生徂徕、太宰春台

第五章　儒学的分化之二：阳明学派

第一节　中江藤树、佐藤一斋　第二节　大盐中斋、吉田松阴

第六章　国学者的“日本精神”哲学

第一节　贺茂真渊　第二节 本居宣长　第三节　平田笃胤

第七章　封建制解体过程中新世界观的萌芽之一

第一节　安藤昌益　第二节　司马江汉

第八章　封建制解体过程中新世界观的萌芽之二

第一节　三浦梅园　第二节　皆川淇园　第三节　山片蟠桃　第四节　镰田柳泓

① 朱著，第382页。

② 朱谦之：《日本的古学及阳明学》，前言，第5—6页。

第九章　明治初期的启蒙思想

第一节　西周　第二节　福泽谕吉

第十章　明治时期的唯物主义与无神论

第一节　加藤弘之　第二节　中江兆民　第三节　植木枝盛

第十一章　早期社会主义者的哲学

第一节　片山潜　第二节　幸德秋水　第三节　堺利彦

第十二章　日本型资产阶级哲学(第一节　西田几多郎 第二节　田边元)

第十三章　战前日本型修正主义思想:三木清

第十四章　法西斯主义及其批评者

第一节　北一辉、大川周明 第二节 高坂正显、高山岩男 第三节 河合荣治郎

第十五章　马克思主义哲学在日本的论争和成长

第一节　山川均、福本和夫、河上肇　第二节　户坂润　第三节 永田广志　原始资料要目

以上下划线为单横线的,是《日本的古学及阳明学》前言中所列举的"准备时期"的名单(朱子学的新井白石、中井竹山,古学派的山县周南未入目录);下划线为双横线的,是"形成时期"的名单;波浪线的是第三期的名单(野坂参三未列入目录)。由此可以充分看出朱谦之的日本哲学史体系的特点,即如他所言:

> 日本哲学史即日本科学的唯物主义世界观及其规律的胚胎、发生和发展的历史。
>
> 研究日本哲学史主要是以马克思主义观点阐述日本唯物主义哲学思想的发展,并批判过去所有唯心主义哲学体系;但也不能忘却在唯心主义哲学里面,正如黑格尔的辩证法,有其合理的内核一样,……现代日本哲学的主流是辩证唯物主义和历史唯物主义的发展,而追溯其思想背景,则不可不先研究一下马克思主义以前唯物

主义哲学及辩证法思想产生的准备时期哲学的诸流派。①

这个体系与30年前的《日本思想的三时期》中的体系相比，已经发生了翻天覆地的变化了。

第二，用阶级分析的方法，重视不同学派代表不同的社会阶级利益，同时也力图避免对阶级分析方法做简单化的理解。上面介绍朱谦之论日本朱子学的总体发展时，谈到了“一切依条件、地点和时间为转移”，条件、地点、时间，都是包含在“唯物辩证法三十六规律”中的。他在论述“条件”的时候，就提到五山禅僧的朱子学、博士家和公卿派的朱子学、林氏家学与大阪朱子学、水户学，都是不同“阶级的社会关系”的反映。古学派和阳明学派也不例外。他说：

> 古学派是朱子学的反对派，是不当权的中小地主阶级思想，阳明学派则为下级武士所掌握，站在地主和市民的思想立场，因为两派基本上都是不当权派，所以和保守主义的朱子派不同。尽管如此，只要他们自己是地主阶级，则不管是当权派或不当权派，是大地主还是小地主，他们总是随着与农民阶级的矛盾，而或多或少具有剥削者的思想性格，这就是他们思想的局限性的阶级根源。②

原则上虽说如此，但是也不是一切以“阶级”为界限的“唯阶级”论。比如他在论及“苦学而成名”的朱子派学者安积艮斋时，就评价说他“颇能给贫苦的人设想，而站在接近人民的立场上。”③又如在论述荻生徂徕的自由学风时，认为“这自由主义学风标志着从封建社会意识形态到资

---

① 朱谦之：《日本的古学及阳明学》，前言，第5、6页。

② 朱谦之：《日本的古学及阳明学》，第382页。他在《日本的朱子学》一书“江户时代朱子学兴盛的原因”这一章的结尾这样写道：“日本阳明学与朱子学派的斗争乃是反映新与旧的斗争，革命与保守的斗争。就阶级关系来说，也就是代表新兴市民阶级与代表封建领主的上层武士之间的思想斗争。由上所述，可见随着阶级的差别与变动，便形成了儒学内部的分化现象。……日本儒学的派别本来就是代表阶级的差别，我们在研究日本儒学史也就应该应用马克思主义的观点、方法来加以分析，知道江户时代的社会阶级关系，也就容易明白为什么在这时候儒学的兴隆和他的分派的原因了。”朱著，第165页。

③ 朱著，第409页。

产阶级社会意识形态的转变。固然徂徕之学根本上是复古学，但在复古之中也包含着新的东西。"①就是说，阶级也好、意识形态也好，都不能看成铁板一块，具体到历史人物时，需要具体分析。

最明显的是，即便同样属于唯物主义的阵营，但也可能有不同的政治立场。他在《日本哲学史》中论述永田广志的部分指出：

> 永田的思想史研究方法，基本上是正确的，……对唯物主义的一般的性格，认为"……唯物主义在一定的历史时代里，常为代表社会发展利益的阶级的哲学而展开。"(《永田广志选集》第五卷，第3页。——原注释)但是把这唯物主义的一般特征应用到日本个别的大哲学家的评价上，就不免可以有商榷的地方。例如对于中江兆民和加藤弘之的评价，永田不管两人相对立的政治立场，只因其哲学均为形而上学的唯物主义，即均归之于"资产阶级唯物论者"的范畴。……永田对于加藤，轻视其思想的反动性，对于中江则反轻视其进步性，而从理论的形式的类似，同样规定为"资产阶级唯物主义者"，所以永井清明批评永田是自己放弃了反映论的立场，把两人哲学的本质弄糊涂了。(《昭和思想史》，第328页。——原注释)②

永田广志以马克思主义观点阐明日本哲学思想史，曾经得到过朱谦之的高度评价，但在这里，他看到了先驱者的"限制"，感受到了"日本唯物主义史里内在的联系的探求，实在并不容易。"③在他自己的论述中，他鲜明地指出："兆民与弘之均为唯物主义者，但弘之初主天赋人权论，后变为国权主义者，相反地兆民则为民权主义者。弘之是官僚的护教学者，中江是在野的批判的思想家、真正的唯物主义者。"④

第三，对日本哲学思想的特点，既重视来自中国的影响，强调"中国

---

① 朱谦之：《日本的古学及阳明学》，第125页。
② 朱谦之：《日本哲学史》，第462—463页。
③ 朱谦之：《日本哲学史》，第462页。
④ 朱谦之：《日本哲学史》，第213页。

哲学对于日本影响的重要性；其中尤其以朱子学派、古学派和阳明学派竟可称为中国哲学之有条件的移植。”①但是另一方面，又强调两者有本质上的不同。他说：

> 朱子学在日本和在中国是有本质上的不同。日本朱子学是按日本哲学自身的发展规律，而与各学派发生关系。例如日本虽从古以来敢于摄取外国的种种文物，但却有一个特点，即无论如何不肯抛其独特固有的即神典所传的日本精神。即使这日本精神，实以古代的神话为基础，是充满着许多不合理的成分。朱子学传到日本首先即须与此不合理的成分相结合。固然朱子学的左派，可以把这个不合理的成分用朱子学的合理的成分来改造、代替，而相反地朱子学的右派，则居然把朱子学的合理成分，给不合理的神道成分牺牲了。例如林罗山的“理当心地神道说”即为前者，山崎暗斋的“垂加神道”所谓“土金之教”即为后者，而要之以朱子学与神道相结合使朱子学日本化则为事实。②
>
> 日本无论古学或阳明学均与神道发生关系，朱子派如此，反朱子派亦如此。日本虽从古以来，敢于摄取外国的种种进步文化，但无论如何，却不肯抛弃其独特的落后的神道思想，直到现在，这种阻碍社会进步的思想还在发生作用。③
>
> 儒教只可能与日本魂相结合，因此而儒教中的许多精理名言，只要与日本魂不相适合的，便要注定否定的命运。④
>
> 日本对于中国哲学的摄取是有其限制性的，因此而日本的朱子学便和中国的朱子学也有其本质的区别。⑤

对神道思想的评价，它是否只有落后、阻碍社会进步的一面，另当别

---

① 朱谦之：《日本的古学及阳明学》，前言，第 9 页。

② 朱著，第 531—532 页。

③ 朱谦之：《日本的古学及阳明学》，第 385 页。

④ 朱著，第 532 页。

⑤ 朱著，第 533 页。

论;朱谦之在这里强调日本哲学思想与中国的关系及其对“日本哲学自身的发展规律”的重视,这无论如何是对后来者的中肯的告诫。后来也有不少中日儒学比较或力图探寻日本儒学“道统”自立及自解体的研究,尽管都还有或过或不及之感,但都是在阐明“日本哲学自身的发展规律”、重建日本哲学史研究新范式征途上的有益探索。

3. 无征不信:旁征博引与资料集的选编

朱谦之对原始文献的重视,从他的三本日本哲学研究著作所列参考文献可见一斑。我曾经这样评价过:

> 如果说朱谦之在研究日本哲学思想时马克思主义和他自己的文化比较学的理论都是一种外在的临时习得的或固有的由来已久的理论,在给他的研究带来开拓性的贡献的同时,也不可避免地形成某种局限的话,而他的尊重原始资料、强调“无征不信”的历史主义的实证方法,则是最终使他的研究著作成为这个领域的经典之作的法宝。①

2018年暑假,我仔细阅读了一遍朱谦之的《日本的朱子学》一书,再次为其旁征博引所折服,也为自己的无知而羞愧。在朱著的引导下,接触了许多以前没有摸过的史料,如从网上找到了雨森芳洲的《橘窗茶话》、巨正纯和巨正德的《本朝儒宗传》、安积艮斋的《艮斋文略》《艮斋文略续》等,翻出来了架上的《先哲丛谈》《日本道学渊源录》等。

朱谦之看过的书,我很多都没有看过,有什么资格谈“接着讲”?按理的确是没有资格谈的。

这里介绍几种朱谦之经常引用而我们平时不太注意的几种重要著作:

> 《甘雨亭丛书》,四八册,六集,四七种,安政三年,安中造士馆刻本。

① 刘岳兵:《朱谦之的日本哲学思想研究》,《日本学刊》2012年第1期。又见刘岳兵:《“中国式”日本研究的实像与虚像》,第69—70页。

《日本儒林丛书》，三卷，东洋图书刊行会，昭和二年（关仪一郎编，五卷，昭和二—四年。）；《续日本儒林丛书》，四卷，昭和二—四年。（划双横线部分为《日本的古学与阳明学》中所示。实际上此丛书正编有六卷。）

原念斋：《先哲丛谈》，八卷，文化一三年丙子刊。

大塚观澜：《日本道学渊源录》，四卷，昭和九年刊本。①

（1）《甘雨亭丛书》

加藤友康、由井正臣编的《日本史文献解题辞典》（吉川弘文馆，2000年）收录有前田一良撰写的《甘雨亭丛书》词条，内容如下：

该丛书收录江户时代的著名学者三十数人的论文、随笔、诗文等六十余种。上野国安中藩主板仓胜明编，安中造士馆藏板。全七集（别集二集），五十六册。弘化二年（1845）至安政三年（1856）刊行。胜明号甘雨、节山，对经史之学深有造诣，致力于广泛搜集诸学者著作，并简明地写有各学者的传记，有助于了解其学问上的相互关系。至今为止，作为刊本仅见于该丛书的，为数不少。

第一集

1 文公家礼通考（室鸠巢）2 仁斋日札（伊藤仁斋）3 格物余话（贝原益轩）4 韫藏录（佐藤直方）5・6 白石先生遗文（新井白石，立原翠轩编）7・8 白石先生遗文拾遗（新井白石）

第二集

9 西铭参考（浅见䌹斋）10・11 倭史后编（栗山潜锋）12・14 澹泊先生史论（安积澹泊）15・16 湘云瓒语（祇园南海）

第三集

17・19 狼疐录（三宅尚斋）20・21 赤穗义人录（室鸠巢）22 烈士

① 朱著，前记，第2、3、5、6页。

报仇录(三宅观澜)萱野三平传(伊藤东涯)大高忠雄寄母书(赤松沧洲)23 奥宇海运记(新井白石)畿内治河记(同)24 芳洲先生口授(雨森芳洲述、岱琳编)

第四集

25 尚书学(荻生徂徕)孝经识(同)孟子识(同)26 帝王谱略国朝纪(伊藤东涯)27・28 东涯漫笔(伊藤东涯)29 奥州五十四郡考(新井白石,广濑典补)30 南岛志(新井白石)31 鸠巢先生义人录后语(大地昌言编)32 修删阿弥陀经(太宰春台)助字雅(三宅观澜)

第五集

33 孝经启蒙(中江藤树)34 足利将军传(佐々宗淳)35 东韩事略(桂山义树编)琉球事略(同编)36・37 弊帚集(栗山潜锋)38・40 木门十四家诗集(新井白石编)

【别集】

第一集

41 病中须佐美(室鸠巢)上近卫公书(柴野栗山)子姪禁俳谐书(成岛凤卿)42 日本养子说(迹部良显)非火葬论(安井真祐)43 父兄训(林子平)44 古学先生和歌集(伊藤仁斋)45 番山先生和歌(熊泽蕃山)飞驒山(荻生徂徕)观放生会记(太宰春台)桧垣寺古瓦记(服部南郭)46 人名考(新井白石)准后准三后考(同)47 樱之辨(山崎暗斋)樱品(松冈恕庵)48 忠士笔记(浅见䌹斋)湘云瓒语附录(祇园南海)

第二集

49 天下天下论(室鸠巢)政事谈(名越克敏)大学和歌(室鸠巢)鬼门说(新井白石)50 楠正行笔记(佐藤直方)答服部栗斋称谓问目书(中井竹山)附鸠巢与白石论土屋主税处置 51 静斋随笔(河口子深)52・53 耻斋漫录(安东省庵)54－56 鸠巢先生书批杂录(铃木重充编)①

① 加藤友康、由井正臣编:《日本史文献解题辞典》,吉川弘文馆,2000 年,第 173 页。

如上所述，该丛书不仅仅是史料的收集整理，而且每个人物都在卷首附有编者的所撰传记，或在书后附有跋语。朱谦之的引用（单横线为《日本的朱子学》，双横线为《日本的古学及阳明学》所引，双横线加着重号，为两书均出现者），既有引用原始资料，也有引用编者板仓胜明①所撰传记或跋文的。试举一例，比如《白石先生遗文拾遗》，此书即为板仓读其书而"知其为人，窃有所慕"而遍搜其著作编辑而成。其《跋白石先生遗文拾遗后》曰：

> 余总角读先生答建部内匠头书，有云：合则鞠躬尽力，裨补阙漏，违则深藏其身，高栖其志。于是始知其为人，窃有所慕焉。及长，数阅遗书，多是国家有用之书。自非博物洽闻、洞见古今，而尤明邦典，安能如此乎？栗山柴氏曰：在中之典刑，实旷古之伟器，一代之通儒也。非溢美也。独恨先生之后明邦典者寥寥莫闻。近时有赖襄者，好讨论国史，其文可观，而犹有未能出其范围者矣。鸣呼先生之有功于邦典，岂浅鲜哉！宜矣！至今百有余年，海内称之而不衰也。特惜其遗书多罹火灾，而今存者不及其半焉。余旧藏立原万所纂遗文二卷，又求其所漏，相继收录，顷檉宇林祭酒示白石遗稿外集，辑录颇多。万所不纂，亦收录在其中。于是除其二卷既刻者，更编其余，并余所尝收录者，校其异同，合为二册，名曰《白石先生遗文拾遗》。后之人补其所漏，则余所望也。天保辛丑七月既望节山板仓胜明书于安中城needed暑亭。②

该丛书中的新井白石的遗文二卷及遗文拾遗二卷，后来都收入到《新井白石全集》第五卷中。

① 板仓胜明（1809—1857）：江户时代后期大名，上野国（现群马县）安中藩主。

② 新井白石：《白石先生遗文拾遗》（下）（甘雨亭丛书），安中造士馆藏板，弘化二年（1845），第42页。"总角"：童年。"建部内匠头"：建部政宇（1647—1715），播磨国林田藩第三代藩主。"在中"：新井白石字在中。"立原万"：立原翠轩（1744—1823），水户藩儒者。"檉宇林祭酒"：林檉宇（1793—1847），林述斋之子，幕府儒官、大学头。

(2)《日本儒林丛书》

关仪一郎编纂，分正编（六卷、167篇）、续编（四卷、47篇）、续续编（三卷、45篇），另有别册"儒林杂纂"一卷（13篇），共计十四卷、272篇，分"随笔""史传书简""论辩""解说""诗文"等各部，涉及作者150余人。初版于1927—1938年由东洋图书刊行会发行。1971年由凤出版再刊。东京大学文学部伦理学研究室教授、日本儒学研究者相良亨盛赞该丛书为"德川时代儒者资料的无上宝库"，"如果没有《日本儒林丛书》这样的丛书的话，今天我们的研究将在基本的资料方面遇到很大的困难。"对于本丛书所收资料的珍贵性，他举了荻生徂徕的著作的例子说明，说要彻底研究徂徕思想形成的过程，必须要读《萱园随笔》和《萱园十笔》，而一般的读者只能通过该丛书接触到这两种书。进而强调此丛书收录的著作大多是类似于此的珍贵资料。查看朱谦之的《日本的古学与阳明学》，其荻生徂徕部分，所引《萱园随笔》和《萱园十笔》的资料，的确也都是出自此丛书。

(3) 原念斋的《先哲丛谈》和大塚观澜的《日本道学渊源录》

这两种归入"思想家史传类"重要的"研究参考资料"。《先哲丛谈》最早的刊本为文化十三年(1816)，到1994年平凡社"东洋文库"出版了源了圆和前田勉的规范的译注本，使得这部给72位儒者以生动素描的"文艺性"读物获得了学术的新生命。作者原念斋(1774—1820)出自折衷学派山本北山之门，力图超越学派的门户之见而客观公正地叙述各家的生平事迹。举其《凡例》数则可见一斑：

> 余尝自室町氏季至近世，有人物足传者，则求其传，若行状墓文裒辑之，凡一百卷，命曰《史氏备考》。而其言行之迹，别存稗官或口碑者亦多，因更收录之，且掇取其要于《备考》中及诸家集，遂成数十卷，《先哲丛谈》是也。此编则独系其儒家类者云。
>
> 儒家类凡十四卷。今刻者八卷，自永禄讫于享保，余卷校订未毕，当嗣刻。此编随闻见辄纪之，不能无遗漏焉。然如其出群超绝

可以入史者，大氐具于此。沧海遗珠，将俟他日收拾焉。

次序率从其年齿先后，不分以门流。……

此编专以知先儒之性行履历为主，而未及其识见者，以其人皆有成书布于世也。间有略举识见者，以其未著见者也。

私记小说，固有可信有可疑。此编传其可信阙其可疑，皆有依据。然而逐章记出典，不胜其烦，故概省之耳。①

因为该书雅俗共赏，可以说是一本很好的江户儒学研究的入门向导。比如人们经常提及的山崎暗斋应对如果孔孟进攻日本将如何是好的故事，《日本的朱子学》就是直接引自文化十三年的初版本。特别是经过规范的注释之后，这本趣味横生的历史读本作为传记史料的可信度和学术价值也大大提高了。

传记类的资料，还有一部《日本道学渊源录》在朱著中征引的频率较高。该书由楠本硕水门人冈直养 1934 年刊刻发行。其原委如《例言》所言：

此书大塚观澜所辑也，初名《本朝道学渊源录》，又有《本朝儒先录》及《别录》，千手旭山共校补之。而本朝道学改日本道学，总合为一部，更名曰《榑桑儒海》，以传之月田蒙斋，蒙斋未及刻，而传之我楠本端山硕水二先生。

渊源录与山崎暗斋先生为首，以下收其门人及传统诸君子。虽纯奉朱学，不入门者不录。虽倡异说，一入门者，概皆录之。以论断焉。硕水先生增补，更补录者二卷，共九卷。……

儒先录所采，世自有其原本，至渊源录，则查索尤费心力。欲知我国宋学真传，非翻此书不可。况先生所增补，岂可不传哉？

直养奉事二先生，恩义特深。且私淑蒙斋先生，往年已刻其随笔，今又欲及《榑桑儒海》，绵力不能，独汇印《渊源录》。乞硕水先生

① 原念斋：『先哲叢談』，文化十三年（1816 年）慶元堂，擁万堂，不自欺斎梓行。「凡例」第一頁。

嗣子士敬、君翔嗣子伯善，俱诺焉。乃商之诸先辈以成之。

《渊源录》五卷，续录二卷，今渊源录合为四卷，续录分为五卷，以便装订。而硕水先生及君翔署名卷尾者，移置于卷首，合先生补录，共十一卷。

此书前有增补者幕末明治时代儒者楠本硕水（1832—1916，名孚嘉）于1900年12月写的序，开篇即颂扬山崎暗斋，说："本邦奉朱学者故不为尠，就中求其尊信之笃、造诣之深，且流传之盛者，盖莫若山崎暗斋氏一流诸先生焉。其于朱子经说及文集语类，熟读详味，必究底蕴，不止其早晚定未定也。"又有此前校补者千手旭山（1789—1859）天保十三年（1842）的序，开篇也同样盛赞山崎暗斋，说："孔子之道得子朱子，而后明于天下万世焉。子朱子之书来于本邦也久矣。南浦尊之于西海，而亦信佛；惺窝信之于山阳，而亦尊陆。而后名儒辈出，各自治其章句、解其训诂，而能造乎其道者盖鲜矣。至于暗斋山崎先生出，始能独步以入其室，能味其道腴，以倡之于天下，使子朱子之道章章乎明于世，其功可谓伟矣。"[①]渊源录前四卷分别为暗斋先生、佐藤（直方）先生、絅斋先生、尚斋先生，续录前四卷分别为暗斋先生门人（38人附2人）、佐藤先生门人（9人）、絅斋先生门人（12人附2人）、尚斋先生门人（20人）。如千手旭山序言所述，暗斋"高足若佐藤请见三宅三先生，最能得其传，而继开殆亚于先生焉。其他巨儒硕德出于其门者甚多，及其再传三传以至于源远，私淑以成其德者，盖多其人云。余父母之国大塚翁子俭，辑其遗传，名曰道学渊源录，以拟之于伊洛渊源之录。"可见该书旨在模仿朱子的《伊洛渊源录》，以山崎暗斋为日本道学正统，而阐明其学脉源流。此篇后来收入冈田武彦等编的《楠本端山·硕水全集》（苇书房，1980年）中，对于研究崎门学派及其在日本的分布情况，这篇《日本道学渊源录》仍然是非常重要的资料。

---

① 大塚観瀾著、千手旭山校補、楠本碩水増補、岡直養刊行：『日本道学淵源録』（合十一卷），1934年開明堂印刷。

朱谦之《日本的朱子学》中除了叙说崎暗斋一系时多处引用《日本道学渊源录》外，因为该书中续录卷四附录为室鸠巢，朱谦之的相关论述也多有引用，特别是该附录收有室鸠巢的《议神道书与游佐木斋》一文，朱著引用颇为详细，因为此篇“最可代表其无神论的进步思想”，①故亦将此篇录入其“东方哲学史资料选集”《日本哲学》的“二、德川时代之部”。

(4)《东方哲学史资料选集》与《朱舜水集》《日本佛教思想史料选编》

作为学者，朱谦之的可贵之处不仅能在自己的著作中旁征博引，而且还注意系统地选编资料集以嘉惠学林。1963 年出版的两本《东方哲学史资料选集》，日本哲学思想研究领域都比较熟悉了，就不再赘述了。我们来看看他的另外两本资料集。

《朱舜水集》，上下两册，朱谦之整理，中华书局 1981 年出版，1984 年第二次印刷。《日本的朱子学》所列参考资料，为“《舜水先生文集》，二八卷，《附录》一卷，享保五年刊本，一六册；又《朱舜水全集》，稻叶岩吉编，明治四五年刊本，一册。”②正文注释中除了“稻叶本”外，还有“马浮本”(《舜水遗书·文集》)，见朱著第 277 页。其《日本哲学史》用的也是“稻叶本”，以上涉及了“享保本”“稻叶本”“马浮本”三个版本。朱谦之“整理”《朱舜水集》的情况，可以从中华书局编辑部的《出版说明》中可见一斑：

> 《朱舜水集》是北京大学教授朱谦之先生一九六二年整理出来的。他把稻叶君山编《朱舜水全集》的全部内容重新加以编排，并根据中日几个版本做了校勘(详见凡例)，写出校勘记，初步加了标点，在正文中补入了《犀角杯铭》一文，在附录中补充了由中日文书籍中搜集的一些可供参考的材料。③

---

① 北京大学哲学系东方哲学史教研组编：《东方哲学史资料选集·日本哲学》(二、德川时代之部)，商务印书馆，1963 年，第 23 页。

② 朱著，前记，第 4 页。

③ 中华书局编辑部：《出版说明》(1980 年 3 月)，朱谦之整理：《朱舜水集》，中华书局，1981 年，第 4 页。

这个出版了的《朱舜水集》后来也还有进一步的校勘修订，如编辑部所言，“因为不可能再同整理者商量，这些改动只能由编辑部负责了。”从《凡例》看，朱谦之对各种版本的考订，特别是对于朱舜水在日本交往的各种人物以及相关的资料，下了很大的功夫。这个《朱舜水集》，台湾学者徐兴庆在其编著的《新订朱舜水集补遗》中也认为是“目前最易阅读、参考之版本。”①他说：“经笔者与中华书局出版之《朱舜水集》对照结果，发现其中未刊载者为数颇多，即一并网罗、解读与注释，故本书称之‘补遗’。”②可见，其“补遗”的标准就是在朱谦之的工作基础上进行的。从日本学界 2014 年出版的《季刊日本思想史》(第 81 号)特集“朱舜水与东亚文明：水户德川家的学问”(徐兴庆、辻本雅史编)看，朱谦之整理的《朱舜水集》依然是从事这一领域研究必不可少的基本资料。

《日本佛教思想史料选编》，朱谦之编、黄夏年点校，2015 年宗教文化出版社出版。该书有印顺的《序》，黄夏年的《朱谦之先生与日本佛教研究》和朱谦之夫人何绛云女士 2007 年 10 月 27 日写的《后记》。收录内容依次为① 亲鸾(1173—1262)的《愚秃钞》，② 法然(1133—1212)的《选择本愿念佛集》，③ 法然的《净土宗略要文》，④ 亲鸾的《净土文类聚钞》，⑤ 伊藤仁斋(1627—1705)的《语孟字义》，⑥ 伊藤仁斋的《童子问》，⑦ 杂著(年次不详)(作者不详)，⑧ 贝原益轩(1630—1714)的《大疑录》，⑨ 中岩圆月(1300—1375)的《中正铭并序》《窒欲铭并序》《中正子》，⑩ 虎关师炼(1278—1346)的《通衡》，⑪ 自编《参考用书》。

以上诸篇，虽然所选皆为名著，但不知编排次序是否为朱谦之所原定。可以将以上十篇文献归为三类：第一，镰仓时代佛教的代表著作(1—4)，第二，五山僧侣的向儒著作(9、10)，第三，江户时代儒学代表作(5、6、8)。其中(5)(6)(8)和(9)(10)都曾经以节选的形式分别在《东方哲学史资料选集·日本哲学》的“古代之部”和“德川时代之部”收录过。

① 徐兴庆编著：《新订朱舜水集补遗》，台北：台湾大学出版中心，2004 年，自序，第 16 页。

② 徐兴庆编著：《新订朱舜水集补遗》，自序，第 18 页。

这部“思想史料选编”不像上两本选集，史料前没有说明，也没有注释。也许如《后记》所言，“朱先生这部著作只是用于自己写作时参考”，[①]整理出来就已经的确不易了，而且也是很有意义的。通过这本史料集，我们知道了朱谦之“一直有一个心愿，想写一本中国人自己写的日本佛教思想的专著，为此他一直不断地搜集这反面的资料，近书目的总字数就达 3 万以上。”[②]而且从这个书目即《参考用书》，可以感受到一个学者的孜孜不倦的追求。

简单的结语：文如其人——以人格、信念铸就一座丰碑

朱谦之给中国的日本哲学思想史研究后来者留下的研究著作和资料集，是有形的精神财富，其通史性的哲学史著作和专题的日本儒学研究著作，即便想要从整体上超越，也必须从他“接着讲”开始。如黄心川所说，“1927 年之后，朱先生一直迎着时代的潮流前进，经过漫长道路的探索，他终于接近并最后接受了辩证唯物主义的思想。”[③]他以生命体悟和追求真理，与时俱进、主动将自己的研究工作与时代精神、民族大势结合起来的进取心和探究心，表现出一个个性丰满且具有社会良知的中国学者的高洁真挚的人格和坚定的信念。这更是需要我们后来者不断地“接着讲”的。戴康生在朱谦之诞辰一百周年的纪念会上以朱谦之的自叙诗“重来但愿成霖雨，世世生生更益人”为标题，[④]讲述了自己亲身感受到的朱谦之的人格与信念。2019 年是朱谦之诞辰 120 周年，其人其学，

① 何绛云：《后记》，朱谦之编、黄夏年点校：《日本佛教思想史料选编》，宗教文化出版社出版，2015 年，第 369 页。

② 黄夏年：《朱谦之先生与日本佛教研究》，见《日本佛教思想史料选编》，第 6 页。

③ 黄心川：《中国禅学思想史跋》，忽滑谷快天著、朱谦之译：《中国禅学思想史》，上海古籍出版社 1995 年。见《朱谦之文集》第十卷，福州：福建教育出版社，2002 年，第 603 页。

④ 戴康生：《重来但愿成霖雨，世世生生更益人——纪念朱谦之诞辰一百周年》，朱谦之：《日本哲学史》(代序)，北京：人民出版社，2002 年。该诗句出自朱谦之的《自叙诗三十四首》最后一首，曰：“散诞生涯七十春，早年愚昧晚年真。三山五岳非名贵，万卷千文未是贫。昔日哀伤云过眼，今朝苦乐雾中身。重来但愿成霖雨，世世生生更益人。”见《朱谦之文集》第一卷，第 209 页。

我们都应该继续“接着讲”。

只有以人格、信念铸就的丰碑，才具有永恒的价值。

他对于山崎暗斋的教条主义的批判，① 特别是对柴野栗山的机会主义的无情批判，斥责他是一个“恃势凌人‘乘世变’的机会主义者，即便有尊王的姿态，也不过他平生的投机取巧的伎俩如此。”② 这些在上个世纪五十年代说的话，结合那个时代的背景，再想想现在，想想历史和未来，的确令人回味无穷。

（本文的相关内容曾在2018年10月12日山东大学朱雀讲座、10月26日日本立命馆大学“东亚思想与文化”研究会、11月16日中山大学人文高等研究院学术沙龙上报告过。此稿根据上述报告修改而成。载杨伯江主编：《日本文论》2019年第1辑，社会科学文献出版社，2019年6月。）

① 朱著，第296—301页。

② 朱著，394—395页。

后　记

书名中“文化交涉”“交涉史”的提法，早已有之，并非标新立异。我用这个提法，更多地是想感谢以日本关西大学陶德民教授为创始会长的“东亚文化交涉学会”所提供的这个学术平台，本书中的多篇文章起初都是为参加该学会年会而写的。如陶教授所言，交流“在现代语境里往往指对双方都有补益的接触和互动。可是，事实上交流不一定给双方都带来补益，也可能造成矛盾冲突、伤害和负面后果。”用“交涉”一词，“就是要表明必须站在中性的立场上对各种各样的文化接触和互动现象都要进行客观的研究”（陶德民:《“東亞文化交涉學”的關鍵詞——全球化時代文化研究的視野與新視角》，《東アジア文化交渉研究 東アジア文化研究科開設記念》，関西大学東アジア文化研究科，2012 年 3 月）。我也比较认同这种观念。

这本书是为“百年南开日本研究文库”而编的。本来，在我的研究计划中，有“湘学与日本”“日本近代思想与儒学”“日本近代思想中的中国因素”等这些专题，而每个专题研究都还在探索的路上。未等这些工作完成后分别整理成相关专著，就将各专题中的“半成品”搜集起来以这种“大杂烩”的形式献丑，颇有些难为情的。不过，基本的模样已经在这里了。丑，也是自己的丑，无处可逃。

不知不觉，就成了现在这个样子。

一路走来，似乎是不知不觉，其实也并不容易。

每个人的路都不同，各自的易或不易只有他本人或其周围的同伴最感真切。贵在坚持，只要走下去，且心术正、方法得当，就一定能找到或形成队伍，融入更大的“流”中，在寻找的路上暂得一份安宁，这就是历史，一同随历史延伸、翻腾，这样看人看事，就如同看风景。不知不觉，自己的动静也在风景中。

有时候常想，要是按照母亲的意愿，作为一个女儿身来到这世界，会怎么样呢？好在母亲并没有把我当作女儿去养，其实，小时候家里穷，父亲“吃国家粮”，工作离家远，母亲在生产队起早贪黑赚工分，“半边户”，一年到头，生活也在平均线以下。对于我们的教育，除了用吃苦耐劳来以身示范之外，基本上都是“放养”。直到大学阶段，都没有什么明确的专业意识，可以任性地将青春涂抹在涂了又抹抹了又涂的“新诗”上、消磨在刻了又磨磨了又刻的“印章”里，尽情陶醉，忘乎所以。

后来大学毕业去工作，两年后，蒙周德丰先生不弃，考回南开读研究生。当时哲学系的中国哲学专业，是全国“现代新儒学”研究的重镇，学术气氛非常活跃。在方克立先生的支持下，我们自办刊物，刘泽华先生更鼓励我们并以“哲学少年”相期许，真是激情燃烧的岁月。1994 年毕业后，各种因缘际会，留在了“小白楼”刚刚落成的“日本研究中心”，中心主任俞辛焞先生也借给了我一间研究室，正好在王家骅先生的研究室隔壁。大概因为硕士期间选修过王先生的课，加上第二年其新著《儒家思想与日本的现代化》出版了，没想到王先生会鼓励我为其写书评，而且是对其日本儒学研究的总括性评论。现在回想起来真是后怕，那时我对日本儒学可以说基本上还是门外汉，竟然敢对在今天依然是中国学界日本儒学研究的经典之作品头论足，而且一连写了几篇！王先生大概是以这种方式引导我入日本研究之门，以此开启我的日本研究之路。

1996 年我有幸去日本立教大学留学，在中国哲学专家森秀树先生门下。森先生研究荀子，也研究老子、嵇康，包容儒道佛，是一位温厚的哲人。先生的书斋名为“霁月庵”，很可见其个性。森先生的朋友卞崇道先生有一首《赠霁月庵主人》(2010年10月11日)曰：

三木搭草庵，霁月挂树间。
求道非作秀，退隐不休闲。

我在森先生门下留学十九个月，一面在大班里学日语，一面参加他的《周易》研读班，还要为自己关心的“近代日本儒学”相关问题收集资料，非常充实。

第一次留学经历中有许多记忆犹新而印象深刻的事。比如日语课的老师是著名的“巴黎通”早川雅水先生。结课后，同学们被邀请到他府上作客，早川先生的一举一动、家里的一草一木，都给人优雅闲适之感。立教的棒球队很有名，或许与卖力的啦啦队不无关系吧，我见过其啦啦队的排练，那种“声援”是恨不得扯破嗓子的、发自肺腑的声援。打工的经历也很难忘。第二年没有奖学金了，在同学的帮助下，找到在东京七环上一个拉面店的工作。在店里，我逐渐熟悉了从进货、熬汤，到煮面、煎饺子等每一项工作，甚至可以一个人独自完成一天的工作。店面虽然小，只能坐十几个客人，但是在这个小小的世界里，不仅能够亲密地接触从国内来的背景各异的工友，而且可以近距离地与各类食客交流，这样的收获是在校园里得不到的。留学期间，父亲去世了，儿子降生了，远隔重洋感受了亲人的死与生。而“赤门落第”的挫折，成为日后我感悟中日学术研究差异的契机，而将失败的教训化作积极的正能量，主观努力固然重要，良师的引导也难能可贵。

留学回国，带着几箱近代日本儒学与思想的相关资料，1998年考入中国社会科学院研究生院方克立先生门下，专业虽然还是中国哲学，但是方先生同意我以近代日本儒学作为研究对象。为此，方先生将哲学所的卞崇道先生和日本所的高增杰先生请到我的导师组里。为完成博士论文，2000年我得到日本国际交流基金的资助，有了第二次留学日本的机会。这次留学，我毅然选择东京大学池田知久先生作我的指导教授。

池田先生让我在挫折之处奋起，成为我求学之路上宝贵的经验。从池田先生不认同我的开题报告到愉快地来北京参加我的论文答辩，东京大学一年的经历，我庆幸自己“顶”住了考验。亲炙池田先生“厉而温”的教诲，百倍地弥补了当时“赤门落第”的遗憾。

这次留学期间，令人痛心的是王家骅先生去世了。杨栋梁教授把“日本近现代思想史”这个课题交给了还是博士生的我，真是“十年磨一剑”，这个课题从东京的约定，陪我从杭州回到天津，我的角色“岗位”也完成了从哲学到历史学的“学科”转换。从哲学转到历史学科，具体而言是从中国哲学转到日本史、中日文化交涉史领域，2001 年博士毕业到王勇、王宝平二位教授所在的浙江大学日本文化研究所工作，是一个重要的转折点。后来的所有工作，几乎都可以从在杭州积累的三年中找到端绪。那时，研究所的硕士点归属于历史系的“专门史”。专门史，像一个兜天袋，什么都可以往里面装。比如日本神道、明治儒学、日本思想史，以及研究所最具特色的中日文化交流史，都装在那个袋子里。在那个敞亮的袋子里浸泡，虽然时间不长，耳濡目染，自然受其影响。这个集子里有两篇就是在那时完成的。

虽然我 2004 年 9 月调回了南开大学，但是与调去浙江工商大学的同事们一直保持着亲密的联系。十年之后即 2014 年 10 月，我鼓足勇气应邀到浙江工商大学王宝平、江静教授开设的“中日文化交流史”的课上讲了一次“中日文化交流史研究的回顾与展望”，力图系统地梳理和总结一下这个研究领域的学术史，算是对这些年来交情的一种回报。反响还算不错，由此整理成文，第二年发表在中国社会科学院日本研究所和中华日本学会主办的《日本学刊》上，全文三万来字，感谢李薇主编的信任和厚爱。到 2016 年，在南开大学日本研究院增设了“中日文化交流史”的博士招生方向，希望这个平台能够把在杭州燃烧的薪火接引一点过来。而这本自选集，内容虽然芜杂，也自信仍有其条理，如果能够作为火种，拓展王家骅先生在这里所开辟的日本思想文化史研究传统，则于愿足矣。

因为卞崇道先生的引领，我参加了一个全国性的日本哲学学会。最近听说有人嫌弃我不研究哲学，这使我想起许多年前曾给上海某高校历史学院投过求职简历，一位有名的历史学教授主管因为我的哲学专业出身而回绝了我。没想到在“历史学”里待久了，又有人对我提出“哲学”上的要求。其实，西田哲学不用说，如本书中论及的西晋一郎，也可以说是近代日本重要的哲学家。不过，我愿意将这种意见作为善意的鞭策，会和在我身边学习的博士硕士生们一起——很多时候可能是我督促他们——研读山鹿素行、山崎暗斋、平田笃胤、佐藤信渊、会泽安、加藤玄智、村冈典嗣……这些人物都是日本哲学思想史上的重要人物。并且希望能够组织翻译好英文版的《日本哲学资料集》、译注好多卷本的《原典日本神道思想史》，接着朱谦之先生，为推进日本哲学史研究做一些基础性的工作。我想这也是卞先生所期待的吧。王家骅先生曾经强调思想史研究要将哲学的方法和历史的方法结合起来，这也是我们要努力的方向。

无论是思想史研究，还是哲学研究或思想文化交涉史研究，希望中国的日本研究界保持良好的学风，方方面面，只有尊重传统，夯实基础，才能推陈出新，融入世界。要做的事一堆一堆，有力所能及的，有知其不可的，人的美丑不长在脸上，只要“活儿”干得漂亮，“人儿”自然就美。丑一点，又有什么要紧呢，只要心术正、方法得当，相信所有的“活儿”都可以越干越漂亮的。

不知不觉，恍然已经50岁了。

孔子说“五十而知天命”，天命是什么？

天哪，我还不知道啊！

2018年11月12日起稿于普陀山大酒店

11月26日完稿于南开大学日本研究院307

索　引

C

E

F

G

H

K

L

M

O

P

R

T

X

Z